Stanisław I. Witkiewicz
Pożegnanie jesieni

Stanisław I. Witkiewicz
Pożegnanie jesieni

Prószyński i S-ka

Koncepcja graficzna i projekt okładki
Maciej Sadowski

Zdjęcie na okładce
© Wytwórnia filmowa „Czołówka"

Redaktor serii
Marek Włodarski

Korekta
Bronisława Dziedzic-Wesołowska

Łamanie
Jacek Kucharski

ISBN 978-83-7648-317-7

Warszawa 2010

Wydawca
Prószyński Media Sp. z o.o.
02-651 Warszawa, ul. Garażowa 7
www.proszynski.pl

Druk i oprawa
Drukarnia Naukowo-Techniczna
Oddział Polskiej Agencji Prasowej SA
03-828 Warszawa, ul. Mińska 65

Poświęcone
Pani Zofii i Tadeuszowi Żeleńskim

Motto:
Czymże jest, o naturo, twych pocieszeń mowa
Wobec żądz, które budzisz twym mrocznym obszarem.
Antoni Słonimski

PRZEDMOWA

Wobec niespełnienia obietnic zawartych w przedmowie pierwszej, to jest napisania tego, co nazywam „powieścią metafizyczną", piszę drugą – tylko parę słów.

1. Z góry odpieram zarzut, że powieść ta jest pornograficzna. Uważam, że opisanie pewnych rzeczy, o ile one dają pretekst do wypowiedzenia innych, istotniejszych, musi być dozwolone. Stefan Żeromski umieścił odnośnik w *Przedwiośniu,* w którym pisze, że wstrzymuje się w danym miejscu od opisu pewnych scen, dlatego że polska publiczność tego nie lubi. Nie uważam tego za słuszne. Wobec tego, co piszą Francuzi (przychodzi mi na razie na myśl: Mirbeau, Paul Adam, Margueritte), nie uważam, żeby rzeczy zawarte w tej książce były zbyt przepotwornione. Czasem lepsza jest kropka nad „i" i ogonek przy „ę" niż dyskretne kropeczki i myślniki. Od czasu jak Berent wydrukował słowo „skurwysyn" (*Ozimina*), a Boy zdanie, w którym było wyrażenie: „rżną się jak dzikie osły" (Przedmowa do *Panny de Maupin*), uważam, że można się czasem nie krępować, o ile to opłaca się w innym wymiarze. Oczywiście zawsze można powiedzieć: „Co wolno księciu, nie wolno prosięciu" – trudno: trzeba zaryzykować.

2. Również odpieram z góry możliwy zarzut niepoważnego stosunku do kwestii religijnych. Tyle jest u nas zakutych łbów, że i to jest możliwe. Stanowczo przeciw temu protestuję.

3. Kwestie społeczne są traktowane naiwnie, bez fachowej znajomości, bo jej nie posiadam. Chodzi o tło. Nie robię też żadnych aluzji do rzeczy aktualnych: żadnych wypadków majowych z roku 1926 czy marcowych z roku 1927. Mógłbym równie dobrze umieścić całą tę historię w Wenezueli czy Paragwaju i zaopatrzyć „bohaterów" w hiszpańskie czy portugalskie nawet nazwiska. Nic to by nie zmieniło istoty rzeczy.

4. Ponieważ nie mam pojęcia o tym, co to jest życie zbytkowne, traktuję tę kwestię trochę humorystycznie i fantastycznie à la Madzia Samozwaniec. Pomysł wprowadzania fantastycznych nazw dla nieistniejących na przykład potraw wziąłem ze zniszczonej niestety w roku 1917 powieści Leona Chwistka pod tytułem *Kardynał Poniflet,* pisanej w roku 1906, w której „występowały" nieistniejące rośliny. Zamiast kopiować jakieś „menu" zjedzone w Hôtel „Australia" w Sydney czy też z uczty u majora miasta Bendigo koło Melbourne, albo po prostu od Rydza w Warszawie, wolałem podać nazwy potraw nieistniejących. W ten sposób nawet dla klubu smakoszy w Paryżu mogłyby te potrawy posiadać pewien urok. To samo stosuje się do purpurowych koni, mebli, obrazów itp.

5. Indii nie znam poza kilkogodzinnym pobytem w Bombaju. Za to byłem dwa tygodnie na Cejlonie w przejeździe do Australii w roku 1914. (Musiałem się z tym pochwalić, bo jeśli mam snobizm, to tylko australijski). Jednak nie wiem, czemu przeniosłem pewne wypadki do Indii, opierając się na rzeczach widzianych na Cejlonie. Nie trzymałem się również ściśle geografii krajowej.

6. Umieszczam jako motto urywek z wiersza jednego z najprzykrzejszych moich „wrogów", Antoniego Słonimskiego, nie dlatego żeby pozować na fałszywy obiektywizm, tylko po prostu dlatego, że mi się ten wiersz bardzo podoba, i jest jako motto odpowiedni. Jednak muszę zaznaczyć, że w sądach moich o sztuce nie kieruję się ani osobistymi względami, ani polityką, ani niczym innym oprócz tego, czy uważam daną rzecz za artystycznie dobrą czy złą. Niestety, muszę stwierdzić, że ten stosunek do dzieł sztuki jest u nas rzadkością.

7. To, co pisze drugi mój bardzo przykry „wróg", Karol Irzykowski, o stosunku krytyki do dzieł sztuki poprzez autora, jest bardzo słuszne. Babranie się w autorze à propos jego utworu jest niedyskretne, niestosowne, niedżentelmeńskie. Niestety, każdy może być narażony na tego rodzaju świństwa. Jest to bardzo nieprzyjemne.

PS Za „przykrego wroga" uważam takiego, z którym nie można walczyć wskutek braku u niego określonego jednoznacznego systemu pojęć, i takiego, który nie jest szczery w stosunku do samego siebie – nie analizuje siebie dość starannie, przystępując do krytyki czy polemiki, no i nie rozumie idei przeciwnika.

8. Zaznaczę jeszcze, że powieść ta jest drugą, którą napisałem. Pierwszą, *622 upadki Bunga, czyli Demoniczna kobieta,* napisałem w latach 1910–1911. Z powodów niezależnych ode mnie nie może być wydana.

9. Powieści nie uważam za dzieło sztuki według mojej definicji sztuki w ogóle. Poglądy na powieść wyraziłem w krytyce *Wniebowstąpienia* J. M. Rytarda w styczniowym „Skamandrze" z roku 1925.

10. Nikt nie zmusi mnie, abym pięknie brzmiące słowo dwusylabowe „tryumf" drukował „triumf". Zamienia się ono w ten sposób na jednosylabowe, niezgodne zupełnie

z duchem polskiego języka. Nie można dla jakichś wymagań pisowni zmieniać przyjętego od wieków brzmienia słów, tym bardziej jeśli obiektywnie w poprzedniej pisowni brzmią one lepiej. Zdaje się, że to wszystko.

30 X 1926   *S.I.W.*

ROZDZIAŁ I

HELA BERTZ

Było jesienne popołudnie. Atanazy Bazakbal, bardzo nie-
zamożny, dwudziestokilkuletni, świetnie zbudowany i niezwykle przystojny brunet, ubierał się pośpiesznie, a jednak
starannie. Jego jasnozielone oczy, nos prosty i dość dumne,
łukowate usta koloru surowej wątroby stanowiły względnie
sympatyczną grupę widzialnych organów jego ciała. Zapach
czarnego z niebieskim krawatu przypomniał mu przedostat-
nią jego kochankę, blondynę o długich, wysmukłych nogach
i wadliwie osadzonym nosie. Wspomnienie słów bez sensu,
które wyrzekła w chwili ostatecznego rozstania, wybuchnęło
jak daleki pocisk i zgasło następnie razem z rozwianiem się
słabych perfum.

Pół godziny temu Atanazy definitywnie postanowił pójść
do Heli Bertz. Był tam już parę razy zresztą, ale nigdy dlatego... W każdym razie nieprogramowo. Cel tej wizyty przerażał go, a jednocześnie wszystko było takie małe i marne
jak tych kilka muszek wirujących wkoło niezapalonej lampy
u sufitu, w żółtym odblasku odbitego od przeciwległej
kamienicy słońca. Niewspółmierność stanów wewnętrznych
i materiału faktycznego dławiła niby mątwa wpita od środka
w najistotniejszy, życiodajny bebech – może było to serce.

Atanazy zdecydował się na ten krok, bo nie mógł już dłużej wytrzymać. Nie bez Heli Bertz, choć ta podobała mu się kiedyś zupełnie niebezpiecznie – nie; po prostu nie mógł więcej znieść ogromu swojej miłości do narzeczonej, którą właśnie w tym czasie zanadto zaczął kochać. Czy można kochać z wzajemnością zanadto? Nonsens – a jednak sytuacja Atanazego była fatalna: miłość tego nałogowego analityka potęgowała się w sposób fantastyczny, bez żadnych widocznych dlań przyczyn. Hela Bertz była oczywiście Żydówką i wcieleniem wszystkiego tego, co Atanazemu w kobiecie jako takiej podobać się mogło. Prócz tego była, aż do pewnych nieprzekraczalnych granic, kobietą notorycznie łatwą. O tym przekonał się Atanazy na pewnym wieczorku zakończonym „popojką" à la manière russe. Ale czy ta łatwość za pierwszym razem nie kryła jakichś niebezpiecznych zasadzek na dalszy dystans?

„O, jakże dziwne formy może przybrać szaleństwo ludzi zdrowych" – tak rzekła mu, ściskając ostatni raz jego rękę, pani Gina z Osłabędzkich Beer, żona bogatego Żyda i kuzynka jego obecnej narzeczonej. Po raz pierwszy zastanowił się nad tym pozornie bezsensownym zdaniem. Przez sekundę stał nad przepaścią, która otworzyła się w jego wnętrzu, niespodziana jak krater zionący ogniem wśród nudnych pól mazowieckiej równiny: gurgito nel campo vasto – zdanie przybłąkane nie wiedzieć skąd. Gdyby chciał, mógłby się w tej chwili dowiedzieć wielu rzeczy ważnych: należało tylko pytać, a tajemny głos odpowiadałby na wszystko z matematyczną precyzją, odkrywając istotę najcięższych przeznaczeń. Ale Atanazy był w przekroju tym we władzy drobnych spraw życia, i to z „płciowego zakresu". Wstrętne! Ileż chwil takich zmarnował już przez zwykłe lenistwo i podstawianie nieodpowiednich liczb za iksy i ygreki w równaniach czystego losu, które

stawiał mu przed wewnętrznym wzrokiem przypadek nie-
zasłużonych objawień. Dziś parametrami były: narzeczona
i Hela Bertz, a zmienną, raczej ich systemem, jak zwykle
on sam rozszczepiony na kilkunastu swych sobowtórów.
„Czemu właśnie Hela Bertz, a nie choćby ta biedna Gina
(wcale nie była znowu taka biedna) czy jaka inna z byłych
czy możliwych kochanek? Z inną nie byłoby to zdradą,
a ja muszę zdradzić ją naprawdę. Hela jest najpiękniejszą
i najinteligentniejszą (i najbogatszą – coś szepnęło) kobietą,
jaką znam. Ona jedna odpowiada temu najwyższemu «stan-
dardowi» zdrady, jaki jest potrzebny. – Po co ten «stan-
dard»? Wystarczy pocałować ją, a z innymi?... Tak – to jest
szaleństwo ludzi zdrowych! A może ja naprawdę jestem
wariat?". – Przeraził się, ale na krótko; ujrzał znów przed
sobą zielone oczy Zosi. „Ta uratuje mnie nawet od obłędu"
– pomyślał z bezmierną, druzgocącą wszystkie inne uczucia
miłością. Uczuł się małym, podłym stworem i z szaloną siłą
zapragnął jakiego bądź wywyższenia ponad samego siebie.
Na razie jednak nie zmienił swych postanowień. Taki był
jego fatalny los. Ale co to kogo obchodzić mogło? A jednak...

Swój ohydny plan postanowił Atanazy wykonać à coup
sur. „Czy ja tylko nie jestem przypadkiem zupełnie zwykła, mała, pospolita, smutna świnia, «un cochon triste»?"
– pomyślał, chwytając słuchawkę telefonu.

– Czy panna Hela?

– Tak, kto mówi?

– Mówi Bazakbal. Czy pani jest sama?

– Tak. To jest... właściwie...

– Chciałbym przyjść pomówić z panią o Prouście,
Valérym i tak dalej...

– Proszę, tylko zaraz. O piątej jedziemy z Kubą na wysta-
wę potworności. Nikt jak on nie umie...

Atanazy odłożył nagle słuchawkę. Zaleciała go znana atmosfera tak zwanego prawdziwego „demonizmu", tego „kobiecego świata", tego świństwa, w którym ciała, dusze i suknie są tylko wabikowym dopełnieniem samoistnie żyjących organów płciowych, jak płatki kwiatów wokół słupków i pręcików. Tylko że tam jest to piękne... Szalony wstręt do płci w ogóle wstrząsnął nim od samych podstaw. „O, gdyby to hermafrodycznie, jak ślimaki, bez tego rozdziału osobowości! Ach, kto wymyślił całą tę dziką fantasmagorię. No tak: my się z tym zżywamy tak, że przestaje to być dla nas dziwnym. Ale jeśli zastanowić się, że ktoś to w tamto i przy tym...". Metafizyczna potworność erotyzmu stała się dlań jasna jak nigdy. A jednak narzeczona Zosia była jakby poza tym. „Miłość jest czymś innym, musi być – i jeśli tak samo przez się nie będzie, stworzę to świadomie. Tylko te dodatki... Kochać jedną kobietę jak przyjaciela (i to jest wstrętne) i mieć poza tym dowolną ilość kochanek (cóż jest wstrętniejszego?) – to byłby ideał. A ona też tak samo? Nie – symetryczność jest tu wykluczona. Zdrada kobiety jest zupełnie czymś innym niż zdrada mężczyzny". „My wkładamy tylko to w tamto, one wkładają w to (w co?) uczucie" – przypomniało mu się przykre zdanie dawnego przyjaciela, bolszewizującego poety, Sajetana Tempe. „Dowodzi również zasadniczej różnicy tych zdrad bajka o eksperymencie z białą króliczycą: dama ta, raz tylko zdradziwszy swego białego męża z czarnym kochankiem, do końca życia rodziła od czasu do czasu łaciate dzieci.

Transcendentalna bezwyjściowość sytuacji i nierozwiązalność związanych z nią problemów stała się jasna jak słońce, jak 2 x 2. A jednak trzeba było brnąć dalej w ten kłąb sprzeczności, jakim jest życie, to, o którym się mówi w wymiarach psychologiczno-społecznych, to zwykłe nawet w swoich niezwykłostkach, i co gorzej, brnąć w całe istnienie już na drugim piętrze zagadnień, tam, gdzie trwają niezmienne, konieczne pojęcia i ich konieczne związki, w sferze Ogólnej Ontologii. Niezgodność tych dwóch światów stawała się coraz bardziej męcząca i bezsensowna. Jak emulsja oliwy z wodą – choćby najdokładniej zbita – wykaże zawsze w dostatecznym powiększeniu odrębne kuleczki tłuszczu. „Jednak na dnie istnienia, u samych jego podstaw, tkwi jakiś piekielny nonsens, i to nonsens nudny. Ale ta nuda jest wynikiem dzisiejszych czasów. Dawniej było to wielkie i piękne. Dziś tajemnica zeszła na psy i coraz mniej jest ludzi, którzy o tym właśnie wiedzą. Aż w końcu szarość jednolita pokryje wszystko na wiele, wiele lat jeszcze przed zgaśnięciem słońca". Przypomniała się Atanazemu książka Arrheniusa *Losy planet* – zniechęcenie nie metafizyczne już, ale geologiczno-astronomiczne złamało go na chwilę zupełnie. A więc kompletny „aprenuledelużyzm"? A ludzkość, a ideały ogólne, a szczęście powszechne? „Od społeczeństwa nie wywiniesz się, bratku, z niego wyszedłeś i nic ci tu nie pomogą żadne abstrakcje" – rzekł kiedyś ten przeklęty Tempe. Krąg sprzeczności zamknął się nad myślą jak woda ponad rzuconym w nią kamieniem. Dosyć. Nagle Atanazy stężał w poczuciu nieodwołalności wyników swoich postanowień. (Poprzedni świat zapadł się bezgłośnie w jakąś niewidzialną z widowni świadomości zapadnię). Gdyby nawet był obecnie na utrzymaniu (o co go posądzano w związku z romansem z panią Beer), nie zmieniłoby to ani na włosek jego doskonałej w tym momencie proporcji psychicznych danych. Jak kula działowa wystrzelona z tajemniczej otchłani bytu pędził, by uderzyć i roztrzaskać się o kres swego życia, z tym samym bezsensem, z którym wszystko inne też śpieszyło ku swemu końcowi. A pieniędzy trochę miał, zarabiając je jako aplikant adwokacki.

„O, gdybym mógł ujmować wszystko, co się dzieje, w związki funkcjonalne, a nie przyczynowe" – pomyślał z zazdrością w stosunku do jakiegoś nieznanego i niewyobrażalnego nawet pana, który przypuszczalnie tak właśnie wszystko ujmował. „Nie rozdzielać niczego na ordynarne kompleksy przyczyn i skutków, nie widzieć małych celowostek – czuć płynącą falę rozkoszy i cierpienia w splątanych pokłębieniach całości Istnienia, w nieskończonym zazębieniu wszystkiego ze wszystkim graniczącym z Niebytem, z Absolutną Nicością. Psychologia ameby jednym słowem...". Małe sprawki połączone z wyjściem z domu przecięły na szczęście te myśli, raczej niedomyślenia. „Tak przeżywa Wszechświat Bóg" – „domyślił" jeszcze z trudem, zupełnie już nieszczerze. Przebrzmiała przed chwilą telefoniczna rozmowa przeleciała jakby obok niego w postaci uderzających o siebie metalowych blaszek, o cierpkim smaku nieodwołalnej zbieżności zdarzeń. „Muszę ją zdradzić dziś właśnie, inaczej ona też nie będzie szczęśliwa – ostatni dzień – jutro już nie potrafię tego uczynić". Nakleił te słowa na obecną chwilę jak markę na list kłamliwy. Nic nie miał już do pomyślenia i straszne uczucie wielkiej, bezprzyczynowej miłości do narzeczonej, Zosi Osłabędzkiej, zwaliło się nań znowu ciężarem nie do zniesienia. Czuł, że nie ma sił na spełnienie swego zamiaru, a niedający się zanalizować groźny zwał potężniejszego uczucia wypiętrzał się przed nim do niebotycznych rozmiarów. Jak inaczej przeskoczyć tę nieprzezwyciężalną przeszkodę? Jak można tak bez powodu, bez zastrzeżeń, bez wiary nawet w tę miłość, tak kochać – tak właśnie? Tego by sam Strug nie opisał.

Wiedział, że powrót do jednej z dawnych kochanek będzie tu niczym: jakimś pyłkiem w stosunku do potwornych żelaznych hantli, którymi z ostatnim wysiłkiem żonglował jeszcze, uśmiechając się do swego obserwatora zastępującego mu w chwilach takich szerszą publiczność. Bezmierny smutek związany z koniecznością tej programowej zdrady zaciągał jak nadchodząca długa niepogoda cały psychiczny horyzont. A bez tego?... – dławiąca męka nieznośnego uczucia zjadającego wszystko jak złośliwy nowotwór. Pomyślał to tymi właśnie słowami: „Nie ma właściwie nic do zjedzenia – przecież jestem niczym. A jednak... życie jest jedno". Pierwszy raz uświadomił sobie naprawdę ten przykry truizm i postanowił nieodwołalnie bronić się. Mało brakowało, aby się rozpłakał. Zacisnął zęby i połknął z wysiłkiem duży pakiet skroplonego żalu.

– Urojone problemy – zamruczał z wściekłością w kierunku kogoś nieistniejącego, który robił mu najwyraźniej ten zarzut. Kto to był? Daleka perspektywa różnorodnych obłędów ukazała się jak pejzaż nocny w blasku nagłej błyskawicy i połknięta przez ciemność zmalała znowu do niezrozumiałej jak zwykle chwili obecnej.

Właśnie wchodził w ulicę Dolnych Młynów, na której mieszkała Hela Bertz. Słońce zachodziło, wypełniając powietrze żółtym pyłem. Widok ten spotęgował w nim żal do rozpierających wnętrzności rozmiarów. Przypomniał sobie teorię mikro- i megalosplanchizmu, według której ludzkość dzieli się na dwa zasadnicze typy: bardziej kobiecy i bardziej męski, w zależności od przewagi nerwu błędnego lub sympatycznego. Zrozumiał całą swoją bezsilność i beznadziejność wszelkiej walki: mikrosplanchici nie są zdolni do Wielkiej Miłości – był to aksjomat. A jednak to, co czuł w stosunku do Zosi, było chyba czymś choćby w „tym rodzaju"? Czyżby szedł teraz, by zdradzić ją, jedyną ukochaną, z niesympatyczną mu w gruncie rzeczy, przeinteligentniałą Semitką o rudych włosach, gdyby to uczucie nie było czymś przerastającym jego normalną

17

skalę przeżyć istotnych, których miał już tyle? Sprzeczność tych stanów i niewiara w osiągnięcie szczęścia przybiły go zupełnie. Włókł się krokiem zgrzybiałego starca, a na skroniach i pod dolnymi powiekami wystąpił mu zimnawy pot przerażenia.

Zębata, górsko-fantastyczna linia sylwet domów uciekających w daleką perspektywę ulicy przypomniała mu jesienny wieczór górski, który tam trwał bez niego. Cóż mogły go obchodzić spojrzenia innych mord, twarzy i masek na te jedyne dla niego „kompleksy elementów", jak mówił Tempe, psychologista. Czuł jednoczesność odległych zjawisk bezpośrednio daną, jakby dotykalną. „Czemu fizycy uważają definicję jednoczesności za trudną? – pomyślał. – Gdybym był dostatecznie wielki, widziałbym jednocześnie ten zrąb kamienic i skałę w Dolinie Złomisk, tak jak jednocześnie widzę dwa odbicia przeglądającego się w oknach słońca. Definicja jednoczesności implikuje przyjęcie pojęcia Istnienia Poszczególnego, w obrębie samego poglądu fizycznego jest niemożliwa".

Zabłysło mu w oczy pomarańczowe słońce, oddając ostatnią falę promienistego ciepła prosto w twarz. Zapadł sino-szary mrok i jednocześnie Atanazy wszedł do Pałacu Bertzów. Olbrzymie schody z czerwonego marmuru i ściany klatki schodowej, pokryte mosiężnymi, złoconymi płytami o zawiłych deseniach wschodnich, i ten ciepły zapaszek najwyższego dobrobytu: świeżości i czystości, dobrej skóry i dobrych perfum, i czegoś jeszcze zupełnie nieuchwytnego, podziałały nań rozdrażniająco. Potęga tej niewidzialnej w danej chwili kobiety, skondensowana w jej bogactwie, pozwalająca jej w każdej sekundzie na dokonanie jakiegoś dzikiego, fantastycznego czynu; swoboda, którą zostawiał jej sterroryzowany obietnicą samobójstwa ojciec; mania samobójcza, która czyniła z niej jednak

mimo wielu niesmaczności coś wzniosłego i nieuchwytnego – wszystko to razem podniecało go do niej w tej chwili
w sposób wstrętny i upokarzający. Zastąpił mu drogę lokaj
w czerwonej liberii, smutny, piękny, ordynarny chłopiec.
„Na pewno kocha się w niej też, a może...". Odsunął go
delikatnie na bok i minąwszy trzy prawie puste, ponure,
ciemnoczerwone saloniki, wszedł bez pukania do małego
„dziewiczego" („raczej półdziewiczego" – pomyślał) pokoiku Heli, graniczącego ze wspaniałą sypialnią. Postanowił
być brutalnym. Czerwone kolory mebli, obić i dywanów
działały nań jak na byka.

Mimo półmroku zdążył zauważyć „Kubę" (księcia Prepudrech) i Helę, rozrywających się z szalonego pocałunku.
Prepudrech zerwał się, a Hela wybuchnęła samicowatym
śmiechem, który zdawał się pochodzić jakby z niższych
części jej podobno wspaniale sklepionego brzucha. (Mówił
o tym Atanazemu kiedyś sam Prepudrech w przystępie nienormalnej u niego szczerości).

Książę – Jakub, Cefardi, Azalin – był to młodzieniec lat
dwudziestu paru, niesłychanie szykowny i piękny. Między
paniami i podlotkami z grubej plutokracji uchodził za szczyt
dystynkcji. Prawdziwa arystokracja nie przyjmowała go
wcale, uważając jego perski tytuł za podejrzany – mogli
u niej bywać zdeklarowani pariasi, ale nie taki niewyraźny
jakiś Prepudrech.

Atanazy witał się zimno, pośpiesznie. Banalność sytuacji
stawała się dlań wprost nieznośną. Mignęła mu w pamięci
akwaforta Klingera *Die Rivalen:* dwóch zaciekle dźgają-
cych się nożami drabów i „ona" z wachlarzykiem w ręku,
obserwująca uważnie, który z nich zwycięży, aby mu się
oddać zaraz, na ciepło, zbroczonemu krwią tamtego.
Na tym tle wielkość i czystość uczucia do Zosi wyolbrzymiała do niemożliwych już zupełnie rozmiarów. Zdusił go

za gardło szalony gniew na siebie i na wszystko, co miało i musiało nieodwołalnie nastąpić. Cofnąć się było niepodobieństwem: brnięcia dalej wymagała przewrócona do góry nogami ambicja – chęć wykonania pozornie trudnych postanowień. W gruncie rzeczy postanowienia te były trudnymi na powierzchni tylko: był to raczej wstręt do złamania cienkiej warstewki szlachetniejszych materiałów, pod którą rozgaszczało się łatwe do przyjemnego zabrnięcia bagno pseudointeresującej komplikacji tak zwanej „psychicznej perwersji".

– Panie Prepudrech – rzekł z wymuszoną niegrzecznością Atanazy – mam mieć z panną Helą bardzo ważną rozmowę. Czy nie mógłby pan skrócić swojej wizyty? Razem państwo nie pojadą, o tym nie ma mowy – dokończył z niebywałą siłą i stanowczością.

W oczach Heli Bertz błysnął jakiś złowrogi płomień, a nozdrza rozdęły się jej niespokojnie. Zanosiło się na lekką chociażby walkę mężczyzn i nie wiadomo, co kryło się za jej rozstrzygnięciem. Mała popołudniowa niespodzianka.

– Właśnie że pojedziemy. Rozmowę możemy mieć kiedy bądź, choćby dziś po kolacji. Pojedzie pan z nami, potem pod lada pozorem pozbędziemy się Kuby i cała noc będzie jeszcze przed nami – wycedziła Hela tonem obojętnym, jakby chodziło tu o najzwyczajniejsze rzeczy.

Wesoły dotąd książę nagle stężał i zaponurzył się. Uderzony znienacka zapadł się niespodzianie w nieczystą otchłań płciowych cierpień. Ten wieczór miał być jego własnością. Kochał się w Heli już od paru miesięcy i wściekał się, nie mogąc doprowadzić jej do tego, aby zaczęła traktować go na serio. Całowała się z nim do utraty zmysłów w wolnych od innych rozrywek chwilach, a potem odpłacała mu swój upadek zupełnym lekceważeniem. Upokorzony, zazdrosny i coraz więcej rozjadowiony wracał do niej, jak gdyby był przywiązany na gumce. Nie mógł nawet użyć jako antydotu innych kobiet – miał do nich wstręt nieprzezwyciężony.

– Nie, panno Helu. Wieczór dzisiejszy mam zajęty, muszę rozmówić się z panią natychmiast – wybełkotał prawie Atanazy.

Przez twarz panny Bertz przeleciał bury cień i błękitne jej oczy zabłysły w mroku czystym, zimnym blaskiem zdumienia.

– To coś nowego! Nie widzieliśmy się tak dawno, a pan ma wieczór zajęty. I czymże to? Czy może znowu Łohoyski?...

– Łohoyski nie ma z tym nic wspólnego; wytłumaczę to pani później.

– Później, później! Nie lubię tych warunków i zastawek, całej tej pseudokomplikacji, w której się pan babrze z taką lubieżnością. Jest pan w gruncie rzeczy dziecko. Ale mimo to lubię pana.

Prepudrech, który zdążył się już trochę opanować, zachichotał z nieszczerym tryumfem.

– A więc jedziemy – rzekł, zbliżając się do Heli posuwistym krokiem notorycznego dancingbubka.

Przechodząc, potrącił Atanazego, który napięty jak struna stał z zaciśniętymi pięściami, podobny jakiemuś śmiesznemu zwierzęciu gotującemu się do skoku. Tego było zanadto.

– Panie Prepudrech – rzekł wibrującym głosem Atanazy, głosem, w którym czaiła się maskowana żądza – jeśli pan w tej chwili nie opuści tego pokoju, nie ręczę za to, co nastąpi.

Prepudrech odwrócił się. Był bladawy, a na jego czole widać było między fałdami podłości kropelki potu.

– Jestem zdumiony pańską bezczelnością – zaczął dłuższe przemówienie.

Nie dokończył. Atanazy ujął go za ramiona, szybko obrócił i metodą „tit-for-tat" doprowadził do drzwi. W lustrze
zobaczył jego twarz pełną bezradności i zdumienia i nagle
zrobiło mu się go żal. Ale wszystko szło dalej automatycznie: puścił prawą rękę księcia, otworzył drzwi i wypchnął go
lewą do saloniku obok. Przekręcił klucz i krokiem dzikiego
zwierza podszedł do Heli. Dyszała ciężko, patrząc nań rozszerzonymi oczami. Wydały mu się bezdenne. Zakołysał się
podcięty strasznym, ślepym pożądaniem, które ścisnęło go
za gardło jak ohydny polip. Zrozumiał teraz, czemu kochał
Zosię, a nie tę… Ale tylko rozumiał w jakimś oddzielnym,
jakby nienależącym do niego „everythingtight" kompartymencie swojej istoty. Jedna tylko żądza wypełniała go
po brzegi. W całym ciele poczuł tę dziwną mieszaninę roz-
luźniającej słabości i prężącej się siły: zapowiedź dzikiej,
niesamowitej rozkoszy, której tak długo już nie doznawał.
Coś szepnęło w nim imię „Zosia", ale słowo to było martwe,
bez znaczenia. „Właśnie dlatego, programowe świństwo"
– pomyślał.

– To bydlę podsłuchuje... niech pan poczeka – szepnęła
Hela drażniącym skrzekiem, w którym było oczekiwanie
czegoś brutalnego, miażdżącego.

Była jakby rozpłaszczona w tym oczekiwaniu, mięk-
ka i bezwładna. Mimo że myśl o narzeczonej zaledwie
musnęła świadomość Atanazego, całe pożądanie zniknęło
momentalnie bez śladu. Przeciwne elementy zniosły się jak
dwie liczby o odwrotnych znakach: wynik był równy zeru.
„Po co ja żyję?" – pomyślał z bezmiernym umęczeniem.

Pokój zalewał szybko szaro-fioletowy zmrok. Chwila
obecna, niezmienna, przeciągała się niepomiernie. Atanazemu zdawało się, że stoi tak wieki całe. Omdlałość i prężność ustępowała powoli z mięśni, gromadząc się w sercu,
gęstniejąc w kłębek tępego bólu.

„Cierpienie istnienia samego w sobie" – przemknęły słowa bez sensu. Dałby wiele, aby w tej chwili leżeć mógł sam na sofie w swoim pokoju. Z utęsknieniem pomyślał o „tamtym" mroku, o „tamtych" muchach dookoła lampy i o „tamtych" myślach, które go nawiedzały jedynie tam, u niego, o szarej godzinie. Były to chwile, w których współczesne życie, ale dalekie jakby i obce samo sobie, jaśniało tym tajemniczym blaskiem, który normalnie miały dlań tylko pewne najlepsze okresy przeszłości. „Zasnąć i zapomnieć – albo nie: wyrwać się z tego miasta i gdzieś na uboczu stworzyć choćby kawałek życia takiego, jak te najlepsze, bezpowrotnie minione dni, jak te wizje teraźniejszości, wolne od przypadku i nudy, piękne jak dzieła sztuki w swej koniecznej harmonii, a jednocześnie lotne w dowolności i fantazji jak puszki kwiatów pędzone wiatrem nad łąkami". Ale nieubłagane spojrzenie z boku odkryło śmieszność formy tej myśli i własne jego słowa ukazały mu obraz jego samego, przykuśniętego ze spuszczonymi spodniami, przy jakiejś piaszczystej drodze wiejskiej. Gorzko się roześmiał. Niedościgłość, dalekość wszystkiego męczyła coraz okropniej.

– Czego pan tak nagle zbaraniał, panie Taziu? – zabrzmiał w zupełnej pustce głos Heli, jak pierwszy wystrzał jedenastocalowej haubicy o letnim, cichym świcie. – Opupieł, czto li? – powtórzyła łagodniej.

Atanazy zbudził się jakby ze snu. Z szaloną, niezmierzoną szybkością przywiał go jakiś wicher z nieznanych krajów i postawił tu, w pokoju tej znudzonej bogactwem Żydóweczki.

– Nie mogę czytać Prousta – rzekł nagle, siadając obok niej na kanapie. W odległym pokoju zatrzasnęły się drzwi.

– Azalin dekampuje nareszcie – rzekła Hela i przekręciła niecierpliwie kontakt lampy. Blade, mleczno-pomarańczowe światło zalało pokój, urządzony z przesadną, nieprzyjemną prostotą.

– Czyż na to – mówił dalej jak automat Atanazy – aby co dwadzieścia stron przeczytać jakiś aforyzm lub w ogóle takie powiedzeńko o życiu, które bym przyparty do muru i sam mógł wykombinować, czyż na to muszę przestawać z tą całą bandą snobistycznych durniów i słuchać nadmiernie detalicznych opisów ich nieciekawych stanów i myśli, podanych w formie równie nieciekawej? Te zdania na pół stronicy, to wałkowanie i różniczkowanie pospolitości i głupoty, aż do obrzydzenia. Arystokracja była kiedyś czymś – z tym się zgadzam – ale dziś poza pewnymi fizycznymi czysto własnościami nie różni się zasadniczo od jakiejkolwiek innej kasty. A może nawet więcej znaleźć można w niej puszących się półgłówków niż gdzie indziej – pomaga im w tym tradycja, a dane mają na to te same, co wszyscy. Procent ludzi wyjątkowych rozmieścił się teraz równomierniej. Ten cały Proust dobry jest dla snobów niemogących się wcisnąć na pańskie pokoje, a nade wszystko dla ludzi mających nadmiar czasu. Ja czasu nie mam...

– Nie widzę tego – szepnęła Hela przez zaciśnięte zęby.

– Czy w tym celu wyrzucił pan Kubę, aby mi to właśnie powiedzieć? Sam jest pan podświadomym snobem...

– Poszaleli wszyscy z tym przeklętym Proustem. Irytuje mnie to do najwyższego stopnia. Odniosłem pani książki. Zapomniałem na dole. I co najdziwniejsze, że ludzie skądinąd inteligentni i niepozbawieni smaku... Albo ten Valéry! Choć co do Prousta zgadzamy się przypadkowo. Nie przeczę, że Valéry jest to człowiek inteligentny i wykształcony – szczególnie obkuty jest fizyką – ale nie widzę w nim poza poezją, rzeczywiście niezwykłą i bardzo intelektualną, nic tak bardzo nadzwyczajnego. Swoją prywatną metodę tworzenia, przy wybitnej pomocy intelektu, chce rozdąć do rozmiarów absolutnej prawdy, lekceważąc artystyczną intuicję i twórców bardziej wizjonerskich, apokaliptycznych. Wszystko zależy od proporcji danych: od poczucia jedności konstrukcji pierwotnej, od bogactwa świata wyobrażeń i myśli, intelektu i talentu – to jest czysto zmysłowych zdolności. A przy tym nie lubię tych, co dopiero po wojnie przekonali się, że z ludzkością i kulturą w ogóle jest niedobrze. Ja wiedziałem o tym dawniej. Demokratyzacja...

– Megaloman! Dosyć!!! Nie zniosę dłużej tych rozmówek. Czy powie pan nareszcie, o co panu chodzi? Po co pan dziś właśnie przyszedł? Dzisiejszy dzień jest dla mnie zasadniczy. A zresztą co mnie to obchodzi. Kuba na pewno przyśle panu świadków. Sprawa z panem da mu możność zatarcia tamtej historii z Chwazdrygielem, która, mimo że się skończyła honorowo, rzuca pewien cień z przeszłości. Przyśle, aby mnie zaimponować...

– Teraz ja powiem: dosyć – albo zacznę znów mówić o Prouście.

– Więc co właściwie? Jestem bardzo zdenerwowana. Popsuł mi pan moją decyzję. Czuję, że ukrywa pan przede mną coś ważnego. Przecież jesteśmy przyjaciółmi?

– Właśnie to jest najgorsze, że nie jesteśmy. Ale cały urok sytuacji polega tylko na tym.

– Proszę bez pozy, panie Atanazy, ja się na tym znam.

– To nie jest poza. Jestem zaręczony.

– Pan chyba oszalał – rzekła po dłuższej pauzie Hela.

– I z jakich to powodów? – spytała po chwili, a w głosie jej zadrgał poprzednio maskowany żal.

– Kocham – odpowiedział twardo Atanazy, pochylając się nad jej niezwykle wąskim, a jednak nie spiczastym kolanem, wystającym spod zbyt krótkiej sukni. – Nienawidzę tego słowa, ale tak jest.

– Kocha, biedactwo! Kiedyż pan zdołał popełnić to szalone głupstwo?

– Dziesięć dni temu. A wisiało to nade mną od pół roku.

– I nic mi o tym nie powiedzieć! Kto jest ona?

– Zosia Osłabędzka.

– To znaczy, że się pan przynajmniej trochę obłowi.

– Przysięgam pani...

– Wiem, bezinteresowność. Ale niech się pan strzeże, ma pan dwadzieścia osiem lat i jest pan niczym, dość interesującym niczym, przekrojem pewnego typowego stanu pewnej warstwy społeczeństwa.

– Chce mnie pani przezwyciężyć w dość tani sposób.

– Ani myślę. Ale wskutek ogólnej wzrastającej gorączki życia w naszych czasach, a specjalnie po wojnie, wiek szaleństwa dla mężczyzn, dotychczasowa czterdziestka, został przesunięty na kilka lat wcześniej. To jest szaleństwo z pana wewnętrzną strukturą niedoszłego artysty wpakowywać się teraz w małżeństwo. A przy tym resztki sumienia, raczej sumieńka, które ma pan jeszcze. Zwariuje pan na pewno.

– Co kogo to obchodzi, choćbym nawet kark skręcił. Jestem sam. Tak, ma pani rację, jestem niczym i dlatego właśnie mogę sobie pozwolić na eksperyment, na który jakiś ktoś pozwolić by sobie nie mógł. A jednak mimo wszystko boję się, boję się samego siebie. Nie wiedziałem dotąd, kim jestem. Coś się odsłoniło, ale jeszcze nie wiem wszystkiego. Ach, nie o to chodzi, a może o coś, co jest z tym związane: metafizyczny sens życia bez religii.

– Bez tych tajemniczości. Nie lubię sztucznej komplikacji. Pan nie ma prawa mówić o religii. Zaczynam żałować, że nie ośmieliłam pana do tego stopnia, aby się pan mnie właśnie oświadczył.

– Wiedziałem, że tak będzie. Co zaś do ośmielenia, to przecież zdaje się dosyć...

– Głupi pan jest, ośmieliłam pana do pocałunków, ale nie do oświadczyn. Chyba pan jeszcze nie wie, kto jestem...

– Wiem. Wiem też, kim jest ojciec pani. Słyszałem o wszystkich pani konkurentach, tutejszych i zagranicznych: hrabia de La Tréfouille, książę Zawratyński...

– Nie odbiegajmy od tematu. Co dalej?

– Otóż względna zamożność mojej narzeczonej jest dla mnie raczej przeszkodą do małżeństwa. Ale pokonałem ten problem na tle rzeczywistości uczuć. Na małżeństwo dla pieniędzy jestem za ambitny. A do tego nie wiedziałbym nawet, jak ich użyć.

– Jeszcze. Ja bym odzwyczaiła pana od wszelkich ambicji. Sam stręczyłby mi pan kochanków za pieniądze.

– Dosyć, to jest wstrętne.

– Ach, co za niewinność! Skromny narzeczony nie może słuchać takich zdrożności. Zgłupiał pan do reszty w tym narzeczeństwie. No, niech pan się nie obraża i mówi dalej.

Atanazy przezwyciężył obrzydzenie i brnął w wymuszoną sytuację.

– Otóż, zanadto kocham się, na tym polega moja tragedia.

Hela obróciła się ku niemu całym ciałem.

– A ona?

– Nic, kocha mnie tak, jak zwykle panny w tym wieku kochają swoich narzeczonych. Ale nie o to chodzi, ja już nie mogę wytrzymać.

– A kiedy ślub?

– Ach, pani jest cyniczna. Nie mogę wytrzymać samego faktu zakochania się w tym stopniu, a nie jakichś głupich pożądań. Pani podoba mi się tysiąc, nieskończenie razy więcej niż ona.

– Więc czemu nie mnie?... – rzekła prawie ze łzami; Atanazy zaczynał nabierać dla niej uroku czegoś utraconego.

– Sama pani powiedziała: dla dokonania tego nie byłem jeszcze dość ośmielony. A zresztą nie kocham pani i kochać bym nie mógł. Przeraża mnie pani rasa, a jednocześnie pociąga ze straszliwą potęgą...

– Ach, co za osioł, stracić taką sposobność! – zupełnie szczerze powiedziała Hela. – Ten żebrak idący na małe utrzymanie do tak zwanej cnotliwej panienki z dobrego domu mnie śmie mówić o rasie! Ja panu zabraniam się żenić, rozumie pan?! Nienawidzę tej pańskiej...

Atanazy zakrył jej twarz prawą ręką, przeginając ją jednocześnie lewą w tył, chwyciwszy jej lewe ramię od tyłu. Gniótł brutalnie coś niewidzialnego, nie czując już prawie nic ludzkiego w sobie. „Takie muszą być w takich chwilach zwierzęta" – pomyślał w jakimś ułamku sekundy. Nagła złość zmieniła się znowu w nieznośne, rozwlekłe pożądanie, i to nieznanego gatunku. „A jednak czy to nie jest właśnie najistotniejsze?". Puścił jej twarz i wgryzł się w jej mięsiste, chłodnawe jeszcze wargi, łakomie, bezprzytomnie, a jednak z całą świadomością bestialskiej rozkoszy. Wyrwała mu się, uderzywszy go pięścią od dołu w kość mostkową.

– Czy pan już zwariował? Więc na to się pan zaręcza z inną, aby potem przychodzić mnie obcałowywać? To już nie jest perwersja – to zwykłe, ordynarne świństwo.

Atanazy przez dłuższą chwilę nie mógł złapać tchu.

– Nie, pani mnie nie rozumie. Mimo wszystko pani jedna mnie może uratować. Gdyby pani inaczej postępowała, może bym właśnie z panią... – mówił, dysząc ciężko.

– Nigdy bym nie była pańską żoną. Za mało dobrze jest pan urodzony i wychowany. Pan jest nędzarz. Koło pana jest ta atmosfera biedoty, która na nic sobie pozwolić nie może. Mógłby pan być co najwyżej jednym z moich kochanków, i to koniecznie jednocześnie z którymś z pana przyjaciół.

— Potem mi to pani wszystko opowie, teraz niech pani słucha: ja ją tak kocham, że jeżeli to dłużej potrwa, nie wiem, co się ze mną stanie. To jest ta piekielna wielka miłość, która zdarza się raz na tysiące lat na jednej planecie.

— Nigdy więcej nie chcę od pana o tym słyszeć...

— Podoba mi się pani jak nikt dotąd i wiem, że nikt tak podobać mi się nie będzie. Właśnie taka, jaka pani jest: bogata, ordynarna, żydowska chamka. Pani jest wcieleniem tajemnicy Wschodu na blond z niebieskim, jest pani jedyną istotą, z którą chciałbym mieć syna, ten nie byłby degeneratem.

— Ach, czemu nie jest pan francuskim hrabią. Tak nie udali mi się ci zagraniczni konkurenci. Po panu jeden Kuba podoba mi się naprawdę, ale nim pogardzam trochę.

— Musi pani być moją, mimo że nie mam tytułu. Gdybym zdradził ją z kimś innym, to spotęgowałoby tylko wszystko. Pani jedna przez tę swoją diabelską, hetycką urodę, doprowadzoną do ostatecznego wykończenia, może być dla mnie antydotem.

— Jestem dziewicą, panie Atanazy — rzekła nagle zupełnie innym tonem Hela.

Było w tym coś dalekiego, jakby jakaś fala zamierzchłych wieków rozbiła się tu, w tym pokoju jako słaby refleks szalejącej kiedyś gdzieś w oddali burzy.

— Wie pani, że nigdy o tym nie pomyślałem. Pieniądze pani stawiają panią ponad tym problemem.

— A więc tylko ze mną będzie to zdradą? Z inną nie, na pewno? Ja pana rozumiem dobrze. Niech pan nie myśli, że ja jestem takie brutalne bydlę, na jakie pozuję, muszę pozować, bo inaczej...

– Więc pani się zgadza? – spytał bezmyślnie Atanazy i cała ochota zgwałcenia Heli rozwiała się jak poranna mgiełka.

Znowu uczuł chęć samotności. Nagle błysnęła w nim zła myśl: „To ona, Zosia, zmusza mnie do tego. Nienawidzę jej za to, że muszę ją aż tak kochać". W tej chwili z przyjemnością zbiłby ją batem do krwi. „Anielskie bydlątko, czysty duszek, Boże, za co ja kocham tak okropnie ten kawałek anemicznego mięsa z zielonymi oczkami" – jęknął prawie i w tej samej chwili ujrzał tuż przed sobą błękitne, ukośne oczy Heli i krwawe, nagle napęczniałe, szerokie jej usta. Uczuł zawrót głowy i dzika żądza, straszniejsza od wszystkiego, co czuł dotąd kiedykolwiek, włącznie z wrażeniami od huraganowego ognia ciężkiej artylerii, szarpnęła całym jego jestestwem („jelitestwem" = miękkie, krwawe aryjskie flaki stanęły dęba jak spiętrzona fala nad otchłanią czarno--czerwonego, żydowskiego, duszącego, złowrogiego czegoś – czego nie wiedział). Sytuacja była zaiste złowroga. „Verhängnissvoll – Friedrich Nietzsche – Jenseits von Gut und Böse – Schicksal – Sasza Schneider – męski belzebubi demonizm, brodaty, w ogóle obrośnięty – tylko to jest coś warte – bezpośrednie przeżywanie". Szereg tych asocjacji przerwał mu jej dawno znany z tamtej „popojki" pocałunek.

– Czy chcesz zupełnie, czy mogę cię tylko całować? – wybełkotał na przekór tym myślom.

– Rób, co chcesz! Nie pytaj! Kanalia! Idiota! Niedołęga!... – posypały się wyzwiska.

Najwyraźniej Hela starała się podniecić do wyższych natężeń szału. Chwycił ją za bezwładne, bezkształtne jakby ramiona i gniotąc ją z całej siły w bydlęcej wściekłości, wpił się bezświadomym rozkoszy pocałunkiem w jej wargi. A już za chwilę rozpoczęły się tak dobrze znane, a jednak zależnie od nowego obiektu wiecznie nowe świadome erotyczne przyjemnostki.

„Czyż nie byłoby prawdziwym szczęściem trwać ciągle w tym stanie bydlęcej bezświadomości: być bykiem, wężem, a nawet owadem czy też dzielącą się amebą, ale nie myśleć, nie zdawać sobie sprawy z niczego..." – zdążył jeszcze pomyśleć Atanazy, a zaraz potem: „A każda bestyjka inna" – szepnął w nim jakiś głos słowa Kazia Norskiego z *Emancypantek* Prusa. „Przereklamowana przyjemność" – przypomniało mu się zdanie Chwazdrygiela, biologa ze szkoły Loeba. „Nie, nie przereklamowana, tylko zbyt długie pożycie z jedną kobietą pociąga wzrastanie przewagi elementów onanistycznych erotyzmu na niekorzyść prawdziwej dwuosobowej płciowości: to wspólne babranie się w wysublimowanym świństwie, ten urok dwoistej nieprzyzwoitości – wszystko to zatraca się powoli we wzajemnym do siebie przyzwyczajeniu. Samotne mimo obecności drugiej strony dopingowanie się myślowe, zastępujące rzeczywiste podniecenie, wybitnie przypomina samogwałtowe przeżycia znane tak dobrze z dzieciństwa, a nawet, niestety, i z czasów późniejszych".

Wsysał się coraz gwałtowniej w usta, które dopiero teraz naprawdę ustępowały powoli naciskowi jego warg, zębów i języka. Rozłaziły się całe, zamieniając się w mokre, gorące bagno nieprawdopodobnej lubieży, powiększały się do niemożliwych rozmiarów, były czymś jedynie rzeczywiście istniejącym. Język Heli wysunął się z tej śliskiej, mięczakowatej masy jak płomień, dotknął jego warg i języka i zaczął się poruszać, drażniąc do obłędu jego usta... Rozkosz rozlewająca się po całym ciele zdawała się dochodzić już do szczytu, a mimo to nasilała się coraz bardziej do nieznośnej, z bólem graniczącej potęgi. Dotknięcia tego świadomego jakby swego działania języka czuł wszędzie:

31

w grzbiecie, w lędźwiach i tam, gdzie miliardy istot z niego poczętych rwały się do życia, nie zwracając uwagi ani na jego wielką miłość, ani sens jego istnienia, ani na całą metafizykę. W ciemnościach ciała, w obrzmiałych gruczołach, na stacjach węzłowych skomplikowanych dróg nerwowych – wszystko parło z żywiołową siłą ku jednemu tylko celowi: jedyną zapłatą okłamywanego ducha była tylko nieludzka rozkosz, która go niszczyła, dając mu bezświadomość chwili.

Sam brak semickiego, mdłego, jakby trochę stęchliznowatego zapachu, który tyle razy zniechęcał go do różnych mniej czystych Żydóweczek, doprowadzał go już do szału. Ślina była pachnąca jak świeżo połamane gałązki młodej brzozy przygrzane majowym słońcem. Usta jej zdawały się coraz bardziej nieznane, niepodobne do tych, które kiedyś po pijanemu całował. Spojrzenie lubieżnie zamglonych, a jednak zimno obserwujących go ukośnych niebieskich oczu Heli podniecało go aż do niesamowitej złości, bijąc mięsistą, stwardniałą żądzę jakby cienkim, drucianym batem. Czuł się w jej władzy zupełnie. „Nic mnie z tego nie wyrwie. Zginąłem" – myślał z przewrotną przyjemnością okrucieństwa wobec samego siebie. „Rozkosz zatracenia – czyż jest coś piekielniejszego". Nawet nie chciał w tej chwili zgwałcić jej – istotniejszym było to ponure poddanie się męczarni nienasycenia. Nagle drgnął od rozkoszy, przechodzącej jego pojęcie o rozkoszy w ogóle. Na tle jej spojrzenia tamto dotknięcie było czymś nie do zniesienia: złość, nienawiść, rozpacz, żal czegoś utraconego na zawsze, nieuleczalna choroba, zapomniana cudownie piękna muzyka, dzieciństwo i czarna, dysząca bezrękimi i beznogimi kadłubami czegoś – żywych okropnych rzeczy, nie stworów – przyszłość, i drgawka rozpaczliwego wydzierania się w jakiś odmienny byt, w którym ból nieznośnego rozdrażnienia nasycał się dzikim wytryskiem nieziemskiej już, niezmysłowej rozkoszy. Jeszcze jedno drgnięcie i ujrzał wszystko, dosłownie wszystko, jakby w straszliwie jasne sztuczne południe oglądał całość bytu, jaśniejącego w promieniach jakiegoś bezlitosnego diabelskiego reflektora na tle czarnej nicości.

„Zmarnował wszystko" – pomyślała Hela i poczuła nagły wstręt do Atanazego i jego uścisków.

– Nie myślałam, że za pierwszym zaraz razem zblamuje się pan tak fatalnie – posłyszał Atanazy jej głos, jakby z przeraźliwej dali, wśród kręgów rozedrganych zamierającej przyjemności, już nie rozkoszy.

– Och, pani nie wie, czym to było dla mnie. Ja nie żałuję, że stało się tak właśnie.

– Zosia widać nie zamęcza pana miłością – szepnęła Hela ze smutnym cynizmem, gładząc go z litością po rozpalonej, pękającej głowie.

Atanazy był piękny, ale miał głupi wyraz. Wypowiedzenie tego imienia w tej chwili wydało mu się wielkim świętokradztwem, ale milczał, przygnieciony potworną wprost miłością do narzeczonej. Zwaliła się nań ona jak lawina, jednocześnie prawie z zakończeniem tamtych rzeczy.

– Pomyślałam przez chwilę, że pan ją uwiódł i do małżeństwa jest pan zmuszony. Ale teraz widzę, że nie – zaśmiała się smutnie.

– Co panią obchodzi Zosia? Jest pani kobietą nie z tego psychicznego wymiaru, nie zrozumie jej pani nigdy; ani mnie nawet – dodał po chwili.

– Mówi pan tak, bo jestem Żydówką. I mówi pan to dopiero teraz, dlatego że chwilowo nasycił pan swoje głupie fantazje na temat zdrady i miłości i nasycił się pan mną. Jeszcze przed chwilą byłam dla pana Żydówką ze znakiem plus, dlatego podobałam się panu...

33

– I podoba mi się pani dalej. Nie wiem, czy potrafię bez pani żyć. Nic pani nie rozumie. Jestem w stanie katastrofy.

– Katastrofa pańska jest sztuczna. A jednak zmienił pan front. Jacy wy podli jesteście, goje – dodała ze wstrętem i pogardą. – Naprawdę dziwię się, że człowiek tak mądry jak pan nie rozumie właściwie nic a nic całego uroku naszej rasy: tego posmaku tajemniczości wschodniej poprzez całe ghetto i to, co jest teraz. Ja sama dla siebie jestem niezrozumiała – kocham się w sobie, w tym czymś, co we mnie dla mnie samej jest tajemnicą.

Pierwszy raz, mówiąc te bezmyślne dziwności, „te dla bubków", powiedziała mimo woli coś, co ją zastanowiło. Tajemnica jej samej dla siebie mignęła przed jej wewnętrznym widzeniem w postaci deseniu wybitnie seksualnie nieprzyzwoitego na tle jej codziennej, rodzinnej, domowej osobowości. Ale rozmowa, tak zwana „istotna", nie dała się już nawiązać. Na krótko zaspokoił Atanazy swoją żądzę tamtym muśnięciem. Znowu rzucił się do jej ust jako jedynego ratunku przed narastającą komplikacją, bełkocąc jakieś niesmaczne zaprzeczenia. Upajał się znowu programowym świństwem jak ohydnym narkotykiem. Hela poddawała mu się obojętnie, obserwując jego szał z zimnym tryumfem. Ale tym, czym był dla niej dawniej: nierozwiązanym problemem zagradzającym jej dalszą drogę, być przestał. Nie rozumiała teraz, jak mogła się nim na serio zajmować. Całował ją Atanazy wszędzie i tam... O mało nie zemdlał od subtelnego, a jednak potwornego, niesamowitego zapachu jej ciała i jeszcze raz doznał najwyższej rozkoszy, nawet bez jej czynnego udziału. Ale na gwałt nie mógł się już zdobyć. Aż wreszcie zerwał się z kolan i bez słowa zostawił ją samą.

„Histeryk" – pomyślała z niesmakiem Hela i nagle Atanazy znikł po prostu z jej świadomości. Zagłębiła się w siebie. Cały świat zakręcił się jakby w jakimś wybuchu świętego dymu; rozpoczęło się zwykłe nabożeństwo do niby nieznanego bóstwa, którym właściwie była ona sama.

„Jestem sama w sobie jedna i jedyna". – „Jak wszystko inne i ten wąż czerwony, którego masz w sypialni, i to pudełeczko z pastylkami, wiesz..." – szepnął głos tajemny, zwany jeszcze w dzieciństwie Azababrol, ale Hela nie słuchała go. Myślała dalej: „...mogę zrobić, co chcę: mogę się zabić – nie mam sumienia; to jest już szczęście, a jednak... Mogę nie istnieć, nie przestając żyć, jeśli zażyję tego... Nie żyję naprawdę w tym świecie, jestem jak księżniczka syryjska oddająca się w świątyni Asztaroth za parę miedziaków obcym przechodniom, aby zdobyć sobie prawo do posiadania jedynego męża". Upłynęła chwila bezmyślna, a z rzeczywistości spadła pierwsza maska. „Jestem zwykła, nudząca się bogata panna, cierpiąca nad swoim żydostwem. Ambicja nie pozwala mi wybrać żadnego z tych zagranicznych durniów. Chodzi w tym tylko o przesuwanie mas pieniężnych na inne pozycje. Nie chcę o tym nic wiedzieć. Nikt mnie nie kocha prócz ojca i Kuby – obaj nie odpowiadają moim wymaganiom. W ogóle taki człowiek jest niemożliwy do wyobrażenia. Chyba ten Tazio...". Pogarda połączona z pewną lubieżnością, a nawet tkliwością przemknęła w jej uśmiechu. „A jednak on umiałby, gdyby chciał...". Na sekundę zahamowane pragnienie zdławiło ją za gardło aż do łez.

„Chciałabym być księżniczką krwi; albo nie: tylko biedną hrabianką – oddałabym za to wszystkie pieniądze i ze skromnej pensyjki żyłabym w klasztorze dla dobrze urodzonych panienek". Szalony żal, że tak nie jest i nigdy nie będzie, trwał przez chwilę w postaci ciężkiej, rozżarzonej kuli w górnej części jej brzucha. „Jestem nieszczęsnym, śmiertelnie znudzonym, żydowskim niczym. Czekam byle zewnętrznej sposobności, aby móc się zabić z samej nędzy duchowej. Chce mi się sankcji wyższych potęg nad moim życiem. Ach, zdobyć siebie na nowo, aż od samego dzieciństwa". Przypomniała się jej rodzinna tragedia: cudownie piękna matka ze starego chasydzkiego domu (Hela była do niej podobna z domieszką belzebubicznej gęstości charakteru ojca), dzika, nieświadoma swojej choroby nimfomanka, i potworna miłość starego Bertza, granicząca z obłędem. Śmierć matki i rozpacz ojca, i poszukiwanie podobnej zupełnie kobiety. Teraz miał... jakież to wszystko wstrętne. „I ten analityczny, onanistyczny Atanazy, który mógłby już być takim, jakim był, byleby okazał choć trochę więcej duchowej siły. Czemu jej nie wziął po prostu, jak samiec samicę, czemu nie nakazał jej tego, aby była szczęśliwą, czemu nie kochał jej – ta wieczna maskarada ciał i dusz, pozamienianych przez jakiegoś złośliwego, zazdrosnego, starzejącego się złego ducha".

„Jestem nędzarką uczuć, żebraczką miłości, muszę uwierzyć w coś innego niż moja żydowska wiara, muszę odpokutować wszystko, co było: oto jest właśnie to, czego szukam. Odpokutować i wyjść za mąż za tego biednego Prepudrecha. On jeden będzie moim absolutnym poddanym, kiedy już nie mogę znaleźć absolutnego władcy. Tak: pokuta, zdobycie zasług, dobroć – być dobrą bez żadnych do tego danych to sztuczka godna mojej ambicji. Poświęcenie się dla jakiegoś wysokiego celu? Boże Jedyny! Skąd go znaleźć?" – „Zostać komunistką" – szepnął znowu głos, ale inny. „Tak, ale nie zostając komunistką, można to znaleźć jedynie tam, gdzie króluje ten niezwyciężony ksiądz Wyprztyk. I od jakich głupstw zależy czasem wszystko! Gdyby wtedy poddał mi się, zostałabym pewno Żydówką do śmierci". Zadzwoniła na służącą. „Coś musi się zmienić – inaczej znowu przyjdzie to straszliwe w swej mocy pożądanie śmierci i ja nie wytrzymam – a ja żyć chcę – chcę zobaczyć, co będzie dalej, jak w następnym felietonie powieści...". Łzy zabłysły w jej rozszerzonych, wpatrzonych w nieskończoność oczach. Czuła ponurość tak straszną, jak gdyby była już nędzną żebraczką w łachmanach, bez możliwości noclegu w zimie, jak gdyby już skazana była na dożywotnie więzienie i nigdy nie miała ujrzeć słońca na swobodzie. Patrzyła w życie i świat jak przez brudną szybę, zza kraty okienka jakiegoś ohydnego klozetu. „Czemu? Przecież mam wszystko, czego bym tylko zapragnąć mogła? A gdybym w tej chwili była nawet królową wszystkich Żydów świata, czułabym identycznie to samo".

Weszła służąca Józia Figoń (była nauczycielka z pensji) z minką przypłaszczonej aryjskiej myszki, przemykającej się po nieobjętych obszarach wrogiego, żydowskiego bogactwa; przysunęła się do „jaśnie panienki". Hela poczuła wstręt i złość, i zazdrość. „Chwilami wolałabym być nawet tą...". Nagle cała życiowość wszystkich tych problemów spadła z nich jak brzydka, ropuchowata skorupa: ułożyły się w innych wymiarach jako wcale interesująca łamigłówka pojęć. Zostało tylko absolutne, metafizyczne prawie nienasycenie, na którego zaspokojenie nie wystarczyłoby nawet wszystkich gwiazd i mgławic Mlecznej Drogi. „Świat jest jednym wielkim więzieniem" – pomyślała Hela i gwałtownie zapragnęła katolickiego pogrzebu, ale wspaniałego, takiego, jaki miała niedawno księżna Mazowiecka. To przekonało ją ostatecznie o konieczności chrztu.

– Jutro przechodzę na katolicyzm – rzekła głośno, tak jak gdyby mówiła o jakiejś przejażdżce autem.

– Nie może być! Czemu, jaśnie panienko? – spytała Józia głosem poufnym. Hela zwierzała się jej czasami ze swoich najtajniejszych myśli.

– A tak, pora pomyśleć już raz o zbawieniu tej nikomu niepotrzebnej mojej duszy. Przecież tylko u was można być wybawionym z tej piekielnej matni sprzeczności – odpowiedziała Hela nagle zamyślona.

Józia ubrana była w ciemnobordo sukienkę i cynobrowy fartuszek z takąż koronką. W ogóle czerwoność przeważała w całym pałacu Bertzów: obicia ścian i mebli, dywany, a nawet specjalnie dobierane obrazy miały jako zasadniczy kolor czerwień we wszystkich możliwych odcieniach. W sali jadalnej, oprócz paru obowiązkowych martwych natur o czerwonych częściach składowych, wisiało trzydzieści kilka kopii portretów samych kardynałów i arcybiskupów.

Była to jedyna oficjalna perwersja starego Bertza. Hela wychowana w czerwoności tej od dzieciństwa podzielała w zupełności gust papy.

– Ja jednak mam większy szacunek dla Żydów, którzy nie zmieniają religii... – zaczęła Figoniówna.

– Józia nic nie rozumie. Tu nie ma na dnie żadnego interesu. Co innego, że papie może dogadza to w tej chwili ze względu na jego afery z Włochami, ale ja jestem ponad tym. Chcę raz przestać kłamać i doprowadzić do końca to, co jest już we mnie rozpoczęte, a nawet w większej części zrobione: z całej mojej kultury jestem Aryjką mimo pewnych żydowskich narowów. Kłamstwo tej waszej wstrętnej, umiarkowanej demokracji rozlane jest w mojej krwi na równi z żydowszczyzną – nic go ze mnie nie wyrwie. A demokratyczna ideologia to dzieło czystych Ariów. My chcielibyśmy królować, ale jako silny naród, nieprzeżarty społecznictwem. Królować naprawdę, nad sobą i innymi, bez żadnych zabawek w rodzaju parlamentaryzmu, a jeśli nie, to staniemy się współczynnikami przewrotu socjalnego – dwie są tylko dla nas drogi.

– A cóż proletariat żydowski... – wtrąciła Józia.

– Zobaczylibyście ten proletariat nie w waszej niewoli, a pod panowaniem naszych królów: żadnego cienia bolszewizmu nikt by się w nim nie doszukał. Nasz faszyzm to byłoby coś dopiero wspaniałego. Żydzi są jedynym narodem, który ma jeszcze w sobie zdrowy nacjonalizm – tylko położenie nasze czyni z nas, mimo naszej woli, wybuchowy materiał: transformuje, raczej deformuje naszą siłę w przestrzeni innej struktury.

– Jaśnie panienka zaczyna zaraz dywagować, jak tylko wchodzi w nie swoją sferę kwestii społecznych. Niestety, eksperyment pokazujący, jak by było, gdyby było całkiem inaczej, jest niemożliwy, wobec tego...

– Wobec tego niech mnie Józia rozbierze i poda ten najczerwieńszy szlafrok. Ta mania czerwoności doprowadza mnie samą czasem do furii. A jutro proszę mi tu sprowadzić księdza Wyprztyka na dziewiątą rano. Do południa cała rodzina musi być ochrzczona – inaczej strzelam się. Obiad zjem w łóżku – dokończyła tonem złym.

Po chwili siedziała już w czarnej wannie, wyglądającej na ponury sarkofag wśród jaskrawoczerwonych, błyszczących ścian łazienki. Ciało jej w tym otoczeniu miało lekko niebieskawy kolor; mokre po zimnym prysznicu włosy, oblepiając ściśle wydłużoną jajowatą głowę, połyskiwały zielonkawo. Nowa fala pogardy dla Atanazego zalała jej smutne, złe i zmęczone serce. Na tle tym Prepudrech zarysowywać się zaczął jako coś oczywiście nieudanego i niedociągniętego, ale w pewnym znaczeniu identycznego przynajmniej ze samym sobą. „Jest takim, jakim jest – nie udaje niczego ponad siebie. Wiem, że jeśli uderzę go w brzuch, nie ucieknie do swojej hiperkonstrukcji, w której to uderzenie w brzuch przetransponowane będzie na uderzenie w tak zwany «metafizyczny pępek» – wstrętne pojęcie! – Widmo chowające się za materac jest ten cały Bazakbal. I czemu to takie nic jest właśnie czymś dla mnie?" – piekliła się coraz więcej, uderzając rękami w powierzchnię wody. W ciszy przerywanej pluskiem zadźwięczał dzwonek u drzwi ostatniego saloniku.

– Jeśli to książę pan, proszę poprosić do buduaru. Będę dziś spała z nim na złość wam wszystkim. Rozumie Józia? – krzyknęła do Figoniówny stojącej nieruchomo przy piecu.

– Słucham jaśnie panienkę – zabrzmiał jak amen głos Józi i jak zapadający wyrok trzasnęły zamykające się drzwi.

Po paru sekundach bez pukania wszedł do łazienki Prepudrech. Oczy miał rozszerzone, twarz bladą i z trudem chwytał powietrze wyschniętymi ustami.

– Dlaczego włazisz tu nieproszony? – krzyknęła ostro Hela, jednak bez cienia zażenowania.

– Bo tak mi się podoba – odpowiedział książę sztucznie tytanicznym głosem.

– Kuba, nie udawaj Bazakbala, bo ci się to nie uda, ośmieszasz się tylko – to mówiąc, opryskała go wodą, przypomniawszy sobie, że tak postąpił Napoleon z Neyem, kiedy ten odwiedził go w łazience po powrocie z Waterloo.

– Przede wszystkim proszę raz na zawsze o nienazywanie mnie Kubą – odpowiedział, ocierając się, Prepudrech. – Już posłałem mu świadków: Łohoyski i Miecio Baehrenklotz. Wiem, że jestem urodzonym tchórzem i że za takiego mnie pani słusznie uważa. Ale odwaga – mówił dalej, obejmując dzikim beznadziejnym spojrzeniem ciało Heli zdeformowane przez załamanie się w wodzie – nie polega na tym, żeby się nie bać wcale, tylko na opanowaniu strachu.

– Jednym słowem, im większy strach, tym większa odwaga...

– Wie pani dobrze, o czym mówię. Jest pani za inteligentna na to, aby tego nie rozumieć. Te dziewczynkowate dokuczania są nie na miejscu.

– No dobrze, Aziu, uspokój się. Nie jest jeszcze tak źle, jak myślisz.

Prepudrech zmiękł od razu. Nie miał jednak siły, aby uwierzyć w to, co mu w przedpokoju powiedziała Józia o oczekującej go nocy. Przekupienie służącej w domu Bertzów nie należało do rzeczy łatwych, a jednak czynił to od dłuższego czasu, poświęcając na ten cel jedną trzecią swoich dochodów.

– Chodziłem tu pod oknami, oczekując jego wyjścia. Nie robię pani żadnej sceny, ale jednak to jest potworne. Proszę o odpowiedź: tak lub nie.

– Nie – odpowiedziała Hela tak po prostu, że musiał uwierzyć.

– A tamto czy prawda? – spytał, drżąc cały z niepewności i oczekiwania.

– Już ci powiedziała ta plotkarka, Józia?

– Tak – jęknął prawie. – Nie żartuj: może to ostatnia, jedyna istotna chwila w moim życiu...

– Prawda. Jestem straszliwie samotna i nieszczęśliwa. Oddam ci się dziś. Wierzysz chyba, że jestem dziewicą?

– Ach, Helu, zaklinam cię... Jestem szczęśliwy... Ale nie rób tego, nie tak programowo... To odbiera mi całą moją siłę...

– Boisz się skompromitować z nadmiaru szczęścia? Nie bój się, ja ci na to nie pozwolę. Jutro przyjmuję chrzest. Pierwsza i ostatnia noc grzechu, a potem pokuta narzeczeństwa.

– Czy naprawdę zechcesz wyjść za mnie, jeśli nie zginę?

– To będzie zależeć od dzisiejszej nocy – zaśmiała się bezwstydnie...

Rzucił się na nią i wyciągnął ją z wody mokrą, gorącą, oblepiającą mu twarz wilgotnymi, chłodnymi włosami, które już zaczynały skręcać się w naturalne loki. Zawlókł ją, odurzoną tym gwałtem, do purpurowej sypialni. Tam czekał już na nich obiad. Ale nie mieli czasu na jedzenie. Księcia Prepudrech ogarnął jakiś złowrogi szał. Miał bezwzględne przeczucie, że zginie, i używał ostatnich chwil życia z ponurym zapamiętaniem. Cykanie zegara, wprawionego w brzuch hebanowego, papuaskiego bożka, biczowało z okrucień-stwem równomierności pędzący coraz szybciej jego osobisty czas. Koło dziewiątej leżeli zupełnie już wyczerpani, przygo-towując się wewnętrznie do drugiej części nocy. Ktoś zapu-kał do drzwi sypialni w chwili, kiedy Hela Bertz własnoręcz-nie odgrzewała na elektrycznej maszynce wyziębły dawno obiad, a raczej jego część pierwszą: zupę z czerwonych mar-montijów i pasztet à la Trémouille z wątróbek gandyjskich trywutów, zaprawionych sosem wynalazku samego Water-brooka. W zamroczonym umyśle Prepudrecha przyszłość skłębiała się w mroczną piramidę niesłychanych bogactw, których nigdy już nie miał nawet oglądać. Piramida ta malała chwilami, zamieniała się w czarne, skręcone kółeczko, jakiś przypalony, bolesny skwarek pod wpływem uczucia kłują-cego strachu. Męczyło go, że strach ten był małym wobec pozornie nieskończonych obszarów niespełnionego życia. Brnął przez jakieś pustynie absolutnego bezsensu, krwawiąc nieznośnym umęczeniem: śmierć z torturami (psychicznymi na razie) zaczynała się już powoli, wbrew niemożności jej pojęcia stawała się codzienną rzeczywistością. „Och, czemuż wymigałem się od wojny – pomyślał. – Strach byłby wtedy wielkim, gdyby...". Ale w tej chwili poczuł, że jest to kłam-stwem: małość strachu i proporcjonalna do niej małość odwagi była w nim samym, Azalinie Belial-Prepudrechu, a nie w wypadkach, które ten jego strach wywołały.

Krzątająca się (tak jest: krzątająca się) koło stołu Hela, której niebieskawe ciało, to, które posiadł po raz pierwszy przed chwilą (nie mógł w to jeszcze uwierzyć), wyda-ła mu się kapłanką odprawiającą jakieś nieznane żałobne nabożeństwo nad jego trupem. Czuł się już martwym mimo wzbierającej w nim na nowo żądzy. Sprzeczność ta dawa-ła w rezultacie tępy, prawie wyłącznie moralny (!!) ból w dołku. Ten przeklęty ktoś zapukał po raz drugi.

– Włóż prędko moją piżamę, to papa – rzekła spokojnie Hela, nie przestając zajmować się obiadem.

– Jak to? Chcesz go tak przyjąć? – spytał zduszonym szeptem książę. Nagle strach przed starym Bertzem zasłonił mu, częściowo przynajmniej, „obawę pojedynku". – Ach, prawda! Wszystko jedno, przecież jutro zginę i tak.

– Przestań krakać. Ubieraj się. Zaraz, papo! – rzuciła we drzwi tym samym tonem, tylko głośniej.

Spokój Heli wrócił mu równowagę. Za chwilę Azalin stał już w nieco za ciasnej ciemnoróżowej piżamie Heli, pod olbrzymią czarną szafą z czerwonymi lustrami, oczekując wypadków. Skrzyżował ręce na piersiach, przygotowany na najgorsze. Był naprawdę piękny. Jego uroda czarnego perskiego efeba, spotęgowana bladością i płciowym wyniszczeniem, które zaostrzyło mu rysy jak u trupa, lśniła teraz niby drogocenny kamień w oprawie czerwonych szyb i czarnego drzewa. Lustro odbijało w ciepłym tonie jego białą, prześliczną, trochę kobiecą szyję. Hela spojrzała na niego przelotnie i poczuła dumę. Nie – nie dumę, raczej brak wstydu.

„Gdyby oni z tym podłym Taziem mogli stanowić jednego człowieka! Może wtedy byłabym szczęśliwa..." – pomyślała i wspomnienie doznanej tylko co po raz pierwszy głębokiej, prawdziwej rozkoszy rozlało się po jej ciele falą omdlewającego gorąca, by zaraz sprężyć się w giętką, nieznaną jej dotąd siłę. Teraz dopiero pojęła potęgę i władzę nowo zdobytej, pełnej kobiecości. Ale jednocześnie oprócz litości jakby i zewnętrznego uznania dla księcia zjawiło się w jej pustym dotąd sercu coś głębszego: przez chwilę patrzyła na niego jak na coś w rodzaju syna, a potem Bazakbal, ale też inny już, przemknął się jako widmo w dalekim tle. „Tamtego będę miała też i tamtych innych. Ale mężem będzie ten «synek». Będę mieć wszystko, co zechcę". Świat stanowiący mimo bogactwa, piękności i innych atrybutów wąską grań codzienności, otoczoną z dwóch stron przepaściami tajemnic, rozszerzył się nagle w wolną przestrzeń wichrowatych możliwości, zionącą nieznaną pięknością, świeżością i jeszcze czymś... W głębi, jak widmo Bazakbala przed chwilą, ale w innej płaszczyźnie możliwych wydarzeń, przesunęła się śmierć. Cień złowrogi padł na śmiejący się widnokrąg nieskończoności. Obraz Böcklina *Siehe, es lacht die Au:* zakwefionej i zapłakanej postaci pod czarnymi cyprysami pokazuje inna jakaś figura słoneczny widok w oddali. „A jednak dobrze jest, dobrze jest istnieć" – pomyślała. Problem żydostwa i aryjskiej kultury (nie wiedziała nawet dobrze, co to jest ta aryjska kultura) przestał ją męczyć.

– Proszę – rzekła dźwięcznym, niewinnym głosem.

Prepudrech drgnął: po raz pierwszy zrozumiał, że ją kocha (dotąd właściwie nienawidził jej). I całe bezmyślne dotąd jego życie przesunęło się koło niego piekącą falą wstydu. Poczuł, że ona jako kobieta jest jednak kimś, a on tylko nędzną do niej przyprzążką. Skurczył się w sobie, jak do skoku, skoku przez życie całe, przez samego siebie. Ale obraz pojedynku przesłonił mu przyszłość brudną, szarą ścierką. „Oto mój pierwszy czyn" – wypisało coś przed nim zdanie prawie bez sensu. Litery w innym wymiarze ducha jak we śnie, bezprzestrzenne i bezbarwne, stały nad zgniłą marmeladą dawnej, niezupełnie honorowo załatwionej sprawy. Cóż znaczył pozytywny protokół, kiedy sumienie i spojrzenia świadków mówiły co innego. Poczuł się – jak Bazakbal przed paroma godzinami i jak wszyscy zresztą czasem – wystrzelonym pociskiem lecącym w niewiadomą dal bezwładnie.

Do sypialni wszedł papa Bertz, brodaty Książę Ciemności z obrazu Saszy Schneidera (we fraku), i zdębiał na widok roztaczającej się przed nim nieprawdopodobnej rozpusty.

– Hela – jęknął. A potem z wściekłością: – Ty, ty... To książęco-perskie ścierwiątko – ja jego perskim proszkiem!... Ten przyjemniaczkowaty wypędek śmie!... – dusił się wprost od nieoczekiwanych wrażeń. – O Hela, jakże ranisz moje serce. Mam właśnie dla ciebie dwóch faszystów! Jeden jest prawdziwy włoski markiz! O, ja tego nie przetrzymam! – Padł na fotel, przymykając zbolałe oczy.

– Panie Bertz – zaczął Azalin niby zimno, ale drżąc z oburzenia graniczącego z najprawdziwszym strachem – markizów we Włoszech jest jak psów...

– Czekaj, Aziu, przede wszystkim ustalić trzeba stan faktyczny – przerwała mu Hela. – Czy papa wolałby, abym już nie żyła?

– Tak, wiem. Znam to wszystko. Ty zawsze szantażowałaś mnie śmiercią. Ja cię kocham, ciebie jedną – jęczał bezsilny Belzebub w fotelu.

– To jest mój narzeczony. Zrobiliśmy amerykańską próbę. Jedynie on podobał mi się naprawdę. A kto wie, może ja go nawet w pewien sposób kocham.

– Ależ on jest niczym dla ciebie, jest takim samym niczym w moich najwyższych rachunkach. Notoryczny tchórz, z najgorszą opinią plutokratycznego lizogonka o podejrzanym tytule. Ja myślałem, że ty podtrzymasz wielkość domu Bertz.

– Panie Bertz – z prawdziwą dumą zaczął książę. – Jutro biję się z Bazakbalem...

– Drugie nic. O, po co ja tę hołotę wpuszczałem do mego domu!

– Muszę być niedyskretnym, bo chwila jest wyjątkowa. Muszę też mieć pewne względy specjalne dla ojca mojej narzeczonej. Co zaś do mego tytułu, to proszę zbadać genealogię książąt Belial-Prepudrech, rozdział o chanach w teherańskim almanachu. Jeśli nie zginę jutro, pojutrze ślub.

45

– Jaki ślub? – pienił się Bertz. – Czyś ty oszalał? A, wszyscy jesteście wariaci! Tym tylko mogę sobie to wytłumaczyć.

– Ślub katolicki, papo – wtrąciła z łagodną perswazją Hela. – Azalin jest katolikiem, matka jego jest baronówna Gnembe z domu, papo.

– Taka baronówna, jak i on książę. Ha, a tam tylu prawdziwych!... Nie, ja nie mogę... – Uderzył pięścią w poręcz.

– Panie Bertz, proszę nie obrażać mojej matki... – zaczął Azalin.

– Ja przyjmuję katolicyzm jutro – przerwała mu Hela. – I ty także, papo, zmuszony przez córkę. Honor twój jest ocalony, papo, a że względu na interesy zawsze mówiłeś, papo...

– Tak, tak – wykrztusił z siebie już uspokojony z lekka Bertz; słowo „papo" działało nań jak morfina. – Ale jeśli ten bałwan zginie, to co?

– To nic. Nikt oprócz ciebie, Józi, mnie i niego o tym nie wie. Zażyłam zresztą odpowiednie proszki.

– Ale przyszły mąż... – głos uwiązł mu w gardle.

– No, z naszymi pieniędzmi nie potrzebujemy się zajmować takimi drobnostkami. A ty przyznaj się, papo, że męczy cię zupełnie zwykła zazdrość o mnie: kochasz się we mnie podświadomie: kompleks córki. Inaczej byłoby ci wszystko jedno. Czy Lola Green przestała ci już wystarczać jako antydot na kazirodcze uczucia? Jest podobna do mnie prawie jak bliźniaczka. Jedyny występ miała tutaj tylko. Płacisz jej potworne sumy. Wiem wszystko. Mam jej fotografię w mojej kolekcji erotycznych osobliwości obok mojej, twojej i mamy. Kompleks córki! Cha, cha, cha!

– Dosyć, dosyć z tym Freudem, bo jakkolwiek jest Żydem, łeb bym mu rozwalił z przyjemnością. Zawrócił w głowach nawet najmędrszym ludziom, nawet tobie, Hela.

Czyż to, co tu widzę, nastąpiłoby kiedykolwiek, gdyby nie ten przeklęty Freud?!

– A teraz albo papa się uspokoi i zje coś z nami, albo proszę opuścić moje pokoje. Biedny Azalin ma i tak już dosyć naszych rozmów na dzisiaj, a czeka go jeszcze druga część programu i ranny pojedynek.

– Daj mu się przynajmniej wyspać – rzekł stary łagodniej; ale zaraz nowa fala wściekłości przypłynęła mu z okolic dołku pod grdykę. – A łotr, żeby mnie tak podejść. Powinieneś był, kanalio, mnie się wpierw oświadczyć, a nie gwałcić mi córkę jak ostatnią dziewkę w moim własnym domu! Rozumiesz, skurczyflaku?!

– Panie Bertz, bo jak się rozpędzę, będę musiał wyzwać pana także – rzekł już ze śmiechem Prepudrech.

„Królestwo Obojga Bertzów", jak ich nazywano, spojrzało na niego prawie z podziwem.

– A róbcie sobie, co chcecie. Ja mam jeszcze dziś trzy posiedzenia! – krzyknął Bertz, chwytając się za głowę. Pozostał tak jakąś część sekundy, rozważając z niepojętą szybkością jakąś szaloną finansowo-polityczną kombinację, i nagle wyleciał, nie żegnając się z nikim.

A w pokojach córki jego rozpoczęła się znowu śmiertelna orgia połączona z dziwnym żałobnym nabożeństwem za duszę konającego z wyczerpania, rozpaczy i strachu księcia Belial-Prepudrech. Problem dziewictwa przestał istnieć dla Heli zupełnie. Przeszłość cała wydała się jej obca, należąca jakby do innej osoby. Nawet dzisiejszy wieczór z Atanazym był tylko opowiedzianym jej przeżyciem jakiejś znajomej, sympatycznej dla niej dziewczynki. Teraźniejszość nabierała miąższu, puchła w nieprzyzwoity sposób. Ale za tymi zwałami aż nazbyt realnych kawałów zmaterializowanych chwil dawnych marzeń kryło się jakieś nikłe widemko z ubiegłych lat, aż z dzieciństwa:

śmiertelny duszek, wysłannik zagrobowych, niezbadanych krain. „Tylko nie teraz... jeszcze... jeszcze..." – myślała, zgrzytając zębami z niemożliwej do zniesienia rozkoszy. Książę, piękny jak „młody, diabelski bóg", pięknością niepojętą i złowrogą, utożsamioną z zabójczą rozkoszą, stanowiącą z nią jedność, wypełniał ją (Helę) całą aż po zdławione gardło, aż „poza brzegi", sycąc rozkraczoną aż do pęknięcia, wchłaniającą wszystko żądzę coraz strasz- liwszymi uderzeniami „jakiegoś niepojętego wału". Jeszcze chwila, a zdawało się Heli, że zwariuje... Ach – i cały świat rozpłynął się w jedno morze niewysłowionej, nieskończonej błogości. „I on był tym i ta twarz, i tamto, to jego w tym...". Prepudrech z dzikim zachwytem wpatrzył się w wywróco- ne w ekstazie oczy kochanki. Miał pewność, że stoi teraz na szczycie życia – cóż mogło być poza tym dla niego, biednego dancingbubka? A jutro śmierć i koniec. A Hela, upojona świeżo doznaną przyjemnością, zdawała się troić, czworzyć, pięciorzyć i poczwarzeć w oczach, wydobywa- jąc z ciała nieszczęsnego efeba wszystkie ukryte zapasy sił życiodajnych i zapału. W międzyczasie, koło dwunastej, wierna Józia dała im dalszy ciąg obiadu: marchewka à la Tripolini, na specjalnym masełku zrobionym z pewnych wydzielin nosorożca, i pieczeń ze strusia w jajecznicy z jaj tegoż z sałatką z mleczów australijskich, ślimaków z jeziora Nemi i okrągłych (rzadkość!) kronplajtów damasceńskich przypiekanych uprzednio po brzegach metodą Whighta. Nasyceni tym, szaleli dalej jak para skorpionów, aż póki świt nie zaczął niebieszczeć w szparze między karmino- wymi firankami, zrobionymi z oryginalnego malajskiego humpolongu. Prepudrech ocknął się z omdlenia, po raz jedenasty oddawszy swojej narzeczonej skondensowany nabój swojej najgłębszej istoty. Przypomniał mu się epi- zod z czytanych w dzieciństwie *Popiołów* Żeromskiego:

księżniczka Elżbieta i Rafał, i pomyślał, ile też razy stało się to z tamtą parą.

– Zapowiedziałem im, że do jutra, to jest do dziś rana, ma być wszystko gotowe, choćby całą noc mieli pracować – mówił Heli, nie mając jej nic lepszego do powiedzenia. W ogóle odczuwał czasem w jej towarzystwie haniebną pustkę w głowie i bał się tych chwil panicznie – wtedy to wymykała mu się ona najbardziej beznadziejnie – był bezsilny. Ale to poczucie intelektualnej niższości było jednym z masochistycznych elementów jego pożądania. – Chyba że to zwierzę nie znalazłoby do rana świadków – dodał sztucznie nonszalanckim tonem.

– Jak to się odbyło? Nie mówiłeś mi nic o tym.

– Czyż chciałaś słuchać?

– Nie mieliśmy czasu. Czy może masz mi to za złe?

– Ależ nie. Kocham cię. Żyć mi się chce tak strasznie. Ale muszę przejść przez ten próg. Muszę stać się godnym ciebie.

Zaczął całować ją lekko i jakoś nieśmiało, czując w ustach swoich i w nosie drażniący smak i zapach niedawnych pieszczot. „Nigdy nie oderwę się od tego ciała" – pomyślał gorzko i cały świat wydał mu się małą pigułką w olbrzymich, wielkich właśnie jak świat, niesytych nigdy organach rozrodczych. One nie należały już do „świata" – był to byt innego „typu" w znaczeniu Russella, przy zastosowaniu pojęcia tego do rzeczywistości.

– W tym pośpiechu jest też twoja słabość. Musisz być silny, inaczej stracisz mnie. Pamiętaj... – mówiła już sennie Hela, z przymkniętymi oczami.

– Kocham cię. Muszę cię zdobyć naprawdę. Ty, ty! – Uderzył ją nagle pięścią w ramię, zawierając w tym uderzeniu resztkę niewyciśniętej myśli.

– Dosyć. Nie rozdrażniaj się na nowo. Już musi być po trzeciej. Za sześć godzin przyjdzie do mnie ksiądz

Wyprztyk. Muszę się przespać. Nie zapomnij zatelefonować zaraz po pojedynku.

Prepudrech rzucił się ku łazience i za chwilę wyszedł stamtąd świeży i silny jakby nic. Hela już spała. Była tak piękna, że z trudem powstrzymał się, aby nie wgryźć się w jej rozchylone usta. Skośne oczy, zasłonięte zmęczonymi, drgającymi powiekami, zdawały się rzucać nieprzyzwoity cień na całe jej ciało. Zapach... Ale dosyć, ani chwili czasu. Trzeba spać – choć godzinę. Ubrał się gorączkowo i minąwszy puste pokoje, wypadł na schody. Zdumiony portier wypuścił go na ulicę jak dzikiego zwierza z klatki. Książę był w tej chwili odważny. Ale czy starczy to na długo? Gnany tą myślą biegł prawie do rogu, gdzie stały senne automobile. Dzień wstawał mglisty, bury, ponury, ohydny, miejski dzień.

Atanazy, wyszedłszy od Heli, biegł także. Raczej, jeśli chodzi o czas, Prepudrech biegł jak Atanazy – ale to wszystko jedno. Wnętrzności Atanazego rozpierała miłość do Zosi – straszliwa, nie do zniesienia. Pod wpływem „zdrady" (o nędzo!) coś zginęło na zawsze. Ale „inne coś", może groźniejsze, bo sprzeczne, spotęgowało się do rozmiarów fizycznego prawie bólu. Co było to i tamto, jeszcze dokładnie nie wiedział. Nie było wszystko to razem ową dawną prawie litością odczuwaną przez niego w stosunku do różnych panienek, z którymi się zaręczał, by zrywać następnie wśród męczarni sprzeczności i wyrzutów sumienia. „Jest to coś niewyrażalnego, tak niepodlegającego definicji jak linia prosta – chyba że do definicji zechcemy użyć obce geometrii, z innej sfery wzięte pojęcia" – myślał blado, przygnieciony nieznanym mu dotąd ciężarem czystego, jednolitego uczucia. Zapomniał prawie o Heli i o Prepudrechu. Wiedział na pewno, że jeśli nawet wyzwie go „ten idiota", jemu, Atanazemu, nic stać się nie może. Uczucie, które rozsadzało mu system pojęć życiowych, jak dojrzały owoc łupinę, stanowiło, według jego zupełnie irracjonalnej intuicji, pancerz nie do przebicia dla wszelkich niebezpieczeństw. Absurdem była śmierć. „Śmierć nie jest w stanie zabić tej miłości, a więc i mnie" – w tak idiotycznym aksjomacie zamknął ostatecznie obecny stan rzeczy. „A jednak czy Freud nie ma przypadkiem racji?". Przypomniały mu się psychoanalityczne seanse z doktorem Burdygielem i wszystkie jego wmawiania rzeczy pozornie nieistniejących. „Może gdyby nie śmierć matki, nie mógłbym się w niej tak właśnie zakochać". Mimo że czuł jeszcze rozjątrzenie całego ciała od przewrotnej rozkoszy, którą dała mu tamta, Zosia jedynie („ta przeklęta Zosia") była przedmiotem jego najistotniejszych pożądań. Teraz wiedział, że tamtą zwyciężyć może zawsze, choćby przy pomocy innej kobiety, ale to uczucie zlokalizowane właśnie w tym jądrze istoty, które „pępkiem metafizycznym" popularnie nazywał, wyrwać się niczym nie da. „To stopienie się pożądania w jedną nierozdzielną masę z przeżywaniem tej samej – tak, koniecznie tej samej osoby – nie innej (Atanazy uśmiechnął się gorzko po raz nie wiadomo który), od środka, samej dla siebie – tak, to była definicja wielkiej miłości. To, co w kobiecie jest jednym u samego początku, u mężczyzn (o, jakże wstrętne są te dwa słowa, które słyszy się ciągle we wszystkich towarzystwach, we wszystkich rozmowach grających na bałałajkach oficerów z podejrzanymi mężatkami, służących z szoferami, księżniczek z mistrzami w boksie i tenisie) jest zbieżnością asymptotyczną, czymś granicznym, niedającym się nigdy połączyć w jedność absolutną. Siłą napięcia w kierunku zlania się tych elementów w granicy mierzy się wielkość... O, jakie to wszystko wstrętne!".

Erotomania rozprzestrzeniała się jak lepka mgła w zaczynającym się nocnym życiu miasta. Wszystko zdawało się być tylko maską, pokrywającą rozwaloną bezwstydnie płeć – w s z y s t k o : od szyldu na sklepie do teczki pod pachą i munduru – u nich, u mężczyzn. „One" chodziły bez masek, obnosząc w tryumfie tę swoją jedyną bezczelną wartość, akcentując nieprzyzwoitość obsesjonalnej myśli futrami, kapeluszami, pończochami, pantofelkami, „mereżkami", „wstawkami", „ zakładkami", tymi w ogóle kobiecymi „fintifluszkami", tym całym gałganiarstwem, „chiffonnerie" – stop: nuda żurnalu mód i na drugim końcu to. I Zosia była jedną z nich... A jednak? Przypadkowość, „contingence" tego wszystkiego była okropna: „Jeszcze chwila, a napiszę wiersz" – pomyślał Atanazy ze wstrętem. „A nie, tego jednego mi nie wolno. Nie zostanę nigdy artystą, choć teraz to tak łatwo. Mogę zresztą pisać wiersze, ale jedynie z tym przekonaniem, że to jest nic. Minęły czasy metafizycznej absolutności sztuki. Sztuka była dawniej jeśli nie czymś świętym, to w każdym razie «świętawym» – zły duch wcielał się w ludzi czynu. Dziś nie ma w kogo – resztki indywidualizmu życiowego to czysta komedia – istnieje tylko zorganizowana masa i jej słudzy. Od biedy zły duch przeniósł się w sferę sztuki i wciela się dziś w zdegenerowanych, perwersyjnych artystów. Ale ci nikomu już nie zaszkodzą ani pomogą: istnieją dla zabawy ginących odpadków burżuazyjnej kultury".

Niezbyt jasne i wymęczone myśli te przerwało Atanazemu wejście do bramy. Zaczynał się akt drugi: należało jednak oczekiwać świadków „tego idioty".

Informacja

Atanazy pochodził z średniej szlacheckiej rodziny. Ojciec jego protegował sztuki piękne w rodzinnym powiecie, ale synowi zabronił być artystą „carrément" i bił go srogo za najmniejszy rysuneczek albo wierszyk. Matka bolała nad tym, ale po śmierci starego Bazakbala (kłopoty finansowe i alkohol) wychowała małego Tazia (ze strachu przed duchem męża, którego podobno parę razy po śmierci widziała) w kierunku nadanym przez starego. „Metafizyczny pępek" tlił się w Atanazym stale, ale do „twórczości" nie doszło nigdy. I tak powoli został, sam nie wiedząc kiedy, owym aplikantem, myśląc ze strachem o przyszłej adwokaturze. Życie płynęło podwójnym korytem – to drugie, jak mówili niektórzy, było nie tyle rzeczne, ile świńskie. Ale opinia ta pochodziła od takich mamutów starodawnej cnoty, że naprawdę brać jej w rachubę nie można. Niedoszły artysta, zgnębiony na dnie, jak więzień na spodzie okrętu, dawał jednak czasami znaki życia. Codzienny dzień Atanazego nie był dniem zwykłych ludzi, ale wszystko to było ciągle nie to i nie to. Matka jego umarła na raka. Przyzwyczaił się do myśli o tej stracie w czasie długiej choroby. Nawet rad był, że skończyły się jej męczarnie i nie cierpiał nad tym tak, jak to sobie dawniej wyobrażał. A jednak zmieniło się coś i Atanazy, notorycznie niezdolny do wielkiej miłości, zakochał się po raz pierwszy. Nieprzyzwyczajony do uczuć o takim napięciu, miotał się wśród sprzeczności jak ryba na piasku w upalny dzień. Na tym tle wyrosła bezecna idea programowej zdrady. Oto wszystko. Ale czasy nadchodziły inne i najzwyklejsze nawet istnienia wyginały się, przekręcały i deformowały, zależnie od zmiennej struktury społecznego środowiska.

Na schodach spotkał Atanazy dwóch mężczyzn. Nie rozeznał ich w mroku, rozeznawszy, nie domyślił się, o co chodzi, mimo że przed chwilą o tym właśnie myślał.

– A to ty, Jędrek? Jak się masz? Dobry wieczór panu – mówił, pochylając się w kierunku drugiego z tych panów.

Pierwszy był to Łohoyski, jeden z oryginalniejszych hrabiów na naszej planecie. (Ciekawa rzecz, czy na innych są też hrabiowie? Pewno tak, bo istnienie arystokracji jest czymś absolutnym: „eine transcendentale Gesetzmässigkeit", jak by pewno powiedział Hans Cornelius, gdyby zajmował się w ogóle tym problemem).

– Stój! Nie zbliżaj się! – krzyknął ostro Łohoyski.

– Cóż to? Jesteście zarażeni? – spytał Atanazy i w tej chwili zorientował się.

„Więc to oni. Nigdy bym nie przypuszczał" – pomyślał i natychmiast postanowił poprosić na kontrświadków dwóch oficerów, bardzo mało mu znanych z jakiegoś balu. „Na złość temu błaznowi, który mi przysyła nieomalże mego przyjaciela". („A może nie tylko przyjaciela" – szepnął tajemniczy głos w nim samym). Drugim dżentelmenem był Mieczysław baron Baehrenklotz, karykaturzysta-amator i autor kabaretowych wierszyków.

– Jesteśmy tu w sprawie honorowej ze strony Azalina księcia Prepudrech – rzekł Łohoyski ze sztuczną oficjalnością, ale zaraz nie wytrzymał i parsknął krótkim, końsko-zdrowym śmiechem, szczerząc swe i tak już nienormalnie wystające zęby spod lekka po polsku podkręconych blond wąsów. Jego oczy zielone, wypukłe, osadzone w cudownej piękności czaszce, łypnęły powstrzymywaną wesołością.

Informacja

Był to w ogóle wspaniały, rasowy dryblas, zbudowany jak grecka rzeźba. Pieniła się w nim dzika siła życia i chęć użycia wszystkiego za wszelką cenę. Mógł sobie zafundować żonę z dowolnie wysoko postawionej rodziny: Burbonów czy Wittelsbachów; na razie jednak wolał swobodę, której używał drugi rok dopiero po śmierci ojca, tyrana, w stylu co najmniej XIV wieku. Atanazego lubił bardzo. Czasem, zdawało się, krył poza tym coś jeszcze... Ale na razie stosunki ich były idealnie czyste i bezinteresowne.

– Prepudrech ubiegł cię, Taziu. Byłbym ci z ochotą... Ale dla samej perwersyjności sytuacji nie mogłem odmówić temu...

– Panie Andrzeju – zaczął zimno Baehrenklotz – będę musiał zrzec się mandatu...

– Już. Jestem poważny. Może pan zechce łaskawie poprosić nas do siebie – zwrócił się z przesadną sztywnością do Atanazego.

Weszli. Na widok swego pokoju Atanazy zdębiał. Zdawało mu się, że nie był tu wieki całe. Miał wrażenie, że przed powzięciem zamiaru zdradzenia narzeczonej nie istniał rzeczywiście zupełnie. Zbudził się teraz dopiero z jakiegoś niejasnego snu i przeszłość wydała mu się naprawdę obcą, pełną luk, jak sen niedokładnie przypomniany. „Tylko dlatego to mi się tak wydawać może, że bezsprzecznie moja przeszłość jest moją i tylko moją. Nawet w razie rozdwojenia osobowości każda z nich jest jednoznacznie określona i identyczna sama ze sobą. Wszystkie te gadania o nieokreśloności i nietożsamości «ja» są tylko pozą na absolutnie wyzwoloną z przesądów naukowość, a w gruncie rzeczy jest to pseudonaukowość, uniemożliwiająca poznanie istotne przez wykluczenie z góry pewnych rzeczy rzeczywistych jako niepodpadających pod materialistyczne i psychologistyczne założenia. To udawanie przed sobą «wychodzenia z bezpośrednio danych», przy czym już za pośrednio dane uważa się własne istnienie na przykład. Albo z tą przewagą analizy nad intuicją! Bezczeszczenie Husserla na ten temat, że geometria Euklidesa jest względna w stosunku do istnienia i że linia prosta nie ma bezwzględnego znaczenia. Może być sto geometrii krzywych, wygodnych dla fizycznego opisu zjawisk, ale to nie dowodzi, że świat rzeczywisty jest krzywy i skończony". Niewczesne dywagacje te przerwał mu Baehrenklotz:

– Nasz mocodawca prosi uprzejmie, abyśmy się dziś jeszcze zejść mogli z pańskimi świadkami w celu załatwienia sprawy do jutra rano.

– Sądzę, że przy twoich znajomościach to nic wielkiego – zaczął Jędruś.

– To jest kwestia nienależąca do naszej kompetencji – przerwał mu Baehrenklotz. – Do drugiej w nocy czekamy w „Iluzjonie".

– A więc chodźmy. Ja pęknę chyba w tej atmosferze oficjalności! – wykrzyknął Łohoyski. – Żałuję, Taziu – zwrócił się do zamyślonego Atanazego – że nie możemy dziś jeszcze porozmawiać o tym wszystkim...

Baehrenklotz bez ceremonii wyprowadził go z pokoju.

Atanazy głodny jak pies (była już godzina ósma) rzucił się nagle jak obudzony ze snu. Rozebrał się gwałtownie i w dwie minuty prychał już i parskał w „tubie", zmywając z siebie ślady popełnionej zdrady. Nędza tego wszystkiego gniotła jak zmora nocna. Postanawiał dziś przynajmniej nie iść do Zosi, ale okazało się to niewykonalnym. W pół godziny szedł już śpiesznie na przeciwległy koniec miasta; umyślnie szedł, aby mieć czas zrekonstruować wszystkie środki do walki ze złem.

Atanazy nie myślał nigdy o złem i dobrem jako takim – teoretycznie nie zajmował się etyką. Mniej więcej znał odpowiedniki pojęć tych w życiu i świństw zasadniczo nie popełniał. Uwiedzenie żony przyjaciela, odbicie komuś tam narzeczonej, nieszkodliwe kłamstwo dla celów artystycznych, to znaczy: dla dopełnienia i wykończenia naszkicowanej przez przypadek sytuacji – takich wymiarów świństewka zdarzały się w jego drobnostkowo-bogatym życiu. Ale wielkie świństwa, te graniczące z kodeksem karnym, jako też finansowe niedokładności, choćby najdrobniejsze, były mu obce zupełnie. Nad przewinami swymi cierpiał Atanazy nawet często długo i szczerze i postanawiał poprawę – przeważnie jednak na próżno. Z wolą było jakoś niewyraźnie. Występowała ona sporadycznie, ale nie była „mistrzynią twórczości codziennej", jak wyrażał się były profesor Atanazego, Buliston Chwazdrygiel, biolog, wyznawca skrajnego materializmu. Zdarzały się wypadki „tytanicznych" przezwyciężeń, które przychodziły lekko, i ciężko zdobyte, drobne wymuszenia, niegodne nawet wspomnienia, a konieczne. Linia życia, zygzakowata i pogmatwana, poddawała się tajemniczej sile o kapryśnie zmiennych natężeniach, płynącej z zakazanych sfer „metafizycznego pępka" = (ściśle): bezpośrednio danej jedności osobowości, ze źródła wszelkiej metafizyki i sztuki. Brak spontanicznego rozpędu twórczego nie pozwolił nigdy Atanazemu powiedzieć o sobie „jestem artystą". Brzydził się nawet samym dźwiękiem tego słowa i wyśmiewał się z siebie bez litości wobec ludzi wmawiających mu jakiekolwiek talenty. Za to życie komponował podświadomie jak prawdziwe dzieło sztuki, ale na małą skalę, niestety.

Ostatnie fazy rozwojowe, raczej upadkowe, sztuki współczesnej potwierdzały mu jego wstręty. Mimo iż nie czuł się „człowiekiem pełnym samego siebie", spełniającym z zupełnym dopasowaniem między danymi a rzeczywistością swoją „misję na tej planecie" (wyrażenia księdza Wyprztyka) – to jednak na myśl o tym, że mógłby być jednym z „nich", tych zatrutych ubocznymi produktami perwersyjnej twórczości dekadentów, Atanazy wstrząsał się dreszczem zgrozy i obrzydzenia. „ Nie zatruwają się tylko blagierzy i typy tak przeintelektualizowane, że w gruncie rzeczy blagierom równe" – tak powiedział kiedyś po pijanemu genialny Ziezio Smorski, którego potworne, zrobione jakby z surowego mięsa, różowej gutaperki i sztucznych włosów utwory muzyczne grano już po całym świecie z wzrastającym wciąż powodzeniem. Zatruwał się też porządnie: dwa razy ratowano go już w najsłynniejszym zakładzie dla nerwowo chorych. Za trzecim miał podobno zwariować definitywnie, bez możliwości ratunku. Nie – artystą nie był i nie będzie, choć niektórzy mówili mu, że „jeszcze czas". A zresztą czyż mógłby wybrać fach spośród swoich niezliczonych talentów, począwszy od pisania wierszy i prestidigitatorstwa do improwizacji na fortepianie i wymyślania nowych potraw – nie: cały urok życia polegał właśnie na wytrzymaniu w nieokreśloności. Ambicja, aby być kimś dla drugich, była u Atanazego w uśpieniu. Czuł, że nie należy budzić tego potwora, mogącego rozrosnąć się do nieoczekiwanych rozmiarów. Ale czyż samo życie nie mogło postawić go w położenie konieczności zużytkowania nieznanych mu dotąd sił i możliwości? Pochylił się znowu nad własną głębią, raczej „głębką", jak nad kraterem: gurgito nel campo vasto – wracało bezsensowne zdanie, tajemnicze bełkotanie przelewającej się psychicznej magmy, duszące kłęby buchających wewnętrznych narkotyków („Czy aby to wszystko nie jest blaga – pomyślał. – Bo co kogo może obchodzić życie takie jak moje?") dawały znać, że potwór nie śpi. Bądź co bądź, chwila zdawała się posiadać napięcie: „Szalona miłość, pierwsza programowa zdrada, pojedynek – hm – to dosyć jak na dzisiejszy wieczór". Mania tak zwanego „komponowania wypadków" była tą szparką, przez którą jak przez wentyl bezpieczeństwa odciążało się ciśnienie artystycznych elementów. Kłąb dziwnego stanu, samego w sobie, nieobjawionego jeszcze zabarwieniem żadnego rzeczywistego kompleksu, wybuchał jakby z samego dna istoty osobowości i chwiał się w nieokreślonym bliżej wymiarze ducha, zanim spadł na jakiś inny stan konkretny lub na coś dziejącego się w zewnętrznym świecie. Zdawało się, że już zaraz, za jakąś cieniutką przegródką, za przepierzeniem, które w każdej chwili rozwalić by można, kryje się coś niepojęcie nadzwyczajnego; że za chwilę stanie się coś, co zmieni wszechświat i jego samego w absolutną harmonię, w konstrukcję bez zarzutu, dziwaczną niezmiernie w swej jednoczesnej dowolności. Już, już miała pęknąć ta bomba, odkrywając nowe światy – aż nagle mroczniało wszystko, stawało się dalekie i obce, tonęło w mętnej świadomości normalnego, codziennego dnia. „Gdybym był artystą, stworzyłbym w takiej chwili pierwszą ideę jakiegoś dzieła sztuki" – myślał w takich razach Bazakbal i miał, zdaje się, rację. Czasami zdawało mu się, że ma coś niesłychanie ważnego do powiedzenia o życiu, o przyszłości ludzkości, o sprawach społecznych. Chwazdrygiel namawiał go często na studia historyczno-filozoficzne. Ale wszystko rozbijało się o tak zwane „niedomykanie się klapek", „nieściśliwość stanów ostatecznych", „brak związków funkcjonalnych między odległymi połaciami intelektu" – wszystko w terminach samego Chwazdrygiela. Według niego najciekawszymi typami współczesności mieli być wszechstronni dyletanci – „les dégénérés superieurs", małe manometry, na których odbijać się miały wszystkie, najsubtelniejsze nawet, zmiany w układach sił społecznych. Atanazy chciałby bardzo być takim manometrem – niestety, nie widział siebie w sposób dość interesujący: życie samo w sobie przestawało być wystarczającym powodem istnienia.

Automatycznie szedł przez gęstniejące ludźmi ulice. Miasto zbudowane było bez planu. Podobnie jak w niektórych częściach Londynu najgorsze slumsy stykały się z ulicami względnie przyzwoitymi. Nagle Atanazy poczuł się zwykłym bubkiem i ulica, jesienna, zimna, błotnista, wchłonęła go razem ze wszystkimi psychologicznymi dziwnostkami i nienarodzonymi świato- i życiopoglądami. Zza szeregu kamienic wysunął się ogród otoczony sztachetami. W głębi, wśród drzew o żółtych i czerwonych bukietach zwiędłych liści oświeconych łukową lampą, przeświecała biała willa Osłabędzkich. Panował tam spokój obcy otaczającemu miastu.

Była to wyspa cichego, czystego szczęścia wśród morza brudnej rozpusty. Do „miasta" należała Hela Bertz, była jego najistotniejszym symbolem. Czemu jednak to szczęście przesycone było tak straszną, nieznośną męczarnią? W którymś oknie na dole świeciła się zielona plama abażuru. Tam była Zosia, była naprawdę! Nie mógł w to uwierzyć: przez zdradę wyolbrzymiała mu do jakichś nieludzkich – oczywiście nie w fizycznym znaczeniu – rozmiarów, stała się dziwna i niepojęta, w metafizycznym sensie tych słów, tak jak cały świat w rzadkich chwilach olśnienia Tajemnicą Bytu. Sam był w tej chwili małym, nędznym, zwyczajnym człowieczkiem. Wpływał do portu jak łódź w czasie burzy po nieudałym połowie.

Informacja

Pani Osłabędzka kładła właśnie nie wiadomo którego już pasjansa. Zofia, jej córka, czytała uniwersytecki kurs psychopatologii. Studiowała medycynę zupełnie bez zewnętrznej potrzeby, dla jakichś swoich tajemniczych celów. Zaczęło się od naukowej ciekawości, potem przeszło to w obowiązek, potem przyzwyczajenie, aż narescie utknęło w czystej dobroci, jakichś zamiarach pielęgniarsko-szkolnych, nudnych jak flaki z olejem rycynowym. Aż wreszcie zjawił się Atanazy i wszystko wzięło w łeb. Skończyć jednak trzeba, co się raz zaczęło – taka była zasada Zosi.

– Tazio spóźnia się. Miał być zaraz po kolacji – szepnęła jakby do siebie.

– Zobaczysz, jak będzie się spóźniał w rok po ślubie – odpowiedziała mama. – Ja znam ten typ niespokojnych brunetów. Jest zbyt inteligentnym, by mógł polegać na sobie: wszystko przeanalizuje tak, że na wszystko będzie mógł sobie pozwolić.

– Mamo – zaczęła z wyrzutem Zosia – ja zupełnie inaczej patrzę na życie. Mnie trzeba choć trochę tej fantastyczności, której w sobie nie mam zupełnie. On mi daje to wszystko, wypełnia moje najważniejsze marzenie dzieciństwa.

– Zobaczysz, czym będzie dla ciebie ta fantastyczność później. Czy ty kochasz go naprawdę? – pytała po raz setny może od dziesięciu dni.

– Już ci mówiłam, ja nie nazywam nic po imieniu. Jemu mówię, że tak, bo może by mnie nie zrozumiał inaczej – tego jednego tylko – bo zresztą on wie wszystko. Mężczyźni są tacy dziwni w tych rzeczach najprostszych.

– Co ty wiesz o tym...

Zaiste Zosia nie wiedziała nic. Narzeczony pocałował ją pierwszy. Ale na tle lektury, rozmów i studiów myślała, że wie dużo więcej od matki.

Bez pukania wpadł do pokoju Atanazy. Już nie był „bubkiem", już nie odpoczywał. Cała komplikacja jego istoty była tu, przed nim, jak na stole, jak na półmisku, przywalona miażdżącym ciężarem niezrozumiałej miłości.

Informacja

Zosia była prawie lnianą blondynką, podobnie jak jej matka, która zaczęła właśnie gwałtownie siwieć. Były obie aż nieprzyjemnie do siebie podobne. Fakt ten łagodziło to, że pani O. była osobą dość dla Atanazego sympatyczną, mimo pewną kanciastość charakteru i nie zawsze taktowną prawdomówność. Zosia była prześliczną, szczególniej dla wysmukłych brunetów. Oczy jej zielone, trochę ukośne, ale nie tak jak u Heli Bertz, miały w sobie dziewczynkowatą kotkowatość na tle bestyjkowato-lubieżnawym przy jednoczesnej głębi, zresztą chwiejnej, i mądrym, zimnym zamyśleniu. Pełne, bardzo świeże i czerwone, trochę niekształtne w rysunku usta, rozedrgane i niespokojne, stanowiły kontrast ze zwracającym uwagę klasyczną pięknością prostym i cienkim nosem. Była wysoka i w miarę pełna. Ręce i nogi cienkie w przegubach i długie, wrzecionowate palce. Koniec.

Stary Osłabędzki na szczęście nie żył. Miał to być dziwnie gnębiący wszystkich pan przy pozorach nadzwyczajnej łaskawości i względności. Obie panie, mimo iż nie śmiałyby się przyznać do tego za nic na świecie przed kimś ani przed sobą nawet, używały w cichości samotnego szczęścia w domu i swobodnego rozporządzenia dość dużym majątkiem ziemskim i „miejskim". Podobno rodzina Rżewskich, z której pochodziła pani O., używała w Małopolsce hrabiowskiego tytułu. Stąd lekkie, ale nieszkodliwe zresztą fumki i puszenie się. Atanazy jako potomek tatarskiego rodu trzeciej klasy, o którym pies nie wiedział, nie był zupełnie odpowiednim mężem dla Zosi. Stąd atmosfera mezaliansu. Ale trudno – takie były czasy. Pani Osłabędzka miała zwyczaj mówić sobie na pocieszenie, że „przykład idzie z góry", i opowiadała tam, gdzie ją chciano słuchać, o austriackiej arcyksiężniczce, która wyszła za marynarza, takiego prostego „von", i o księżniczce de Bragança, żonie hrabiego Łohoyskiego, stryja Jędrusia.

Na widok Zosi Atanazy przestał na kilka sekund istnieć. Okropny ból wyrzutu i spotęgowanej miłości, wstydu i wstrętu do siebie, zmięszany z dzikim wprost wyidealizowaniem narzeczonej, to wszystko zdławiło go za gardło jak jakaś ohydna, mordercza, olbrzymia łapa. Na dziś miał dosyć. Padł na kolana i całował nieśmiało jej ręce, dusząc się od niewyrażalnych uczuć. Po czym zerwał się i przywitał się z mamą.

– Przebacz mi – rzekł nie swoim głosem. – Miałem parę spraw do załatwienia i jeszcze nie skończyłem wszystkiego. I tak z trudem zdołałem wyrwać tę chwilkę z chaosu dzisiejszego dnia. Muszę zaraz iść.

– Ale czemu jesteś taki jakiś dziwny?

– Nic, tęskniłem za tobą strasznie. Miałem wrażenie, że coś złego się stało. Nie wiem. Zanadto cię kocham, zdaje się. Nie poznaję siebie.

Pani O. spojrzała na Atanazego uważnie i bez wielkiej sympatii. Nagle wszystko uleciało tam, w fantastyczną sferę nadchodzącego cudu (to stosuje się do Atanazego). Wytrysnął z dna istoty tajemniczy obłok objawień, kryjący oślepiające światło ostatecznej prawdy. Atanazy wziął Zosię lekko za ramię.

– Czy mogę przejść do ciebie? Chcę ci powiedzieć pewne rzeczy, które panią znudzą na pewno. Pani się nie pogniewa? Prawda?

– Panie Atanazy, pan wie, że jestem bardzo wyrozumiała, gdyż sama przeszłam rzeczy straszliwe. (Co to było, nikt nie wiedział i nikt się nigdy nie dowiedział). Wiem, że świadome przeciwdziałanie fatalistycznym wypadkom gorsze jest od biernego poddania się przeznaczeniu.

– Przypadku nie ma – odpowiedział już twardo Atanazy, odzyskawszy wobec teoretycznego zagadnienia całą równowagę umysłu. (Zosia cieszyła się wszystkim jak dziecko). – Albo wszystko jest dowolnością, w pewnych granicach możliwości – w granicy w znaczeniu matematycznym – wyglądającą czasem na konieczność na podstawie zasady wielkich liczb; albo jest konieczność absolutna i wtedy pojęcie wyboru rzeczy dość wielkich, aby były fatalistyczne, nie ma sensu.

– Jest pan grzeczny jak zwykle. Niech się pan nie gniewa, ale jeśli ja pana nie wychowam, to chyba nikt już nigdy, bo Zosi nie wierzę w tym wypadku zupełnie. Idźcie, dzieci. Niech pan tylko zanadto się przed nią nie wywnętrza: ani teraz, ani po ślubie. Mężczyźni w ogóle nie wiedzą teraz, co można mówić, a czego nie; stracili wszelki takt. A zresztą trzeba być zawsze trochę tajemniczym dla ukochanej kobiety.

Atanazy skłonił się i przeszli razem z Zosią do jej panieńskiego pokoju. Teraz dopiero, na tle spokoju tego domu, odczuł Tazio jutrzejszy pojedynek jako coś nieprzyjemnego, ale jeszcze żaden cień strachu nie musnął nawet jego świadomości.

Oczywiście myślał dalej: „Zadowolenie z własnej małości i usprawiedliwianie tego zadowolenia przez metafizyczne ubezwzględnienie względnej wartości wszystkich uczuć w życiu. Słabość, dobroć, roztkliwienie nad sobą, płaski ego- izm, szukający potwierdzenia w fałszywej dobroci, w tym właśnie roztkliwieniu i rozczuleniu. Wstrętne słowa!".

Jakże marne wydały mu się te wszystkie jego pseudomy- ślątka wobec ogromu potężniejącego ciągle uczucia, które zdało się być czymś obiektywnie poza nim istniejącym, poza całą obrzydliwością jego psychicznych bebechów. Szczyt wieży tonął już w ciemnościach dla umysłu nieprzenikal- nych, a widoma podstawa puchła w dziwacznych skrętach, unosząc na galaretowatym podłożu całość z diabelskim sprytem wymyślonej budowy. Wszystko trzymało się jak polip morski na cienkiej szypułce, pępowince, która lada chwila mogła pęknąć. (Tymi słowami prawie myślał o tym – co za upadek!). „I co wtedy, co wtedy?" – pytał siebie, nie wierząc chwilami w rzeczywistość całej tej historii w ogóle. „Może tego wcale nie ma? Och, jakże byłoby wtedy dobrze!". I znowu: „Gdybym był k i m ś, artystą, twór- cą życia, nawet marnym społecznikiem (czemu marnym?), uniósłbym to wszystko (to znaczy: Zosię, przyszłą teścio- wą i willę chyba) w inny wymiar i stworzyłbym wielkość tego prawdziwą. Tak, jak jest, muszę brnąć w to takie, jakim jest. Umetafizyczniam to sztucznie, tworząc z tego udany absolut, ogólne równanie wiecznych praw, aby bez wstydu wobec samego siebie oddać się straszliwej rozpuście czyste- go uczucia". U natur tego rodzaju co Atanazy czyste uczucie jest tylko formą psychicznego onanizmu: tego znienawidzo- nego, skopanego z pogardą siebie uwielbia się w postaci projekcji na drugą osobę – kobietę czy mężczyznę – to już wszystko jedno. Są to te osobniki, które mogą być z łatwo- ścią homo- i heteroseksualnymi, zależnie od tego, jakiego rodzaju ekran nadaje się lepiej dla odbicia ich wdzięcznych sylwet w celu samoubóstwienia. Dwoisty erotyzm jest dla nich dodatkiem tylko – naprawdę są onanistami.

Nie wiedziała nic o tym biedna Zosia, ale i Tazio nie wiedział pewnych rzeczy tak o sobie, jak i o niej. Trzymając teraz w obu rękach jego umęczoną głowę, myślała sobie: „Jaki on biedny, głupi, daleki ode mnie, jak jakieś stworzenie innego gatunku mimo całej, wyjątkowej naprawdę inteligencji. Na czym to polega! Taki biedny, zagmatwany chłopczyk. Jakże mi go żal strasznie. A czasem, gdy mi się podoba, rozszarpałabym go na strzępki, żeby go już wcale nie było". Tu spojrzała w oczy Atanazego z nagłym błyskiem żądzy, która objawiła się na jej twarzy w postaci przelśnionego, jakby wizją zaświatów, zachwytu. „Ja wszystko dla niego zrobię. On musi być bardzo biedny, gdy jest sam. Takim go nie znam i nie poznam nigdy. Takim nie zna się i on sam naprawdę. To jest miłość, to, co myślę, tak, to, co myślę, a nie odczuwam – inaczej być nie może. Ach, gdyby tak jednocześnie i on, i Miecio Baehrenklotz na dodatek – to byłoby szczęście. (Co u diabła, czyż ten biedny Atanazy mógł być główną osobą dla kogoś jedynie tylko w kombinacji z kimś innym? Gdyby mógł wiedzieć, co myślała Zosia, nie robiłby sobie wyrzutów z powodu jakiejś głupiej „perwersji"). Życie moje nie jest nędzne teraz, tak jak przed rokiem, kiedy ze zgrozą myślałam o nadchodzącej wiośnie i pustce we mnie i dookoła. Jestem psychiczna masochistka, a fizyczna sadystka. Możliwe, że (nawet na pewno) on jest odwrotnością tego i dlatego go kocham – kocham go – ach, co za szczęście!".

– Kocham cię – wyszeptała i pocałowała go lekko w czoło, zamiast ugryźć w wargi, na co miała ochotę.

Atanazy zamarł w nieludzkim szczęściu nasycania się dręczącą go swoim ogromem miłością. I nagle jak ryk okropnego bólu w ciszę oczekiwania, jak nóż między włókna żywego mięsa wdarł się w tę chwilę wyrzut sumienia. Nieszczęście zwaliło się na niego jak jeden blok.

„Świadomość, odpadek ponadskończonej egzystencji ciała, w którym miliardy istnień (aż do nieskończenie małych w granicy) tworzą swój wszechświat w ograniczeniu jednej osobowości, zgasła w bydlęcym cierpieniu". Tak określiłby to Atanazy, gdyby mógł w tej chwili myśleć. Jakaś iskierka świeciła jeszcze w bezdennej ciemności, jak jedyna gwiazda na pustym niebie. „Już nigdy nie będzie to tym, nigdy". Z tej iskry zbudować wszystko na nowo? Wydawało się to nadludzką, tytaniczną pracą – i nudną przy tym, nudną do obłędu. Życie przed nim było grzeszną pustynią bez kresu, przez którą trzeba było brnąć w zwątpieniu i męczarni.

– Nigdy już, nigdy – wyszeptał.

– Co nigdy? – spytała Zosia.

– Nie pytaj teraz o nic. Nigdy cię już nie skrzywdzę. Jestem twój na wieki – wyrzekł jak formułę przysięgi i skłonił głowę na jej kolana.

A jednocześnie łowił resztkami przytomności tamtą chwilę i rozumował tak: „Przez tę zdradę, zamiast zniszczyć wszystko, poznałem wyższy stopień uczucia. Dlatego nie ma w tym winy, ponieważ okupione jest wszystko w innym wymiarze". Nagle wstał, prosty i uroczysty, podniesiony na duchu ostatnio odkrytą prawdą. Nie wątpił, że to jest prawda, i nie czuł nawet cienia popełnianego, subtelnego świństwa. A skoro go nie czuł, nie było w tym żadnego świństwa faktycznie. Cóż mogły go obchodzić sądy tych, którzy gdyby mogli przy pewnych warunkach i inteligencji, i intuicji, i tak dalej, i tak dalej... Ale nawet w tak ogólnikowej formie nie zjawiała się żadna wątpliwość. Po paru sekundach oczekiwania na nią Atanazy poczuł, że musi mieć rację i że wszystko, co zaszło, było koniecznością, i to koniecznością dobrą. Ucałował Zosię w głowę. Nie miał jednak odwagi pocałować ją w usta.

– Muszę już iść. Nie pytaj o nic – rzekł dźwięcznie, krystalicznie.

„Ani myślę – pomyślała Zosia. – I nic mnie to w tej chwili nie obchodzi. Pewno jakaś histeryczna «komplikacja wewnętrzna»". Przemknęła chwilka nikła jak puszek, która jednak położyła się brudnym, burym cieniem-ciężarem na ich plączące się od pewnego czasu życia. „Kabotyn" – przemknęło jej przez myśl jakby bezprzedmiotowo.

„One mają jednak intuicję, te bestie" – pomyślał w związku z możliwością domysłów Zosi na temat jego „zdrady" Atanazy, zapatrzywszy się w jej oczy zwrócone spojrzeniem do wewnątrz. Poczuł się zdemaskowanym mimo pewności, że Zosia niczego się nie domyśla, zdemaskowanym co do ogólnych zarysów swego psychicznego mechanizmu. Oboje domyślali się czegoś na swój temat i oboje krążyli dookoła nieświadomego punktu przecięcia ich podejrzeń, nie mogąc, a może i nie chcąc, dociec ostatecznej prawdy.

Informacja

Mimo istotnej niższości intelektualnej Zosia była dużo sprytniejsza od Tazia, który nie znał się w ogóle na ludziach i chełpił się tym nie wiadomo dlaczego.

Wyszedł, pocałowawszy ją jednak przelotnie w usta, i tajemnica ich wzajemnego stosunku pozostała znowu w zawieszeniu na czas nieograniczony.

Atanazy pojechał do kawiarni „Iluzjon", gdzie spodziewał się zastać potrzebnych mu oficerów. Czuł się wprost świetnie. Wiszący nad nim pojedynek dodawał tylko uroku przemijającym chwilom. Wszystko było jakieś ładne, ciekawe i konieczne. „To samo Łohoyski ma po «coco», o ile nie łże – pomyślał. – A ja bez tego potrafię tak się patrzeć na świat". Oficerów znalazł (rotmistrz Purcel i porucznik Grzmot), załatwił z nimi szybko sprawę i dawszy im carte blanche na definitywne załatwienie, napuścił ich na świadków księcia. Łohoyski chciał mu coś powiedzieć, ale uciekł mu szybko. „Temu wszystko wolno, ale nie mnie. Jednak byłoby zabawniej, gdybym był hrabią". Było prawie pewnym, że pojedynek odbędzie się jutro z rana. Na wszelki wypadek kazano mu się obudzić o piątej. Do Prepudrecha nie czuł ani złości, ani nawet niechęci. Raczej było mu go trochę żal. „Będzie strzelał pierwszy i chybi wskutek trzęsawki strachowej, a ja wpakuję mu karmelek w prawą półkulę" — myślał Atanazy, idąc do domu. Wszystko, i zdrada, i widzenie z Zosią, i pojedynek, ułożyło mu się w harmonijną całość. Był zadowolony z kompozycji tego dnia.

— Gdyby wszystkie dni układały się w ten sposób, całe życie byłoby utworem dość znośnym, byłoby pewną jednością w wielości — rzekł głośno, zapalając światło w swoim pokoju.

Znowu cały dzień przesunął mu się z szaloną szybkością w pamięci, ale ze wstrętnym jakimś zabarwieniem i w ohydnej deformacji, z uwypukleniem momentów kłamstwa i podłości. Ale wrażenie to ustąpiło zaraz miejsca poprzedniemu poczuciu harmonii.

— Peuh — rzekł z francuska. — Przeżywaliśmy rzeczy stokroć gorsze.

A jednak nie było to prawdą.

ROZDZIAŁ II

NAWRÓCENIE I POJEDYNEK

Była dziewiąta rano, gdy Józia Figoń otwierała drzwi do sypialni Heli Bertz, wpuszczając tam jak kota do pokoju, w którym jest szczur, księdza Hieronima Wyprztyka z zakonu paralelistów, doktora teologii i profesora Najwyższej Dogmatyki na uniwersytecie tu i w dalekiej Antiochii. Ojciec Hieronim był to wysoki (na 2 m 10 cm), chudy blondyn, z olbrzymim orlim, skrzywionym na lewo nosem. Nie miał w sobie nic klasztornego. Jedynie dla nadania osobie swej większego znaczenia jako łowcy dusz wstąpił do misjonarskiego zakonu. Tylko niebieski pas na czarnej sutannie zwiastował w nim paralelistę. Pochylił się naprzód, wyciągając szyję jak kondor, i starał się przebić swym świdrowatym wzrokiem półmrok dusznej sypialni. Zapach kolacji (dobrej), perfum z leśnej jesiennej gencjany i jeszcze czegoś... („Ha, już wiem" – pomyślał) – tak, subtelny zapach „orgii cielesnej", jak się wyrażał, podrażnił jego czułe nozdrza mikrosplanchika i niedoszłego schizofrenika. W chwilach takich: obowiązkowego zbliżenia się do rzeczy niedozwolonych, ksiądz Hieronim „nasycał się najbardziej rzeczywistością". Określenie to znane było w kołach pewnych narkotystów i jeszcze jakichś „istów" życiowych, pomiędzy których zabłąkało się paru jego uczni z czasów, kiedy był katechetą, czyli jak mówiono, cierpiał na katecheksję. Nagle z przesyconego zawiłą kombinacją zapachów mroku, przebiwszy kłąb rodzących się nieprzyjemnych uczuć i żalu, i złości, które przeszły w „tło zmięszane", wystąpił przed nim obraz śpiącej Heli. Rozsypane, kręcące się, rude włosy otaczały lubieżnie, jakby w skurczu rozkoszy, skręconą jej głowę. Jedna, gwałtownie dysząca, prześliczna pierś kształtu indyjskiej dagoby, z małą, niewinną jak kwiatek różową brodawką, wąska, o wysokim podbiciu, niebieskawo-biała noga i ręce – to wywalone było na wierzch. Reszta ciała wyginała w seksualnie obiecujący szkic cienką, ciemnoczerwoną kołdrę. Ksiądz Wyprztyk coraz wyraźniej nasycał się rzeczywistością... Ale zaraz ocknął się i przechodząc nagle w inny wymiar, uczynił ze zmysłowego obrazu płaską plamę wspomnienia na uciekającej przeszłości i zatrzasnął ciężkie wrzeciądze woli, poza którymi we wnętrzu swej ognistej, namiętnej istoty, w piekiełku, gdzie chował nadworne, niedające się zabić monstra, dyszała, między innymi, niedotłamszona nigdy do końca żądza życia. Już transponował tę energię za pomocą zawiłych, jemu tylko znanych wzorów na inne, wyższe wartości. Dotknął długim, kościstym, opatrzonym w płaską poduszeczkę palcem nagiego ramienia swojej przyszłej ofiary, na którą od kilku lat już czatował.

– Jak się masz, mrówkolwie? – szepnęła Hela, budząc się na wesoło.

Zakończenie zapomnianego w chwili przebudzenia snu było rozkoszne. Coś absolutnie nieokreślonego szło w górę, rozprzestrzeniając się wachlarzowato w przyjemnym zatraceniu poczucia przestrzeni.

– Czy znowu w tym tonie zamierzasz mówić ze mną, krnąbrna córeczko? Wychodzę i tym razem nigdy już nie wrócę – rzekł Wyprztyk bez cienia urazy w głosie.

Hela ocknęła się zupełnie.

– Nie, ojcze, tym razem chcę się przechrzcić naprawdę. Tylko nie żądaj ode mnie wiary dziś, zaraz, na poczekaniu. Czuję się bardzo źle sama ze sobą. Nie mogę wyzbyć się uczucia zupełnej samotności i pustki mimo przyjaciółek i przyjaciół.

– A nawet kochanków – obojętnie zauważył ojciec Hieronim, pociągając z lekka nosem.

– Tylko dziś, właśnie po raz pierwszy, oddałam się z całą świadomością pewnemu młodemu człowiekowi, ale z tym zastrzeżeniem, że ślub nasz odbędzie się w najbliższych dniach. Jest katolikiem i...

– I w tym celu?...

– Nie, nie tylko w tym, jakkolwiek to wchodzi też w system działających sił.

– W ognisku tych potęg nie widzę prawdziwego natchnienia mającego źródło swoje w wiecznej prawdzie – ironicznie zauważył ksiądz.

– Ojcze, ja nie zniosę dłużej tego tonu i języka, którego ojciec używa zarówno w stosunku do krnąbrnych kucharek, jak i do mnie. Jestem sama w znaczeniu metafizycznym... odczuwam wszystko jako majak. Ja przecież czytałam wiele, ze mną nie można tak.

– Właśnie dlatego, że jesteś zbyt oczytana w filozofii, chciałem cię zażyć od strony zupełnej prostoty. Ale skoro nie, to nie. Wytoczę argumenty cięższe.

– Przede wszystkim jak pozbyć się tego gniotącego uczucia samotności? Ja chcę żyć, a wszystko mi się z rąk wymyka i wszystko „jest nie to". Chyba mam warunki, aby stworzyć sobie życie takie, jakiego bym pragnęła? A tu nic: życie płynie obok jakby, a ja wołam was wszystkich niemym głosem, którego nikt nie słyszy, i mimo że jesteście ze mną, uciekacie ciągle w dal przeszłości. Każda rzeczywistość ma dla mnie żałosny smak niepowrotnego wspomnienia nigdy niebyłego wypadku. Ja chcę wierzyć, bo to jedynie nada sens ostateczny wszystkiemu, mimo że gdzieś na dnie duszy, a raczej intelektu, będę uważała to za rezygnację, za świadomy upadek.

– Tak. Wiem o tym, jest to pragmatyczny pogląd, który tępię wszędzie, gdzie mogę. Najpłytsza doktryna, jaka istnieje, zastosowana zresztą dobrze do marności naszych czasów. Wszyscy jesteśmy pragmatystami w znaczeniu czysto zwierzęcym, chodzi nam o to, aby nam było dobrze: każdemu bydlęciu, ba, komórce o to chodzi. Ale różne są stopnie tego, co jest dobre, jest cała hierarchia pożyteczności i przyjemności, dla której ustawienia w samym czystym pojęciu pragmatyzmu nie ma kryteriów: zupełna względność.

– Kryteria są społeczne – wtrąciła Hela. – Pęd ludzkości ku coraz większej społecznej doskonałości stwarza kryteria dla tablicy wartości w każdej epoce. Kryteria pragmatyzmu muszą być społeczne, inaczej każda bzdura mogłaby mieć pretensje do względnej chociażby prawdziwości. Po zbankrutowanej demokracji przychodzi komunizm czy syndykalizm, ale wszystkie idee te, z których dwie pierwsze są wyrazem nietrwałego stanu rzeczy w stadiach pośrednich, mogą opierać się na pragmatyzmie, zarówno jak i na oświeconym absolutyzmie. Tylko że w dawnych czasach uświadomiony pragmatyzm był społecznie niepotrzebny...

– Poczekaj, córeczko, w zasadzie zgadzam się z tobą, ale wprowadzasz takie zamieszanie nadmiarem koncepcji, że nigdy z niego wybrnąć nie zdołamy. Za dużo chcesz powiedzieć od razu. Dziś chodzi o jedno tylko: abyś uwierzyła w konieczność twego nawrócenia, i to właśnie nie z pragmatycznego punktu widzenia. Musisz uwierzyć nawet wtedy, jeślibyś z tą chwilą miała antycypować najgorszy nawet subiektywny stan duszy na czas nieograniczony.

– Przyjemna perspektywa. Ja chcę być metafizycznie szczęśliwa i koniec. Obowiązkiem twoim, ojcze, jest dać mi to.

– Przestań być choć na chwilę bardzo bogatą Żydóweczką, o nadmiernie wyostrzonym intelekcie, zresztą typowo po semicku nietwórczym, przestań raz czegokolwiek wymagać. Poddaj się tak, jak dla eksperymentu poddawałaś się hipnozie. Chodzi o „nastawienie" – bez odpowiedniego nastawienia niczego zrozumieć nie można. Musi na początku być ta podstawa, to, co na przykład Husserl w stosunku do swojej teorii nazywa „phenomenologische Einstellung". Pieniądze twoje nic tu nie pomogą, choćbyś je wszystkie oddała na mój klasztor. Przysięgam ci, że nie to jest moim celem.

– Podświadomie...

– Wszystko można przenicować bez dowodu przy pomocy pojęcia podświadomości. Dobre jest ono między psychoanalitykami. Wykluczmy je z naszych rozmów na zawsze. Ukorz się przed ideą, którą przedstawiam, a nie przede mną. Czyż dowodem za mną nie jest właśnie to, że ty właśnie mimo twoich bogactw, piękności, żydowskiej pychy i, powiedzmy otwarcie, mądrości musiałaś zwrócić się do mnie, do mego świata, po odpowiedź na najistotniejsze, bo metafizyczne udręczenie.

– A może jest w tym jedynie interes papy? Może ja osłaniam tylko sobą jakąś brudną czysto żydowską machinację? Może to wasza sugestia wspólna?...

– Nie, ojciec twój, którego przywiązanie do jego wiary niezmiernie cenię, w głębi duszy zrozpaczony jest z powodu twego zamiaru. Ale inna rzecz, że i on przyjąć chrzest musi. Nie śmiał ci tego zaproponować, abyś pokryła ten jego czyn wobec drugich – wiesz kogo? – maską twego pozornego czy rzeczywistego despotyzmu. I mimo całej rozpaczy z radością uchwycił jednak tę sposobność. Zemści się to na nim w ten sposób, że będzie najgorliwszym katolikiem za rok lub dwa. A jednak już teraz jest finansowo szczęśliwy, gdyż jako Żyd nie mógłby wejść w pewien krąg międzynarodowych interesów. Teraz dopiero stanie się prawdziwą siłą.

– Siłą godną opanowania przez księdza? O, jakżeż ty się potwornie dajesz nabierać, ojcze Hieronimie!

– Rozdwojenie ducha u istot tak potężnych jak twój ojciec musi być straszliwym cierpieniem – zagadał kwestię ksiądz Hieronim.

– Dosyć tych życiowych roztrząsań – przerwała mu Hela. – Ani ksiądz, ani ja nie zrozumiemy nigdy istoty afer mojego ojca. Zostawmy go w spokoju. Jako człowiek życia jest ksiądz naiwny jak małe dziecko. Ja chcę mówić o tym, w czym naprawdę objawia się twoja siła. Wiem, że jako kobieta nie istnieję dla ciebie zupełnie. To już imponuje mi bardzo...

– Nie jest to tak pewne, jak ci się wydaje, moja córko. Wchodząc tu, doznałem dziwnego wrażenia; chcesz, to ci powiem: pomyślałem sobie, że całe życie moje nie byłem tym, którym być miałem.

– Więc może miał ksiądz być uwodzicielem? Czy może mam to uważać za oświadczyny i chęć rozpoczęcia innego życia?

– Teraz ja mówię, dosyć! Cokolwiek bądź bym pomyślał – czasem myśli się rzeczy straszne, które szepce wprost do ucha zły duch – on jest, on jest tu z nami!... Chroń nas, Najświętsza Matko! – szepnął nagle ze strachem, a w szepcie tym był utajony krzyk. – Otóż – mówił twardo – czegokolwiek bym nie pomyślał, wiem na pewno, że nie ma rzeczy ani książki, ani osoby, ani cierpienia – byłem torturowany w Małej Azji – które zmienić by mogło moje czyny i myśli. Jestem nienaruszalny, nie do zgwałcenia; w tym jest moja siła, którą bez żadnej pychy, jak przyrząd mierniczy, obiektywnie oceniam.

– Już w tym właśnie, co mówi ojciec o braku pychy, jest pycha, ale tak można się bawić aż do nieskończoności. Mów, księże, mów wprost do mojej samotnej jaźni, poza tym pokojem, poza tym domem, w abstrakcji od papy, kochanków i całego świństwa mojego życia.

– Tak nie można, córko. Pozujesz i tym peszysz mnie, mówiąc popularnie. Jedyna rzecz, której się naprawdę wstydzę, to fałszywy patos u kogoś. A po drugie, to jest właśnie błąd twój: ta chęć uniezależniania poznania od zasług życiowych. Nie można oddzielać etyki od metafizyki. Życie twoje musi się zmienić, a wtedy poznasz prawdę ostateczną, staniesz się tej prawdy godną. Jeśli nie znasz jej dotąd, to przy twoich umysłowych danych jest to winą tylko twego życia, a nade wszystko pewnych uczuć, które, zamiast pokonać, hodujesz jak te obrzydliwe kwiaty w cieplarniach twego ojca.

– Mogę to zrobić, ale tylko jako eksperyment, bez żadnej wiary w jego skuteczność. Pewne uczucia można zabić, zabijając jednocześnie siebie.

– Rób, co chcesz, bylebyś zaczęła. „Zaczynajcie, Bóg dokończy" – nie pamiętam, kto to powiedział. Ten sposób samobójstwa będzie na pewno lepszym od tego, którego używałaś dotąd. A jako cel ostateczny: zbawienie wieczne.

– Banalne postawienie kwestii jak na słynnego księdza Wyprztyka. Mam wrażenie, że twoja ustępliwość, ojcze, twoja wolnomyślność, powiem nawet, myślowa rozwiązłość, jakiś prywatny modernizm to tylko metody złapania mnie, raczej osaczenia.

Ksiądz Hieronim opanował odruch gniewu wewnątrz peryferii swego olbrzymiego ciała i twarz nie drgnęła mu nawet.

– Nie będziesz mnie analizować, dziecko – mówił łagodnie. – Nie starczy ci sił mimo całego żydowskiego przemądrzenia. A nade wszystko nie wystarczy wyrazów, nawet gdybyś coś tam czasem odgadła.

– Co za pogarda! Ach, ty chamski goju, wyprztyku, niedorosły do kostek ideom, którym służysz! Ty, który bez twego księżostwa byłbyś pastuchem świń; ty, który dla kariery wyrzekłeś się równych sobie kobiet, jakichś parszywych, zidiociałych aryjskich pastuszek, aby być wielkim władcą w wymierającej pustyni katolickich omamień...

– Pamiętaj, że do stanu księżego zostałem zmuszony przez rodzinę i nie żałuję tego. Cześć za to mojej nieboszczce matce. – Złożył ręce jak do modlitwy. Umyślnie nie zwracał uwagi na jej obelgi, był to akt pokory. Hela śmiała się bezczelnie. – A teraz dosyć! Mówisz, że jesteś samotna, ja nie będę dla przekonania ciebie o słuszności moich metod odsamotnienia używał słów niegodnych twego rozumu, łagodnych powiedzeń o miłości i poświęceniu...

– Godnych za to tych związków kucharek, pomywaczek i szwaczek, w których sumieniach jesteś wielkim cudotwórcą i magiem, ojcze Wyprztyku.

– Milcz i słuchaj – zasyczał ksiądz i podniósł ciężką łapę do góry.

„Gotów mnie zbić naprawdę – pomyślała Hela. – Ale od bicia do «tego» jest tylko jeden włosek. A gdyby nie to, że go potrzebuję duchowo, teraz bym go uwiodła. Ciekawa jestem, co by zrobił, gdybym go tak oplotła rękami i nogami".

Ksiądz nie opuszczał dłoni i nagle zwinął ją w groźny kułak. Hela skuliła się w łóżku jak obita suczka.

– Tylko pozwól mi, ojcze, na jedną rzecz, każę przenieść tu telefon z tamtego saloniku. Mój narzeczony i kochanek bił się dziś na pojedynku. Ja chcę się dowiedzieć...

– Na pojedynku! Czy to jest po polsku? Nie i nie. Teraz będziesz słuchać mnie.

Powstrzymał ją od wyskoczenia z łóżka silnym uderzeniem palców po niebieskawym ramieniu. Syknęła z bólu i skryła się cała pod kołdrę. Wyprztyk mówił:

– Jesteśmy oboje dość naładowani filozofią, aby nie wiedzieć, że ostatecznie wszystkie znane systemy nie są w stanie dać rady Tajemnicy Istnienia.

Hela wynurzyła się spod kołdry z wyrazem skupionym i dalekim wszelkim ziemskim sprawom. Nic ludzkiego nie było jednak w tej twarzy mimo zupełnego oderwania się od ziemi. Wyglądała jak dziwnie mądry ptak. „Uduchowione zwierzę, nie człowiek" – pomyślał ksiądz Hieronim i mówił dalej:

– Ja nie będę ciebie przekonywał o nicości każdego z systemów z osobna. Ale wspomnę parę dla przykładu, a szczególniej te, w których typowo występują wielkie bloki problemów zasadniczych. Po pierwsze: psychologizm nie wystarcza sam sobie i wprowadza pojęcia obce założeniu „wyjścia z bezpośrednio danych", „aus dem unmittelbar Gegebenen".

– Proszę się streszczać – powiedziała obojętnie Hela.

– Fenomenologizm w ostatecznym rozwinięciu nie różni się bardzo w założeniach od najnowszej wersji psychologizmu, jak to widzimy z porównania *Transcendentalnej systematyki* Corneliusa z „fenomenologiczną filozofią" Husserla. Eidetyczną psychologią jest ta pierwsza książka i nic więcej, używając fenomenologicznej terminologii.

– Ależ ojcze, Husserl obraziłby się bardzo...

– Ja nie wchodzę w subtelności; chodzi mi o wielkie rysy. Dalej: co dała nowa logika w obrębie filozofii? Czy Bertrand Russell powiedział istotnie coś nowego, mając do rozporządzenia cały potworny aparat, który wytworzyli obaj z Whiteheadem, chyba jedynie w tym celu, aby umożliwić ludziom operującym znaczkami lekceważenie każdej myśli wyrażonej inaczej jako nie dość ścisłej. I słusznie powiedział Poincaré logistykom: „Macie skrzydła, powiadacie, czemu więc nie latacie?".

– Nudny jest ojciec jak...

– Nie mówię już o potwornych w swej bezczelności blagach Bergsona i płytkości beznadziejnej pragmatyzmu, który za cenę użyteczności dopuszcza wszelką bzdurę do rangi prawdy. Nie mówię też o całej masie przyczynków i „niedoczynków". Wiemy, że pogląd fizyczny jest w gruncie rzeczy statystycznym, że nie daje nam obiektywnej prawdy, nie mogąc życia wyrazić w swoich terminach – jest tylko wtłoczeniem rzeczywistości, z pewnym przybliżeniem, w schemat najdogodniejszy w danym punkcie rozwoju matematycznej fikcji. Przybliżenie to osiągnęło dziś maksimum w teorii Einsteina i wątpię, aby poszło dalej. Pogląd fizyczny jest konieczny, to inna rzecz, ale konieczny w ogóle, a nie w tej czy w innej swojej postaci. Ale stosuje się prawie – powtarzam: prawie absolutnie! – tylko do kompleksów rzeczywistości bardzo różnego rzędu wielkości w stosunku do nas; w astronomii i budowie materii jest na swoim miejscu; a każdy dowolny ruch jakiejś żywej istoty przeczy całej fizyce.

– A jak definiuje ksiądz rzeczywistość? – spytała Hela z perfidną minką. – Czy może teoria wielości rzeczywistości Leona Chwistka...

– Nie wspominaj nawet tego monstrum. Rzeczywistość jest jedna: jest nią zbiór wszystkich jakości aktualnych i byłych, czyli wspomnień, w trwaniach wszystkich indywiduów w danej różniczce czasu. Chwistek albo nazwał poglądy rzeczywistościami – ale wtedy, jeśli nie przyjmie się poglądów koniecznych, można otrzymać nieskończoność rzeczywistości – albo po prostu koncepcja jego jest zupełnie niezrozumiała i kwalifikuje się do sfery sztuki. Jako logika uznaję go, jako filozofa – nie. Otóż wielkie problemy w nauce są wyczerpane, poza biologią, która w postaci bardzo naiwnych koncepcji walić będzie o mur głową, to znaczy beznadziejnie starać się opisać bez reszty życie w obrębie mechanizmu, podczas gdy witalizm błąkać się może w dowolnościach à la Bergson, nie przekraczając pewnej granicy ścisłości – nowych pojęć koniecznych nie stworzy: liczba ich jest ograniczona.

Odetchnął zadowolony z tej masy „truizmów", które z siebie wyrzucił. Oczywiście były to truizmy dla pewnej umysłowej sfery tylko. Dla innych mogły być objawieniami, tym bardziej z ust księdza Hieronima. A zresztą była to tylko negatywna strona wykładu, trampolina, z której miał się odbić, sprężyna, którą naciągał, aby wypuścić pocisk ostateczny, mający zdruzgotać beznadziejny dotąd sceptycyzm Heli. Ale po co czynił to wszystko? Oczywiście „podświadomie" kochał się w niej bez pamięci i tylko dlatego zwalczał nieprzezwyciężone umysłowe trudności dla zbawienia jej duszy – tak powiedziałby każdy współczesny pseudointeligentny freudysta. Ale kto o tym mógł wiedzieć na pewno? „Czy ja się w niej podświadomie nie kocham? – spytał sam siebie w myśli ksiądz Hieronim. – Ale przecież sama taka wątpliwość jest już uświadomieniem sobie przedmiotu wątpienia, a więc nie może być tu mowy o podświadomości. Ergo, nie kocham się wcale". Uśmiechnął się do tych myśli, stanowiących taki kontrast z poprzednią przemową, i mówił dalej:

– Dlatego nie mogąc się niczego spodziewać stamtąd, skąd starano się, jeśli nie zabić, to w każdym razie zastąpić czym innym religię, musimy dojść do wniosku, że jest ona najwyższym objawem ducha ludzkiego i jedyną formą przezwyciężenia Tajemnicy Bytu. Powszechność tego zjawiska, a także w istocie swej zawsze te same skutki jego: spotęgowanie twórcze jednostki na równi z udoskonaleniem społecznej organizacji i powszechnością dobra...

– Tylko do pewnego punktu historii dwie te właściwości potęgują się jednocześnie, a potem musi nastąpić ofiara pierwszej na rzecz drugiej.

– Jeśli religia zginie, co byłoby dowodem, że Bogu eksperyment z nami nie udał się, zgadzam się z tobą, jeśli nie, nieznane jeszcze możliwości kryje przyszłość.

– Ależ właśnie religia ginie na tle zaniku indywiduum w uspołecznieniu.

– Mówisz o ludzkości jakby o maszynie jakiejś. Jeszcze, powtarzam, jeszcze nie pora! Przyszłość jeszcze jest w naszych rękach i tak ją możemy ukształtować, jak zechcemy. Ale do tego konieczna jest hierarchia duchów. Tę samą zupkę żłopać mogą wszyscy, ale duchów niwelować nie wolno, bo może się wyczerpać cierpliwość Boga.

– Ale jak tego zabronić?

– Przez nową antymaterialistyczną organizację zbiorowej świadomości, a to może stać się tylko przez religię, i to chrześcijańsko-katolicką. Dotąd szliśmy w kierunku społecznym.

– No, no, czy ksiądz nie przesadza?

– Nie, wiesz, dziecko, że w sumie tak było. Były pewne przystosowania do warunków – państwo, kościelne na przykład – ale nieistotne. Nurt pierwotnego chrześcijaństwa dotrwał aż do naszych czasów. Ale dziś właśnie musi się ten indywidualistyczny element jego spotęgować, aby nie dać się zdystansować przez obietnice materialistycznych systemów. Zbawienie duszy jednostki zawsze było dla nas rzeczą pierwszą, a nie napchanie żołądków masy. Otóż to wszystko dowodzi, że chęć wyminięcia problemu religii jest symptomem upadku danego indywiduum, danej kultury, a nawet całej ludzkości, o ile nie cofnie się ludzkość ta z okropnej drogi w kierunku materializmu życiowego i myślowego sceptycyzmu, ku którym pcha ją walka klas i rozwiązanie jej przez socjalizm, doprowadzony do ostatnich konsekwencji, lub syndykalizm. Idee upaństwowienia wszystkiego i ludzkości bez państwa – oto wrogie siły wszelkiej twórczości ducha.

– A jakież jest inne rozwiązanie?

– Ja nie jestem utopistą społecznym, tylko księdzem – rzekł z namaszczeniem Wyprztyk. – Jeśli każdy będzie całą siłą dążył do chrześcijańskiej doskonałości, wypadkową dążeń tych może być zbiorowość, której form teraz przewidzieć nie możemy.

– O, tu jest cała naiwność księdza. A ja czasem mam ochotę przeciąć ten węzeł i trzasnąć do diabła i papę, i pałac, i pieniądze, i puścić się na wielkie wody: zostać komunistyczną agitatorką. To jest jedyna prosta konsekwencja najwyższych etycznych założeń.

– Na co ty nie masz ochoty, moje dziecko! Przyznaj się, że czasami masz nawet chętkę uwieść mnie – rzekł już wewnętrznie pewny siebie ksiądz Hieronim. Otrzymał za to lekkie uderzenie w kolano nogą cudownej piękności i białości aż niebieskawej. Mówił dalej, nie drgnąwszy nawet. – A więc jeśli nie chcesz zginąć w straszliwej pustce, w której cię zostawią i ludzie zazdrośni o twoją wyższość, i twoje własne uczucia, bo gwałtownością twoją spalisz wszystkie przewody, i myśl ta, którą się puszysz jak indor, bo nienasyconą absolutem jesteś tak samo jak i ja, musisz pójść za mną. Ale nie z łaski, z nudy i dla kaprysu, jako dumna z bogactwa i urody bankierska córka, tylko jak pokutnica oczekująca, kiedy jej z łaski rzucą jakiś ochłap wyższej świadomości. Boże! – mówił innym tonem, jakby do siebie – na myśl o tym, że z moim poczuciem rzeczy ostatecznych i z ich nieujętością w żadne pojęciowe karby mógłbym nie być katolikiem, ogarnia mnie przerażenie gorsze, niż jeślibym ujrzał przed sobą otchłań piekielną. – Złożył ręce i trwał w dziękczynnej modlitwie.

Hela zamyśliła się, obejmując nogi za kolanami. Białe jej dłonie kurczowo się skręcały i rozkręcały jak macki jakiegoś morskiego potwora. Była w tej chwili dla siebie uosobieniem obrzydliwości cielesnego istnienia każdej istoty i tej walki ducha z ciałem, która czasem wywyższa go ponad wstrętne zbiorowisko komórek, ociekające wydzielinami gruczołów, ciemne wewnątrz, krwawe, gorące i śmierdzące – jednym słowem: ohydne, a jednak jedyne i nieuniknione. Miała wstręt do najmniejszego ruchu, do każdego powiedzenia, do każdej myśli nawet. W najlepszym razie nirwana indyjskiego fakira – to jedynie mogło odwrócić tę lepką metafizyczną obrzydliwość, którą czuła się umazana aż po krańce swego istnienia. A do tego inni ludzie – ci naprawdę niepojęci, a tak bliscy czasem (brrrr) i zrozumiali innopłciowcy, ci mężczyźni, babrzący się sobą w tym właśnie... Cóż za wstrętną rzeczą jest płeć! Pokuta stawała się koniecznością. Ale za chwilę nie czuła już nic prócz do kości przejmującego, zimnego smutku i pustki. Dalej już była tylko śmierć, do której tyle razy zwracała się z ufnością i poddaniem i która zawsze z pogardą ją odtrącała. Z ukrytą gdzieś na dnie duszy wiarą w nicość modliła się do niej już od dziesiątego roku życia, a może i dawniej, nie wierząc w życie wieczne ducha mimo szalonej, dzikiej za tą wiarą tęsknoty. „Śmierć albo życie na szczytach” – mówiła sobie mała, piętnastoletnia Żydóweczka, wpatrzona w niezgłębioną tajemnicę własnego swego istnienia. Już wtedy poprzez pospolite wypadki codziennego dnia patrzyła na siebie i na wszystko jako na odbłysk czegoś nieobjętego, strasznego. Ale Nicość, jak lśniący, nieprzenikliwy pancerz, odbijała jej marzenia, ukazując w swojej gładkiej, lśniącej doskonałą pustką powierzchni jej własny niezrozumiały wizerunek i dalekie majaki płynącego obok życia. Wtedy to jak ponury i „tęczopióry" sęp (tak go nazywała) spadł na jej duszę właściwy mistrz jej dzieciństwa, Schopenhauer. I długo błądziła myślą w jego wspaniałej metafizyce, jak w jakimś olbrzymim gmachu z tajemniczego snu. Ale gmach ten był pusty, mimo że był piękny i że posiadał wielkie jasne komnaty i zaciszne zakamarki, a nawet niedostępne wieże i niezbadane podziemia, nie zdołała zapełnić go swoim wewnętrznym życiem. Mimo że gdzieś tam trwał dla niej, rozpadł się w gruzy, jak tyle innych rzeczy z lat dziecinnych, począwszy od zabawek aż do „pierwszych i jedynych miłości". Utraciwszy swoją wiarę, nie nawróciła się ani na brahmańską metafizykę, ani na buddyjską etykę. Potem dopiero przyszedł Kant i całe „menu" współczesnej dyskursywnej filozofii. Wszystko, co się z nią obecnie działo, niewspółmierne było z wielkością tego świata, w którym żyła myślą i w którego odległej, nieznanej, zamkniętej przestrzeni królowała śmierć. Wspomnienia te wywołały nową wątpliwość.

– Czemu ta właśnie religia, a nie tamta? – zaczęła nagle. Wyprztyk drgnął i wrócił do rzeczywistości. – Wiem: jest hierarchia, od totemizmu do Buddy, ale czy właśnie nie powinnam zostać buddystką, jeśli religia ta, jak to sam mi ojciec kiedyś przyznał, jest najbardziej podobną do jedynej, czysto negatywnej prawdy, do której w granicy zmierza cała filozofia?

– Właśnie dlatego należy ją odrzucić. Jest to tylko coś niedoskonałego. Religia nie jest niedoskonałą filozofią, jest czymś samym w sobie, nieporównywalnym z czymkolwiek bądź, czymś najwyższym.

– A jednak jest to tylko pierwotny surowy materiał, którego opracowaniem pojęciowym jest filozofia dyskursywna.

– Surowy materiał! – wykrzyknął z ironią Wyprztyk.

– Jeśli za surowy materiał uznamy wszystko, co nie jest tylko nędzną kombinacją pojęć, to nie obrażam się za ten epitet w stosunku do religii, ale wtedy przechodzą do tej kategorii wszystkie uczucia w ogóle, czyli całe życie bezpośrednie. Nie, moja córko, to, o czym się tak pogardliwie wyrażasz, jest istotą indywidualnych bytów: uczucia religijne, wszędzie te same, z których, zależnie od siły objawień zdobytych zasługą, wyrasta jak kwiat z cebulki system danego kultu. Pojęcia jako takie i ich systemy są nadbudową tylko...

– A więc uczucia religijne muszą mieć już i zwierzęta?

– Tak, mówię ci to w dyskrecji: mają je wszystkie żywe stworzenia w różnym stopniu, ale tylko my, katolicy, ujmujemy je i interpretujemy w sposób właściwy. Religia nie jest pojęciowym ich ujęciem, lecz symboliczno-uczuciową transpozycją na tle prawd bezpośrednio danych w objawieniach. Mój system w obrębie Kościoła mego się znajdujący nie jest jakimś modernizmem, prowadzącym przez serię nieznacznych kompromisów aż do zupełnej niewiary i pseudonaukowego materializmu. Ja rozszerzam wiarę, a nie niszczę jej jak ci, którzy przystosowując ją niby do wyników wiedzy, zatracają jej istotę. Nasza wiara nie była taką, jaką jest teraz od razu, tworzyła się! Mówię ci moje najtajniejsze myśli: wierzę głęboko w twórcze właściwości katolicyzmu. Wspaniały rozkwit nas czeka, o ile ci, którzy czasem przypadkowo z bożego dopustu są nosicielami esencji naszej wiary, nie zmarnują tej najpotężniejszej w świecie konstrukcji uczuć. Nie mówię o etyce, bo wiem, że na ten temat oporna jesteś jak jeżozwierz. Jako znawca dusz wiem, że twoja etyka nie jest autonomiczna, ale wypływa z twoich pojęć najwyższych, absolutnych, pierwotnych. Tylko my możemy wstrzymać ludzkość od mechanizacji i marazmu.

– Wytworzywszy dla tej mechanizacji podstawę – wtrąciła Hela. – Dwadzieścia wieków już nad tym pracujecie.

– Teraz przyjdzie odwrotna fala. Tego właśnie nie widzi nikt prócz nas, katolików. Wypiętrzy się państwo niwelującego antychrysta do najwyższej potęgi, aby tym głębiej się zapaść. Zakwitną wtedy na nowo dusze jak świeże kwiaty, w całej metafizycznej piękności, bez egoizmu i okrucieństwa; sprzeczności: dobroci i potęgi, społecznej doskonałości i indywidualnego rozkwitu, poświęcenia i wybuchnięcia jaźni – zostaną usunięte...

– A co będzie z tymi, co już byli? Czemu nie zakwitło wszystko od razu, od samego początku?

– Zasługa. Sami mamy tego dokonać. Cóż byłoby to wartym, gdyby trwało tak od wieków? Nie byłoby wtedy twórczości i tragizmu. Niezbadane są wyroki Przedwiecznego. Bóg we wszechmocy swej zostawił ludziom wolność dla zdobycia zasługi. Ale każdemu udzielił tyle łaski, ile potrzeba było, aby był zbawionym. I to ci powiem, również w dyskrecji, bo ty jesteś ponad ideę wiecznej kary wyższa i chcesz doskonałości samej w sobie, a nie dla nagrody, to ci powiem, że Piekło musi być zlikwidowane. Ja przeniknąłem wszystko: będzie tylko Czyściec, i to czasowo oczywiście, a potem Niebo dla wszystkich. Ale tego, czym będzie, żaden umysł ograniczony wyobrazić sobie nie może. Zdjęcie przekleństwa duchowego ograniczenia będzie nagrodą podstawową za sam fakt istnienia normalnego tutaj. Będziemy oglądali świat i jego tajemnicę w doskonałości nieskończonej Boga jak w lustrze. I to ci powiem jeszcze, że społecznie rzecz biorąc, chrześcijaństwo w pierwszych wiekach było czymś zupełnie różnym od Kościoła z czasów renesansu, a obie te fazy różne były od stanu dzisiejszego. Chociaż między dwiema ostatnimi są właściwie tylko różnice stopnia. Ale jest coś, co je wiąże w jedno, mimo różnic – to zasadnicze podstawy etyki i dogmatyki.

– Ale w każdej epoce inny gatunek ludzi jest na twórczych stanowiskach w kościołach, państwach i we wszystkich innych sferach – może tylko w nauce nie – kompletnie inna warstwa, rozumie ojciec? W ten sposób nieznacznie zmienia się wszystko do niepoznania. Ale tylko pewni ludzie widzą to: ci mianowicie, którzy nie mają zawróconych głów ideami takimi, jak postęp, ludzkość, rozwój w kierunku ideału ogólnego dobra, w ogóle całą tą pseudodemokratyczną baliwernią...

– Czy skończysz? Wcale nie jesteś głupia, córko, o tym wiem. Ale nie o to teraz chodzi. Powiedz mi, czy poza buddyzmem, który jest w etycznych koncepcjach zaledwie z naszą wiarą porównywalny, istnieje religia wyższa ponad chrześcijaństwo, i to w formie katolicyzmu?

Hela milczała, starając się na próżno wywyższyć w swej wyobraźni protestantyzm i prawosławie, ale nie znała dostatecznie tych religii i usiłowania jej pozostały bez skutku. Ją też raziła symboliczność przemiany w protestantyzmie, a prawosławie odpychało brakiem konstrukcyjnego elementu we mszy i jeszcze czymś nieuchwytnym, z czego nie mogła zdać sobie sprawy. Jej własna religia stała jakby na boku, nie biorąc udziału w tym konkursie.

– Tajemnica jest istotą metafizyki – mówił dalej ksiądz Wyprztyk. – Jedynie u nas tajemnica została uszanowana i wywyższona, i to nie w symbolach, ale w rzeczywistości bezpośrednio danej.

– Nadużywa ojciec tego pojęcia. Bezpośrednia owa rzeczywistość to bezpośrednie przeżywanie, takie samo w istocie swej u jednokomórkowca, jak i u człowieka...

– Nie, są różne stopnie, jest cała hierarchia jakościowo różnych bezpośrednio danych, jakości zewnętrzne i wewnętrzne: ból, czucia organów, kombinacje ich jako tak zwane uczucia życiowe – wykluczam tu oczywiście uczucia religijne, najwyższe – i to najważniejsze: bezpośrednio dana jedność osobowości jako jakość formalna, „Gestaltqualität" wszystkiego dla danego „ja" i to rozdwojenie na mnie, na „ja" i świat. Tam to właśnie mają swe źródła religia i sztuka. W tej to istności, jedynej w swoim rodzaju, jest nam bezpośrednio dana, a nie w definicji, idea osobowego Boga, którego rzeczywistym odbiciem jesteśmy.

– Ach, tylko nie wspominajmy sztuki. Zanadto nią pogardzam. A poza tym ostrzegam księdza, że dla Corneliusa – mówię to, bo psychologistą jest ojciec w dużym stopniu – jedność osobowości nie jest bezpośrednio dana.

– Cornelius nie jest dla mnie nieomylną wyrocznią. Wielość świata nie jest jednak wielością bożego trwania. Jedność absolutna jest z Nicością równoznaczna, więc Bóg musi być wielością w swej osobie, i tak jest Trójcą, konieczną w swej troistości, bo stanowi miłość, rozum i wiarę, najwyższą wiarę w samego siebie – trzy istności osobowe, urzeczywistnione pierwotnie poza czasem.

– A wie ksiądz, co czasem myślę? Oto, że jeśli Bóg jest naprawdę, to jest czymś tak z naszą myślą niewspółmiernym, że musi się bardzo śmiać, słysząc, jakie my koziołki myślowe wyprawiamy, aby sobie z nim dać radę...

Ksiądz Wyprztyk zakrył ręką usta Heli i zasyczał:

– Milcz, milcz, milcz! – Po czym mówił, jakby nie wracając do poprzedniego tematu: – Pojęcie Boga jako granicznego o nieskończonych atrybutach Istnienia Poszczególnego jest najwyższym. U nas tylko etyka stanowi całość z metafizyką i wypływa z tajemnicy Trójcy i wspólności wszystkich w osobowym Bogu – z najwyższej z tajemnic realnych, w przeciwstawieniu do sztucznych: czwartego wymiaru w znaczeniu istnieniowym, duchów na seansach i teozofii – krzyczał niewładający już natchnieniem ojciec Hieronim.

Dopiero teraz puścił te usta, które zaczęły mu drgać lubieżnie pod ręką. Hela wyjęła purpurowe naczynie z szafki i splunęła z obrzydzeniem. Nie widział tego Wyprztyk. Ukryta gdzieś aż w „gruczołach", a nie w marnej podświadomości, wysoce perwersyjna w możliwościach swych miłość do Heli, sublimowana w innym wymiarze, stwarzała krwawy opar metafizycznej żarliwości. O milimetr za cienkim przepierzeniem stał ordynarny, chamski rogaty diabeł z widłami i kubłem smoły i czekał. Ale ksiądz Hieronim umiał być panem nawet tak zamaskowanej namiętności. Jako człowiek pierwotny, chłop, o mało rozwydrzonych i dziedzicznie, i osobiście instynktach, właściwie z łatwością przezwyciężał cały balast zmysłów przy pomocy małego balonika idealizmu dodatkowo na ten cel wytworzonego. Poza tym był prostolinijny, spekulatywnie inteligentny i nawet po ludzku, przeciętnie, zwyczajnie dobry, jak tysiące innych biednych ludzi – całą „nadzwyczajność" stanowiło jego księże dostojeństwo. Sam Wyprztyk, jak większość współczesnych mu wykształconych ludzi, o tym, kim jest, naprawdę nie miał bladego nawet pojęcia. W tej chwili niesmak miał do siebie okropny. Nie dość, że pozwolił rozmowie wpaść w niesmaczny ton, którego stwarzanie było przywilejem Heli Bertz – jedynie piękność jej i bogactwo gwarantowały psychiczną bezkarność takich objawów – nie dość, że popełnił niedyskrecje, może nieproporcjonalne do nieosiągniętego jeszcze celu, ale zmienił nawet dla tego celu niektóre swoje własne ujęcia kwestii zasadniczych. W dodatku był prawie że zdemaskowany. Spróbował raz jeszcze wywindować wszystko na odpowiednią wyżynę.

– Patrz, nędzna stworo, na wielkość koncepcji, którą ci ukazałem. Patrz zimnym spojrzeniem twego bezpłodnego, semickiego móżdżku. Zagłębiwszy się w ten labirynt najtęższą myślą, znajdziesz zawsze ścianę nie do przebicia, przed którą będziesz musiała się ukorzyć, nie czując poza nią pustki; znajdziesz przepaść, która okaże się naprawdę bez dna, z gwiazdami w górze i na dole, a nie sztuczne mamidło, dobrze wypoduszkowaną pozorną otchłań filozofii naszej, raczej filozosi, w którą można skoczyć, nie czyniąc sobie nic złego.

– Dla niektórych ta wypoduszkowana otchłań to cela szpitala wariatów.

– Ale nie dla ciebie. Ja ciebie znam. Zanim mogłabyś zwariować, zabijesz się. A ja ciebie śmierci nie oddam.

Nastała cisza. Przez zapuszczoną firankę sączył się purpurowy poblask. Gdzieś wylazło słońce spoza chmur.

„Ciekawa jestem, co tam z nimi słychać" – pomyślała Hela o swoich kochankach, ale myśl ta wobec zachodzących metafizycznych transformacji daleka była od wycinku teraźniejszości jak bezgrzmotna błyskawica letnia gdzieś za horyzontem aktualnej pogody wieczoru. A jednak pozazdrościła im obu niebezpieczeństwa. Nie zdawała sobie sprawy, że to ona jest przyczyną całej tej głupiej historii. I nagle wszystko – i rozmowa poprzednia – stało się małe, malutkie jak robactwo, obrzydliwe. „Nie ma nic wielkiego i pięknego prócz śmierci". Jakby jakieś olbrzymie, czarne skrzydła objęły ziemię i dalej cały wszechświat, aż do najdalszych słońc Mlecznej Drogi i mgławic, i w uścisku ich wszystko skarlało, skurczyło się, zwiędło, i dusza Heli, wypełniając pustkę Absolutnej Nicości, rozdęła się do rozmiarów wszystkości. Zanikła wszelka „Wszelkość" i „Tość" – tamto i to, cała przypadkowość życia, bycia Żydówką właśnie, brania chrztu, małżeństwa z Azalinem Prepudrech:

wszystko zlało się, stopiło w jedną nieskończenie małą pigułkę, którą połknęła zamarzła międzygwiezdna otchłań. Hela czuła ją w sobie. A jednocześnie ogarnęło ją dzikie zadowolenie z tego, że może na ten cały „interes" – tak pomyślała niesmacznie – patrzeć z boku, na zimno. Ambicje ukryte i te jawne, sycone odpadkami takimi, jak piękność, bogactwo, stanowisko ojca, spaliły się jak lekka bibułka w ognisku jednej żądzy niebycia. Wyrastała zza nich ambicja innego rzędu: bycia wszystkim i niczym od razu; bo dla samej wszystkości świat był za mały i za małą była dusza jej i całego żywego wszechstworzenia (Azalina i nawet Atanazego) – nasycić tę ambicję mogła jedynie śmierć. Wszystko było nie tym, nie tym. Obnażona dusza Heli Bertz stała samotna w „huraganie śmierci", jak nazywała ten stan jeszcze w dzieciństwie. Horyzont świata – za nim łuna niebytu i na jej tle ruchome jak semafory drogowskazy i rogatki świata z czarnym szlabanem, którym dyrygował jakiś równie czarny „ktoś", mieszkający w tajemniczej „ostatniej" budce obok. „On" nie wychodził – nie wiadomo, czym można go było opłacić – może sobą. Trzeba by mu się oddać. Wtedy by puścił, a może nie – i wtedy może dopiero zaczęłoby się życie. Widziała siebie jako małą, płaczącą dziewczynkę z akwaforty Goi *Madre unfeliz.* Ale nie było koło niej nikogo, ani matki, ani nawet żołnierzy z bagnetami – przeczuwała, że kiedyś będą ją gdzieś prowadzić jakieś ubagnecione draby: rewolucjoniści czy obrońcy „dawnego" względnie porządku – nie wiedziała jeszcze. Stała na biegunie nieznanej planety, a właściwie olbrzymiego globusu, a wokoło dął międzyplanetarny wicher Nicości i za chwilę, już, już miał ją zdmuchnąć w bezdenną przestrzeń, nie w tę, w której pławił się świat, stanowiąc z nią jedność, ale czystą kategorię, amorficzną przestrzeń możliwości wszystkich geometrii, razem ze zdegenerowaną do zupełnie dzikiego prymitywu przestrzenią Euklidesa w koncepcji Stefana Glasa. Na dnie jakby tej przestrzeni, jak w niepojętym śnie, siedział Immanuel Kant, jedyne coś, co się ostało we wszechświatowej burzy. Taka chwila trwała teraz, między dziewiątą a dziesiątą z rana. Zwykle popełniała Hela w takich razach zamachy samobójcze: dwa razy truła się, a raz strzelała – niestety nadaremnie. Nędzny, niegodny jej przypadek ratował ją zawsze. Czy naprawdę niestety? Nie – i to, i tamto trwało złączone razem, było koniecznością, było życiem, tym pełnym życiem, które tak kochała, właśnie w jego przypadkowości, w swoim żydostwie, bogactwie, perwersji, w tej całej „contingence", jak mówił wielki, poczciwy, naiwny Leibniz: dowolności metafizycznej każdego momentu trwania każdej osobowości. Tylko istnienie w całości wolne było od tej kontyngencji: musiało być, a w jego nieskończoności przestrzenno-czasowej pomieścić się mogły wszystkie dowolności i przypadki. W śmierci, właściwie w chwili postanowienia dobrowolnej śmierci bez celu, następowało jakby przełamanie tego prawa, i całość Bytu stawała się w krótkim mgnieniu złudzenia własnością jednego ograniczonego osobowego istnienia. „A gdyby tak teraz, zaraz. Tu, w jego oczach. W ostatniej chwili jego rozgrzeszenie i potem zupełna Nicość. A przedtem wizja świata niepojętego, wyolbrzymionego w «innej» piękności, dokładnie przeczuwanej, a nieznanej...". Straszliwa w swej mocy pokusa razem z okrutnym chwytem metafizycznej ambicji zmięła, skręciła i wyżęła aż do bólu, jak maszyna-wyżymaczka nędzną ściereczkę, jej dumne ciało razem z kawałkiem duszy, wspomnień, uczuć, przeżyć i tym podobnych fatałaszek: wielkie śmietnisko, które może za chwilę spłonie całe zaświatowym, oczyszczającym ogniem i przeżyje siebie za wszystkie czasy – ta wielka nędza ograniczoności – w nieskończenie krótkim momencie wiecznej chwały dobrowolnego zniszczenia. „Miłość i drugie niezgłębione słowo: śmierć" – przesunęło się w jej pamięci, w postaci wizji drukowanych słów, zdanie z *Mroku gwiazd* Micińskiego. Jakże marnym wydało się jej pierwsze z tych dwóch „niezgłębionych słów". Pozornie wolnym, czającym się nieznacznie ruchem otworzyła szufladkę i wydobyła oprawny w czerwoną emalię mały browning. „Co za głupi snobizm z tą czerwonością wszędzie" – pomyślał Wyprztyk i dopiero wtedy, jednym rzutem, nie myśląc już nic, wydarł jej to małe, czerwone, lśniące paskudztwo tuż przy samej skroni.

– A bydlę głupie! Na kolana, prochu nędzny! Ukorz się przede mną, bo ja naprawdę zastępuję tutaj Boga w Trójcy Świętej Jedynego! – zakrzyknął głosem prawdziwie natchnionym ksiądz Hieronim.

Schował browning do tylnej kieszeni od spodni, zakasując przy tym sutannę w zabawny sposób. I mimo że był w tej chwili trochę śmieszny, Hela wyskoczyła z łóżka i padła przed nim na kolana, wyciągając przed siebie ręce w niemym błaganiu. Znowu, na wiele lat może, złamała obca siła jej najistotniejszą pokusę. A może naprawdę czekało ją inne życie, którym by się nasycić mogła? Tylko nawrócić się jak najprędzej, odbyć pokutę, być już „tam", a nie czekać wiecznie. Prosto z „huraganu śmierci" spadła w jakiś spokojny, zaciszny kącik. Nie wiadomo czemu, właśnie w tej chwili przypomniało się jej lewantyńskie wybrzeże: zachód słońca po deszczu i pociąg wpadający w czarne czeluście tuneli i wypadający z nich na cudownie piękny, miniaturowy świat, mieniący się przepychem wypłowiałej czerwieni, ciemnej, lśniącej jakby lakierowanej zieloności i fioletu w cienistych gąszczach. I zapach jakby przypalonej migdałowej leguminy, zapach gałązek figowych, zaplątanych do wieczornych ognisk. Ze straszną żądzą życia, z wstrętną, mdłą słodyczą w sercu, z żalem za wszystkie popełnione „zbrodeńki" wobec siebie i innych (dlatego, że małe, właśnie dlatego było tak wstrętnie dobrze – co za szczęście, że nie było gorszych), z ochotą na pokutę w miarę srogą i z dzikim apetytem na samą siebie w tej pokucie i przebaczeniu (tylko jakieś ciastka w dzieciństwie mogły tak smakować), pochyliła się Hela przed wzburzonym Wyprztykiem, oszukana przez siebie, nieświadoma swej własnej nędzy. Wszystko to w ogóle było z jej strony jednym wielkim histerycznym kłamstwem: nudziła się i nie miała odpowiedniego kochanka.

– Łaski, ojcze. Ja chcę się wyspowiadać, zaraz, tutaj. Inaczej wszystko przejdzie. Zaklinam na wszystko. Dziękuję za nowe życie, które mi ojciec dał, i proszę o przebaczenie.

Ksiądz Hieronim usiadł na dawnym miejscu tak, jakby siadała kamienna figura. Zaciężył posągowo na purpurze fotelu. Zwyciężył. Wprawdzie małe było to zwycięstwo, „ale z małych kawałków i tak dalej...", trzeba tylko wielkiej idei. Czy miał ją? Zapomniał nagle o Heli. „Tak – trzeba rozszerzyć zakres działania, raz czegoś wielkiego dokonać. Tu nie wystarczą nowe teologiczne teorie i opanowywanie jakichś odpadków, choćby najlepszych, tak zwanej inteligencji – na razie zgniłej (sam to przyznawał z przyjemnością jako chłop z krwi i kości), ale mającej przyszłość przed sobą. A gdyby tak papież wyszedł z Watykanu w świat, bosy, w jakiejś jednej szmacie i stał się nagle takim, jak dawni chrześcijanie? Czy nie jest już za późno nawet na to? Walka kardynałów, jedni za, drudzy przeciw – tych więcej. Rewolucja w Rzymie, walki uliczne i potem komunizm, i...". Przeraził się tych myśli, uczuł zawrót głowy. „Ha, gdybym był papieżem..." – pomyślał jeszcze. Pochylił się nad własną małością jak nad kałużą i w pokorze nie doznał pociechy. Za późno! Zbudził go szept:

– Więc, proszę ojca... – i tak rozpoczęła się ta jedyna
w swoim rodzaju spowiedź: fałszywie zmalałej penitentki
przed naprawdę zmalałym spowiednikiem.

Wysłuchał jej ksiądz Hieronim, milcząc po prostu jak
ryba. Twarz od strony Heli zasłonił chusteczką, a oczy
utkwił w portrecie nieznanego kardynała. „Gdybym był
choć takim..." – myślał chwilami. A kiedy puknął trzy razy
w poręcz czerwonego fotelu i już miał powiedzieć zwykłe
słowa „absolvo te..." (i wstrzymał się w porę), ujrzał przed
sobą dziwne zjawisko: oto stała przed nim już nie dawna
ordynarna, rozhisteryzowana, nad miarę ładna i mądra
Żydóweczka, tylko prześniona zaświatowym zachwytem
dzika góralka Małej Azji, prawdziwa Hetytka, podziwia-
jąca jakieś bóstwo swojej religii. Hela modliła się po raz
pierwszy do katolickiego Boga, dziękując Mu za uratowanie
życia, żałując za grzechy i przyrzekając poprawę.

– Zawołaj ojca! – przerwał jej brutalnie ksiądz Hieronim.

Hela ocknęła się, ale była jakby półprzytomna. Zadzwoniła, wydała rozkazy rozradowanej mimo wszystko nawró-
ceniem Józi Figoń i położyła się na powrót do łóżka. Trwało
milczenie, przerywane tylko szelestem skręcającego i roz-
kręcającego się brazylijskiego czerwonego węża w klatce
z różowego kryształu stojącej pod oknem. Ksiądz Hieronim
modlił się cicho, nieruchomy, podobny jakiejś odwiecz-
nej mumii. Hela była jak martwa, pogrążona w niemym
zachwycie graniczącym z zupełnym ogłupieniem. „Katoliczką dobrą to ty będziesz, ale chrześcijanką nie" – pomyślał leniwie Wyprztyk. Głodny wąż zaczął pukać miarowo
głową w szybę, domagając się pożywienia. Nagle rozległ się potęgujący się odgłos odmykanych jednych po drugich kilku drzwi i semicki Książę Ciemności czy też król
asyryjski, w złocistej z fioletem piżamie, stanął na progu

sypialni, łyskając niespokojnie oczami podobnymi do gałek z agatu.

– Czy już po wszystkim? – spytał gwałtownie. – Za pół godziny mam konferencję z przedstawicielami amerykańskiego trustu armatniego. Ani chwili czasu nie mam do stracenia.

– Ojcze – błagalnym tonem zwróciła się Hela do Wyprztyka. – Ochrzcij nas teraz oboje, tak po prostu, z wody, bez żadnych ceremonii. Ja chcę już być poza tym, chcę być inna. Ja wierzę teraz w sakrament i potrzebuję go.

– Tak, księże Hieronimie – potwierdził Belzebub. – Ja się też boję tych ceremonii.

– To was i tak nie minie. Ale ta myśl jest dobra. Ja cię rozumiem – rzekł do Heli – i dlatego wyrzeknę się pewnych formalności, ale pod najściślejszą dyskrecją. – Podszedł do umywalni, nalał wody na purpurową misę i spytał:

– Helena i Adam? Tak?

Hela stała już w koszuli i rozchełstanym ceglastoczerwonym szlafroku obok upiżamionego papy. Wyglądali wspaniale w czerwonym mroku sypialni.

– Tak – odpowiedzieli oboje.

Wyprztyk zapatrzył się na nich tak, jak gdyby ujrzał ich po raz pierwszy. Miał przez chwilę wrażenie, że w głębi litewskich lasów chrzci jakiegoś półdzikiego bojara i zaklętą leśną księżniczkę.

– No, ojcze – szepnęła Hela niecierpliwie.

– A więc, Heleno i ciebie Adamie, chrzczę was w imię Ojca, Syna i Ducha Świętego – rzekł uroczyście ksiądz Hieronim i skropił ich oboje wodą.

Bertz wzdrygnął się jak prawdziwy Belzebub.

– Jestem szczęśliwy, księże. Dziękuję. Hela, kocham cię. Muszę pędzić do moich armat. – I wybiegł młodzieńczym prawie krokiem mimo swych pięćdziesięciu sześciu lat.

– A ty, córeczko, możesz sobie teraz telefonować. Na razie dosyć mam spraw ziemskich – rzekł Wyprztyk.

Ucałował Helę w czoło i wyszedł szybko, jakby przed czymś uciekając. Coś w nim przerwało się nagle, sam nie wiedział co, ale opanował go wielki smutek beznadziejności absolutnego nienasycenia niczym. Zrobił parę kompromisów pojęciowych – ale nie o to chodziło. Cóż to znaczyć mogło wobec złapania w sieć tak niebezpiecznego i trudnego okazu jak Hela Bertz.

Zamyślona, skupiona w sobie i obojętna na życie podeszła do telefonu. Wobec wewnętrznej przemiany ważne poprzednio fakty skurczyły się do niedostrzegalnych małostek. Ale jaka była w istocie ta przemiana, nie wiedziała ani Hela, ani ojciec Hieronim. Naciąganie sprężyn: oto ostatnie słowo tej nieciekawej na razie tajemnicy.

Tymczasem zachodziły sobie w najlepsze następujące wypadki. Bazakbal i Prepudrech ocknęli się o tej samej porze, to znaczy mieli dokładnie nastawione zegarki, i budząc się, powiedzieli do siebie samych identycznie to samo zdanie: „O, do diabła, już pięć po piątej". Dalej odbywało się wszystko z właściwą tym sprawom złowrogą nudą i poczuciem nonsensu istnienia w ogóle, oczywiście u najbardziej zaangażowanych współuczestników. Bazakbalowi przypomniało się zdanie Williama Jamesa, znienawidzonego przezeń twórcy pragmatyzmu, czytane w jakimś francuskim tłumaczeniu: „figurons-nous un monde composé uniquement des maux des dents" – czy nie gorszy jeszcze byłby świat, złożony wyłącznie ze spraw honorowych? Kwadrans na szóstą zjawili się oficerowie w pysznych humorach i oświadczyli, że dziś i zaraz. Wiadomość ta podziałała na Atanazego jak kielich dobrej wódki. Ale działanie to trwało niestety bardzo krótko. Nie zostało mu już nic z wczorajszej nonszalancji, mimo że wiara w udanie się pojedynku nie opuszczała go

ani na chwilę. Jednak – to nie ma gadania – moment przebudzenia był ciężki, a rozmowa z mało znanymi oficerami,
wobec których musiał nadrabiać miną, aby nie okazać im
owej złowrogiej, męczącej go nudy, była torturą nieznośną.
Bezsens historii tej był tak wielki, że dręcząca go miłość,
zdrada i inne dalsze „plany" życiowe wydały się zaczaro-
wanymi, wiszącymi (koniecznie wiszącymi) ogrodami, jakimiś wymarzonymi, fantastycznymi światami wobec samego
faktu jazdy dorożką za miasto o godzinie szóstej rano. Spotkanie wyznaczono w Dolnym Przeręblówku na siódmą.

„Ach, prawda, warunki – pomyślał, jadąc ze swymi
świadkami Atanazy. – To jednak dość szykownie wyszło,
że dotąd ich nie zapytałem, co prawda z powodu zupełnego ogłupienia". Właśnie jakby na zawołanie starszy z oficerów, rotmistrz Purcel (podobno de Pourcelles, z emi-
grantów francuskich), rozpoczął skądinąd nudny, ale dla
klienta aż nazbyt interesujący wykład: „piętnaście kroków,
dwie wymiany kul, książę ma pierwszy strzał...", słyszał
Atanazy jakby w drugim kompartymencie swojej duszy,
w jakiejś poczekalni psychicznej, gdzie była masa ludzi
i nic do czytania, i perspektywa czekania bez końca. Całe
jego wnętrze było taką nudną „czekalnią" trzeciej klasy,
a gdzieś daleko, na innym piętrze, unosiła się barwna
i migotliwa, bezpowrotna przeszłość, do której tęsknił aż
do bólu jak za dawnych czasów, i przyszłość jako nieomal
przestrzenna pigułka, o niesamowicie ponętnym smaku, tuż,
tuż przed bezsilnymi „narządami pyszczkowymi". [Pojęcie
pigułki czasowej, czyli skondensowanej w przestrzennym
diagramie czasowej jakości formalnej kompleksu trwania
(Gestaltqualität), zostało wprowadzone do teorii muzyki
przez Ziezia Smorskiego dla wytłumaczenia powstawania
koncepcji muzycznych nieimprowizacyjnych. Dalej znalazło zastosowanie w poezji i w teatrze. Na równi z pojęciem

„pępka metafizycznego", czyli bezpośrednio danej jedności osobowości, uważane było w pewnych kołach notorycznych, zatwardziałych kretynów za pozbawione sensu. Ale Ziezio, arystokrata ducha i ciała, nie bawił się w tak obrzydliwą pracę, jak rozkopywanie kretynowisk krajowej krytyki i estetyki]. Ewentualne połknięcie aktualnej pigułki Atanazego oddzielone było od chwili obecnej całymi pustyniami bezdusznych, jałowych, nieurodzajnych chwil, ciągnących się jak jakaś niemożliwie lepka guma. „Ha, muszę włączyć to w ogólną kompozycję za jaką bądź cenę. Jest to jeden z faktów tamtej ciągłości od czasu zaręczyn, a nie izolowana, pustynna wysepka z epoki dawnej programowego bezładu, usprawiedliwionego artystycznym ujmowaniem życia" – myślał Atanazy. Ale nie posuwało to nic a nic naprzód całej sprawy. Teraźniejszość zdawała się być zrobiona z czegoś nieściśliwego, nieukąśliwego, niedającego się rozdeptać. Trzeba było małą łyżeczką jeść wstrętną kupę świństwa, przyprawionego przez nienawistny przypadek w spisku z innymi ludźmi. „Inni ludzie" to byli wszyscy z wyjątkiem Zosi. Do Heli Bertz, mimo nienasyconych pragnień, czuł Atanazy wstręt, zdawałoby się nieprzezwyciężony. Bezsensowność sytuacji narastała z szaloną szybkością. Wszystko wydymało się w ohydną, szarą puchlinę, przez której przeźroczyste wzdęcia przeglądać zaczął czerwonawy straszek. „Nie był to strach, lecz raczej wstręt i niechęć do jakiej bądź decyzji" – myślał potem często o tej chwili Atanazy. Ale jak to wszystko przeszło naprawdę, nie sposób byłoby się dowiedzieć z jego własnych zeznań, zostało bowiem gruntownie sfałszowane przez ambicję i snobizm, od których to własności, według Chwazdrygiela, nikt nie jest całkowicie wolny, choćby się przysięgał, że nic o nich nie wie. Zbyteczność tego, co się działo i dziać miało nie tylko z nim, ale w ogóle, była nieznośnie wyraźna – dla niego tylko, oczywiście. Dziwnym trafem nikt nie zdawał się tego spostrzegać prócz niego. Poczucie ohydy istnienia przechodziło już w rejon metafizyki, babrząc martwe mumie czystych pojęć wstrętnym, szarym, życiowym sosem.

Wyjechali za miasto. Mgła rzedła, miejscami przeświecając pomarańczowo, miejscami błękitnawo od refleksu ukrytego nieba. Szron pokrywał niezupełnie ogołocone z liści, brunatne drzewa. Minęli karczmę w Dolnym Przeręblówku i wjechali w olchowy las wypełniony przesłonecznioną mgłą. Zapach gnijących liści mięszał się z tym charakterystycznym zapachem mroźnego powietrza, który nie wiadomo skąd pochodzi. Nagle słońce przedarło mgłę i las zajaśniał jakby od środka, lśniąc mokrymi gałązkami i liśćmi. I w tym samym mgnieniu wszystko tamto: i wstręt, i zniechęcenie, i nawet zamaskowany straszek, gotowy się lada chwila przerodzić w ordynarny strach, ten o wielkich oczach – wszystko zniknęło jak zdmuchnięte. Chwila stała pełna nadziemskiego uroku. Wielkie, późnojesienne, poranne słońce świeciło i grzało prosto w twarz. Zenit zakłębiał się w gorącym błękicie i zwojach resztek chmur.

– Cudny dzień będzie dzisiaj; upijemy się potem jak świnie – mówił z silnym rosyjskim akcentem rotmistrz Purcel.

Słowa te zdawały się Bazakbalowi jakąś wspaniałą muzyką tętniącą mu we krwi radosnymi uderzeniami. „Jestem skończony histeryk – pomyślał. – Nie wiadomo, przez jakie jeszcze stany przejdę do końca tej głupiej afery. O, gdyby pozostać w tym, co jest teraz! Ha – nie ma żadnej nadziei. Już się coś przekręca". Ale radość życia, pewność zwycięstwa i urok niesamowity przeciągającej chwili, urok, który rozświetlał i przeszłość, i przyszłość na odległość kilku lat co najmniej – wszystko to trwało. W tle zmięszanym kiełbasiły się jakieś potworności.

Wjechali na polankę. Było pusto i cicho – tylko w oddali szczekał pies, a bliżej dzięcioł kuł drzewo, równo i systematycznie. Oficerowie raczyli się obficie wódą i zagryzali ją kiełbasą. Byli we trzech, gdyż doktorem (dla oszczędności jednym) miał się zająć Łohoyski. Atanazy łyknął świetnej śliwowicy i to spotęgowało w nim szał życiowy do szczytu. Gdyby nie obecność świadków, zatańczyłby tu na tej szmaragdowej, oszronionej łączce. Nareszcie od strony miasta dał się słyszeć miękkawy odgłos czegoś jadącego i po chwili, starym sposobem, wspaniałym landem zajechali: Prepudrech, zielony i zmięty jak ścierka, promieniejący energią Łohoyski, jak zawsze na miejscu się znajdujący Baehrenklotz i do tego doktor Chędzior – znakomity chirurg i lekkoatleta. Słońce świeciło w całej pełni i dzień zaiste zapowiadał się wspaniały . „To dziwne, nasycam się rzeczywistością jak nigdy" – rzekł półgłosem do siebie Atanazy.

– Nie ma nic rozkoszniejszego – posłyszał tuż nad uchem zdanie wypowiedziane przez rotmistrza Purcla i zaczerwienił się. Nasycanie stało się natychmiast o jakie 35 procent mniej intensywne.

– O to, to: w tym jest cały mężczyzna. Ten wigor na krawędzi, to iganie z losem. Lubię nie wstydzić się za mojego klienta – mówił dalej Purcel.

Nie mogli tego powiedzieć świadkowie nieszczęsnego Prepudrecha, który mimo dużej dawki alkoholu czuł się fatalnie. Wycieńczony erotycznie, niewyspany, dałby pół życia, aby ten okropny, jasny, pogodny ranek okazał się przykrym snem tylko. Gdyby chociaż na pewno wiedzieć mógł, że umrze i koniec! Ale najstraszniejsze były chwile nadziei, w których szarpał się jak pies na łańcuchu, by zapadać następnie coraz głębiej w obrzydliwy, śliski (o zgrozo, o ohydo!), nieomal śmierdzący strach. „Strach, strach!"

– słowo to zdawało się być inkrustowane nieznośną, obcą, wstrętną materią w miękkich, rozłażących się w degrengoladzie zwojach mózgowych. Zamiast ciała, tęgiego jak koń, miał „pod sobą" miękką galaretę w rozkładzie.

– Wszystko to nerwy – mówił do Łohoyskiego Baehrenklotz. – Pamięta pan Józia Weyharda wtedy w Strzemieszynie? Flak, zupełnie zdezorganizowany, zdegumowany flak, mimo dwudziestu przeszło pojedynków bez zarzutu. Wszystko dlatego, że poprzedniego dnia... – tu nachylił się mu do ucha.

– I cóż w tym złego? – spytał z głupia frant Jędrek.

– No tak, ostatecznie, ale pora nieodpowiednia – zaczął kompromisowo brnąć Miecio, nie chcąc tracić marki w pewnych sferach.

Przerwał im Purcel – czas uciekał, a on o dziewiątej musiał już być w maneżu. O szczęście, o rozkoszy! Pewność bycia w maneżu, a choćby w jakiejś gorszej instytucji, o jakiej bądź godzinie (choćby o szóstej z rana) wydała się szczytem spełnionego marzenia biednemu Azalinowi. Na dnie jakiejś burej, złowrogiej ciemności, która z cudownego, jesiennego poranku czyniła obrzydliwe rendez-vous najpodlejszych uczuć i jeszcze może podlejszych od nich wykrętów, widział Helę w całej niezgłębionej piękności i uroku i (o wstydzie!) przeklinał ją cicho i dyskretnie – jakby w tajemnicy przed sobą samym. Przypomniało mu się czyjeś zdanie o Napoleonie: „...le danger ne le mettait pas en colère". O gdybyż! Ale był zły jak szerszeń: kąsałby swoich świadków z zazdrości, że tak swobodnie mówią, śmieją się, nabijają te przeklęte pistolety. Z przyjemnością wyrżnąłby nogą w brzuch doktora Chędziora, który rozkładał się bezczelnie w rannym słońcu z całym swoim chirurgicznym kramem. „Oto są skutki tego życia z dnia na dzień i niezajmowania się niczym poważnym" – myślał. „O,

Boże – szeptał, nie wierząc w Boga zupełnie – już nigdy...
Od jutra, od dziś, tu, zaraz zacznę nowe życie, wezmę się
do jakiejś pracy, tylko niech teraz, dziś...". Bełkot wewnętrzny. Ale „tam" w zaświatach było jakoś pusto i głucho. Ten
świat, pod nieprzepuszczalną maską pogodnego ranka, nie
dopuszczał myśli tych do wyższych sfer. Znowu przyszła
fala złości na tle beznadziejnego osamotnienia. „A, łotry!
Pojadą sobie na śniadanko z tym przeklętym Bazakbalem,
który strzela jak król i niczego się nie boi – a ja będę już
gotów albo ciężko ranny – w brzuch, psiakrew, w brzuch!".
Zatrząsł się nagle. „Przecież mam pierwszy strzał! Jeśli go
zajadę porządnie..." – i nagle dzika moc wstąpiła w jego
rozklekotane ciało. Wzrok stał się sępi, ponury i zawzięty.
W dobrą dla siebie chwilę usłyszał komendę.

„Na miejsca!" – krzyknął Purcel. Gdyby słowa te doszły
go trzydzieści sekund wcześniej, może by zemdlał. Teraz
sprężyły go one od środka jeszcze mocniej w bykowatą,
bezczelną elastyczność, jak duża dawka strychniny.

– Na komendę: raz, wystrzeli książę Prepudrech, na:
dwa, pan Bazakbal.

Ktoś tak mówił, ale żadna ze stron wojujących nie wierzyła jeszcze w możliwość tego bezsensownego faktu.

– Oczywiście, o ile będę mógł – powiedział półgłosem
zupełnie wesoło Atanazy, stając na mecie.

Słońce miał z prawej strony, czuł rozkoszne jego, żywe
ciepło – jakby z pieca, tylko na biliony kilometrów odległego. Pierwszy raz uświadomił sobie, że ono grzeje tak, jak
wszystko inne, i zamarł myślą w olbrzymiości wymiarów:
wielkości i odległości. O, gdyby urok tej chwili mógł trwać
ciągle! Jakże cudownie pięknym byłoby wtedy życie! Zosia
z Helą zmięszały się nagle w jedno z uczuciem opijania
ciepłem słońca i błękitem nieba. Bezosobowy, rozkosznie
zabarwiony kompleks elementów i nic więcej – „stał" czy

unosił się w czystym trwaniu, „durée pure" tego osła Bergsona – przemknęło mu przez świadomość. Początku myśli
tej nawet nie znał. Był to moment wymarzony przez Chwistka, tak zwanej (czort wie po co?) przez niego „rzeczywistości elementów wrażeniowych", czyli po prostu usunięcie się
w „tło zmięszane" („unbemerkter Hintergrund" Corneliusa)
– znowu pojęcia przesunęły się w postaci znaków indywidualnych niezrozumiałych dla innych – bezpośrednio danej
jedności osobowości. Wyprztyk, nauczyciel z dzieciństwa,
odzywał się we wszystkich filozoficznych dywagacjach.
A dosyć! Ujrzał przed sobą wykrzywionego od słońca Prepudrecha, który ustawiał się do niego bokiem, podnosząc
z lekka rękę z pistoletem. Nie mógł Atanazy uwierzyć,
że to jest ten właśnie dobrze mu znany i z lekka przez niego
pogardzany Prepudrech. „Jeszcze wystrzeli idiota przed czasem. Ręka mu drży. Widzę, widzę" – wyszeptał z radością.
   Ale Prepudrech nagle zmienił się. Był teraz piękny, oczy
błyszczały mu niepojętym tryumfem. W istocie był takim,
na jakiego wyglądał. Chwila była cudowna. Czuł obecność
Heli we wszechświecie: oddychał nią w postaci cieplejące-
go powietrza, wchłaniał ją wzrokiem w rdzawych barwach
jesieni i migdałowym (co do smaku) błękicie nieba, czuł
ją w lekkim powiewie chłodnego wilgotnego wietrzyku
ciągnącego od północy, od lasku, pełnego zapachu prze-
gniłych liści i jakiejś nieomal ogórkowej, a jednak trupiej
świeżości. Zatrzymać, zatrzymać to! „Verweile doch, du
bist so schön" czy coś tam takiego. „Cel" – posłyszał głos
Purcla. „El" – głupkowato wesoło powtórzyło echo, dola-
tując razem z zimnym podmuchem z prawej strony. Książę
podniósł pistolet i bez drżenia zaczął go opuszczać na linii
przeciwnika: minął głowę, szyję, mostek... był dobrym
w gruncie rzeczy chłopcem i w ostatniej chwili nie wiedział, w co miał strzelać.

Atanazego ogarnął nagle przeraźliwy strach – ten rzadki, rozwolnieniowy, paskudny. Miał wrażenie, że krzyczy, choć cisza była wokół bez skazy. Przypomniała mu się bitwa i pierwsze pękające pociski, i chęć ucieczki wtedy pod wieczór, po całym dniu kanonady. Tylko tam było to trochę inaczej – przewagę miały jakieś rzeczy wielkie – może pozornie wielkie, ale przecie... Przypomniał mu się wierszyk:

> Gość się męczy we wszechświecie
> Nie na próżno – ale przecie...

Tu problem utraty czci postawiony był bardziej w czystej formie. „A co mnie obchodzą te wasze głupie honory! Ja chcę żyć!" – krzyczało w nim bezgłośnie głupie, strachliwe bydlę. Ujrzał oczy Zosi w oddali i ostatnim wysiłkiem woli wstrzymał już potencjonalnie uciekające ciało. Głowa stała jednak na miejscu, a przed oczami obniżała się lufa pistoletu księcia. „Uniknąłem tego na froncie – teraz masz babo placek" – pomyślał i uczuł się zgubionym.

– Raz – posłyszeli obaj. Każdy w swoim zamkniętym na wieczność świecie.

Huk straszliwy (moralnie) – naprawdę było to jakieś pyknięcie z dużej fai – i Atanazy, który w ostatniej chwili obrócił się do księcia trochę frontem, uczuł, jakby go kto bez bólu wyrżnął pałką w prawy obojczyk. Zakręcił się z lewa na prawo (w tym zakręceniu wystrzelił, raniąc Prepudrecha powierzchownie w miąższ mięśniowy lewego ramienia) i robiąc dziwnego pirueta, padł na wznak, głową ku przeciwnikowi. Zobaczył niebo – dalekie, bezkresne, jakby „nie to" i uczuł coś gniotącego mu oddech, sam oddech, a nie jakąś część ciała. Chciał to wypluć, wyrzucić z siebie. Coś obcego było w nim, coś obcego działo się w nim i przygotowywało się jeszcze coś innego, gorszego. A więc to było to! Teraz może umrzeć i może wyżyć – a nuż! Zaczęła nim miotać nadzieja i rozpacz, nadzieja i rozpacz – prędko, coraz prędzej. Nagle uczuł, że jakieś świństwo ciepłe o metalowym smaku wypełnia mu gardło – krztusił się. Zimny pot, strach, mdłość, czarno w oczach (jak dziwnie zniknął świat w wytrzeszczonych ślepiach) i nicość skręcona w kabłąk, zganaszowana z przerażenia – ale czyjego? Stracił przytomność ze strachu raczej niż z powodu rany. Ale w ostatniej chwili mignął mu gdzieś w czarnych zwałach narastającej, puchnącej nicości obraz Heli i poczuł, że ona zwyciężyła, że tym pojedynkiem związał się z nią nawet za grobem. A potem Zosia, ale już jedno stanowiąca z tą nicością, i koniec.

Książę, nie zauważywszy nawet swej rany, rzucił się z pistoletem w ręku ku Atanazemu. Ujrzawszy białą twarz i krwawe usta niedoszłego przyjaciela, którego skrycie uwielbiał, Prepudrech padł na kolana i zaczął łkać.

(Doktor robił już swoje).

– Już nigdy!... Ja pana!... O, Boże... Ja zawsze!... Obudź się! Mój kochany...

Gładził Atanazego po włosach i twarzy. Ledwo odciągnęli go: doktor i świadkowie. Wszyscy stracili humor zupełnie, mimo że dzień był prześliczny.

ROZDZIAŁ III

ROZMOWY ISTOTNE

Informacja

Kiedy po operacji Atanazy ocknął się z lekkim bólem w prawej piersi, ściśnięty w gorset z bandaży, i przekonał się, że żyje – ucieszył się niezmiernie. Ale zaraz chwycił go straszny niepokój: „Azali (tak – pomyślał: azali) nie czeka mnie jeszcze raz to wszystko da capo – całe umieranie – i to już po raz trzeci?". Ale dr Chędzior uspokoił go natychmiast: żyć będzie i śladu z tego wszystkiego nie pozostanie. Od razu zniknęła cała wyższa radość i zaczęło się zwykłe życie poprzednie. Coś się zmieniło... ale co? Aha! te baby... Nie miał siły myśleć więcej. Często jednak w myślach powracał do tej chwili na łączce: „Czy nie był to najwyższy punkt mojego subiektywnego odczuwania życia i świata? Skondensowanie uroku istnienia, którego już nigdy nie osiągnę?". Jakkolwiek jeszcze pierwszego dnia cieszyła go chropowatość kołdry, spierzchnięte usta Zosi i płacze różne, i pocieszania. Na miłość wpłynęło wszystko to bardzo dobrze oczywiście po tamtej stronie. Nikt nie wiedział o momentach strachu. Wyjaśnienia przyjęto jako dostateczne: potrącenie w zdenerwowaniu i przemówienie się właśnie w ten dzień wyjątkowo podnieconych panów: zniżka barometryczna.

Przewieziony do szpitala, szybko powracał Atanazy do stanu normalnego. Całe towarzystwo zainteresowane w tej historii odwiedzało go, często nawet w komplecie.

Wtedy to znowu nasycał się rzeczywistością, tą nieuchwytną, tą niby codzienną, a dla nikogo „normalnego" niewidzialną, tą, do której spostrzegania i ujmowania dochodzi się przez delikatne męczarnie wyrzeczeń pozornie drobnych, a ciężkich, jak żadne z tych znanych – subtelna askeza ducha: odrzucenie pewnych myśli ułatwiających życie codzienne; niemówienie tego, co się powiedzieć powinno (w pewnej dyskusji); odtrącenie małych przyjemnostek, które daje towarzystwo osób niegodnych (jak upadek, to w wielkim stylu); samotność wyłowiona z gwaru zdarzeń, kiedy najbardziej potrzeba uścisku podejrzanej siostrzanej ręki – to wszystko jedne z drobnych środków ułatwiających przyjście tych stanów, w których świat przepoczwarza się bez użycia narkotyków w cichą piękność i dziwność wyższego stopnia.

Gdy Zosia, witając się lub żegnając, całowała Helę, gdy Prepudrech – obecnie bliski jednostronnie pseudoprzyjaciel – poprawiał mu poduszkę, gdy Łohoyski przy damach najbezczelniej uwodził rotmistrza de Purcla, gdy ksiądz Wyprztyk jastrzębim wzrokiem i zręcznym słówkiem zgłębiał i sondował dusze obecnych, czyhając na nowe ofiary, rzeczywistość zdawała się puchnąć aż w nieskończoność, przerastając chwilę teraźniejszości o biliony lat wstecz i naprzód. Czas znikał i świat zdawał się stać w miejscu mimo zmienności, był aktualnie wiecznym. Wtedy to nienasycenie (już to absolutnie niemożliwe do zaspokojenia, to picie nieskończoności przez wąską rurkę jak mazagran) stawało się udziałem wszystkich dookoła pod wpływem wewnętrznych napięć Atanazego – wytwarzało się psychiczne pole magnetyczne o niebywałym potencjale. Ludzie przestawali być związanymi ze sobą banalnością życiowych masek, stworami, które wszystko bez reszty o sobie wiedzą. Stawali się raczej jedni dla drugich symbolami tajemnicy częściowej dowolności istnienia: „To jest, ale równie dobrze mogłoby tego nie być wcale, mogłoby nie być mnie, nie być nic". Tu otwierała się potrójna hierarchia metafizycznej potworności całej tej jedynej w swoim rodzaju sprawy istnienia – poza bezpośrednim bydlęcym przeżywaniem, które może być takim nawet u mężów stanu w ich najistotniejszych funkcjach i uczonych w samej ich naukowej pracy. Sprytne bydlę w surducie ma jednak zamknięty wstęp do pewnych sfer myśli.

Tego, że jego samego mogło nie być, nie bardzo już rozumiał Atanazy. Kiedy naprawdę dla siebie umierał tam na „placu walki", było to innego gatunku znikaniem z tego świata. Nie było w tym nic z metafizycznego uświadomienia co do okropności tego faktu. Nicość, niewyobrażalna nawet jako pusta przestrzeń, była zupełnym bezsensem. A jednak mimo logicznej konieczności przyjęcia czegoś w ogóle, choćby jednego jakiegoś elementu (inaczej nie byłoby logiki) – o czym mówił kiedyś mętnie Chwazdrygiel – potworna dziura możliwości ogólnego, a nie tylko indywidualnego niebytu, dziura logiczna raczej niż rzeczywista, bez żadnego obrazowego odpowiednika samego pojęcia, zionęła śmiertelnym przerażeniem. Atanazy niedobrze rozumiał to: dla niego pierwotnym pojęciem, od którego poczynała się i Ontologia, i Logika, i Matematyka, było pojęcie wielości. Dawniej, przed wojną, wydawało mu się to wszystko przesadą. Ale nawet po pierwszej bitwie nie miał tego w tym stopniu. Dziś, na tle pojedynkowego bezsensu, logiczna historyjka stawała się rzeczywistym przeżyciem w sferze uczuć: „Oto religijne stany naszych czasów, te same, które dawniej prowadziły do religijnych wojen, inkwizycji, palenia czarownic. Bo to, co dziś przeżywają takie typy, jak Wyprztyk i ich ofiary, i pupile, to już nie stan bezpośredni, tylko przeżuta dawno papka bez krwi i smaku.

A więc nie tylko zupełnie inni ludzie występują pod tymi samymi etykietkami, ale i inne stany psychiczne. (To mówił kiedyś Heli Bertz). A pojęcia, które w pewnych sferach mają jednoznacznie określone znaczenia w ścisłych definicjach, w życiu, w każdej epoce, co innego znaczą, zależnie od zmiany uczuciowych kompleksów znaczeniowych".

Dla Zosi czas ten był epoką supremacji nad niedającym się dotąd przezwyciężyć Atanazym. Fakt zranienia narzeczonego w pojedynku dał jej wypromieniować z siebie to, co było w niej najbardziej wartościowego (z jakiego punktu widzenia? oczywiście z ordynarnie męskiego), to jest uczucia macierzyńskie, i to w stosunku do obcego mężczyzny. Była w czasach tych stale rozpromieniona, co chwilami drażniło zagmatwanego w metafizycznych wątpliwościach Atanazego. W dodatku, mimo pozornie zadawalniających wyjaśnień, Zosia odczuwała w sprawie tej coś ciemnego, niedającego się niczym usprawiedliwić. To dodawało Atanazemu uroku tajemniczości, poza tym, że jako możliwy obrońca nabrał nowej wartości o zabarwieniu wybitnie erotycznym. Gdzieś na dnie, chociaż nie śmiałaby się do tego przyznać, wolałaby, aby pojedynek był o nią. Sama dla siebie wypiękniała duchowo w tym wywyższeniu, jakie dały jej nowe uczucia, i była, aż do łez w oczach włącznie, zadowolona z siebie i ze świata. Miała to charakterystyczne dla takich wypadków fałszywe poczucie swojej własnej zasługi w piękności swego wewnętrznego stanu, nie zdając sobie sprawy, że jest on najbanalniejszym wynikiem prostego zbiegu okoliczności zewnętrznych. Miłość sama przez się nie odegrała tu żadnej roli, mimo że wskutek wypadków i wewnętrznych przemian spotęgowała się aż do niepokojących (jeszcze) rozmiarów. Jako coś, co może być ostatecznie zabite i zniszczone, Atanazy zdobył nieskończenie wyższe znaczenie. Wszystko to transponowało uśpiony dotąd erotyzm Zosi (jako dość w istocie prawdziwej kobiety) w nowy wymiar urzeczywistnień i znajdowało w tym swoje najgłębsze usprawiedliwienie. W końcu pomięszało się wszystko tak jedno z drugim, że nic już nie wiadomo było, gdzie się zaczyna pożądanie gwałtu, a kończy wielka miłość, intelekt i erotyczne perwersje, prawdziwe przywiązanie i próżność – w ogóle gdzie się kończy tak zwana dusza, a zaczyna ciało: Zosia dojrzewała, stawała się naprawdę kobietą. Ogólnie mówiono, że w okresie tym była „wprost urocza". Jej dziewczynkowato-bestyjkowata piękność (raczej ładność), prześwietlona promieniowaniem ukrytych jeszcze w rudach promieniotwórczych materiałów na przyszłą matkę, nabrała odcienia pewnej niedostępności i dalekości. To podnieciło w zupełnie nowy sposób Atanazego: „wielka miłość" zmniejszała się teraz u niego proporcjonalnie do fizycznego podobania się narzeczonej. Zdawałoby się więc, że wszystko szło ku lepszemu, ku większej równowadze i stałości, gdyby nie pewne spęknięcia, rozprucia, naderwania i rozlazłości będące wynikiem ostatnich przeżyć. Ukazywał się niejasny wyższy horyzont (jakby gdzieś w chmurach) nowych wartościowań i niepokojących porywów w sferę dotychczas nieznaną, posiadającą społeczne poniekąd kryteria dla oceny chwil codziennych, dotąd z beztroską mimo smutku ulatujących w dal obojętnej przeszłości. Atanazy sam nie zdawał sobie sprawy z istoty zachodzącej przemiany, ale niejasna całość problemów tych zarysowywała się w postaci złowrogiego pytania: „Kim jestem?" – a dalej: „Do czego mam prawo? Kim mam być? Jakie są moje granice?". Pytania te nie miały nic wspólnego z możliwymi odpowiedziami rzędu np. takiego: „Byłem aplikantem adwokackim, teraz żenię się z miłości, dość bogato, chcę pisać szkice z pogranicza filozofii i socjologii" – zjawiały się w innym niż dotąd wymiarze.

Nie były to dawne poszczególne kwestie życiowe, problemy programów działań częściowych, w okresie definitywnego wyrzeczenia się artystycznych zamiarów. Nie – było to coś nowego i nieznanego: rachunek sumienia w związku z obojętnym dotąd (i obecnie – więc co u diabła?) społeczeństwem. Samo słowo „społeczność" budziło wstręt niejasny, a jednak, a jednak... Przypominały mu się słowa ojca, marzyciela o „ogólnym dobrze", który sam żyjąc w zupełnie przeciętny sposób, pół zły, pół dobry, zarzucał mu obojętność co do spraw społecznych jeszcze ośmnaście lat temu – to znaczy, kiedy Atanazy miał zaledwie lat dziesięć.

– Wy wszyscy – mówił stary Bazakbal o nim i jego kolegach szkolnych – żyjecie w zupełnej pustce. Obcinacie sobie całe olbrzymie obszary duszy, nie żyjąc w związku z wielkimi zagadnieniami narodowymi i społecznymi.

Ale jak to zrobić, aby w związku z nimi żyć, nie mówił stary nic, a Atanazy nie przypierał go do muru pytaniami, bo kwestie te nudziły go wtedy bardzo. Teraz, ni stąd, ni zowąd, po tylu latach, kiedy wszystko pozornie było załatwione w postaci jakiegoś pseudoarystokratycznego, pesymistycznego, aspołecznego światopoglądu, w którym problem mechanizacji ludzkości, upadku sztuki i filozofii i wymarcia religii zdawał się być pozytywnie rozstrzygniętym w sposób transcendentalnie prawdziwy, tj. jedynie możliwy – nagle pękła powłoka, ukazując niedomyślane do końca koncepcje i to z nienawistnego dotąd, historycznego punktu widzenia. Zakrzepły świat abstrakcyjnych idei odpływał w dal na falach marmelady ulegających ewolucji nowych pojęć. Wszystko się chwiało. Mimo woli i wiedzy zwyciężała względność, pluralizm – jednym słowem intelektualne świństwo i tandeta godna niedorobionych umysłowo „niedonosków", ale nie możliwych, przynajmniej z temperamentu, absolutystów.

Tymczasem między narzeczonymi doszło wreszcie do pewnych erotycznych zbliżeń, bardziej niż dotychczas ryzykownych, wywołanych leżeniem Atanazego w łóżku i stanem macierzyńskiego podniecenia Zosi, która mimo pozornej niewinności okazywała coraz bogatszą intuicję co do zepsucia wszelkiego rodzaju, prześcigając nawet czasem Atanazego ku jego radosnemu zdumieniu. A problem ogólny, kim on właściwie jest sam dla siebie, olbrzymiał do metafizycznych rozmiarów. Codzienne zajęcia, począwszy od gimnastyki, mycia się (ewentualnie golenia) aż do umysłowej pracy (włączywszy u niektórych ludzi i samą metafizykę zmechanizowaną aż do stopnia bezdusznego żonglowania martwymi abstrakcjami), zasłaniają, czasem zupełnie, bezdenną przepaść, którą otwiera dostatecznie jadowicie postawione pytanie: „Kim jestem?". Nic tu nie pomoże książeczka księdza Wyprztyka pt. *Poznaj siebie, póki czas* ani namowy starych ciotek, by wziąć się do jakiej pożytecznej pracy. Pod wpływem spotęgowanej miłości i zdrady, zawodu w stosunku do własnej intuicji w sprawie pojedynku i fizycznego cierpienia, a może głównie z powodu otarcia się o ordynarną, bezsensowną śmierć, wiązadła mimo woli, instynktowo zorganizowanej do walki z metafizyczną potwornością pospolitości, popuściły nagle, ukazując jako podstawę dla całej tej codziennej pewności siebie obłąkaną swoją własną dziwnością bezkształtną miazgę, w której zwykła osobowość roztapiała się jak cukierek w gorącej wodzie, a na jej miejsce zjawiała się inna, nieściśliwa, prawie punkt matematyczny, nieistniejąca naprawdę nigdzie w dowolności tego lub innego miejsca przestrzeni, irracjonalna i własną irracjonalnością zarażająca świat cały. Bezgłośnie, antykatastroficznie, w sposób tajny i niewiadomy, najtęższe wartości stawały dęba nad próżnią i spadały cicho w nieoczekiwaną, boczną otchłań, przybierając kształty spotworniałe, chimeryczne, złowrogie. Np. dawny światopogląd, podświadoma etyka, stosunek do społeczeństwa, miłość (!) – w błyskach tej nadświadomości nawet miłość przepoczwarzała się radykalnie i dopiero najbezwstydniejsze nasycanie perwersyjnych pożądań zwracało oszalałe myśli w ich codzienne łożyska. Potęgowało przewrotność tych chwil to, że Atanazy nie mógł się ruszać i że stroną raczej czynną była niewinna pozornie Zosia. Wytwarzanie sztucznej niedostępności i drażnienie niby bezsilnego „samca", jak nazywała teraz w skrytych myślach narzeczonego, stało się jej specjalnością. Nad nieuchwytnymi, nieprzestrzennymi prawie otchłaniami sztucznie stworzonych niedosytów krwawy wał żądzy twardej, napiętej aż do pęknięcia, spinała z rzeczywistością mgiełka rozkoszy na pajęczej nitce, przepojona niesamowitym zapachem płci, zmaterializowaną jakby samą grozą tych spraw jedynych w swoim rodzaju. Męczenie Atanazego podniecało Zosię do szału... Gorączkowo wchłaniała „nieznane" przez zaciśnięte kurczowo zęby, spalone usta, skręcone okrutnie ciało: po prostu zakochiwała się na dobre.

Scenki takie przerwało któregoś dnia wejście Łohoyskiego, który bardzo z czegoś niezadowolony (w ogóle potępiał małżeństwo Atanazego) oświadczył zaraz na wstępie, że Hela Bertz zdecydowała się wybrać tu dziś właśnie po raz pierwszy. Prepudrech bywał w szpitalu od samego początku i stosunki jego z Atanazym stawały się coraz istotniejsze. Był to w gruncie rzeczy dość dobry i inteligentny chłopiec, ale intelektualnie zapuszczony jak większość młodych poetów – pisał bowiem czasem wiersze, które nazywał kakonowalijkami. (Grał też na fortepianie, ale była to tak zwana „reine Fingermusik", bez żadnej na razie przyszłości). Korzystał wiele, rozmawiając z Atanazym, którego wiedza akurat wystarczała, aby móc być mistrzem myśli takiego

Prepudrecha. Teraz książę mógł już przynajmniej zrozumieć niektóre filozoficzne koncepcje Heli: jej teorię pojęć, teorię ruchu z punktu widzenia psychologii (pojęcie ruchu objęte było szerszym pojęciem zmiany) i teorię konieczności tajemnic na tle ograniczoności w nieskończoności. Szczególniej popularny wykład psychologizmu na tle *Transcendentalnej systematyki* Corneliusa wzruszył go do samych podstaw jego istoty. „Żyję w rzeczywistości elementów wrażeniowych prawie jak sam Chwistek" – powtarzał czasem w najnieodpowiedniejszych chwilach ku uciesze miejscowych filozofastrów. Popularność jego wzrosła od czasu pojedynku i zaręczyn i zdawało się, że wszystko idzie coraz lepiej. Został nawet przyjęty w paru domach „bardzo dobrze" (très bien). Hela, teraz gorliwa katoliczka, nie zaspokajała go pod względem erotycznym wcale. Co najwyżej wśród czystych narzeczeńskich pocałunków mimo woli, nie wierząc sam sobie, doznawał rozkoszy najwyższej.

Dla Heli był to okres podświadomego naciągania najcięższych sprężyn, przygotowywania się do ostatecznego skoku, którego natury i istoty nawet w przybliżeniu nie przeczuwała. Nic o tym wszystkim nie wiedząc, brnęła w cnotę i tajemnice katolickich nabożeństw z całą dobrą wiarą, wciągając w niektóre z nich swego belzebubicznego papę, który też zasmakował we wrażeniach ubocznych dostarczanych przez oddawanie czci nieznanemu i wrogiemu, a jednak temu samemu w gruncie rzeczy, Bogu. Uroczysty chrzest musiał być na razie odłożony z powodu koniecznej podróży papy, chociaż odpowiednie przygotowania były już porobione. Ale co to kogo obchodzi?

Była to dziwna epoka kryzysów indywidualnych na tle kryzysu społecznego. Według tego przeklętego Sajetana Tempe warstwa ustępująca – może pierwszy raz w historii – tak długo opóźniała swój ostateczny upadek, broniąc się beznadziejnie, nie tyle wprost, ile przy pomocy kompromisów. Miało to przypominać skazańca wybłagującego ostatnie sekundy już pod szubienicą. Poza kolosalnymi na pozór różnicami całe towarzystwo składało się z odpadków kończącej się „burżuazyjnej kultury", przed którą była jedynie próżnia zupełnego wyczerpania i marazmu. Wszyscy czuli śmierć w sobie, mniej lub więcej świadomie, i to może było powodem konsolidacji tych przypadkowych znajomości w głębsze przyjaźnie i miłości. Samice, silniejsze oczywiście w takich układach od samców, węszyły nowe perwersje w stosunku do upadłych do głębi (nawet przy pozorach siły) mężczyzn. Psychiczny nekrofilizm z jednej strony, autogalwanizowanie się zastygłych już trupów – z drugiej. Nikt nie zdawał sobie dokładnie sprawy, kim jest w istocie (już nie metafizycznie, ale społecznie) na tle zawiłych przelotnych struktur społeczeństwa i wyobrażał sobie siebie zupełnie inaczej, niż należało. Nawet Atanazy – ten w ogóle zbyteczny, ale dość inteligentny improduktyw – mimo wyjątkowej zdolności zafiksowywania stosunkowo nikłych stanów, rozmijał się stale ze swym intelektualnym sobowtórem, dążącym szybko ku zupełnej likwidacji swego umysłowego sklepiku. I to było jeszcze jego szczęściem. Wszyscy zstępowali w otchłań – niektórzy myśleli przy tym, że idą ku szczytom. Za nimi, „im unbemerkten Hintergrunde" społecznej świadomości, na którym to tle jak dogasająca iskierka świeciła zanikająca tak zwana „inteligencja", przelewała się i kotłowała bezmyślna jeszcze magma przyszłości, w której gorącym płynnym wnętrzu kryły się już możliwości nadchodzących form nowego bytu, potencjalne struktury wymarzonej przez dobrych ludzi ludzkości. Czym miała żyć ta przyszła ludzkość, nie wiedzieli dobrze dobrzy ludzie, ale to nie obchodziło ich wcale – chcieli „nieść światło" innym, maskując tym fakt, że w sobie go już nie mieli: ekspansja zastępowała twórczość, propaganda – samą wiarę, rozpuszczanie się w bezforemnym mrowiu – konstrukcję osobowości. Tak mniej więcej przedstawiał ten proces przeklęty Tempe w jakiejś rozmowie z Atanazym dwa lata temu. Ale wtedy myśli te nie przyczepiły się do własnych koncepcji Bazakbala. Dziś występowały niejasno, zmieszane w kłąb jeden z metafizyczno-erotyczną transformacją dni ostatnich. Atanazy myślał: „Czy dekadenci, choć trochę świadomi swego upadku i bezczynnie obserwujący przerosłymi i znowotworzałymi mózgami ten swój własny i dawnego świata upadek, nie są lepszym gatunkiem «schyłku» niż ci, którzy jeszcze się łudzą i zgrywają się w śmiesznych rolach władców?".

Błazeństwo tej koncepcji było tak widoczne, że bądź co bądź inteligentny Atanazy nie mógł ani na chwilę uwierzyć w jej prawdę. A jednak myśl ta, raczej jej podkład bezpośredni trwał. Co za wstyd! Więc czyż był naprawdę takim typem pospolitego człowieczka, jakim właśnie pogardzał, takim szarym świństewkiem, jednym z elementów tej zgniłej miazgi, na której rosły nędzne kwiatki dzisiejszego pseudoindywidualizmu? Gdyby choć był artystą! „Choć" – w tym słówku wyrażała się cała pogarda dla tego zajęcia wpojona mu od samego dzieciństwa. Nie – Atanazy pewną ambicję miał: nie chciał być błaznem. Gdyby stać się artystą musiał, byłby nim już dawno. A więc widocznie był tym właśnie i niczym innym: aplikantem adwokackim, który przez mimowolne, nieprogramowe bogate małżeństwo uwalniał się od pospolitej pracy bez przekonania – ale w jakim celu? Samotne, nieobjęte żadną religią ani kultem chwile bezpośredniego przeżywania Tajemnicy Bytu wydymały się jak bańki gazu nad błotnistą powierzchnią życia i niezapalane żadnym entuzjazmem pękały i rozwiewały się w szarej atmosferze nadciągającego mroku, „ideowego zmierzchu pożerającej siebie ludzkości", jak mówił Chwazdrygiel. Czy warto w ogóle czynić cokolwiek? Dać się nieść prądowi zdarzeń i zobaczyć, co będzie – ach, gdyby to było tylko możliwe! Ale rzecz pozornie najłatwiejsza zdawała się Atanazemu wprost niewykonalną. Jeszcze jedno: spotęgować chwile życiowej dziwności aż do zupełnej ciągłości metafizycznego objawienia, w samym bezpośrednim przeżywaniu wznieść się ponad zmorę przypadkowości codziennej. A jeśli to niemożliwe, starać się przynajmniej o to wszelkimi siłami: tylko droga do czegoś jest czymś istotnym – osiągnięty cel jest niczym. Tu celem mogłaby być chyba tylko jedna rzecz: piękna śmierć. Ale na samobójstwo nie miał jeszcze Atanazy ochoty. A więc zostawała tylko „czysta droga sama w sobie jako taka". Ale droga ta mogła być nudna... Na tę wątpliwość, jak zwykle w takich razach, zimny pot wystąpił Atanazemu na skroniach i wokół powiek. Rzucił się na łóżku. Tamto wszystko przemyślał między jednym jakimś zdaniem Łohoyskiego a drugim.

– Co ci jest? – spytał Jędrek.

Był dziś z lekka przybity. Chwilowo opadnięta wskutek piekielnych nadużyć życiowa siła pozwalała mu choć trochę myśleć. Atanazy zaczął mówić, chcąc się wreszcie dowiedzieć czegoś o sobie samym.

– Nie masz pojęcia, jak ja czasem cierpię, zupełnie bez wyraźnego powodu. Myśli mam tak dziwnie poplątane, wartościowanie tak stasowane, że już nie mogę dłużej tak żyć. Mój niby-arystokratyczny światopogląd, z religią, filozofią i sztuką na czele, zaczyna walić się od podstaw. Właściwie jestem wcieleniem kompromisu, i to koniecznego, i niczym więcej. Gdybym mógł z czystym sumieniem zostać artystą, miałbym jakiś punkt stały, z którego mógłbym na to wszystko spojrzeć. Ale pogardzam sztuką – nie w ogóle, tylko jej dzisiejszymi upadkowymi formami.

Malarstwo, rzeźba i poezja skończyły się, muzyka jest na ukończeniu, architektura staje się czysto użytkową, teatr ma jeszcze jakiś mały dystans przed sobą i to, jak słusznie twierdzi Tempe, w związku z awanturą społeczną. Jak to się wygładzi i wyrówna – teatr jako sztuka zginie także. (Zosia słuchała zachwycona. Atanazy w stanie rozterki i upadku podobał się jej najwięcej. Ona też, słuchając tych „mądrych głupstw", jak nazywała takie rozmowy, nasycała się najbardziej rzeczywistością rzędu wyższego).

– A do tego, z jednej strony nie mogę znieść kłamstw dzisiejszej demokracji razem z jej równym startem dla wszystkich, parlamentaryzmem, niby-równością wszystkich wobec prawa i tak dalej, a z drugiej strony nic, ale to nic mnie nie obchodzi los klas pracujących i walka ich z mdłą demokracją, która się dopiero zaczyna. Wynik tego wszystkiego będzie okropny: koniec najwyższych dotychczasowych wartości, szary mrok ogólnego dobrobytu. Więcej lituję się nad mrowiskiem spalonym przez pastuchów czy nad zdychającym z głodu, oślepionym starym kotem niż nad całą ludzką nędzą świata. Nie masz pojęcia, jak ciężko jest żyć w pustce, wypełnionej takimi sprzecznościami. Wiem, że gdzieś, dla mnie jakby w zamkniętej szklanej kuli, odbywa się wielka przemiana ludzkości, coś olbrzymiego przewala się poza horyzontem mego ciasnego pojmowania i nie mogę widzieć tej wielkości w żadnym fakcie, który jest dla mnie dostrzegalnym. Nie mogę scałkować tego, co widzę, w jedną ideę, w której mógłbym przeżyć w pełni samego siebie.

– Bądź pewnym, że nikomu na tym nie zależy z tamtej strony...

– Wiem, jestem różniczką, ale scałkowanie takich elementów daje wypadkową atmosferę społeczną danego kraju. Ty przynajmniej nie masz tych problemów...

118

– Mylisz się. W ogóle jeśli masz zamiar tak ze mną mówić, to lepiej dajmy spokój. Nie rozmawiałeś ze mną nigdy w taki sposób i myślisz, że ja nic nie myślę...

– Nie gniewaj się: ale ty przynajmniej jesteś hrabią...

– Jeszcze jedno słowo, a nie ręczę za siebie. Pani wybaczy – zwrócił się do Zosi – ale on programowo chce mnie obrazić...

– Poczekaj, nie brnijmy w nieistotne nieporozumienia. Mówmy otwarcie raz w życiu, nie przyjmując niczego za obrazę. To nie jest tak banalne. Jesteś hrabia – to już jest coś. Należysz do tej klasy, która przynajmniej dawniej tworzyła rzeczywistość historii. Możesz sobie z czystym sumieniem powiedzieć, że nawet jeśli jesteś dekadentem, to w każdym razie czegoś wielkiego – według Tempego jakiegoś potwornego świństwa na wielką skalę. Możesz pomyśleć: „Dobrze – niech się wali świat, ale bądź co bądź ja jestem hrabia i koniec". Ja nie mam nawet tego – nie mam żadnej tradycji, przy pomocy której mógłbym upiększyć mój upadek. Jestem czymś bezimiennym, odpadkiem młodszej pseudokultury, która u nas właściwie nic ciekawego nie stworzyła, przeżuwając od wieków zagraniczne nowalie i to przeważnie nie w porę, nie te, które należało, i nie z tej strony je przyjmując, z której należało. Ty jesteś czymś tak międzynarodowym, jak pierwszy lepszy komunistyczny Żydek – takimi byliście w historii mimo wojen – narodowość to dość wczesny wynalazek – ale mniejsza o to: to się skończyło tak nędznie, jak zaczęło. Nie pomogą tu nic szlachetne wmawiania. Teraz mogłoby może przyjść coś wielkiego w dawnych wymiarach, ale na to nie będzie już czasu, bo idzie fala przemian, która zmiecie, zniweluje wszystko, i inni ludzie, tak, inni, jakby z innej planety, wypłyną na wierzch i będą tworzyć nowe życie jakościowo niepodobne do naszego. Ci, którzy chcą z tym walczyć, to nie ludzie przyszłości – to jakby ktoś wkładał pięknie rzeźbiony patyk w koła lokomotywy, chcąc ją zatrzymać. I to jest najstraszniejsze, że jakkolwiek to, co się teraz zaczyna, ma wszelkie pozory wielkości i może jest wielkim w chwili stawania się, będzie przyczyną szarzyzny i nudy społecznej, o jakiej my pojęcia nawet nie mamy, mimo że na te rzeczy już narzekamy. Dlatego nie mogę przejąć się tą ideą.

– Mówmy otwarcie: socjalizm czy coś podobnego. Ja już byłem komunistą – nie ty mnie będziesz o tym mówił. Marzyłem o wielkich jakichś wybuchach utajonej energii tych, których wyzwolić może tylko rewolucja. Zwątpiłem w to.

– To nie to, byłeś esdekiem, dopóki żył twój ojciec, który tobie nie dawał żyć tak, jak chciałeś. Teraz, kiedy masz już wszystko, zmieniłeś front. U ciebie nie było to na ideowym podkładzie. Nienawiść do rodziny i niechęć do orania i nawożenia twoich dóbr ziemskich przetransponowałeś na ogólnoludzkie dążenia. Ja też czasami z nudów, z tego nienasycenia wielkością czegokolwiek bądź chciałbym być diabli wiedzą czym: wielkim zbrodniarzem czy włamywaczem nawet, nie tylko komunistą; chciałbym, żeby na świecie zrobiła się jakaś straszna kasza, wobec której wszelkie dotychczasowe wojny i rewolucje zdawałyby się nędznymi igraszkami. I w takiej kaszy zginąć – jeśli już nie w kosmicznej, międzyplanetarnej katastrofie...

– Tak, a jednak przed lufą Azia miałeś chwilkę strachu: widziałem twoje oczy.

Zosia wyprężyła się jak okularnik, nadsłuchując uważnie.

– I cóż to ma do tego. Tak, przyznaję to. Na wojnie bałem się też, ale inaczej, i nie uciekłem ani tam, ani tu.

– Wojna to zupełnie co innego, mimo że ani ty, ani ja – co tu ukrywać – nie biliśmy się dla jakiejś idei, a jeżeli

120

nawet, to w bardzo małym procencie. Pamiętasz, jak zazdro-
ściliśmy tym...

– Ach, daj spokój. Na samą myśl o wojnie dostaję drgawek obrzydliwej nudy. Małość tego, dla czego by można
zginąć, przeraża mnie.

– No, to już jest lekka przesada, a nawet, powiedzmy
otwarcie, megalomania. A kimże ty jesteś, u diabła starego?
Może cię nie znam, może ukrywasz w sobie coś, co prze-
kracza granice mego pojmowania?

Tu spojrzał ukradkiem na Zosię. Wpatrzona w Atanazego jako w swój łup, zdawała się myśleć tylko o jednym...

– Wszystko jedno, kim jestem; niezależnie od tego,
tamto wszystko jest za małe: za małe, żeby w imię tego
żyć, i za małe, żeby zginąć. A kim jestem, nie wiem, metafizycznie nie wiem. Wytrzymać życie, nie wiedząc, kim się
jest – może w tym jest pewna wielkość. Poza tym jestem
byłym aplikantem i narzeczonym Zosi. To zdaje się jest
najpewniejsze, bo kiedy na zaręczynowym wieczorku upi-
łem się do utraty przytomności i widziałem półmiski jakieś
na stole nie jako półmiski, tylko naprawdę jako plamki
barwne, i ja jako ja nie istniałem zupełnie – czyli byłem,
według tego przeklętego Chwistka, w rzeczywistości elementów wrażeniowych – nagle pomyślałem sobie: „Aha!
jestem narzeczonym Zosi" – pomyślałem, jeszcze nie wiedząc właściwie, co to znaczy, i wtedy nagle wróciłem sam
do siebie gdzieś aż z nieskończoności, z osobowego niebytu,
i stałem się znowu sobą, a kompleks plam barwnych stał się
znowu półmiskiem. Bzdura jest to wszystko: nie rozwiązuje
to pytania, czym żyć i w imię czego żyć. Pojęcie: „w imię
czegoś", straciło swoje znaczenie dla pewnych typów. Trzeba się pogodzić z tym, że ta klasa ludzi, do której należy-
my, skończyła się. Nie ma nad czym rozpaczać. Rozmowa
jest najistotniejszym sposobem przeżywania się. Mur dla

filozofów w willi Hadriana pod Tivoli – oto jedyna rzecz dobra na tym świecie – idzie od północy do południa, czy na odwrót, aby ciepło było pod nim przed i po południu.

– Poczekaj. Jakaż to klasa? Tylko co mówiłeś, że nie zaliczasz się do jednej klasy ze mną. Mieszasz się w zeznaniach. Jestem przecie hrabią...

– Wobec tego, co przychodzi, nawet takie różnice, jakie są między nami, stają się nieznaczne. – Atanazy zaśmiał się.

– Wybiegłem już myślą poza te kategorie. Nazwałbym klasę tę klasą „metafizycznych istot bez formy działania" – w życiu czy w sztuce – to wszystko jedno. Dodatkową podklasą jej będą hrabiowie bez wyższych aspiracji – kokainiści i alkoholicy. Ci, którzy obecnie sprawują rządy mdłej demokracji, są tak samo nie na miejscu, jak ta część społeczeństwa, na której się opierają. Przestaliśmy być, my, mdli demokraci w praktyce, twórcami życia: nie mamy miejsca we wszechświecie ani w nas samych. Lepiej niech wyrżną nas wszystkich prędzej. Wiesz, że ja mimo całego wstrętu do przyszłości czekam z upragnieniem katastrofy – byle coś wielkiego, byle nie ta zakłamana płaskość dzisiejsza, nie ta małodystansowość pod maską niby wiecznych prawd. Ludzkość – przeklęte pojęcie, o ile nie jest doprowadzone do ostatnich konsekwencji. Ludzkości nie ma: są tylko typy dwunożne tak od siebie różne jak słonie i żyrafy. A jeśli jednolita ludzkość będzie kiedyś istnieć, to w formie takiego mechanizmu, który niczym się nie będzie różnił od ula albo mrowiska.

– Możliwe. Ale co to cię obchodzi. Ciesz się, że żyjesz teraz, kiedy to się jeszcze nie stało. Patrzeć z boku na to wszystko to też pewna satysfakcja i zapełnienie życia. Patrzeć i rozumieć. Ja może sam tak nie myślę, bo dobrze tego wszystkiego nie rozumiem, ale czuję to, i to mi wystarcza.

– Ty możesz, bo masz za dużo jeszcze zdrowej, bydlęcej energii. Ale zrozum: nawet najwięksi awanturnicy naszych czasów też są dekadentami. Dawniej ci właśnie awanturnicy tworzyli życie na szczytach swoich epok – dziś są to tylko sporadyczne historyjki na małą skalę. Wymarzony nadczłowiek Nietzschego to dziś zwykły złodziej czy zbrodniarz, a nie pruski junkier nawet. Amerykański traper jest tylko macką cywilizacji, która za nim stoi i przy pomocy niego wżera się w ostatnie kawałki dzikiej ziemi, jakie jeszcze zostały. A awanturnicy dzisiejsi w wielkim stylu, jakieś Wilhelmy i Ludendorffy, to już typy skarlałe, przepojone społecznością w postaci dogasającego dzisiejszego nacjonalizmu, który już jest wytworem wysokiego uspołecznienia od czasu rewolucji francuskiej. A dzisiejsi twórcy rewolucji, mający może więcej faktycznie władzy niż faraonowie, są tylko emanacją tłumu – robią to, co muszą, a nie to, co chcą. Przecież dawniej nacjonalizmu tego typu nie było: byli naprawdę wielcy panowie, którzy gięli rzeczywistość, jak chcieli, w desenie odpowiadające ich fantazji.

– Wiesz, że gdyby tak mówił jakiś Burbon albo Hohenzollern, tobym to rozumiał. Ale ty! Kimże jesteś, żebyś miał prawo...

– Jak mówisz to ty, burboński kuzyn, to jest to tylko niesmaczne. Jestem nieudanym artystą. Jeszcze ci dranie łyknęli choć kroplę czegoś z dawnych czasów – w formie artystycznej perwersji i zgnilizny, ale łyknęli. Ja tym pogardzam. Właściwie nieudanych artystów nie ma: gdybym nim był, tobym był i koniec.

– Wielka mądrość. Ja też malowałem, ale mnie to nie zadawalniało...

– Malowałeś! Dziecinne bzdury! Nie masz prawa tak mówić. Ja też piszę tego samego rzędu poetyckie brednie. To nie jest szczyt tego, co wyraża w sztuce, w charakterze jej formy, naszą epokę. To samo robią dzieci – my jesteśmy w tym też dzieci: nie umiemy nic i nie chcemy umieć, nie chcemy poświęcać życia tej chimerze. Czy myślisz, że taki Ziezio Smorski nie dałby dużo, aby teraz być tylko zblazowanym bubkiem i niczym więcej? Mówił mi o tym po pijanemu. Te słowa jego umiem na pamięć: „Poświęciłem życie i rozum dla chimery, dla czegoś, co się kończy. Miałem powodzenie – tak, coś w tym jest – i sławę, i wszystko, co jest z nią związane. Ale dałbym wszystko to za to, aby żyć zwyczajnie, nie zwariować, a zwariować muszę, bo teraz się już nie zatrzymam". Oto jest prawdziwy artysta dzisiejszy. Tamci dawni umieli być sobą, nie wariując – dziś prawdziwa sztuka to obłęd. Wierzę tylko w takich właśnie, którzy kończą obłędem. A te wszystkie typki pseudoromantyczne i pseudoklasyczne to śmiecie takie same jak ci, co dziś jeszcze rządzą tą bachanalią kłamstwa – ze wstrętem o nich myśleć będą nawet przyszli zmechanizowani przedstawiciele szczęśliwej ludzkości.

– Po co o tym myśleć? Czy nie lepiej przeżywać tę rzeczywistość taką, jaką ona jest.

– Ty jesteś potencjalnie inteligentny, ale pojęciowo głupi, nie gniewaj się. Jesteś jednolity blok bez żadnej szparki, w którą myśl może się wcisnąć. I nie masz tej żądzy prawdy, którą mam ja. Chcę wiedzieć prawdę, jakkolwiek byłaby ona potworna. Pewno, że byłoby lepiej dla mnie i dla mego otoczenia, żebym był jakąś maszynką na swoim miejscu, a nie dywagował za pieniądze Zosi...

– Nieprawda – wtrąciła Zosia. – Ja ciebie uznaję takim, jakim jesteś. Nie mów nigdy więcej o pieniądzach, bo cię znienawidzę.

– Tak, jesteś już zepsuta, jak wszystkie dzisiejsze kobiety, te ostatnie; potem będą tylko mechaniczne matki spełniające funkcje społeczne mężczyzn na równi z nimi. Lubisz jeść rzeczy nieświeże – uznajesz mnie za moją wewnętrzną zgniłość pod pozorami zwykłego uczucia.

Łohoyski dziwnie patrzył na Atanazego. „A jednak ty musisz być dla mnie tym, czym ja zechcę, mimo wszystkich wykrętów. Kop pod sobą jamkę, kop – w niej to właśnie złapię cię kiedyś" – myślał niejasno. Wzdrygnął się ze wstrętem i kłującą zazdrością na myśl, że Zosia... Marzył o innej przyjaźni, ale nikt z godnych jej nie chciał go zrozumieć. Atanazy był jeden jedyny. To był jego własny szczyt życia – jakże trudno było to zdobyć, ileż okropnych nieporozumień czekało go na tej drodze. Atanazy mówił dalej; Łohoyski wrócił do nienawistnej mu rzeczywistości, tej, według Chwistka – popularnej. A jednocześnie poczuł pogardę (tę arystokratyczną) dla „nich" wszystkich – a w „swojej sferze" nie miał nikogo...

– ...i to mnie przeraża, że zaczyna mnie fascynować ten drugi świat, od którego odwracałem się i odwracam dotąd ze wstrętem. Możliwym jest, że aby widzieć jego piękność i wielkość, trzeba wyrobić w sobie inne kategorie nie tylko myślenia, ale uczucia, inne instynkty, choćby na razie zaznaczone. Inaczej nie ma się klucza do syntezy: widzi się pojedyncze, rozdrobnione objawy, które niescałkowane dają fałszywy obraz całości – tak mówił Tempe. To jest właśnie ten mikroskopiczny pogląd na otaczające życie, którego nie uniknęli nawet wielcy pisarze naszych czasów. Nie ma prawa zabierać głosu jako prorok ten, który nie widzi jasno drogi przed sobą. Inaczej mąci tylko zamiast tworzyć siły, po tej czy tamtej stronie. Nikt nie ma odwagi mówić wszystkiego do końca, stawiać kropek nad i. Walka indywiduum ze społeczeństwem, a właściwie na odwrót, objawia się też w powieści: bohaterem przestaje być człowiek – staje się nim masa, dotychczasowe tło, i powieść na tym też kark skręci i skończy się, bo ilość możliwości zwęża się przez to aż do powtarzania wszystkiego w kółko. W naszych czasach życie po raz pierwszy przegania literaturę – ale nie sztukę. A w ogóle ten rozdźwięk między sztuką a społeczeństwem (mała dygresja: powieść nie jest dziełem sztuki; nie działa bezpośrednio swoją konstrukcją) musiał wzrastać, bo im więcej życie się mechanizuje, tym więcej ezoteryczną w perwersji staje się sztuka, mimo że jest funkcją ogólnego stanu. Na próżno chcieli walczyć z tym futuryści. Z jednej strony doskonała maszyna, z drugiej aformalna, akonstrukcyjna w granicy miazga komplikacji jako wynik nienasycenia formą i garstka dekadentów potrzebujących tego narkotyku.

Łohoyski nudził się śmiertelnie, a ten mówił dalej, wypuszczając długo trzymany chaos myślowy.

– Tym, czym nas teraz karmią, nikt długo żyć nie będzie, a my czekamy ciągle na „wielkie słowo", to przez wielkie S – romantyczne nałogi! To słowo umarło jako objawienie społeczne czy narodowe. Nieświadomi twórcy przyszłej rzeczywistości rozwiążą to, ale nie ci, którzy dziś udają władców sami przed sobą pod maską niby ogólnoludzkich umiarkowanych poglądów, tej letniej wody, od której rzygają już wszystkie zdrowe natury...

– I ty, i tobie podobni, którzy nie są wcale zdrowi. Chce się wam katastrofy dlatego tylko, aby skończyć w interesujący sposób – przerwał mu ze złością Łohoyski. – Wiesz, jakie robisz na mnie wrażenie: oto człowieka, który bojąc się być zarżniętym podczas rewolucji, zaczyna zmieniać poglądy. A obserwuje się przy tym, czy kłamstwo, które popełnia, nie jest już zbyt wyraźne i czy niepotrzebnie nie zabrnął zanadto już na lewo, kiedy mniejszym przesunięciem i tak by życie uratował.

– Przysięgam ci, że nie. A zresztą jest to sprzeczne z tym, co mówiłeś poprzednio.

– Wiem, mówiłem w przenośni.

– Psychicznie może jest coś takiego, staram uratować się za jaką bądź cenę, ale w imię czego, nie wiem – bydlęcy instynkt.

Ogarnął go straszliwy niesmak. Cała ta rozmowa wydała mu się nieznośnym nonsensem. Wstręt rozszerzał się, obejmując coraz to nowe obszary: Łohoyskiego, Zosię, wszystkie problemy, życie całe. Wyrwać się stąd, uciec, zapomnieć. Poczuł, że uciec musiałby od siebie, i zrozumiał, że skazany jest na dożywotnie więzienie sam w sobie: odczuwał siebie jako więźnia i jego klatkę jednocześnie. Męka bez granic trwała – w imię czego?

Nagle zapaliły się dwie lampy: jedna u sufitu, druga przy łóżku, z zielonym kloszem. Szara godzina szpitalna była skończona. Wir mętnych pojęć unoszących się nad szarą, zdechłą rzeczywistością opadł. Atanazy odetchnął: wszystko rozwiąże samo życie – trzeba dać się nieść prądowi i wyrzec się raz na zawsze komponowania zdarzeń; to była najtrudniejsza rzecz do wykonania. Nowy problem, postawiony tak po prostu, pogodził go z istnieniem. Niech wszystko płynie samo – zobaczymy, co będzie. Zdanie to od tej chwili stało się jego dewizą. Łohoyski milczał, pęczniejąc od środka od niewyrażalnych zamiarów. Rozmowa z Atanazym sprężyła w nim na nowo chęć użycia. Postanowił być „turystą wśród ruin" – niczym więcej. Zwiedzać świat zewnętrzny i wewnętrzny w sposób najbardziej interesujący i intensywny, choćby przyszło umrzeć od znanych i nieznanych mu dotąd narkotyków. Wszystko dla chwili, nic dla przyszłości – kokaina, nie kokaina – obojętne. Nie miał nic do stracenia, o umysł swój nie dbał, pierwsze nasycenie życiem miał już poza sobą, tak zwane „dziecinne ideały" były prawie w zaniku. Poczuł rozkoszną swobodę i nonszalancję. Tylko ten Atanazy... Ale i to się zrobi. Z nim właśnie zwiedzić te nieznane obszary uczuć i stanów. Atanazy próbował znowu mówić. Chciał pokryć słowami pustkę uciekającej chwili, ale nie mógł. Łatwo to powiedzieć: „poddać się prądowi", ale co zrobić, kiedy prądu nie ma?

– Gdybyś wiedział, co to za męczarnia mieć ten apetyt na wszystko – ten najwyższy, nie chęć użycia – i nie móc... Wszystkim chciałbym być, wszystko przeżyć, połączyć w sobie najdziksze sprzeczności, aż pękłbym wreszcie nadziany sam na siebie jak na pal.

– Jesteś śmieszny. To, o czym mówisz, jest właśnie źródłem artystycznej twórczości, tak mówi Ziezio Smorski.

– Ty nie wybierasz, ty żresz wszystko, co ci samo w ręce wpadnie jak świnia, twoje apetyty są niższego rzędu, to nie jest metafizyczne nienasycenie. Ja wiem, że takie zjawiska jak my, ludzie bez miejsca, były we wszystkich epokach, ale dziś specjalnie trudno jest w tej formie przeżyć siebie w sposób istotny. Czasem marzę o jakimś salonie z osiemnastego wieku: bredziłbym wtedy o filozofii w sposób niczym nieukrócony...

– O ile nie byłbyś nędznym pachołkiem jakiegoś wielkiego pana, a nie salonowym nadobnisiem. Pamiętaj, że nie jesteś arystokratą, tylko – ale mniejsza o to – wtedy byłbyś na innym miejscu niż teraz. Za cenę mdłej demokracji, jak to pogardliwie nazywasz, mówisz w ogóle ze mną jak równy z równym i masz czas na twoje roztrząsania. Bo przecież nie jesteś ponadklasowym wielkim myślicielem, który mógł wyleźć i z plebsu nawet na szczyty swojego czasu.

Łohoyski pierwszy raz, na tle umowy poprzedniej, ośmielał się mówić Atanazemu „takie rzeczy". Czynił to programowo prawie, instynktem inwersji odczuwając, że w ten sposób oddziała na jego psychiczny masochizm, zwracając go w tę stronę, w którą zwrócić pragnął, to jest ku swojej osobie. Za tymi „trucami" dopiero zarysowywała się idea najwyższej, „pełnej" przyjaźni.

– A ja nie jestem demokratą i w tym jest moja wyższość; mogłem być komunistą, to inna rzecz, ale moja amplituda wahań jest szersza i dlatego to nie ma u mnie miejsca na analizę wątpliwej wartości – jak u ciebie.

– Zapominasz, że jesteś wyjątkiem w twojej sferze – zagadał tę sprawę Atanazy.

„Ten Jędruś wcale nie jest tak głupi, jak myślałem. Teraz zajechał mnie w sam duchowy pępek. Ma rację bestia – pomyślał w międzyczasie. – W innej epoce przesunąłbym się na inne miejsce w hierarchii społecznej, pozostając w tej klasie, w której jestem. Kwestia rasy nie jest jeszcze czystym snobizmem w naszych czasach. To zaczyna mi się podobać. Trzeba być szczerym wobec siebie".

Pocisk trafił. Był to pierwszy wyłom. Złość Atanazego na Łohoyskiego przybrała powierzchownie formę z lekka erotycznego poddania się.

– A propos cykliczności nie rozumiem jednej rzeczy – zagadywał dalej Atanazy. – Czemu Spengler, któremu trzeba przyznać wiele racji w jego historycznych syntezach, wyłączywszy matematykę i malarstwo, nie widzi tego, że mimo cykliczności właśnie wszystko posuwa się stale w jednym tylko kierunku i że proces uspołecznienia jest nieodwracalny. Jest to cykloida nakreślona na paraboli: szczytem jej jest, o ile chodzi o indywiduum, osiemnasty wiek – od rewolucji francuskiej przyczepność społeczna przerastać zaczyna siłę jednostki i przyjście każdego następnego wielkiego człowieka jest coraz trudniejsze. Na organizującej się masie nie wyrastają silne osobowości, tylko jej narzędzia, które...

– Dosyć już. Nudzi mnie ta bezsilność pojęciowa. Co mi z tego, że uświadomię sobie trudności, kiedy nie dosięgnę nigdy ostatecznego zrozumienia. I ty także. Zostawmy to innym, których specjalnością jest myślenie. Dla nas już jest za późno.

– Otóż to. To jest ten przeklęty dzisiejszy antyintelektu-
alizm, wpływ dobrze zrozumianego Bergsona, źle zrozumianego Spenglera, pragmatyzmu i pluralizmu. Ja zgadzam się,
że przerost intelektu jest jednym z symptomów upadku, ale
cóż na to poradzić, że żyjemy w takiej chwili, w której ten
intelekt jest naszą jedyną wartością. Jemu to zawdzięczamy
nawet blagierską teorię intuicji. Zbliża się okres panowania
kobiet, którym teoria intuicji daje olbrzymią broń w ręce.
Dlatego to wybitni mężczyźni zaczynają się formalnie orga-
nizować w związki samowystarczające – to jest wstrętna
kapitulacja: tylko przy pomocy intelektu można jeszcze
opóźnić upadek najwyższych wartości...

– Wiem, wiem – przerwał z wyraźnym gniewem Łohoyski. (Opór Atanazego doprowadzał go do wściekłości).
– Ale nie ty jesteś tym mózgiem pierwszej klasy, który
to rozstrzygnie. Życie samo w sobie...

– Ja też wiem, czym dla ciebie jest życie samo w sobie:
narkotyki i najgorsza perwersja, a nawet więcej niż perwersja, a potem szpital wariatów. My nie mamy na to sił, aby
używać życia, tak jak używali go dawni ludzie, i cierpieć
tak jak oni – mówię o całej ludzkości. Mówi się o przero-
ście serca, o zaniku żołądka, a nie o skutkach psychicznych
narkotyków, które w miniaturze każdy z początku nawet
zaobserwować może i wiedzieć, co go czeka. W tym kierunku powinna iść propaganda...

– Nudny jesteś z tym zabieraniem głosu we wszystkich
sprawach z takim autorytetem, jakbyś...

– Tazio ma rację – przerwała mu Zosia.

– Dla pani Tazio ma we wszystkim rację, bo pani się
w nim kocha. Ale niech pani uważa, żeby mu nie zmarno-
wać życia. Jak się urwie z łańcucha, będzie z nim gorzej...

W tej chwili rozległo się pukanie i do pokoju weszła Hela
Bertz z Prepudrechem, a za nimi Chwazdrygiel i Smorski.

Sytuacja sprężyła się momentalnie. Wszystkie strzałki zadrgały i przesunęły się, niektóre poza czerwone linie, granice bezpieczeństwa. Zosia poczuła wyraźnie jak nigdy, że Atanazy, mimo wszystkich wad, jest tym właśnie jedynym: poza nim nie było dla niej życia. Bronić go – to było jej zadaniem. Ale przed czym? Przed Łohoyskim, Helą czy przed sobą? Przysięgała w duszy, że wszystko uczyni dla jego szczęścia, poświęci nawet siebie. Cała medycyna to głupstwo – tylko on, on jeden. Spojrzała na niego. Zmięszany (ale piękny) starał się podnieść na poduszkach. Blady był i tylko usta czerwieniły mu się jakby jakaś rana. Bezradnie rozejrzał się dookoła. W tej chwili nawet jego teoria materii martwej, z której wyśmiewała się z punktu widzenia materialistycznej biologii, wydała się Zosi prawdziwą – dawniej, mimo „pewnej" jej religijności, bliższym był dla niej pogląd Chwazdrygiela. Nie było już na nic czasu: Zosia wstała i spojrzała prosto w oczy Heli, podając jej rękę. Teraz miała pewność, że z tej strony czaiło się niebezpieczeństwo. Ale chwila intuicji przeszła i utonęła w miazdze samookłamań i uspokojeń. Nagadane w pokoju tym słowa wymiatała teraz żywa potęga życia, tego „samego w sobie", jak mówił Łohoyski. Bezwładne ciało Atanazego leżało martwe pod obłokiem znaczeń pojęciowych, które zdawały się kłębić bezładnie u sufitu wraz ze zwojami papierosowego dymu. Chwazdrygiel i Ziezio, jako względnie obcy, łagodzili sytuację szeregiem niepotrzebnych wypowiedzeń.

Informacja

Chwazdrygiel (Buliston), lat 46. Zamknięty jak w kasie ogniotrwałej w swoim materialistycznym światopoglądzie. Zdawał się on naprawdę „żyć" w rzeczywistości fizykalnej Leona Chwistka: robił wrażenie kogoś niewidzącego barw, niesłyszącego dźwięków, nieczującego dotyków. Rzeczywistością był dla niego złudny obrazek świata, według ostatniej fizycznej nowalii. Teraz „wierzył" oczywiście w elektrony, a jakości bezpośrednio dane uważał za znaczki, „którymi nazywamy takie to a takie związki fizyczne". Ale kto to nazywał je w ten sposób i dlaczego tak właśnie, nie obchodziło go to wcale. Psychologizm Macha i Corneliusa nie czepiał się tak jego mózgu jak woda natłuszczonej skóry. Dziwny to był anachronizm w biologii wobec rozpoczynającej się orgii witalizmu, którego cichym wyznawcą był nawet ksiądz Wyprztyk i uczeń jego Atanazy. Poza tym był Chwazdrygiel znakomitym biologiem (nie uznając istnienia życia) i twórcą teorii mikro- i megalosplanchizmu i zależności charakteru psychologicznego indywiduum od przewagi nerwu sympatycznego i błędnego. Całą ludzkość (i narody też) dzielił na dwie niewspółmierne ze sobą części według tych właściwości. Był mały, ogolony, z olbrzymim siwiejącym uwłosieniem.

Ziezio (Żelisław) Smorski. Daleki kuzyn Jędrka. Lat 45. Chudy, niepomiernie wysoki, przypominający statyw od aparatu. Blondyn. Często nakładający i zdejmujący binokle. Płowy wąs, trochę opadający. Ubrany bez zarzutu. Doszczętnie zanarkotyzowany bardzo rzadkimi „drogami" południowoamerykańskimi. Mówił o sobie: „Jestem «drogista», proszę pana. Jędruś? Ah non, c'est un snob des drogues – et «de la musique avant toute chose», jeśli już nic innego być nie może". Z powodu długości palców nie mógł sam grać wszystkich swoich fortepianowych kompozycji, nad czym cierpiał bardzo. Należał kiedyś do najzdolniejszych uczniów Karola Szymanowskiego. Ale teraz muzyka jego potworniała aż do nieznanych dotąd nikomu rozmiarów. Schönberg, neo-pseudo-kontrapunkciści razem z klasycznymi defetystami i ultrabusonistami, i brumbrum-brumistami, i „pure nonsensem" szkoły techników-akcydentalistów z Niżnego Prześmierdłówka w Beskidach, izolującymi się sztucznie od kultury, niczym byli wobec jego szatańskich konstrukcji. Zachowywał konstrukcję nawet w najdzikszym muzycznym rozpasaniu, jak Ludwik XV etykietę wśród najzaleńszych orgii.

Ziezio tonął w sławie, ale jej nie używał, bo nie mógł, podobnie jak do niedawna nie używał tytułu Łohoyski, choć mógł to czynić z łatwością. O ile Atanazy zazdrościł trochę Łohoyskiemu maski hrabiego, mocą której był on czymś, choćby w Almanachu Gotajskim, o tyle Jędruś zazdrościł (również trochę) sławy Zeziowi i skrycie cierpiał nad tym właśnie, że jest tylko „turystą wśród ruin". Obu im zazdrościł Sajetan Tempe, że mogli być właśnie tymi nieokreślonymi stworami, podczas kiedy on musiał (koniecznie musiał) być społecznym działaczem; a wszystkim trzem razem zazdrościł Chwazdrygiel, marząc w głębi duszy o wyrwaniu się z naukowej pracy w życie społeczne lub sztukę. Ale wszystko przechodziła zazdrość księdza Hieronima, tak wielka, że aż nieuświadomiona i do niepoznania przetransformowana w żarliwość nawracania i naznaczanie nieznośnych pokut. (Tak więc nikt nie jest zadowolony ze swego losu. Ale czyż nie jest to też „eine transcendentale Gesetzmässigkeit", przez którą w ogóle coś dzieje się we wszechświecie? Gdyby wszystko było tym tylko, czym jest, i gdyby każdy element istnienia nie rwał się gdzie indziej, czyż nie byłoby to równoznaczne z absolutną nicością? Dlatego to całość istnienia w poglądzie witalistycznym trzeba przyjąć nie jako zbiorowisko istnień, a ich organizację, coś w rodzaju rośliny. Przyjęcie bowiem jednego jedynego istnienia implikuje też nicość). Tak myślał czasem Atanazy. Ale na razie mniejsza o to; ważnym było to, że Ziezio Smorski, mimo że jeszcze się do tego nie przyznawał, zazdrościł każdemu, kto nie był artystą i nie musiał zwariować, od kogo los nie wymagał „rançon du gènie".

Hela wyglądała wspaniale. Jej twarz dziwnego ptaka przeduchowiona askezą i pokutami, które zwalał na nią rozżarty aż do okrucieństwa ksiądz Wyprztyk, była jakby wielkim ogniskiem sił tajemniczych o straszliwych napięciach, miejscem przecięcia niewiarogodnych sprzeczności natężonych aż do pęknięcia. Jak kulisty piorun unosiła się twarz ta, jakby bez ciała, grożąc potworną eksplozją za najlżejszym muśnięciem. Niezdobytość i pycha pokuty wiały od Heli na odległość kilku metrów, stwarzając nieprzekraczalny dystans dla najwścieklejszych, co do sił i jakości, potęg męskich. Nawet Łohoyski, który jako antysemita i homoseksualista nie cierpiał Heli, wcielenia kobiecości w żydowskim wydaniu, wstrząśnięty był do głębi jej pięknością. Czuł też instynktem zakochanego, jak straszne ma siły do zwalczenia. Widział Atanazego za nieprzebytymi zwałami kobiecości, niedostępnego, dalekiego. Delikatna, płowa uroda Zosi zmarniała przy tym zjawisku jak świeczka przy łukowej lampie. Przeznaczenie zazębiało się coraz straszliwiej na tle banalnych rozmówek. Prepudrech na próżno usiłował utrzymać maskę szczęśliwego narzeczonego. Od Heli szedł złowrogi, trujący czar, wywołując rozpacz, poczucie czegoś utraconego na zawsze i cennego niezmiernie; zachwyt graniczący z bólem; wściekłość przechodzącą w żądzę samounicestwienia; metafizyczny żal za beznadziejnie uciekającym życiem.

Atanazy, wpatrując się w przewrotne zjawisko przeźroczystej maski świętości na bezwstydnej, nagiej jakby pod spodem twarzy Heli, starał się odgadnąć swoją przyszłość. „Jest w niej coś nie do zgnębienia i ja muszę to zgnębić – może to śmierć, która zawsze jest koło niej. A może po prostu jest to mój typ kobiety, ten jedyny okaz na całym świecie, wypadek, który się zdarza raz na tysiące lat. Jakimże strasznym świństwem jest to wszystko...". Odległy obłok dialektyki, piękny skłębiony cumulus, unoszący się daleko gdzieś nad innymi krajami, oświetlony zachodzącym słońcem małego podręcznego rozumku, krył się za horyzont mroczniejących szczytów i mrocznych już wąwozów życia – ŻYCIA – o, jakże nienawidził Atanazy tego słowa i tego, co się za nim kryło. Nienawidził tej specyficznie miejskiej w małym stylu wiedzy o życiu i tego znaczenia owego słówka, w jakim używają go jakieś nieszczęsne, połamane pseudomężatki i zwykłe prostytutki, jacyś upadli literaci, opisujący trzeciorzędnych ludzi. „A którego rzędu człowiekiem jestem ja?" – spytał w nim dobrze mu znany głos, Daimonion, również może trzeciej klasy, jak i on sam. „Jestem symbolem przełomu, małym semaforkiem ginącej klasy niepotrzebnych ludzi, ludzi-gratów". „...ja znam życie – oto jest życie – takim jest życie..." – słyszał jakiś zachrypły, brutalny, bezpłciowy głos za nędznym chwiejnym przepierzeniem: smak szminki, zapach rynsztoku i drogich perfum, pierwszorzędnej restauracji, praczki, kapusty, drogiej skóry, juchtowych butów, potu, we wszystkich odcieniach i nędzy – to było to życie. Nędzy bał się Atanazy panicznie. Jednak problem ten w sferach świadomości nie wpływał zupełnie na kwestię jego małżeństwa. Ale czy nie było to podświadomym przygotowywaniem życiowej rezerwy – któż zaręczy? O, jakże tęsknił do czystej dialektyki, unoszącej się ponad życiem!

Na tle tych rozmyślań posłyszał rozmowę tych dwóch pań, ale jakby nie tu, tylko w czytanej kiedyś o sobie powieści. Miał sekundę przeczucia bliskiej swojej śmierci – z tym były związane one obie, jak wtedy, po pojedynku. Nagły wstręt do obu kobiet opanował go z niezwykłą siłą i trwał długo – jakie dziesięć minut. Z minki Zosi wywnioskował, że domyśla się ona wszystkiego. Mylił się zupełnie. Zosia była tylko onieśmielona notoryczną inteligencją Heli i robiła, co mogła, aby się nie wydać głupszą, niż była. Hela zbyt jawnie i nienaturalnie objawiała Atanazemu pogardę. „Aha – będzie walka o mnie – i to o kogo: o taki zgniły odpadek «burżuazyjnej kultury» bez przyszłości. Miał rację Jędrek, że tylko o pewne rzeczy tu chodzi. Co za intuicja wstrętna! Ja jestem bądź co bądź byk pierwszej klasy i one to wiedzą".

– Tak się cieszę, że nareszcie panią poznałam – mówiła Hela. – Z narzeczonym pani jesteśmy już od roku w wielkiej przyjaźni, z widzenia znamy się od dawna. Robił do mnie zawsze oko, póki mnie nie poznał – teraz koniec.

Zosia: On mnie nie zauważał przez kilka lat. Nie wiem, co mu się stało teraz. Boję się pani, jest pani zbyt piękna.

Hela: Jestem Żydówką, proszę pani; oni mnie nienawidzą za to i boją się tego, nie wyłączając mego narzeczonego

– to takie zabawne. Prepudrech, nie bądź smutny – rzekła ostro, tnąc go jakby brzytwą po storturowanej, chłopięcej twarzyczce.

– Tak – jęknął Azalin, wstając nie wiadomo czemu.

Hela: Siedź! (Usiadł).

Przyszłość puchła przed nim jak jeden okropny, narywający, bolesny do obłędu wrzód. Operacja bez chloroformu zaczęła się i miała trwać tak do końca narzeczeństwa. A potem? Na samą myśl ogarniał go strach bezprzytomny. Czy zdoła opanować tę furię, jak ją nazywano. Nie miał nadziei wyplątania się z tej kobiety, a nawet nie chciałby tego za nic na świecie. W głębi duszy dumny był ze swego upadku – nareszcie działo się coś. Nadaremnie szukał ratunku – pozostawała jedynie muzyka: książę improwizował czasem dzikie rzeczy, ale nie śmiał jeszcze zaprodukować się z tym przed żadnym znawcą. „O, gdybym był artystą! – powtarzał za Atanazym – gdybym mógł w to uwierzyć!". Ale jak zdobyć tę wiarę, że to, co czynił, było naprawdę sztuką! A tylko to mogło dać rzeczywistą siłę. Bał się rozczarowania i ukrywał się z tym problemem nawet przed najbliższymi. Obydwaj z Łohoyskim byli na pochyłości – stąd ich przyjaźń – na nieszczęście Azalin nie podobał się „hrabiemu".

Hela (do Zosi): Ci mężczyźni to głupia banda. Za nic nie należy upaść tak nisko, aby ich na serio traktować. Trzymać to w klatkach, nawet złotych – owszem – i wypuszczać na nas w chwilach potrzeby, a potem otrząsnąć się i precz. Dla rozmów najistotniejszych mamy kapłanów dowolnych kultów. Ta wymierająca rasa przypadkowych – nie dziedzicznych – rozbabrywaczy tajemnic jest jedyną godną rozmowy partią. (Wszyscy rzygali wprost wewnętrznie od niesmaku: tylko piękność Heli nadawała tej ohydzie znaczenie pozytywne, ale już w sferze perwersji). Niech pani powie sama, żeby takie dwa, już nie powiem co (Łohoyski zarżał złym śmiechem), jak ci nasi narzeczeni, żeby o takie głupstwo jak potrącenie na ulicy strzelać się! Ja mam formalny wstręt do Azia, że mu się tak udało. Tak chciałam go pielęgnować, długo, długo, nawet mógłby umrzeć ostatecznie. O, jakże zazdrościłam pani: nie obiektu, tylko samej funkcji.

Zosia zmięszała się ostatecznie. Atanazego drażniła ta rozmowa niepomiernie: mało ze skóry nie wyskoczył, ale na dnie było w tym coś płciowego: „płciowy gniew", grożący lyngamem jako narzędziem bicia. „Tak, one to lubią wywoływać, tę właśnie złość. Ohyda na każdym kroku. Jak zechcę, to cię będę miał kiedykolwiek bądź. W miłości jest to samo, tylko powierzchownie zamaskowane. Jędrek ma rację: przyjaźń jest czymś nieskończenie wyższym, tylko nie taka, jak on sobie wyobraża". Ale nie miał już w stosunku do Heli tej pewności co dawniej i to podniecało go coraz więcej. Niedawna harmonia bezwładu rozwiała się ostatecznie. Życie leżało przed nim jak niedopatroszone przez niedźwiedzia ścierwo, jak otwarta, ropiejąca rana, jak bezczelnie rozwalone połacie jakiegoś monstrualnego płciowego organu: niezałatwione, uprzykrzone, rozbabrane, nieporządne, wymykające się wszelkim kategoriom, już nie jako metafizyczna dziwność, ale jako takie, to zwykłe, odtąd–dotąd, w którym wszystko jest takim, jakim jest: i restauracja, wódeczka, zakąska i piwko, i papierosik, posadka, dziewczynka, miłostka i przyjaciel, podwieczorek i babcia, i narzeczona, i jakieś pokoiki, dywaniki i cała ta przyjemność, ta ludzka, obrzydliwa, odtajemniczona, sprowadzona do zmian chemicznych w gastrulach czy blastulach, czy jakichś innych drobniutkich świństwach składających ciało, o których tak lubił mówić Chwazdrygiel. Posłyszał nieśmiałą odpowiedź Zosi i znowu poczuł, że ją kocha, ale wszystko było dalej oblepione półpłynnym paskudztwem. Był bezsilny.

Zosia: A ja pani właśnie wszystkiego zazdroszczę, nawet tego, że pani jest Żydówką – pani jednej. Pani ma prawo do wszystkiego. Ale najwięcej zazdroszczę pani tej programowej ordynarności, którą pani tak dobrze umie zrobić. (Hela spojrzała na nią z zainteresowaniem). Ja bym chciała być taką.

Hela: A gdybym zakochała się w panu Atanazym do tego stopnia, że zechciałabym go pani odebrać?

Bury cień przemknął przez jasną „twarzyczkę" Zosi: była prawie brunetką w tej chwili.

– Panią jedną mogłabym zabić za to – rzekła prawie z wybuchem i zaczerwieniła się po samo „czółko". (Tak pomyślała o sobie w tej chwili). – Ale pani tylko żartuje. Ja chcę być pani przyjaciółką, o tak. – Wzięła ją za rękę i przytuliły się do siebie, nie obejmując się.

Atanazy wił się ze wstrętu na łóżku. Zosia mówiła wszystko jak we śnie, wbrew sobie, z obrzydzeniem, a jednak musiała: coś nieprzeparcie ciągnęło ją ku tej kobiecie (nie „pannie" – to wiedziała na pewno), „jak ptaszka ciągnie do węża" – pomyślała banalnie.

– Zabić, zabić – wyszeptała Hela, patrząc szeroko rozwartymi oczami w nieskończoność. – Czy wiesz, co to znaczy zabić, moje dziecko, choćby siebie?

Zosia, mimo całej swojej medycyny, uczuła się słabą, biedną. Przytuliła się jeszcze bardziej do tamtej, oddała się jej zupełnie. „Jak mężczyźnie – przemknęło jej w myśli. – Ale przecie w tym nie ma nic lesbijskiego". Zmiana, która zaczęła się już podczas rozmowy z Łohoyskim, postępowała teraz z szaloną szybkością, odkrywając dalekie widnokręgi, nowe płaty nieznanych krajów. Wszystko to jakby na globusie zarysowywało się na mózgu. Widziała swój mózg w różnokolorowych „lawunkach", jak w anatomicznym atlasie. A wszystko było takie straszne, takie straszne. Pierwszy raz odczuła, zamaskowaną codziennością, potworność istnienia i tę samotność absolutną nie z tego świata, o której tyle razy mówił jej Atanazy. Coraz silniej tuliła się do Heli, aż objęła ją nagle za szyję i pocałowała ją w same usta, z boku trochę i od dołu. W tej samej chwili oczy tamtej spotkały się, ponad tym pocałunkiem, jakby w innej, czystej sferze, z oczami Atanazego, który nagle, psychicznie oczywiście... Co? Nic.

Każdej z tych trojga osób zdawało się, że dwoje drugich czuje dokładnie to, o co się ich podejrzewa. Atanazy szczególnie miał zawsze podświadome „założenie", że wszyscy ludzie są w gruncie rzeczy tacy sami i trochę podobni do niego. Nikt nigdy pewnie nie był tak daleko od siebie, jak tych troje skazańców. Poprzez mękę sprzeczności Atanazy czuł dziką pełnię życia: nabrzmiały owoc przyszłości zdawał się pękać lubieżnie, tryskając świeżym płynem na zmięte, suche resztki pamiątek zdarzeń przeszłych. Ropiejąca rana zmieniła się w smaczny kąsek: mógł go ugryźć, kiedy chciał, ale drażnił się sam ze sobą, potęgując pożądanie. Przyszłość spiętrzyła się przed nim w mroczną fortecę pełną tajemniczych wież, załomów, bastionów i fos – musiał zdobyć ją jak nieznaną kobietę, o której nie wiedział nic. Cała rozmowa poprzednia nabrała dziwnego sensu, nawet w najbardziej beznadziejnych wynikach. Czuł się w mocy swego przeznaczenia i jego marny los byłego adwokackiego aplikanta i pseudointeligenta wyolbrzymił mu się do rozmiarów metafizycznego symbolu w złowieszczej błyskawicy objawienia przyszłości, z którą już był zrośnięty w nierozszarpalną bryłę. Grząskie bagno flaków stężało w twardy zwał. „Będę je miał obie – to jest symbol najwyższego życia dla mnie.

Wszystko wyznaczy się wtedy samo, stanie się jedynym, poza przypadkiem miejsca i czasu". Ale chwila wyczerpywała się sama sobą, a wielkość nie nadchodziła. Wlekło się coś już martwego, aż wreszcie pękło, prysło przed ostatecznym sflaczeniem. Tylko tyle? Został jak w nudnym polu wóz ze złamanym kołem. Wokół zapadał posępny mrok zaświatowej, niezwyciężalnej nudy całego Istnienia. Ciągłe wahanie się między najwznioślejszą metafizyczną dziwnością istnienia i najmarniejszą życiową podłostką. Gdyby to przynajmniej były zbrodnie!

Hela nie znała swego przeznaczenia ukrytego w głębiach jej ciała – wiedziała tylko, że tam się kryje. Z sekundy na sekundę czekała, co uczyni z nią ta cała miazga poplątanych instynktów. Tam nie miał dostępu jej intelekt nastawiony jak teleskop na nieskończość Bytu; tam, między jej gruczoły (powiedzmy: w ich psychiczne emanacje) wdzierał się tylko ksiądz Wyprztyk, babrząc się w tym mrocznym moczarze swoją bezsilną już czasem myślą. Tam skupiała się jej wewnętrzna siła, czając się do tego „tygrysiego skoku", o którym marzyła od dzieciństwa. Śmierć stwarzała sztuczne tło tej wielkości oczekiwanego zdarzenia, ale nie mogła dokonać tego sama: jeden Atanazy tylko nadawał się (na sam początek tylko) jako medium dla tego procederu: dlatego wyrzekła się go jako męża. Gdzież było w tym wszystkim katolickie sumienie i dobroć, nade wszystko dobroć? Załatwić to miała pokuta, a cierpiał za to nieszczęsny, Bogu ducha winien, Prepudrech.

Zosia nie miała przyjaciółki istotnej, podobnie jak Atanazy naprawdę nie miał przyjaciela – to ich łączyło. Gdybyż mogli być przyjaciółmi, nie całując się, nie żeniąc. Ale któż mógł im to wytłumaczyć! Teraz wydało się Zosi, że Hela właśnie odpowiada jej ideałowi, ale na dnie była w tym perwersja: „Właśnie dlatego, że obrzydliwe – zjem to".

– Ja chciałabym być... Ja nie wiem... – szepnęła.

– Ja wiem, ja wiem, ale to źle – broniła się resztką katolickiego sumienia Hela.

– Chciałabym być pani przyjaciółką – dokończyła na przekór wszystkiemu i wszystkim Zosia.

Była w tej chwili bez ambicji, odarta z wszystkiego, co ceniła dotąd, bezwstydnie naga. Atanazy żałował jej aż do łez w oczach włącznie.

Było już za późno. Objęły się znowu przy wszystkich. Spełniło się kłamstwo. U Zosi odruch ten, którego sama nie rozumiała, był tylko instynktową chęcią wejścia klinem między nią a niego: odgrodzenia siebie i jego od grożącego niebezpieczeństwa. A Hela wyglądała w tej chwili na wcielenie wszystkich kobiecych niebezpieczeństw świata. Radioaktywne pokłady zła, semickiego, czarno-rudego, sfermentowanego w starozakonnym sosie, przepojonego kabałą i Talmudem (w wyobrażeniu tych, co nie mają o tym pojęcia), to całe „CHABEŁE, CHIBEŁE" (akcent na pierwszych sylabach), jak mówił Łohoyski, przeświecało przez cieniutką tafelkę męczeńskiej wyniosłości.

„Święta Teresa zmieszana pół na pół z żydowską sadystką, mordującą z torturami w kokainowym podnieceniu białogwardyjskich oficerów" – pomyślał Atanazy i zmysłowy urok Heli, w masochistycznej transformacji, ubódł go jak róg złego bydlęcia w najczulsze sploty erotycznych ośrodków. Aż zachłysnął się nową mieszaniną wstrętu i aż wzniosłego pożądania Nieznanego. Były w tym łzy zmieszane z wydzielinami innych gruczołów (ciągle gruczoły – ale czyż to nie jest właśnie najważniejsze według dzisiejszej medycyny?), dziecinne perwersje i wspomnienia pierwszych dziecinnych religijnych ekstaz: chór dziewczynek na majowym nabożeństwie i jakieś gołe nogi ładnej pokojówki, i nadchodząca letnia, wieczorna burza, i wszystko, co mogło być tak cudowne, a trwało teraz wykrzywione ohydą i bólem zawiedzionej piękności życia. Już nigdy, nigdy... To był ten upadek najgorszy, graniczący z czymś zaświatowym. Ostatnim wysiłkiem sprężył się w dzikim buncie obrzydzenia. Siła wstąpiła znowu w opróżnione łożyska.

Hela śmiała się teraz swobodnie, mówiąc z Zosią o „wszystkim", raczej zaznaczając program przyszłych rozmów, których miała być cała masa. Właśnie wchodzili Baehrenklotz z księdzem Wyprztykiem, a za nimi Purcel i porucznik Grzmot-Smuglewicz: świadkowie; był komplet. (Zosia miewała też chwile nawróceń i komuż by się spowiadać mogła, jak nie przemądrzałemu ojcu Hieronimowi). Wyprztyk, na tle różnych spowiedzi i rozmów, miał dość dokładny obraz tego, co się działo, i rozgrzeszony co do swego bezwładu w tych materiach tajemnicą zawodową rozkoszował się skrycie sytuacją jak doskonałą powieścią czytaną w felietonach. Oczywiście wobec Zosi nie popuszczał z łańcucha wiary całej swojej inteligencji, jak to czynił z Helą. Ale umiał mimo to utrzymać jej religijność w stanie słabego tlenia się przez cały czas czteroletniej medycyny. Teraz i to się nawet skończyło: ogieniek zgasł zabity przez potężniejsze uczucie dla Atanazego.

Ale nie wiadomo czemu, całość życia zarysowywała się złowrogo, w jakichś splątanych kłębach, jak burzliwe niebo pod wieczór, pełne znaków tajemnych i niepokoju. Przeczucia ściskały za serce coraz nieprzyjemniej: coś w rodzaju zaczynającego się żołądkowego rozstroju, tylko że nie w żołądku. Nieszczęście szło ciężkimi, a cichymi krokami w niezmierzonej oddali losów. „Ale tyle razy przecie przeczucia nie sprawdzały się" – pomyślała Zosia na przekór gniotącej grozie i uśmiechnęła się przez potężniejący smutek do tamtych światów, które zostały gdzieś w dali jak nieznany pejzaż za pędzącym pociągiem. Tam była jeszcze

pogoda. Zosia stała dziś na samym spęknięciu dwóch epok
swego życia. Wejście dawno niewidzianego Baehrenklotza (który po pojedynku wyjechał nagle) nie zrobiło na niej
żadnego wrażenia. Dawne rozdwojenie zniknęło. Atanazy
był dla niej wszystkim. Jak słońce przez smugi deszczu
wiosennej burzy, świecił jej biedny uśmieszek przez łzy.
Rozmowa stała się ogólniejszą i cały ten kłąb naznaczonej
przyszłości rozplątał się pozornie bez śladu. Jeden Atanazy
widział wszystko. Potworna miłość do Zosi, już nie wielka,
ale wprost gigantyczna i okrutna jak pijany Turek, targała go
za wszystkie bebechy bez litości. Tak mu się przynajmniej
zdawało. Było to tylko następstwo zawiłych czuć wewnętrznych o natężeniach dochodzących do siły normalnego bólu
brzucha. Ponawiał w myśli najstraszliwsze przysięgi: miał
być wiernym Zosi do końca życia, miał „o nią dbać", dać
jej „wszystko". „Jedyny realny człowiek tu pomiędzy nami
to ten ksiądz" – pomyślał na zakończenie. W szarej magmie
bezsensu jak błędny ognik tlała ta miłość, i to było jedyną
jego prawdą. „Mało – czy nie lepiej od razu w łeb sobie
strzelić". I znowu tamta przepiękna, diaboliczna bestia cza-
jąca się na niego z tajemnej przyszłości, z nieubłagalnością
„piekielnej maszyny" nastawionej na pewien dzień i godzinę. Wiedział już, kiedy to będzie: zaraz po ślubie. I nagle
znowu: jasność, harmonia, konstrukcja, sens – i wszystko
cieszy, i raduje, nawet kolor kołdry w kwiaty i to, że jest
Zosia i że oni wszyscy tu siedzą i mówią te „mądre bzdury". (Nie wiedział jeszcze Atanazy, jak pięknym może być
kolor kołdry – ale o tym później). Szczęście, szczęście bez
granic, z tym poczuciem, że za chwilę przyjdzie tamto
i że do końca życia trwać będzie ten taniec sprzeczności,
nudny w swej beznadziejnej prawidłowości. Przypomniała
mu się wojna i wstrętne trudy i strachy, i umęczenie nie
do zniesienia – a jednak tego wtedy nie było: była chęć życia,

a na zwątpienie w jego wartość nie było czasu i w ogóle żadnych danych. A wtedy właśnie tęsknił do obłędu za chwilką spokoju: wśród pękających pocisków widział w wyobraźni salonik w ich dawnym dworze i dałby pół życia za możność pogrania pewnego walczyka na starowatym Bechsteinie, na tle cykania zegara z czkającą co godzinę kukułką. A teraz formalnie pożądał „nieznośnego" wycia szrapneli i huku „rozrywających się" granatów, błota po pas i wszów, i wody ciepłej z bagna, i śmierdzącej zupy. „A niechże to wszystko!...". Zaczął słuchać rozmowy. Oficerowie, żywe symbole jego myśli, siedzieli sztywni, gotowi zawsze na wszystko. Cóż to za cudowny wynalazek jest mundur! Kobiety objęły się i słuchały także – „usiostrzyły się" wstrętnie na małej kanapce.

Mówił Chwazdrygiel: ...sztuka nie spełnia swoich zadań społecznych. Artyści stali się pasożytami, żyjącymi na pewnej tylko warstwie znajdującej się w stanie rozkładu. Fałszywy estetyzm oddalił ich od życia. Nowe warstwy stworzą nową sztukę społeczną. Ona wpłynie na charakter formacji zbiorowych...

Atanazy: Żadne warstwy nic nie stworzą – stworzy może sama awantura społeczna, i to na krótko. Sztuka stanie się użytkową, przestanie w ogóle być sztuką, powróci tam, skąd wyszła, i powoli zaniknie. Wmawianie chłopom i robotnikom, że muszą stworzyć sztukę, nic nie pomoże, bo dalszy rozwój tych warstw – w formie kooperatyw, syndykatów czy komunizmu państwowego – zabija indywiduum jako takie. I nie ma czego żałować.

Chwazdrygiel: Sztuka jest wieczna, jak życie ludzkie, to jest: o tyle wieczne, o ile planety...

Wyprztyk: Banał. Sztuki rodzą się i giną i sztuka w ogóle też zginąć może. Tazio ma rację. Ale co pana to obchodzi, panie profesorze: dla pana nie ma przecież

144

nic prócz komórek, sprowadzonych do procesów chemicznych w pierwszym rzędzie, a następnie jakichś pojęć obowiązujących w danej chwili rozwoju fizyki. Te przyjmuje pan za ostateczne – za wyrażające rzeczywistość bez reszty. Przepaść niezgłębioną między jakościami a ruchami bezjakościowych z założenia rozciągłości przeskakuje pan sztucznie...

Chwazdrygiel: Myślimy i mówimy skrótami; tak jak pojęciem życia i jego pochodnych obejmujemy w skrótach ekonomicznych całe masy zjawisk fizycznych, tak samo postępujemy we wszystkich innych uogólnieniach.

Wyprztyk: Dzika historia! Zupełnie na odwrót! Cała fizyka daje się wyrazić w terminach psychologistycznych. Pojęcia fizyki, zaczynając od pojęcia przedmiotu martwego w ogóle, są skrótami właśnie dla oznaczenia dość małych zbiorowisk istot żywych...

Chwazdrygiel: Manowce witalistycznej metafizyki...

Wyprztyk: Czekaj pan, prawa fizyczne ważne są i ścisłe z dużym przybliżeniem w sferach zjawisk innych rzędów wielkości niż nasza, tak w kierunku małości, jak wielkości: w astronomii i w chemii – w teorii budowy materii. Ale nawet jeśli elektrony istnieją faktycznie – istnieją też faktycznie takie kompleksy istot bardzo małych jak systemy gwiezdne – to niczego jeszcze nie dowodzi. Systemy te mogą być elementami fikcyjnej materii martwej istot, dla nas bardzo wielkich. Tak jedne, jak drugie muszą być zbiorowiskami istot żywych. Świat nie jest ciągły – to jest pewne.

Chwazdrygiel: Nie, ja nie mogę, ksiądz profesor robi także skok...

Wyprztyk: Robię tylko dla skrótu. Jest pan dość inteligentnym, aby mnie zrozumieć od razu. Fizyka jest fikcją – konieczną – przyznaję to. Jak może się wszystko przekręcić, dowodzi to, że fikcję uważa pan profesor za rzeczywistość wyższą od rzeczywistości bezpośrednio danej – od indywidualnego istnienia, nawet samego siebie.

Chwazdrygiel: To ostatnie pojęcie to także skrót, jak pojęcie czerwonego koloru. Ale chciałem mówić o czym innym. Ciągle słyszę narzekania artystów na to, że stali się obcy społeczeństwu. Tylko dlatego tak jest, że wskutek sztucznego arystokratyzmu odsunęli się od spraw społecznych.

Atanazy: Ależ nie można programowo narzucać artystom tematów. Sztuka upada na tle uspołecznienia w ogóle. Przyczyny są ogólniejsze, powiedziałbym, kosmiczne w znaczeniu Spenglera.

Chwazdrygiel: Sztuka negująca treść degraduje się do czysto zmysłowego zadowolenia.

Atanazy: Otóż to jest zasadnicza pomyłka tych, którzy nie widzą, że sztuka wyraża zawsze tę samą treść: poczucie jedności osobowości w konstrukcjach formalnych działających bezpośrednio.

Smorski: Ale i to się skończy kiedyś. Widzę to po sobie. Niewykonalne i niezrozumiałe zupełnie staną się koncepcje zadawalniające artystów. Ja, wiecie, czasem byka za rogi, a tu nagle rogi z galarety...

Chwazdrygiel: Istotą sztuki jest treść podana w pewnej formie.

Atanazy: Tu przychodzimy do założeń pierwotnych. Nigdy nie przekonam profesora dialektycznie, że forma jest istotą sztuki. Jednak prawdopodobieństwo jest za moim rozwiązaniem. Twory sztuki, tak różne między sobą, mają wspólną cechę: formę – przewagę formy! – tym różnią się od innych zjawisk i przedmiotów mimo tak wielkich różnic wzajemnych. Stan rzeczy przemawia za mną. Istnieje od wieków sztuka jako coś odrębnego. Nie sztuka wynajdywać wspólności między sztuką a czym innym, ale określić to, czym się ona różni. W ten sposób, jak pan profesor, można udowodnić, że między każdymi dwoma dowolnymi rzeczami nie ma istotnej różnicy: każda może mieć formę i treść, i szycia butów nikt nie odróżni od pisania symfonii. Proporcja danych stanowi tu o...

Łohoyski: Wszystko jest względne. Uważam, że nie ma o czym mówić. Sam Chwistek dąży do uwzględnienia prawdy przez teorię typów...

Purcel: Ależ oczywiście. Ja teorię wielości rzeczywistości wprowadziłem jako przedmiot obowiązujący w wyższej szkole kawaleryjskiej...

Atanazy: Obaj nie rozumiecie Chwistka ani w ząb...

Purcel (krzyczy): Nie ma kryteriów na ocenienie, czy lepszym jest regulamin jazdy francuski czy rosyjski...

Atanazy: Pan jest chyba pijany, panie rotmistrzu. Otóż jedyną rzeczą ciekawą jest jeszcze rozmowa. Tylko nie z tym przekonaniem, że wszystko jest względne: wtedy oczywiście lepiej tłuc kamienie lub łowić ryby. To najtańsza doktryna ten relatywizm. Ale jest przeważnie bronią ludzi o niższej inteligencji, podobnie jak dowcip i złośliwość: wydaje im się, że są bardzo mądrzy...

Łohoyski: Dziękuję ci. A Einstein, czy też?...

Wyprztyk: Nic nie rozumiesz fizyki, Jędrusiu. (Mała informacja zbyteczna: Łohoyski, na równi z Atanazym i Sajetanem Tempe, byli uczniami księdza Hieronima z czasów gimnazjalnych). Teoria Einsteina, nazywając się teorią względności, ubezwzględnia nasze poznanie, czyniąc je dokładniejszym. Pozorna bezwzględność Newtona staje się tylko pierwszym przybliżeniem w stosunku do wypadków, w których występuje ruch dość szybki, zbliżony do szybkości światła, największej praktycznie nieskończonej.

Łohoyski: Ale dlaczego właśnie to ma być 300 000 km na sekundę ta ostatnia szybkość? Tego nigdy nie mogłem pojąć.

Wyprztyk: Nieskończonej szybkości być nie może. Któraś ze skończonych musi być najwyższa. Czy nie wszystko jedno która?

Atanazy: Tak, to jest właśnie zasada przypadkowości takiej, a nie innej rzeczy. To się stosuje też do istnienia indywidualnego. Gdzieś i kiedyś musiałem być jako konieczność, czy nie wszystko jedno jak. Ach, nie umiem tego wyrazić...

Wyprztyk: Nikt temu rady nie da. Nazwałem to kiedyś zasadą Tożsamości Faktycznej Poszczególnej w przeciwieństwie do prawd wiecznych i Boga – ich źródła. Ale pojęcie to nie przyjęło się ogólnie. Skonstatowanie tego prawa jest też prawdą absolutną.

Smorski: To wyraża tylko sztuka – zgadzam się z Atanazym – symbolem tego jest konstrukcyjność i jedność każdego dzieła, a właściwie jedyność: każde jest takim, a nie innym, jak my wszyscy, w tym poszczególnym utożsamieniu, czy jak to ksiądz profesor nazwał, a wszystkie wyrażają jedno, to „je ne sais quoi" – dawniej bym to powiedział – dziś, mózg mi się – ech, co tam gadać. Jestem szczęśliwy, że jestem artystą – jeszcze jako tako można przeżyć w ten sposób tę naszą nieszczęsną epokę. Nie gniewajcie się wszyscy, ale nie dlatego to mówię, że mnie grają w Kalkucie i New Yorku i że pławię się w pieniądzach, z którymi nie mam co robić – ale na dobroczynność nie dam nic, niech giną zdechlaki i niedołęgi.

Atanazy: Nie dywaguj, Zieziu, mów jeszcze o sztuce. Jest to wstrętne, ale ciekawe.

Smorski: A więc nie dlatego – ale nie mogę pojąć, jak wy możecie egzystować wszyscy, nie będąc artystami. To, co było dawniej wielkiego w wojownikach, wielkich mężach stanu, zdobywcach, kapłanach, a czego nie było w dawnej normalnej sztuce, przeszło w sposób zdeformowany na nas, na kilkunastu ludzi na świecie, nie mówię oczywiście o jakichś pejzażystach, Bernardzie Shaw i Schönbergu, tej marmeladzie bez konstrukcji. My jesteśmy potomkami dawnych arystokratów. Robię abstrakcję od mego pochodzenia, mimo że (tu ukłonił się Jędrkowi) mam zaszczyt rodzić się z Łohoyskiej, z tych gorszych. Drogo to kosztowało moją matkę, bo umarła przy tym – Smorski, wiecie, to nie do przetrzymania. (Zaśmiał się idiotycznie).

Łohoyski: Wiesz, Zieziu, że trochę jednak przesadzasz w dowcipach na rachunek twego obłędu. To jest bzdura. Artyści mają wartość sami przez się – po co podszywać się pod coś, czym nie są i nigdy nie będą.

Atanazy: Tak, nigdy nie będą hrabiami. Podobno nie można wytrącić z równowagi dwóch rodzajów ludzi: prawdziwego arystokraty i człowieka zajmującego się logistyką...

Łohoyski: Mówisz tak, bo mi po prostu zazdrościsz. Jeżeli jeszcze raz...

Wyprztyk: Dosyć – bez złośliwości, chłopcy. Ziezio, mów dalej.

Smorski: To nie są złośliwości. W tym wszystkim jest część prawdy. Sam jestem un demi-aristo, ale nie pnę się bynajmniej do tego, czym nie jestem. Jeśli mam snobizm, to w sferze zupełnie innej... (Znane były powszechnie procesy Ziezia o uwiedzenie nieletnich – miał ich kilkanaście, ale zawsze wychodził z nich cało. Kolekcjonowanie tych faktów było jego manią. Lubił pokazywać fotografie i wycinki z gazet, ale dotyczące jedynie tych jego przeżyć. Sławą muzyczną pogardzał, uważając wszystkich krytyków swoich, tak złych, jak i dobrych, za skończonych kretynów i durniów).

Atanazy: Nie potrzebujesz nam tego objaśniać – wiemy – a tu są panie...

Smorski: Ach, zupełnie zapomniałem. Tak cicho panie siedzą na tej kanapce.

Hela (z ironią): Napawamy się głębią waszych koncepcji. Jak się z boku słucha waszych rozmów, to można nabrać obrzydzenia do mówienia w ogóle. Czy nasze rozmowy, ojcze Hieronimie, także są takie wstrętne?

Smorski: Niech pani nie żartuje z osłabionych życiem mózgów. Wiem, że pani jest przesycona wiedzą jak gąbka. Ma pani opinię najinteligentniejszej kobiety w stolicy. Nigdy jednak nie zaszczyciła mnie pani rozmową. Mógłbym myśleć, że jest to mitem tylko, ta cała pani mądrość. Ale ja się pani nie boję: mam kryteria absolutne, których nic nie rozwali.

Hela: Głównym pańskim kryterium jest powodzenie. Chciałabym pana widzieć w dziurawych butach, głodnego, zziębniętego – czy wtedy też miałby pan takie poczucie ważności swojej egzystencji?

Wyprztyk (z wyrzutem): Helu!

Hela: Ach tak, przepraszam ojca, zapomniałam, że jestem chrześcijanką.

Ziezio (urażony): Mogę zaręczyć pani, że skazany na śmierć w torturach zawsze byłbym taki sam.

Hela: Oby pan w złą godzinę nie wymówił tego słowa. Dziś tortury są czymś nieprawdopodobnym, ale jutro!

Smorski: Czyżby pani wierzyła w możliwość rewolucji po strasznym przykładzie Rosji? Mówi pani, jak gdyby była pani członkinią jakiegoś tajnego komitetu najbardziej wywrotowej partii.

Hela: Ja znam ludzi ze wszystkich możliwych warstw. Ale teraz mówię jako zwykła burżujka – wstrętne słowo. Ale czasem – i to teraz, kiedy przeszłam na katolicyzm

– chce mi się pewne rzeczy doprowadzić do ostatecznych konsekwencji i marzę o papieżu, który by nareszcie wyszedł z Watykanu na ulicę. (Ksiądz Hieronim zadrżał: to była jego myśl przecie – czyżby telepatia?).

Smorski: Może by pani sama została papieżycą nowej sekty na próbę? Z pani pieniędzmi wszystko można zrobić.

Hela: Niech pan nie wygłasza lekkomyślnie takich przepowiedni: mogą się sprawdzić. Może i zostanę papieżycą. We mnie jest wszystko – co będzie, zależy od tego, kto mnie wyzwoli z tego więzienia, w którym żyję. (Tu spojrzała na Atanazego, ale ten wytrzymał twardo jej wzrok. Prepudrech zwinął się w kłębek jak pchnięty sztyletem).

Wyprztyk: Helu, jutro na spowiedzi powiesz mi o tym wszystkim. Teraz milcz. Ja znam te konsekwencje: na dnie tego jest nienawiść do Ariów maskowana ogólnoludzkimi ideami.

Hela: Plecie ojciec jak na mękach. Dziwne są te luki zupełnego dureństwa u najinteligentniejszych ludzi, jeśli chodzi o Żydów.

Smorski: Wracając do mojego tematu: artyści są ostatnimi odbłyskami ginącego indywidualizmu. Następuje ciągle nieznaczne przemieszczanie pewnych właściwości na inne pod innymi względami typy ludzi.

Atanazy: To samo mówiłem przed chwilą. Pamiętasz, Jędrek? Tylko w innej sferze...

Łohoyski: Nic nie pamiętam. We łbie mi się kręci od tych waszych rozmów. Fakt jest, że życie spsiało i że nic go odpsić nie zdoła – nawet twoje symfonie, Zieziu, które zresztą stosunkowo dość lubię. Chodźmy. Dajmy odpocząć choremu. Kiedy ślub?

Atanazy: Za tydzień, o ile jutro wstanę.

Słowa te padły z jakimś przykrym ciężarem między obecnych. Czemu – nikt nie wiedział. Każdy miałby ochotę odradzać, ale nie śmiał. Tylko Hela zaśmiała się dziwnie i rzekła:

– I nasz też będzie za tydzień. Papa wraca pojutrze. Zrobimy to tego samego dnia, a rano będę się chrzciła oficjalnie z papą – olejem, bo z wody...

Wyprztyk: Dosyć!

Hela: Chodź, Prepudrech.

Ponury, jak skazaniec, książę wstał i nieprzytomnie żegnał się z Atanazym. Miał twarz człowieka, który leci w przepaść. Wszyscy ruszyli się nagle i z ulgą zaczęli się żegnać także.

Po chwili cicho i pusto było w szpitalnym pokoju. Zostało tych dwoje samotnych w nieskończonym wszechświecie, mimo złudy uczuć i słów. Oboje mieli wrażenie, że od wejścia Łohoyskiego upłynęły lata całe, że są gdzie indziej: nie tylko w innym pokoju i mieście, ale w innym wymiarze istnienia.

Atanazy z zamkniętymi oczami leżał cichutko, a Zosia stanęła w otwartym oknie, przez które dołem tłoczyła się zimna zgniłość jesiennego wieczoru, mijając się z tytoniowym dymem, uciekającym kłębiastymi zwojami górą. Szumiały głucho bezlistne drzewa w parku. Pokój wypełniał się zapachem gnijącego listowia. Atanazy poczuł się nagle zdrowym. Dosyć miał leżenia w łóżku i wszystkich pielęgnacyjnych rozkoszy. Ostatnie myśli na temat względności, intuicji (czyż jest taka istność w ogóle?) i bezpłodności intelektu rozwiały się w zupełnie już pojęciowo nieartykułowany gąszcz obrazowego, zwierzęcego (prawdopodobnie) myślenia. Drzemał zakryty po szyję, podobny do storturowanego trupa. Duch jego, oderwany jakby od ciała, poza czasem, błądził nieświadomie w nieznanej na jawie krainie niespełnionego szczęścia: zgody ze samym sobą, możliwej jedynie na granicy świadomości albo we śnie.

Zosia, wpatrzona w światła migające zza drzew poza murem ogrodu, myślała o „wszystkim", tylko nie o nim. Oboje narzeczeni, o dwa kroki jedno od drugiego, byli w tej chwili jakby na innych planetach. Ziarna jakichś trujących zielsk zapadły w ich dusze – jeszcze nic nie zaczęło kiełkować, ale tajemne kłamstwo, zrodzone z przedwiecznych pokładów zła, jak ukryty nabój czekało swego detonatora, a wtedy lada uderzenie mogło wywołać wybuch. W oddali huczał pociąg. Gwizd lokomotywy, daleki, żałosny, przerwał tę ciszę trwającą na tle huku i chwila przeczuć prysła. Zosia poczuła nagle straszną żądzę, żeby się czemuś oddać, za coś poświęcić – ach, cokolwiek bądź, byle tylko... – ale pusto było wokoło. Odwróciła się i spojrzała na łóżko, nie widząc jakby nikogo. Atanazy otworzył oczy i spojrzenia ich spotkały się. Wszystko się zmieniło: na małą chwilkę codzienny świat ich obojga ustąpił miejsca poczuciu ogromu, obcości, inności tamtego, istotnego nieznanego świata. I znowu zasłoniła się niepojęta tajemnica wszechrzeczy. Jedynym dla niej był on, ten biedny jej Atanazy, ostatnia maska, która kryła przed nią potworność życia. Rzuciła się ku niemu całym ciałem, szepcząc coś dla niej samej niezrozumiałego. Ale on był dalej obcy: powoli powracał z niebytu do swego własnego, izolowanego wewnętrznego piekła. Gdyby mogli mieć takie piekiełko wspólne? Może to jest konieczne, aby istniała prawdziwa wielka miłość. I znowu zaczęło się to, co działo się przed przyjściem Łohoyskiego, ale już inaczej.

ROZDZIAŁ IV

ŚLUBY I PIERWSZE PRONUNCIAMENTO

Skończył się okres normalnych zdarzeń i wszystko, zataczając z początku szerokie koła, zmierzać zaczęło ku temu centrum dziwności, tej przepaści w odkrytym polu, którą o pół pokolenia wstecz straszono przy kominku w długie zimowe wieczory zbyt liberalnych mężów stanu dawnego porządku. Miała ona według niektórych pochłonąć całą indywidualistyczną kulturę, jak jakiś malstrem łódź rybacką. Dla każdego przepaść ta przedstawiała się inaczej, głównie w zależności od tego, czy dany osobnik przeżył rewolucję rosyjską, czy nie, i oczywiście w związku z klasą, do której należał. Chociaż pierwszy z tych elementów zmieniał czasem drugi w dość szerokich zakresach. Na razie nie było to nic określonego mimo historycznych przykładów dawnych i tuż obok. Każdy miał swoje niebezpieczeństwa zindywidualizowane, swoje przepastki prywatne. Ale chwilami zdawały się one zlewać jak pojedyncze pryszczyki jakiejś skórnej choroby, tworząc płaty, „plaques muqueuses", na większych przestrzeniach. Oczywiście chodzi tu o tak zwane klasy wyższe z pominięciem należących do nich, według sposobu życia, przywódców klas niższych. Poza porwanymi już miejscami, opłotkami i na wpół rozwalonymi tamkami i innymi zastawkami, burzył się bardzo dla niektórych śmierdzący tłum, jak bura, pienista, wiosenna woda – wszyscy twierdzili, że nadchodzi rewolucja. Wszystko było już tak nudne, ramolciowate, bezprzyszłościowe i bezpłciowe, że najwięksi nawet zakalcowaci zakamienialcy cieszyli się gdzieś na dnie zamarłych ośrodków niespodzianki. Tak cieszą się wojną, rewolucją lub trzęsieniem ziemi ludzie niemający odwagi strzelić sobie w łeb mimo przekonania o słuszności tego zamiaru. Samo się załatwi, myślą sobie, coraz bardziej oddalając się od śmierci. A kiedy wreszcie przyjdzie, liżą ewentualnie ręce katów, błagając o jeszcze jedną chwilkę – byle nie teraz. Nie cieszyli się tylko ludzie coś posiadający, a następnie: a) sportsmani – rewolucja mogła odwrócić uwagę publiczną od ich niezmiernie ważnych rekordów; b) dancingmani – oczywiście rewolucja oznaczała dla nich paromiesięczną przerwę w tańcach; c) businessmani – przerwa w ich owocnych pracach mogła być dla nich długa i zakończona ewentualnym przeniesieniem się w aktualną nieskończoność (w małości czy w wielkości, to obojętne), czyli w Absolutną Nicość, i d) jeszcze jeden wymierający gatunek Istnień Poszczególnych – ale mniejsza o to.

Na rewolucję, jak na wszystko zresztą, patrzeć można z dwóch punktów widzenia: normalnego, psychologiczno--społecznego i jego pochodnych punktów widzenia poszczególnych nauk albo też metafizycznego, tzn. rozpatrując ją jako wynik praw absolutnych rządzących każdym możliwym zbiorowiskiem istot. Pewne wypadki, jak to słusznie twierdzi Bronisław Malinowski w pracy swej o *Wierzeniach pierwotnych*, zdają się najbardziej predysponowane do wywołania tego specyficznego i coraz rzadszego w dzisiejszych czasach stanu: bezpośredniego pojmowania dziwności życia i w ogóle istnienia. Ale bynajmniej nie jest słuszne twierdzenie, że jakikolwiek stan silnego napięcia uczuć jest w możności przerodzić się w uczucie zupełnie nowe, religijne: stworzyć je jakby z niczego. Pseudonaukowość tego poglądu, pretensja, aby nie powiedzieć nic poza opisaniem na pewno istniejących stanów (głodu, żądzy płciowej, strachu itp.), fałszuje zasadniczo całą sytuację, nie pozwalając na dotarcie do jądra rzeczy, przez wykluczenie z góry możliwości istnienia stanów specyficznych, a niekoniecznie pochodnych od innych uczuć zwykłych.

„Dla ludzi istniejących jakby na marginesie życia, dla typów takich, jak Łohoyski, ja, Prepudrech czy Baehrenklotz, rewolucja byłaby właśnie czymś takim pobudzającym od podstaw zmartwiały mechanizm dziwności. Jakkolwiek wynik ostateczny i sam przebieg musi być antyreligijny, pierwszy wybuch może na razie właśnie pobudzić te uczucia do życia i nawet wytworzyć nowe formy w sztuce" – tak myślał Atanazy, wybierając się na chrzciny Heli. Przeszła niedawno wojna z jej mechanicznością i bezideowością, raczej z ideą spotęgowanej mdłej demokracji, która niechcący podświadomie podczas trwania jej się zatliła, nie mogła być niczym dopingującym. W niej skończył się tylko nacjonalizm w ostrej formie, w swej naturalnej ewolucji, bez działania nawet wrogich mu sił jako takich – w Rosji nawet przed ostatecznym rozwinięciem się, ale już w walce. Gdybyż prędzej się wszystko działo. Atanazy miał wrażenie, że są w nim jakieś palne materiały, które, o ile wszystko dookoła tak dalej flakowato odbywać się będzie, nigdy do wybuchu nie dojdą. Czuł upływający czas fizycznie prawie: zdawało mu się, że wszystko się zatrzymuje, a śpieszący się czas oblewa go łaskocącą falą. Jak we śnie nie mógł się ruszyć i przyśpieszyć wewnętrznego tempa stawania się: stało się ono zależne od wypadków, które grzęzły w ogólnej atmosferze bagnistego rozkładu. Ludzie przyzwyczajali się do stanu kryzysu, stawał się on dla nich normalną atmosferą. „To jest wrzód, który musi pęknąć" – powtarzał w myśli Atanazy, a pęknięcie to przedstawiało mu się w postaci nieprawdopodobnego erotycznego szału w towarzystwie Heli na tle polityczne-go przewrotu. Oczekiwane wypadki usprawiedliwić miały największe odstępstwa od zwykłych zasad codziennego dnia. Tymczasem równowaga uczuć była przynajmniej kompletna. Jak dwa wektory o przeciwnych kierunkach, sprzeczności trzymały punkt zaczepienia sił w spokoju. Dwoisty system życia zaczynał się podobać Atanazemu – jedną tylko miał wadę – był nietrwały. Koniec całej tej historii zarysowywał się w chwilach „wsłuchiwania się w wieczność", gdzieś w tej ciemnej chmurze, która unosi-ła się nad dającym coraz silniejsze znaki życia rewolucyj-nym wulkanem. We środku czegoś, co można by nazwać ogólnożyciową platformą, smażyło się na wolnym ogniu małe sumieńko Atanazego, pokryte ledwo dostrzegalnymi wyrzutami. Powoli zbliżała się zima. Miasto stało czar-ne i brudne, pokrywając się czasami oślepiająco białymi, niknącymi w oczach puszkami śniegu. Potem rozkisało wszystko jeszcze więcej.

Nareszcie z któregoś Nord-Ekspresu wypadł brodaty Bertz i nie zajeżdżając ze stacji do domu, telefonicznie ozna-czył dzień chrztu na jutro: to jest na czternastego grudnia. Oba śluby naznaczone zostały na ten sam dzień po połu-dniu. Poślubna orgia miała się odbyć w pałacu Bertzów: było to wynikiem przyjaźni, jaka wywiązała się między panią Osłabędzką a Helą na tle przeżyć religijnych. Ludzie znający się na przewrotach przepowiadali rzeczy straszliwe. W tym czasie wrócił z zagranicy ów przeklęty Sajetan Tempe i właśnie wpadł do Atanazego, podczas gdy ten oczekiwał Łohoyskiego – razem mieli iść na chrzest. Dawno niewi-dziany, obcawy już teraz przyjaciel, nie zrobił na Atanazym bardzo miłego wrażenia. Ubrany był w jakąś szaro-zieloną krótką kacabajkę i czarną ogromną dżokejkę. Konstelacje zmieniły się nieco od tamtych „dobrych" czasów.

– Ha, kochany Taziu – mówił ze sztuczną słodyczą, starając się pokryć twardość i władczą niecierpliwość swego głosu. – Słyszałem, że już zupełnie się skandyzowałeś: żenisz się podobno z bogatą panną. Ale niedługo potrwa to twoje bogactwo. Już się wszystko u nas rusza. Pójdzie to jak z płatka, bo z przeciwnej strony nie ma sił o dość dużym napięciu, nie ma wagi. Jak raz się ta lawina oberwie, musi dojść do dna – czy kto chce, czy nie chce.

– Drogi Sajetanie – zaczął, otrząsając się z niesmakiem, Atanazy – tylko nie w ten sposób, proszę cię. Ja sam jestem w okresie zmian zasadniczych, ale twój stosunek do tych rzeczy może je obrzydzić każdemu.

Tempe zmięszał się.

– Nie czytałeś ostatnich moich wierszy? – spytał. – Czysto społeczne paszteciki, nadziane wybuchowym materiałem. Wiersz ma dla mnie o tyle wartość, o ile zastępuje agitację przez swoje fluidy. Ekonomia środków...

– W ogóle nie czytam wierszy, tak mi zbrzydł ten zupełny brak istotnej inwencji i wymyślanie nieprzydatnych zupełnie artystycznych środków, niezależnie jakby od zamierzonego dzieła, to wymyślanie treści z przypadkowych zestawień w połowie pisania, ta technika wersyfikacji pokrywająca beznadziejną twórczą pustkę! Ale twój tomik przeczytałem, i to wstrząsając się ze wstrętu. Sztuka na usługach prymitywnych żołądków – trudno: wiersze są dobre – bezprawie i świętokradztwo!

Tempe zaśmiał się szeroko, swobodnie. Szedł od niego dech rozhukanej ulicy i parował cały gorącem zbitej masy ludzkiej. Był naprawdę zadowolony.

– Spodziewałem się, że taki typowy nihilistyczny burżujek jak ty, i w dodatku esteta, nie mógł inaczej reagować.

Są wiersze – zwiędłe liście, i są wiersze – bomby. Wymieść chce mi się tę całą kupę śmiecia z poezji naszej – wstyd – jakieś naklejki na perfumy i prezerwatywy... Treść, treść jest główną rzeczą i treść ta cię oburza.

– Mylisz się – z gniewem odpowiedział Atanazy, lustrując z silnym wstrętem twarz Tempego. Jakże raziły go teraz czarne, płomienne, niespokojne oczy, jasnorudawe kręcące się włosy i cielęcinowata, miejscami wypryszczała skóra, a nade wszystko ta nie wiadomo gdzie ukryta, drażniąca potęga tego człowieka. – Mnie chodzi o formę, a nie o treść. To, że opisujesz umęczonych komunistów i grubo używających życia szpiclów, i zatwardziałe dusze sędziów, i nacjonalistyczny humbug, nie razi mnie wcale jako takie – jest to taki sam materiał życiowy, jak każdy inny. Ale to mi się nie podoba, że ten nowy materiał, bez żadnej wiary w jego artystyczną wartość, programowo wpakowujesz w zgniłą formę dawnej poezji, używając co najwyżej i tak już zużytych futurystycznych sztuczek – to mnie napełnia wstrętem i do detalicznej treści twoich wierszy: smrodu suteren, potu, nędzy, beznadziejnej mechanicznej pracy, więzień i szpiclów jedzących szparagi – wstrętem do samego materiału nieprzetworzonego na artystyczne elementy. Nie budzi ten materiał zamierzonego uczucia – jak w niestrawionym pokarmie osobno widać marchewkę i groszek, i fasolę, tak w twoich wierszach osobno pływa forma, a osobno treść sama w sobie wstrętna. Nie mówię już o ideach ogólniejszych, bo ich mało widzę, a to mnie irytuje, że formie jako takiej nic zarzucić nie mogę.

– Tak, ty lubiłbyś na rewolucję patrzeć z loży parterowej jak na widowisko; jeszcze lepiej, aby było ono uscenizowane przez tych nowych, niby społecznych artystów, którzy ze wszystkiego chcą zrobić pseudoartystyczną szopkę: z wiecu, zgromadzenia, z ulicznej strzelaniny, z samej pracy nawet! Idiotyzm tej idei do oczu skacze, a mimo to niektórzy poważni ludzie zastanawiają się jeszcze nad tą możliwością. Ach, wstręt mam do tych artystów naszych i jednych, i drugich – robaki podłe w gnijącym ścierwie. Tylko teraz, kiedy przekonali się, że w swoich wieżach z psiej kości mogą zdechnąć z głodu, bo społeczeństwo poznało się na ich wartości, oni łaskawie zstępują do społeczeństwa, ofiarowując mu swoje konstruktywistyczne zdolności. Pfuj, ja do nich nie należę. Sztuka musi być sługą idei, marną sługą. To jeszcze jej najistotniejsza rola: wyrażać pokornie treść nakazaną, jak tresowane bydlę.

– Ale do kogo ty należysz? Jesteś dla mnie typowym objawem pseudomorfozy, używając pojęcia Spenglera, wziętego przez niego z mineralogii: jeśli formy poprzedzające dane zjawiska są dość określone, a nowa treść sama ich nie wytwarza, to wlewa się tam i zastyga na podobieństwo nieistniejących już tworów przeszłej epoki, które wygniły, skruszały i rozwiały się. Twoja poezja jest taką pseudomorfozą. A dowodzi to słabości. Może paru Rosjan na tle ich rewolucji stworzyło coś prawie nowego; tam, w Rosji, materiał przestał być treścią wierszowanej propagandowej broszurki – zrósł się z formą, która jak kiełek żywy przebiła warstwy dawnych złożysk. Ale i to jest mało. Zupełnie nowej formy artystycznej nie wytworzyły te warstwy, które teraz do głosu dochodzą, i nie wytworzą. Za dużo mają do powiedzenia w kwestii brzucha i jego praw. A czas ucieka...

– Na pełnym brzuchu jedynie polega szczęście. Wszystkie problemy wasze są sztuczne. Tylko w zupełnym zbydlęceniu, i to programowym, leży prawdziwy pozytywny kres ludzkości: nic o niczym nie wiedzieć, nie uświadamiać sobie nic, przyjemnie wegetować. Cała kultura okazała się humbugiem; droga była piękna, ale się skończyła: nie ma do czego już dążyć, nie ma drogi, prócz naszej; prawdy nie ma, nauka nic nie daje i włazi cała w technikę. Sztuka – to poważna zabawka dla bezpłodnych estetycznych eunuchów – naprawdę: kto raz ujrzy to, co ja, nigdy nie zawróci do tego pseudoludzkiego świata. Było dobrze, ale się skończyło – zużytkować dla naszych celów pozytywne tego zdobycze. Dancing i sport to jedne z elementów ogłupienia – zbydlęcenie na tym tle będzie igraszką do wykonania. Zamykanie dancingów przez faszystów, tych największych błaznów na świecie, przemawia za moją tezą. Ale to tylko wstęp – rewolucja programowych bydląt! Uważam, że materializm w marksizmie był dotąd zbyt zamaskowany. Ale kto ja jestem, to się jeszcze okaże, mój Taziu. Wiem, że siły mi nie zabraknie.

Wyprężył straszliwe muskuły, rozpierające zielonawy kubraczek. Ktoś rozbierał się w przedpokoju, wpuszczony przez sprzątającą stróżkę.

– A cóż twoje własne wiersze w tym wszystkim? – spytał Atanazy stropiony trochę otwartością postawienia kwestii i nie znajdując na razie repliki. – Czy to są też objawy programowego zbydlęcenia?

– Nie żartuj, pod tym popularnym terminem kryje się naprawdę treść głęboka. A co do moich poezji, to nie są to ani twory waszej głupiej Czystej Formy, ani rozwiązywanie artystyczne problemów społecznych czy jak tam – bo nigdy dobrze nie rozumiałem tych tam uniwersalistów. Tępić kłamstwo – nasza kultura zakłamuje się na śmierć. Moje wiersze są czystą propagandą prawdy – sztuka jest brutalnie, otwarcie zużyta jako robocze bydlę.

(Atanazy był pod wrażeniem prostoty i szczerości Tempego: zazdrościł mu jego siły i wiary).

– Ale nie programowe jeszcze – rzekł wesoło Łohoyski, wchodząc bez pukania. Po raz pierwszy pozwolił sobie dziś na kokainę od rana i w świetnym był humorze. Nie wiedział, że tego dnia właśnie podpisał na siebie wyrok śmierci – jeśli nie fizycznej, to duchowej. Już ani jedna chwila dnia i nocy nie miała być wolną od straszliwej trucizny lub jej pożądania.

– A, pana hrabiego powitać! – odpowiedział z ironiczną, programową, niesmaczną uniżonością Sajetan.

– Bez głupich żartów, panie Tempe – burknął groźnie Jędrek, nagle ponury i napuszony. Postanowił zacząć mówić do Tempego per pan, korzystając z tego żartu. Nie znosił, gdy mu wypominano, że jest tylko hrabią.

– Dlaczegóż to pan swoim lokajom nie wyrzuca już teraz tego tytułowania. Pamiętam moją wizytę w zeszłym roku w maju...

– No, no, porzućmy te tematy – mruknął Łohoyski, z lekka poczerwieniawszy. – Nie wiedziałem, że pan już zdążył widzieć się z moją służbą.

– Pan hrabia się zmienił: członek partii SD ma teraz pałac, a mówią, że tamto właśnie się do tego przyczyniło, że starszy pan właśnie ze zmartwienia nogi wyciągnął.

– Panie Tempe, raczej towarzyszu Sajetanie, niech pan pamięta, że nie lubię nieusprawiedliwionych przeze mnie poufałości.

– Nie tak to broniliście się przed poufałościami dawniej, towarzyszu Jędrzeju – rzekł bezczelnie Tempe, przymrużając lewe oko.

Atanazy zrozumiał: Tempe była to jedna z przelotnych ofiar Łohoyskiego w jego inwersyjnych zapędach. Była to zresztą tak zwana „amfibia". Obecnie używał inwersji tylko dla kaptowania i opanowywania potrzebnych mu mężczyzn. „No tak, przecie jako lejtenant służył w «gwardiejskom ekipażu», nic dziwnego" – przypomniał sobie Atanazy.

Łohoyski: Dawniej było dawniej, trzymajmy nowy dystans.

Tempe: Nie wiadomo jeszcze, jaki dystans trzymać będziemy. Towarzysz-hrabia dawno, widzę, gazet nie czytał. Wszystko wisi na włosku, oczywiście dla tych, co umieją czytać. A niech tylko raz się zacznie, to my tej sposobności nie popuścimy. Dla nas pracują te wszystkie umiarkowane reformatory. Umiarkowanie i socjalizm to sprzeczności nieomal logiczne.

Łohoyski: I to pan mówi, oficer rezerwy floty? Słuchaj, Taziu, może byśmy go po prostu tego...

Tempe przybladł z lekka na ten żarcik.

Tempe: Nie wiedziałem, że Tazio ma teraz taki zawód poboczny.

Łohoyski spostrzegł, że za daleko posuwa swoją rozwiązłość.

Łohoyski: Dajmy spokój temu wzajemnemu przeszczekiwaniu się. Słyszałem pod drzwiami pańską teorię. I muszę przyznać, że to mi trochę przemawia do przekonania. Dlatego nawet może byłem zły, że ktoś mnie ubiegł w jej sformułowaniu.

Tempe: Zaszczyt to tylko dla mnie. Ale to tak za darmo i od razu nie można. To daleka i trudna droga do szczęścia. A najprzód wszelkie dotychczasowe twory kultury muszą być w najwyższych swych stopniach zużytkowane: intelekt, panie hrabio, intelekt przede wszystkim. A pan bardzo zaniedbał swoje półkule mózgowe na rzecz innych, i to cudzych, zdaje się. Ja dawno zeszedłem z tej drogi.

Łohoyski: Ten Tempe zrobił się niemożliwy, Taziu. Ja nie wiem, jak z nim mam mówić. (Groźnie). Towarzyszu Sajetanie, mówmy poważnie – ja jestem też tego zdania, że zbyteczne przeświadomienie nasze odbiera nam rozkosz bezpośredniego przeżywania. Ale ja propaguję zbydlęcenie indywidualne. Społeczeństwo samo się ubydlęci, jeśli jego członkowie...

Tempe: Bez głupich żartów, panie Łohoyski. Ja moje idee traktuję poważnie: nie są one funkcją moich stosunków rodzinnych i finansowych. Dla pańskiego zbydlęcenia wystarczy panu kokaina. Ja wiem też wiele rzeczy. – Łohoyski chciał coś odpowiedzieć, ale przerwał mu Atanazy.

Atanazy (do Tempego): Słowo komunizm w moich ustach jest to blada idea ze sfery idealnego bytu – w twoich to krwawa bomba z dynamitu i żywego mięsa w strzępkach. Dajcie spokój kłótniom. Idziesz z nami na chrzest Bertzówny, Tempe? Ostatnie podrygi semickiego katolicyzmu u nas. Niedługo znajdą inny motorek, z którego będą czerpać siłę otwarcie i na większą skalę. Teraz ludzkości trzeba nowego typu proroka, ale innego niż te socjały z dziewiętnastego wieku. Zbydlęcenie programowe trzeba trochę dla uroku umetafizycznić, wykazać jego transcendentalną konieczność. Żadna religia znana tu nie pomoże – trzeba wymyślić coś zupełnie nowego.

Łohoyski: Jeśli to pan, panie Tempe, ma być typem proroka przyszłości, to nie zazdroszczę ludzkości. Pan każdą ideę może tylko zohydzić.

Tempe: Wasza złość na mnie polega tylko na tym, że mi zazdrościcie siły, której nie macie. Siłę miałem, aby uwierzyć, ale ta wiara dała mi jeszcze drugie tyle, o ile nie więcej. (Tamci milczeli ponuro). Mam piekielny talent organizacji. O tym sam nie wiedziałem. Nadchodząca przemiana musi zużyć mnie, i to na najwyższych stanowiskach. Zobaczycie.

Wyszli na miasto pachnące mrozem i motłochem. Coś było dziwnego w powietrzu. Czuć było jakiś cień rzucony od czegoś, czego nikt nie widział – nie widać też było światła, które wywoływało ten cień – tym dziwniejsze było wrażenie. Ale wszyscy przeczuwali coś, czego nie było jeszcze w gazetach. Niepokojące było stanowisko umiarkowanej prasy socjalistycznej: zalecano właśnie największe umiarkowanie i nawoływano do spokoju – widocznie bali się sami. Tempe kupił jakiś dodatek i przerzucał, idąc.

– Powiem wam otwarcie – mówił – jutro generał Bruizor robi pierwszy wyłom – oczywiście mimo woli dla nas – miałem wiadomości tajne. My czekamy na odpowiednią chwilę. Ale zachowajcie to w dyskrecji.

Atanazy na chwilę doznał olśnienia. Więc już jutro? Nagle cały świat zakręcił się w tańczącym świetle: poczuł się tak, jak wtedy, przed pojedynkiem. Ale zaraz zrozumiał, że dla niego to jeszcze trochę za wcześnie – nie był przygotowany – ślub, Hela, nierozwiązane problemy. Obaj z Łohoyskim niedobrze czuli się na ulicy z towarzyszem Tempe: jakby szli w towarzystwie bomby – lada nieostrożność i – chlust! Wszystko dobre było w teorii – praktyka przerażała ich. Nie mając żadnych pozytywnych antydotów w sobie, tracili grunt pod nogami – przepaść zdawała się odkrywać tu, na tym trotuarze, w bramach ponurych domów, w twarzach spotykanych ludzi. Tylko błękitne niebo w zenicie, przesłaniające się ciągnącymi mgiełkami, obojętne było i szczęśliwe – jakże zazdrościli mu jego beztroskiego, bezosobowego istnienia. Co robić z tym przeklętym Tempe?

Tempe: Dosyć prometejskich ludzi, tych, co z kagankami – obecnie z elektrycznymi latarkami – składają wizyty tłumowi w jego norach, a potem wracają do swoich codziennych wyżyn, raczej nizin ducha. Masy wezmą sobie wszystko same, bez pośrednictwa – zyskownego czasem – tych oświecicieli – i swoich ludzi puszczą w świat.

Łohoyski: Wy nic naprawdę nie wiecie, towarzyszu Tempe: Rosja cofa się – nikt na całym świecie nie bierze na serio komunizmu.

Tempe: Ale też komunizm nie traktuje nikogo na serio prócz siebie. A zresztą to tylko wstęp. Komunizm jest fazą przejściową, a wahania są konieczne – zależy to od punktu wyjścia. Pamiętajcie, skąd wyszła Rosja. Centr sił, z którego wyszła ta wszechświatowa fala, może nawet czasowo wygasnąć, ale fala ta poszła i zrobiła swoje. A zresztą gdzież są wasze koncepcje, stęchli demokraci? Wy, mikroskopijni obserwatorowie na krótki dystans, nic nie rozumiecie wielkości idei. Wyjecie o te idee, których nie macie i mieć nie możecie, bo idee obecnie tworzą się same w masach i znajdują sobie jednostki do samouświadomienia. Idea rośnie w życiu, a nie wymyśla się przy biurku, a przede wszystkim musi być prawdziwa: musi wynikać z historycznej konieczności, a nie być tylko hamulcem mającym zatrzymać ludzkość na parszywym poziomie pozorów ludzkości przy zachowaniu wszystkich przywilejów, ale nie dla ludzi dawnego typu władców, a dla nowych spryciarzy, różnych selfmademanów, businessmanów i hien trudniących się handlem...

Atanazy: Dosyć, Tempe, jesteś nudny – my to wiemy wszystko. Jak jestem sam i myślę nad tym wszystkim i nad tym, kim jestem, wydaje mi się to wielkim, i sam, z całym moim indywidualizmem, robię się w stosunku do tego małym i zbytecznym, nie tylko ja, ale ci inni – na szczytach. Ale wystarczy mi posłuchać kogoś w twoim stylu mówiącego te komunały i cała wielkość rozwiewa mi się natychmiast w nudę: widzę już nie zbytecznych ludzi, tylko zbyteczną ludzkość, która nic już nie stworzy – a to jest gorsze.

Łohoyski: Ja wierzyłem w esdeizm, bo myślałem, że celem jest prawdziwe wyzwolenie ducha, swoboda i wielka twórczość dla wszystkich – ale teraz...

Tempe: To są właśnie te wszystkie frazesy, których myśmy się wyzbyli i w tym jest nasza wielkość. Jesteście obaj pseudoprometeiczne duszki. Chcielibyście dawać z łaski, a nie macie czego, a jak sami biorą, to was to oburza.

Zmechanizowanie, czyli mówiąc po prostu: zbydlęcenie świadome – to jest prawdziwa przyszłość, a reszta to nadbudowa, ornament, który tak się rozpanoszył, że zjadać zaczął to, co miał zdobić. Doszliśmy do kresu burżuazyjnej kultury, która nie dała nic prócz zwątpienia we wszystko.

Atanazy: To zależy od tego, czego się od niej wymagało – to, że filozofia stanęła na czysto negatywnym określeniu granic poznania, wyzwala mnóstwo energii, która inaczej szłaby na bezpłodne zmaganie się z niemożliwością. („Czy to ja mówię?" – pomyślał). To zszarzenie, które będzie skutkiem uspołecznienia, niekoniecznie ma być równe zbydlęceniu – można się zmechanizować, zachowując zdobycze kultury. I do tego idzie ludzkość, ale nie dojdzie przez niszczące katastrofy, mające na celu natychmiastową realizację państwowego socjalizmu.

Wszystko to mówił Atanazy nieszczerze, aby tylko nie myśleć o problemie komunii, do której chciał go dziś zmusić ksiądz Wyprztyk. Bliskość katastrofy zmieniła jednak jego nastrój bezpośredni – wszystko dobrze, ale z daleka.

Tempe: Ja wiem, o co ty mnie posądzasz, Atanazy: o to, że ja, robiąc rewolucję...

Łohoyski: Co pan tam robi, panie Tempe, jest pan pionkiem.

Tempe: To się okaże. Otóż, że ja przy tym przeżywam samego siebie w wymiarach odpadka tej kultury, której nienawidzę, że sam wynoszę się przy tym ponad siebie w wymiarze przeciwnym mojej idei. Ja wiem – ty może masz rację nawet, jeśli chodzi o tę chwilę. Ale cóż, czy możemy stać się innymi ludźmi, nie przechodząc wszystkich faz pośrednich? To, co mówiłeś o pseudomorfozie, stosuje się może bardziej do mnie niż do moich wierszy, ale jest to okres przejściowy. Musimy przejść z zaciśniętymi zębami przez wszystkie stadia, wyszarpując się kawałkami z tej martwej masy, którą tworzymy z całym światem. A na końcu, zamiast bezświadomego bydlęctwa, nieznacznie nadchodzącego pod maską niby wielkich, a w gruncie rzeczy fałszywych idei, świadome zejście do otchłani szczęścia – ciemnawej, to przyznaję, ale na tym właśnie, jeśli chcecie, polega wielkość, aby uświadomić sobie, że zbyt wielkie światło stwarza ciemność, oślepia i niszczy samą możność widzenia. Jesteśmy już w tym okresie. A przy tym – i to jest dla was najbardziej niezrozumiałe – ja spać spokojnie nie mogę, kiedy wiem, że otacza mnie niezgłębione morze cierpień, które można usunąć za cenę pewnych lekkich nieprzyjemności wyrządzonych takim typom, jak wy. Wybaczcie, ale trudno się wahać.

Dla Łohoyskiego, który był zły na Tempego, że popsuł mu ranną wizytę u Atanazego, ostatnią przed ślubem, rozmowa ta stawała się wprost nieznośna. Nie wiedział już, kto czego przed kim broni, tym bardziej że w ostatnich czasach poważnie już posądzał Atanazego o utajony komunizm.

– Dosyć tego przecinania włosów! – krzyknął. – Obaj jesteście zdeklarowani komuniści. Ja chcę żyć jeszcze choć chwilkę. Nie zatruwajcie jej. Nie wiadomo, co będzie jutro.

Właśnie dochodzili do katedry na Starym Mieście, gdzie miał odbyć się chrzest i oba śluby. Przed kościołem stał blady Prepudrech bez czapki, zatulony w czarne fokowe futro.

– Nie pozwoliła mi pojechać po siebie. Umieram z niepokoju. Może się zabić w każdej chwili. U niej tak zawsze – największe przeciwieństwa się stykają. Ach, Taziu, żebyś wiedział, co ja cierpię – mówił, nie zwracając uwagi na Tempego, który patrzył na wszystkich trzech z nieukrywaną pogardą.

– Ja idę – powiedział nagle bardzo głośno. – Nie lubię tych komedii. Ostatnie podrygi: masz rację, Taziu. Do widzenia na barykadach, o ile macie jeszcze jakie gruczoły w sobie. A jeśli nie, to proszę do nas. My potrafimy was jeszcze zużytkować. Potrzebujemy straceńców, ale z gruczołami, nie takich flaków, co nawet zabawić się w ostatniej chwili nie potrafią.

Zasalutował, przykładając zmarzniętą, czerwoną łapę do czarnej dżokejki, i odszedł, gwiżdżąc.

– Ta szlachta szwedzka to jednak jest dość „minderwärtig” – zaśmiał się za nim Łohoyski.

Jemu też jutrzejsza rewolucja wchodziła trochę w drogę; nie wiadomo, jak będzie postawiony po przewrocie problem tajnego handlu kokainą, a przy tym właśnie na jutro miał umówione pewne spotkanie: paliatywy zamiast miłości do Atanazego, którego zdobycie musiało być, z powodu ślubu, odłożone na czas dłuższy.

Tymczasem wypogadzało się i zaczynało się powoli skrzące od mrozu, wesołe, pełne nadziei, obiecujące wczesno-zimowe przedpołudnie. Słońce przygrzewało przez mgłę rozchodzącą się powoli i z gzymsów, i z czarnych drzew zaczęły spadać mokrzejące czapki puchów, rozplaskując się w błocie trotuarów. Atanazy przeniósł się wyobraźnią w góry. Jakżeż tam musiało być cudownie: olbrzymie, lśniące płaszczyzny, granatowe niebo, narty i mroźny pęd, i nieopisany urok małej restauracyjki u podnóża gór, w której po całym dniu wśród śniegów piło się herbatę z czerwonym winem. Jakże dawno już nie mógł sobie na to pozwolić (to jest na podróż w góry, a nie na herbatę z winem), jakich cudów dokazywał, aby możliwie chociaż być ubranym. Pierwszy raz uświadomił sobie naprawdę, że nie będzie potrzebował siedzieć w kancelarii starego mecenasa Waniuszewskiego i odrabiać nudnych kawałków; zamiast podróży za granicę, która na razie była niemożliwa, będzie mógł przynajmniej użyć zimy górskiej w Zarytem. Wolałby móc to zrobić za swoje pieniądze, ale trudno. Wobec tego, że postanowił wyrzec się Heli Bertz definitywnie, problem względnie bogatego małżeństwa stawał się nieistotnym. Chociaż – czy nie sprzedawał przypadkiem swojej urody? A gdyby Zosia nie miała nic i gdyby nie bał się po prostu Heli jako żony, i gdyby ona... Atanazy zasępił się, ale na krótko. Jednak bezpośrednia rzeczywistość zbyt wiele miała bezwstydnego uroku, który nie pozwalał na pogłębienie tych niebezpiecznych zwątpień. Spojrzał na Łohoyskiego, który zażywszy ukradkiem nową porcję „coco", bawił się śniegiem jak dziecko. Ten płytki i brutalny „żuiser" wydał mu się naprawdę kimś bardzo bliskim. „Jadę w dół coraz bardziej" – pomyślał, ale myśl ta nie sprawiła mu przykrości.

Jakieś nieokreślone niebezpieczeństwo mignęło tuż, tuż koło niego – pochyłość nieznaczna a kusząca.

– Nie masz pojęcia, co ja widzę w tym śniegu – mówił Jędrek – nieznana materia z innej planety. Za taką jedną chwilę nie żałuję całego istnienia. Nie obchodzi mnie nic i Tempe, i rewolucja – tylko żeby tak trwało ciągle – o, te iskierki, które się łączą – a, psiakrew, nie umiem tego wyrazić – zapatrzył się rozszerzonymi źrenicami w płat śniegu na świętej figurze w bramie i zamarł w bydlęcym zachwycie.

Hela nie przyjeżdżała. Atanazego również ogarnął jakiś niepokój i z przerażeniem uświadomił sobie, że mimo wyrzeczenia się Heli boi się o nią równie jak Prepudrech, nie kochając jej zupełnie, a nawet czując dla niej pewnego rodzaju nienawiść. Czyżby ona była tym niebezpieczeństwem, którego się przestraszył przed chwilą. Niezbadane wyroki podświadomych sił – zdawało mu się przecie, że zgnębił to wszystko ostatecznie. Przysięgał, że nie ma nawet najlżejszego zamiaru, a tu nagle całe życie wydało mu się jałową pustynią na myśl, że ona tam w tej chwili mogła się zabić. A nie czuł przy tym najmniejszego żalu: śmierć jej jako taka nie obchodziła go nic. Prepudrech patrzył na niego dziwnie uważnie.

– Więc ty też masz jakieś przeczucia. Ja wiem: ty się kochasz w Heli. Ona opowiedziała mi wszystko wczoraj. Zarzucała mi, że nie ma we mnie nic masochizmu. Całowaliście się. To jest podłe – wykrztusił niepanujący już nad sobą książę. – Ja czuję, że się coś stało!

– Najlepiej jedź tam. A co do tego, to mówię ci ostatni raz: panna Hela jest – nie obniżając w niczym jej wartości – histeryczką. Dla dodania uroku sytuacji opowiedziała ci zupełnie urojone rzeczy – ze sztucznym gniewem odpowiedział Atanazy, ale zaczerwienił się silnie, kryjąc się w nowe futro z małp, dar pani Osłabędzkiej.

Prepudrech najwyraźniej chciał uwierzyć w tę wersję.

– Czy naprawdę tak myślisz? – spytał takim tonem, jakby spadł z niego nieznośny ciężar. – Błagam cię, nie mów jej nic o tym. O Boże! Może jej już nie ma! Wy nie wiecie, co to jest za męka, to ciągłe czekanie na samobójstwo.

– Ależ nic się nie stało na pewno – mówił zupełnie nieszczerze Atanazy. – I nic między nami nie było. Przypomnij sobie historię hrabiego de La Roncière, którego jakaś histeryczna panna wysłała na galery, wmówiwszy wszystkim, że on ją zgwałcił.

– Nie masz pojęcia, jaką mi zrobiłeś przyjemność tym zapewnieniem. – Azalin ściskał go nerwowo. Atanazy zaczynał czuć się fatalnie. Coraz większa ilość osób napływała przed kościół, zajeżdżały auta, powozy, a Hela wciąż nie przybywała. – Czemu, czemu ona nie chciała, abym po nią zajechał. Mówiła, że musi jeszcze pomyśleć o chrzcie w samotności. To nieprawda. Ja zwariuję z niepokoju – jęczał Prepudrech.

– Zażyj „coco", Aziu. Z tym nie ma w życiu dramatu – śmiał się okrutnie Łohoyski. – O, jadą. Widzę brodę starego Bertza. Lecz co to? Panna Hela ma obandażowaną rękę.

W otwartym landzie – Bertz używał auta tylko dla byznesów – zaprzężonym w cztery farbowane na purpurowo siwe angliki, zajechali wreszcie przed kościół: on zgnębiony, w zupełnym rozstroju moralnym, ona w świetnym humorze po tylko co nieudanym samobójstwie, z obandażowanym ramieniem i w narzuconym na czarną wieczorową suknię futrze.

– Hela, jak mogłaś, dziś właśnie – jęczał Prepudrech, wpijając się w jej zdrowe ramię jak mątwa.

– Nie gryź, zwierzę – syknęła. – Ostatni raz mówię ci, Aziu. Już nigdy tego więcej nie będzie i nigdy już nie nazwę cię Kubą i Prepudrechem.

– Czy ciężko? – spytał książę, targany najsprzeczniejszymi uczuciami.

– Biceps na wylot, kość nienaruszona. Szarpnęło, ścierwo, bo małe... Koniec. Jeżeli, to tylko z dużego kolta – uspokój się, żartuję – mówiła, gładząc narzeczonego po głowie. Bertz witał się naokoło zawstydzony straszliwie.

– Który to raz, księżno? – spytał Łohoyski.

– Siedem i pół było, licząc za pół tę kokainę u pana – głośno odpowiedziała Hela. Jędrek zmięszał się, za dużo już o tym mówiono. – Napadło mnie, nie mogłam wytrzymać. Sąd Boży: albo dziś koniec, albo już nigdy – tak sobie postanowiłam.

Pocałowała w głowę Azalina i jak wtedy, w szpitalu, spojrzała jednocześnie w oczy Atanazemu, który zatrząsł się cały od nagłego jak piorun pożądania. Stracił na chwilę przytomność.

– Niech pan uważa, bo będzie tak jak wtedy – szepnęła Hela.

– Co, co? – Prepudrech oderwał się od jej futra, przepojonego zapachem gencjan Fontassiniego i jodyny.

– Nic, przypominam panu Taziowi, jak kiedyś wylał za pełną filiżankę, nie doniósłszy jej do ust. Boję się wejść do kościoła. Ratujcie mnie wszyscy przed Wyprztykiem. Gotów mnie zabić z wściekłości.

– Ale co to ma za związek? – dziwił się szczęśliwy już prawie Azalin.

– Czyż wszystko musi mieć związek ze wszystkim? Choćby w rozmowie wyzbądźmy się namacalnej przyczynowości. Bawmy się w rzeczy nieoczekiwane.

Nagle z cieniów wnętrza katedry wypadł na mroźne słońce buchający parą Wyprztyk ubrany w czerwony ornat, komżę i inne mniej znane akcesoria.

– Ja ci pokażę, ty buntownicza, niewierna... landrygo! – wykrztusił wreszcie, nie znalazłszy w złości swej innego słowa, jak to, którym matka jego, chłopka, nazywała swoją służącą. – Do spowiedzi za mną. A wy wszyscy bądźcie świadkami pokuty, którą naznaczę.

Chwycił ją za zdrową rękę i ciągnął w głąb kościoła w furii nieokiełznanej. Futro spadło jej z ramion i biały kark łysnął nieprzyzwoicie, lubieżnie, pod gęstwą złotorudych włosów na tle ciemnego, gorącego wnętrza katedry. Wszyscy rzucili się za nimi i za chwilę pusto było przed kościołem. Tylko wróble dziobały koński nawóz i przekomarzali się niektórzy spaśli jak rosyjskie kuczery woźnice i chudzi, o lordowskich twarzach lokaje, i szoferzy najwyższej finansjery. W jakie trzy kwadranse dopiero organy, grające Andante z 58 *Symfonii* Szymanowskiego, dały znać zrewoltowanej już fagaserii, że państwo ich dopełnili obrządku.

Ksiądz Hieronim, zaciągnąwszy Helę do konfesjonału, rzucił ją brutalnie na kolana, a sam, zapadłszy w mroczną głębię, głośno zadawał pytania. Po czym szeptał długo i nareszcie ustał.

– Czołgaj się na brzuchu, gadzino, przed wielki ołtarz i tam przez dziesięć minut błagaj Najświętszą Marię Pannę o zmiłowanie, ja ci odpuszczam – puknął trzy razy, stojąc, a potem patrzył nie bez pewnego odcienia subtelnego zadowolenia, jak Hela, bokiem unosząc w górę lewą rękę, na prawym łokciu, brzuchem pełzła ku ołtarzowi.

Azalin i Atanazy byli zachwyceni. Łohoyski za filarem łupnął nową dawkę i rżał wewnętrznie z rozkoszy. Stary Bertz z dziwną przyjemnością obserwował tę scenę. Był dumny teraz, że wszystko odbywa się tak po „średniowiecznemu", jak mu się zdawało, tak naprawdę po ultraarcykatolicku. Czuł się prawdziwym katolikiem w tej chwili i łzy napływały mu do oczu z rozkoszy. Jakąż intuicją wiedziona jego ukochana Hela teraz natchnęła go do tego chrztu – miał pewne wiadomości o nadchodzącym przewrocie, ale nie znał jeszcze daty – wszystko jedno, nigdy nie było to bardziej w porę: w umiarkowanym rządzie miał nadzieję zająć wysokie stanowisko – nie w tym, co mógł nastąpić teraz, ale w następnym. Bez chrztu byłoby to nieco trudniej, bo socjaliści-chłopomani (ekwiwalent rosyjskich eserów) musieli się liczyć z religijnością wsi. W głębi każdy Żyd jest przecie tylko Żydem – tak myślą goje – niech myślą. Rozpoczął się wreszcie chrzest. Rzecz dziwna: Hela odpowiadała z początku gładko i spokojnie, ale na pytanie: „czy wyrzeka się złego ducha i spraw jego", chwycił ją kurcz za gardło, oczy zaszły łzami i nie mogła wydusić ani słowa. A w kościele nastała złowroga cisza. Jakiś zaświatowy dreszczyk wstrząsnął nawet najsceptyczniejsze mózgi. Stary Bertz podniósł obie ręce do góry – w tej chwili zstąpiła nań łaska:

wierzył naprawdę, ale jak dziwnie... Wierzył więcej w złego ducha niż w Boga... Poczuł się dumnym z tego, że może w jego córce mieszkał sam Książę Ciemności. Cisza powoli napełniała się trwożliwym szeptem, a szept ten miał żydowski posmak: jakieś „Chábełe, Chíbełe" Łohoyskiego, jakieś Ananiel, Ahasfaron, Azababrol, a nawet Prepudrech. Dużo było ich dziś w tym kościele. Na tle tym pękło coś w przestrzeni i dał się słyszeć dźwięczny głos Heli: „Wyrzekam". Ksiądz Wyprztyk miał chwilę nieziemskiego zachwytu. Cała jego wiara w godność swoją w stosunku do kapłaństwa wisiała na tym tak nieistotnym w gruncie rzeczy momencie. Powiedział sobie w myśli: „Jeśli nie pokonam go, jestem zgubiony". Stary Bertz, ze swoim notorycznym podobieństwem do Belzebuba, był dla niego widomym symbolem zła całego świata. To on mieszkał w duszy swojej córki mimo swej notorycznej również dobroci. Ksiądz Hieronim pokonywał „tamtego" w jego osobie. Chwila przeszła. Dusza Heli stała się uczestniczką wielkiego obcowania z Bogiem przez jego wolę. Był szczęśliwy.

Atanazy może równie silnie odczuł ten moment zawieszenia. To zło w niej, które go tak ciągnęło, stało się dla niego prawie namacalne, zakrzepłe jakby w przesyconej kadzidłem atmosferze świętego miejsca, z którym bądź co bądź łączyły go dalekie wspomnienia dzieciństwa. Cóż by dał, żeby powrócić do dawnej wiary! Ale był to wymarły świat, do którego wstęp był mu wzbroniony na zawsze. Przekonał się o tym na wojnie. Gdyby mógł uwierzyć w istotność duchowej przemiany Heli, zazdrościłby jej w tej chwili do szaleństwa. On jeden pewny był, że podświadomy mechanizm tej historii innym był, niż to przypuszczali wszyscy, ale jaki – nie wiedział. Świętokradztwo chrztu tej złej, nieugiętej siły, mimo jego niewiary, podziałało na niego upajająco. Znowu (ach, ileż razy i zawsze bez cienia realnego

skutku) spojrzał na świat nowym okiem i dalekie przeznaczenia (podobnie jak u Zosi tamtego wieczoru) jak obce
widoki widziane z okna wagonu kolistym ruchem poprze-
suwały się bezgłośnie wokół tajemniczego centrum jego
niezrozumiałej dla niego samego (a tak dobrze zrozumiałej
dla innych) osobowości – cicho, jak na wale naoliwionej osi.
A była to, dla niego oczywiście, oś wszechświata. Nie chciał
jednak przyznać się do tego, że Hela, „ta Żydóweczka", jak
ją jeszcze w myśli nazywał, była istotną władczynią jego
losu. Był gojem, i to bardzo katolickim w tej chwili. Za nic
na świecie (w tej sekundzie oczywiście) nie przeszedłby
na protestantyzm.

Zahuczały organy i cienki głosik chłopięcy zaczął śpie-
wać dziwną, przepiękną pieśń Szymanowskiego o młodym
pasterzu, przyjacielu samotnego króla. Hela modliła się
żarliwie o nieustanną, niezmienną wiarę. Nad nią piętrzył się pełen złotych błysków barokowy ołtarz, ten gość
jakiś niestosownie ubrany i groteskowy wśród strzelistych
wysmukłości sytej swoją potęgą gotyckiej katedry. Czyż
jest większy dysonans, a jednak wszyscy się nań godzą.
W fali dźwięków, z dzikim zapamiętaniem wydzierają-
cej się w nieskończoność i wkliniającej się asymptotycz-
nie w ostrołuki sklepień, Hela podniosła się – teraz już
w białej przezroczystej szacie, którą poprzednio zarzu-
ciły na nią jakieś tajemnicze, biało ubrane dziewczątka.
Zstąpiła na nią łaska wiary – zdawało się, że nic nigdy jej
nie zachwieje. Z kobiecym prawie jasnowidztwem chwili
odczuł ten stan jej ksiądz Hieronim i z naiwnością poza-
życiowego widma rozpromienił się cały w tryumfie swego
zwycięstwa. Nie myślał w tej chwili zupełnie o material-
nych zyskach dla swego dzieła, w związku z tą „transak-
cją" z Bogiem. Modlił się dziękczynnie zupełnie szczerze,
co mu się niestety coraz rzadziej zdarzało. Tłum różnych

Żydów wyłupiał na to oczy, jakby na jakąś czarnoksięską sztukę wrogich im sił.

„Co sądzić o tym może w tej chwili wspólny tym obu nieprzenikliwym wzajemnie światom Bóg. Na ten problem nie zwrócił uwagi nikt, prócz mnie" – pomyślał Atanazy. Ze współczuciem wgłębiał się w męczące rozdwojenie tej nieistniejącej dla niego, a tak realnej potęgi, zachodzącej za horyzont szarych przeznaczeń masy ludzkiej. Spełnił swoją społeczną misję i teraz może odejść od samopożerającej się, już bez niczyjej pomocy, ludzkości. W ponurych promieniach myśli tej nędznym mu się wydał i Ramzes II, i Napoleon, i religia, i cały indywidualizm w życiu i w sztuce. Mrowisko przyszłej ludzkości, zbiór automatów, kryjących gdzieś na dnie resztki wspaniałej (czyż naprawdę wspaniałej wobec tego?) przeszłości, spiętrzał się przed nim do gigantycznych rozmiarów. Tamto było komedią, krótkim wybłyskiem potęg, zużytych do przeciwnych im, przerastających je celów. Społeczeństwo – to przyszłe, szare i nudne – urosło mu w myśli do jedynej realnej wartości, wśród kosmicznego pyłu słońc w nieskończonej przestrzeni. Ta myśl zgasiła mu wszystkie barwy niby to wspaniałej epoki: od jaskiniowców do rewolucji francuskiej. Miotanie się tej bandy indywidualistycznych pokrak, na tle cierpiącej miazgi bydląt niezdolnych jeszcze do organizacji, wydało mu się szczytem komedianckiej marności. „Ale jednak tamci przeżyli świat w inny sposób. Nawet Napoleon, mimo swego kompromisu... A co to kogo obchodzi? W takim razie jedna chwilka życia Jędrka Łohoyskiego po pięciu deci «coco» jest więcej warta od całego życia ludzkości?". Sprzeczność i niewspółmierność tych światów, z wyraźną przewagą obiektywnego, koniecznego zwycięstwa rosnącej wciąż zorganizowanej masy nad szarpiącym się jakby w kaftanie bezpieczeństwa w ograniczoności swej indywiduum, stawała się wprost straszna. A jednak po tej stronie był prawdziwy tragizm wobec nieuniknionej, choć nieświadomej klęski. „Już za pięćset lat może nikogo nie będzie w tym stylu, a szczęśliwe automaty nie będą nawet rozumieć ksiąg dawnych czasów, a słowa w nich zawarte będą dla nich znaczkami bez znaczenia, nieskoordynowanymi żadną bezpośrednio zrozumiałą ideą – może będą na nas patrzeć tak, jak my dziś na totemistów Australii". Takimi to myślami usprawiedliwiał Atanazy przed sobą swoją własną nicość.

Hela szła w tryumfie przez kościół. Święta, przezroczysta maska, nałożona na jej twarz złego, umęczonego demona, tworzyła z niej zjawę niewiarygodnego piękna. „A jednak ten ostatni strzał był dobry. Żeby nie szarpnął ten osioł (pomyślała o swoim czerwonym browningu, jak o żywym jakimś, bliskim jej i niewdzięcznym stworzeniu), to tego by wcale nie było: tego kościoła, Wyprztyka, chrztu, tego Atanazego ogłupiałego od pożądania mego ciała – nie byłoby nic". Pierwszy raz (tamto objawienie w dzień nawrócenia niczym było wobec tego) odczuła namacalnie jakby niepojętą ideę niebytu. I wdzięczność dla tego małego, czerwonego, nieposłusznego stworzonka, tam w szufladzie jej nocnego stolika, wypełniła jej oczy gorącą falą łez płynących gdzieś aż spod serca. Życie wracało: to ukochane, straszne, obrzydliwe, a jednak tak bliskie życie. „Będę jego kochanką, będę..." – pomyślała z nieznanym dotąd uczuciem o Atanazym i przestraszyła się po raz pierwszy spełnionego w myśli grzechu w tym świętym miejscu. „Nie, nie, nigdy" – kłamało coś zawzięcie. A jednocześnie ktoś obcy śmiał się w niej bezczelnie, z cynizmem. „Szatan – pomyślała. – Nie wypędził go jeszcze całkiem ze mnie biedny ojciec Hieronim". Prepudrech nie istniał dla niej zupełnie. Stał jeszcze tam pod filarem, piękny jak prawdziwy książę z perskiej miniatury, nie mogąc ruszyć się z miejsca, kiedy przechodziła koło niego jak demon zniszczenia, w koronie świętości, obcej całemu jej jestestwu, wiary. Stanowczo dawka przeżyć była za wielka. „Jak wytrzymam do wieczora i potem jak przetrzymać tę noc? Umrę przedtem na pewno. Chyba upić się jak świnia, nie myśleć, nie czuć nic za jaką bądź cenę". A jutrzejszy dzień stawał przed jego złamaną myślą jeszcze groźniejszy niż ta noc piekielna, której pragnął i bał się do obłędu. Jak unieść ten jej przeinteligentniały mózg na tym małym móżdżku pospolitego, arystokratycznego bubka? Jak dać jej erotyczne czysto szczęście w tej całej komplikacji, która najpotężniejszego byka do bezwładu doprowadzić by mogła? Hela ocknęła się nagle przed Atanazym, stojącym w pierwszym rzędzie szpaleru, między jakimiś straszliwymi potentatami żydowskiego kapitału, który teraz oto, przez chrzest Bertza, znaleźć miał zaczepienia transmisji w potwornych machinacjach innych skupień tegoż kapitału w rękach jakichś potężnych gojów z Zachodu. Wszystko jedno – niech interes idzie, a może kiedyś... A może to złudzenie? Jakieś szare oliwki na kamienistych wzgórzach Palestyny i cicha Wisła wśród srebrnych wierzb, obrosła mrowiem żydowskiej nędzy, i Rotszyldy, Mendelsony i Bleichrödery (a może Bleichröder nie jest Żyd – kto to wie na pewno, jeden z tych, których to nic nie obchodzi i który się nic na tym nie rozumie) – wszystko razem wplecione we wszechświatową koncentrację przemysłu i postępującą z nią razem organizację mas, i wizja żydowskiego państwa w mózgach przerażonych gojów, masoni, dancingi i trujące gazy, i Wschód, ten prawdziwy, naprawdę tajemniczy, oddzielony już wżerającą się weń cienką warstewką rosyjskiego komunizmu od reszty świata, puszczający macki i tu, i tam, na Zachód – wszystko to przemknęło przez umęczoną głowę Atanazego, gdy sczepił się oczami z „tą", z tym kwiatem kobiecego bestialstwa wyrosłym na tym właśnie moczarze. „Te bestie nie zdegenerują się tak prędko jak my. Może gdzieś w szarej miazdze społeczeństwa-mrowiska zrównamy się, ale teraz one mają przewagę zdrowej siły. Oczywiście dlatego inwersja organizuje się tak gorączkowo, tępiąc normalną pornografię w sztuce" – zdołał pomyśleć Atanazy, nim zapadł w lazurową, palącą się nieziemskim, a jednak tak zmysłowym ogniem otchłań tych jedynych na świecie oczu. „Czemu ja się przed nią bronię – i tak moje życie jest nic niewarte. O, w takiej chwili czemu nie jestem artystą – usprawiedliwiłbym wszystko w paru tonach, w jakichś nędznych bohomazach, i byłbym szczęśliwy". Helą wstrząsnął dreszcz wstydu i dusza jej uleciała razem z dźwiękami organów, tłukąc się z dziką żądzą nieskończoności o granice wszechświata. „Nie – pomyślała naiwnie. – To życie, które mi darował ON, tam w Niebie, w którego wierzę, musi być wzniosłe i czyste. Daruję go tej biednej Zosi, a z Azalina zrobię człowieka". Biedny Prepudrech umarłby z czysto intelektualnego strachu, gdyby mógł teraz przeniknąć jej myśli. Zbliżał się chwiejnym krokiem, nurtowany przez rodzącą się na nowo zazdrość.

– Czemu Zosia nie przyszła? – spytała Hela. – Tak ją lubię. Tak bym chciała, żebyśmy naprawdę były w przyjaźni.

– Ja też, ja nic... ja myślę zupełnie co innego, to jest niewyrażalne – bełkotał Atanazy.

– Wiem, chciałby pan, abyśmy obie... Dosyć, tu jest miejsce święte. Czekam was na śniadanie o pół do drugiej.

Rozmowa ta w swej pospolitości dziwniejsza była od wszystkiego, co zaszło poprzednio. Zwykły dzień, ten, którym pokrywa się przepaść tajemnicy bytu, jak zdradliwą powłoką wodorostów trzęsawisko, dostał nagle nowy wymiar dziwności, nie metafizycznej, tylko czysto życiowej.

„To jest ta dziwność, którą żyją normalni ludzie w chwilach wyjątkowych, bez żadnych już religijnych wzruszeń – ta, którą czuje oficer grający na bałałajce jakiejś dziewczynce (czemu właśnie ta kombinacja?), urzędnik bankowy na dancingu, podejrzana (zawsze to samo) mężatka w jakiejś pachnącej złym tytoniem i podłymi perfumami garsonierze biednego dancingbubka – ta dziwność trzeciej klasy, która jest we wszystkich powieściach z wyjątkiem *Nietoty* Micińskiego. Nie – niech się dzieją nawet rzeczy straszne, ale w wymiarach prawdziwej metafizyki. Więc czytać Husserla czy Russella, a potem gwałcić byle kogo, bo sam akt płciowy jest czymś najdziwniejszym i we wszystkich religiach związany jest z obrzędami, z wyjątkiem bardzo pierwotnych. Co zostaje innego? Zostać księdzem, czy co?".

– Tak, będziemy na pewno. Zosia była u komunii rano, potem była zmęczona, dlatego nie przyszła. Więc dziś o szóstej?

– Tak, spotkamy się tu znowu.

Rozmowa urwała się. Czuli oboje, że wiedzą na pewno identycznie to samo, oni dwoje tylko, tu i na świecie całym, już poza wszelką pospolitością, a nawet dziwnością. Zaczynała się nowa wielka miłość, wyrosła na krzywdzie i męczarni innych – w tym była cała jej cena i wartość. Podświadomy psychiczny sadyzm Atanazego złączony z fizycznym masochizmem nadawał tej kombinacji szatański urok. W niej była odwrotność. To zadawalniało ambicje obojga. Rozdzielił ich zmieszany tłum gojów i Semitów – wyszli osobno: on sam, ona pod rękę z narzeczonym.

Śniadanie u Bertzów, na którym podano potrawy zupełnie nieprawdopodobne – opis wymagałby osobnej książki – miało nastrój ponury. Wiadomość o planowanym na jutro zamachu stanu przetrąciła humory nawet największym optymistom. Udzielił jej zebraniu poufnie sam Bertz, mający wiadomości najpewniejsze i najprędsze. Urządzał tę niby demonstrację najprawicowszy odłam socjalistów, a właściwie partia wojskowa generała Bruizora. Ktoś stary mówił:

– Proszę państwa, to jest pewne jak dwa razy dwa. Pewna partia robi zamach stanu – oczywiście najbardziej konserwatywna z rewolucyjnych – o faszyzmie nie ma u nas mowy. Ma oczywiście w początku takiej historii większą od innych ilość głosów za sobą w danym ciele parlamentarnym, a najmniej emanujących ją przedstawicieli w społeczeństwie. Wytrąca taka awantura z równowagi całe społeczeństwo, a nade wszystko armię, która staje się przez ten czas, do następnego zamachu, daleko bardziej podatna agitacji i mniej dyscyplinowana. Niezadowolona i będąca w mniejszości bardziej radykalna partia robi to samo, bo zasady ogólne wszystkich partii socjalistycznych nie pozwalają na stosowanie zbyt silnych represji wobec partii radykalniejszych.

– Wyjątek stanowią komuniści, panie baronie – ktoś wtrącił.

– Tak – mówił dalej ten sam głos – dlatego że oni są ostatnią partią mającą za sobą największą ilość najmniej kulturalnej masy i nie mają już kogo gnębić, to jest powyżej mogą, poniżej nie – są ostatni. Jak kamień leci z góry na dół, tak ten proces uspołeczniania się ludzkości musi przebiec po tej właśnie linii. Wynik tej licytacji jest pewny.

– Ale komuniści już się cofają.

– Zapewne chwilowo. Wahania i zawroty w tył są konieczne. Cały świat stoi na oscylacji. Ale jest też pewne prawo wzrostu energii społecznej – nie wszystkie procesy są odwracalne. Szerokość amplitudy tych wahań zależna jest od kultury danego społeczeństwa.

– Więc pan jest komunistą, panie baronie – zaśmiał się ktoś wesoło.

– Jestem arcyburżujem, który tylko widzi jasno, co stać się musi, i nie chowa głowy pod skrzydło...

Atanazy pił koktajle z Łohoyskim przy bufecie. Skąd zjawił się tu ten przeklęty Tempe? Nie zbliżał się do nich, jakby obrażony. Rozmawiał z jakimś tajemniczym panem w binoklach, którego nie znał nikt prócz niego i pana domu. Szeptano sobie, że to jest tajna najgrubsza ryba jednej z najbardziej wywrotowych partii – tej przedostatniej według teorii tamtego pana. Czemu on na śniadaniu u Bertzów? Potem Tempe podszedł do Heli, która zaglądnęła tu, jakby kogoś szukając. Ucieszyła się, zobaczywszy go, po czym pili razem jakieś dziwne trunki: hangdogi i buiterzangi (czy coś podobnego), które przyprawiał oryginalny Malaj, bawiąc się w przerwach wspaniałą kobrą owiniętą wokół jego szyi. Potem podszedł do nich Prepudrech, którego Hela traktowała z wyrafinowaną czułością. Do nich przyłączył się ów działacz. Wszystko to widział Atanazy z daleka, zalewając sobie mózg coraz większymi dawkami alkoholu. Pierwszy raz jadł i pił u Bertzów. Zaiste żarcie było cudowne.

– Co panią może łączyć z takim Tempe? – spytał, złapawszy prawie wymykającą mu się Helę.

– Chodziliśmy kiedyś razem na tajne wykłady jednego z tutejszych niwelistów-degrengolistów. Lubię jego beztroskę i ten czar jakiegoś zwierzątka, który on ma.

– Raczej niechlujnego zwierza w klatce.

– Może się stanie zwierzem, jak dojdzie do władzy. To straszna utajona potęga. Jedyny człowiek, którego się trochę boję. Nie mam dziś czasu na pana – to jest mój codzienny dzień: pan jest na deser, na święta.

Skrzywiła się z bólu, poruszywszy przestrzeloną ręką zbyt gwałtownie, i zniknęła w tłumie czarno-białych męskich postaci.

– Co za melanż, co za melanż – powtarzał prawie głośno Atanazy, pchając w swe śliczne usta kanapkę z pieczonej gorgondylii i surowego fryku na mankanilowym pumperniklu.

Opanowała go przykra, leniwa, rozkładająca zazdrość. Zapił ją razem z kanapką szklanką wina Dżewe i poczuł, że ma dosyć. Alkohol szumiał w jego głowie, która pęczniała od puchnącej z szaloną szybkością rzeczywistości. Był zły na Helę tą złością płciową, nieznośną – wolała tamtych niż jego, kiedy on upił się umyślnie (alkohol szkodził mu bardzo na nerwy), aby z nią porozmawiać, i opuścił Zosię, zostawiając ją na pastwę jakiegoś demi-arystokratycznego bubka. Hela stała się dla niego nagle czymś wyższym i niezrozumiałym. Zajęta jakimiś konkretnymi społecznymi kwestiami, realną, techniczną stroną problemu (o czym Atanazy bladego pojęcia nie miał), mówiąca z rzeczywistymi ludźmi społecznego czynu, była mu coraz bardziej nienawistna, przy czym urok jej potęgował się. Poczuł się skrzywdzonym dzieckiem, któremu odebrano zabawkę. Na tym tle akcje Zosi skoczyły od razu w górę. „Kocham ją, kocham ją – szeptał półpijany Atanazy. – Zwycięża we mnie dobro. Nie chcę już niczego, tylko być w zupełnej zgodzie ze sobą. Nie pragnę żadnych nadzwyczajności. Być sobą, tylko tym, czym się jest naprawdę. Nie tworzyć tych kłamliwych sobowtórów w obcych sobie sferach ducha. Będę teraz pracował nad sobą, pracował intelektualnie – może coś napiszę: taką małą broszurkę, małą, ale szalenie esencjonalną, która usprawiedliwi całe moje istnienie. Ograniczyć się i skupić. Życie jak w pudełku, w małym pudełeczku. Kocham Zosię – dziś ślub – uciec i będziemy szczęśliwi. Raz w życiu, a potem niech się dzieje, co chce".

Ale czasy nie były odpowiednie dla tego typu szczęścia. Przypomniał sobie jutrzejszy zamach stanu. „Niech się dzieje, co chce, ale trochę później" – poprawił uprzednią myśl. Uczuł, wbrew wszystkim byłym stanom i teoriom, szalony wstręt do wszelkich walk i przewrotów – był w tej chwili tylko „mdłym demokratą". „Spokoju, tylko spokoju – co mnie to wszystko obchodzi. Dlatego tak myślę, że teraz dopiero uświadomiłem sobie materialną niezależność, którą zawdzięczam Zosi. Może także dlatego tak ją kochałem przed chwilką? Boże! Jakże człowiek nic nigdy nie wie, kim jest! Wszystko robią warunki. Nie ma warunków, które by nie zmusiły dowolnego człowieka do popełnienia dowolnego czynu. Chyba święci... Nie można tylko zmienić dyspozycji wewnętrznych, chyba przy pomocy narkotyków. Tak – nie wiadomo, co zrobię, o ile ulegnę Łohoyskiemu i zażyję koka-iny. Ale w tej chwili kocham Zosię i przysięgam, że nigdy jej nie zdradzę". Wszystkie uczucia zestrzeliły się w jeden pęd ku górze, ale na dnie pozostała jakaś wstrętna słabość i ciągnęła tamtą masę za mały ogonek, nie pozwalając jej wzlecieć wyżej. Absolutnej pewności nie mógł zdobyć Ata-nazy i z powodu tego pił dalej podczas całego śniadania, obżerając się przy tym niesamowicie. Mówił jakieś okropne rzeczy starej żydowskiej ciotce, koło której na złość posa-dziła go Hela, i coraz bardziej wątpił w siebie. Ale już nie sprawiało mu to przykrości. Z rozkoszą potęgował nawet upadek i to lecenie w dół wydało mu się istotą życia. Gdyby tak można ciągle – czyż nie byłoby to szczęście? Po śniada-niu Atanazy odnalazł Zosię i wkrótce wyszli razem z panią Osłabędzką. Wspaniały automobil Heli niósł jak ptak. Wcześnie zachodziło zimowe wielkie słońce. Szatańska radość życia rozparła Atanazego. Dla pijanych jego oczu ukośne, pomarańczowe światło modelowało ulice w formy fantastycznych kanionów. Kiedy umieścił już mamę Osła-będzką przy pasjansie, pijany, nie wiedział, co ze sobą zro-bić. Chyłkiem przemknął się do pokoju narzeczonej. Stała półnaga na środku swego dziewiczego pokoiku, zamierzając jakieś przedślubne praktyki – mierzenie czegoś tam czy dopasowywanie jakichś fatałaszek. Atanazy jak rozbestwiony zwierz powalił ją na łóżko i nie całując prawie nigdzie, zgwałcił w bestialski sposób – za jednym zamachem posiadł ją dwa razy mimo silnych protestów i cichych jęków. Leżeli, dysząc ciężko, zbici w jedną kupę mięsa nasyconym pożądaniem. A przedtem Zosia mówiła:

– Nie, nie, co ty robisz, pocałuj mnie tylko, ja nie chcę teraz, dlaczego, poczekaj, mama by się zmartwiła, za dwie godziny, po ślubie, och, jakiś ty niedobry – jęknęła, już poddając się. (A swoją drogą sprawiało jej to nagłe zgwałcenie szaloną przyjemność mimo bólu i strachu, i jeszcze czegoś okropnego, niewiadomego). – Tak chciałam, żeby się to stało już po wszystkim. I taki byłeś dotąd dobry – ach – ach – jesteś pijany, to okropne...

– Dziś, muszę, w tej chwili, inaczej nie będę nigdy twój, muszę, muszę, musisz, jeśli nie, ucieknę od ciebie i zginę.

– To pewnie ta Żydówka, ta Hela, o jakże ja jej nienawidzę! Rób, co chcesz – wyszeptała Zosia i poddała mu się.

– Nie, ona cię lubi. To nie to. To rzeczy stokroć głębsze. Ty nie wiesz. Ja w tej chwili muszę zamknąć moje życie. Ta chwila minie i ja nigdy nie zdołam tego wykonać.

Zamknął jej usta straszliwym pocałunkiem, obezwładnił ją uderzeniem czegoś niewyrażalnego w najtajniejszą część jej dziewiczego ciała. I teraz leżeli oto: jedna kupa mięsa i dwa duchy na przeciwległych krańcach Mlecznej Drogi, złączone straszliwą, bezmyślną, wielką, idealną miłością. Atanazy, wyrządziwszy krzywdę Zosi, zdawał się wyrywać sobie wnętrzności bez pomocy rąk i narzędzi ze straszliwego, czystego uczucia. Kochał ją w tej chwili bez śladu nawet zmysłowości (nic dziwnego), a z natężeniem niszczącym wszelką zdolność intelektualnej kontroli, unicestwiającym

prawie sam przedmiot „ukochania". Moralny Kuba Roz-
pruwacz – ein psychischer Lustmörder. Zosia płakała cicho
nasycona nieznanym dla niej uczuciem pełni wszystkich
wnętrzności, graniczącym prawie z ekstazą. Po chwili żalu
przebaczyła mu, chociaż wolałaby pójść przed ołtarz jako
uczciwa półdziewica. A jednak od tej chwili zaczęło się
naprawdę wszelkie zło. Pierwszy raz użył Atanazy Zosi jako
antydot przeciwko „tamtej". Teraz obie były już zupełnie
na równi, mimo że ich kochanek wmawiał w siebie zupełnie
co innego.

Śluby odbyły się normalnie. Ksiądz Wyprztyk rozgrzeszenie dał, ale uwolnił w ogóle Atanazego od komunii, która
miała odbyć się nazajutrz rano z powodu tego, że penitent
zjadł dziś przez zapomnienie śniadanie – miał pościć do szóstej wieczór. Parę świeczek, ciche odpowiedzi, pozornie nic
ciekawego – ślub był możliwie skromny, bez żadnej asy-
stencji. Jedyną publicznością byli: papa Bertz i mama Osłabędzka, a świadkami Purcel, Łohoyski, Smorski i Tempe
– ci ostatni oczywiście ze strony Prepudrechów – perwersja i snobizm. Ginące jesienią owady, ocucone chwilowo
gorętszymi promieniami zniżającego się z każdym dniem
słońca. Ksiądz Hieronim, wskutek wyspowiadania wszystkich uczestników, zdawał się wiedzieć wszystko, ale nie
mrugnąłby nawet okiem, żeby przeszkodzić zbliżającym się
wypadkom. Jeden parametr w tym równaniu był fałszywy:
Atanazy, który podświadomie, mimo woli obełgał go zupełnie. Jakże małym było to wszystko wobec nadchodzącej
burzy społecznej. Płomienie świec zdawały się drgać nie
od oddechów i ruchów zgromadzonych ludzi, ale wskutek samego napięcia wygiętej w oczekiwaniu przestrzeni.
Światło, skondensowane przy głównym ołtarzu, gdzie odbywała się ceremonia, nie rozświetlało całości gmachu, który
samą ciszą, potencjalnym jakby rezonansem, dudniącym

głucho, jednostajnie, nawet w momentach ciszy absolutnej, szeptał coś strasznego, obejmując nie wiadomo czemu ten właśnie kawałek ziemi. Po ciemnych zaułkach czaiły się złowrogie cienie. Wszystkim chciało się płakać, tak było potwornie, niewyrażalnie źle. Ksiądz Wyprztyk jedynie był rozpromieniony i pełnymi dobroci oczami patrzył na skuwane przez siebie dwie pary więźniów: wierzył, że sakrament oczyści ich i wskaże im nowe drogi w życiu. A oni czuli, że dzieje się nad nimi jakiś gwałt nieludzki, i nie wiedzieli w tej chwili, w imię czego mu się poddają. I gdyby nie jutrzejsza rewolucja i poczucie początku zawalania się wszystkiego, w czym żyli, może by uciekli jeszcze sprzed ołtarza przed ostatecznym uwięzieniem. Cała odwieczna potęga Kościoła gniotła ich i miażdżyła na jedną bezwładną, cierpiącą miazgę. Nawet dla niewierzącego Atanazego stawał się ten ślub czymś metafizycznie mocnym, niezniszczalnym – pierwszy raz zaczynał pojmować cały demonizm małżeństwa. Ale czy mimo swej niewiary nie był faktycznie katolikiem, nie gorszym od Heli Bertz? Prepudrech, zahipnotyzowany wiarą narzeczonej, nawrócił się także i spełniał wszystko z nieprzytomną powagą tresowanego zwierzęcia. Dziwne ruchy oświetlonego od dołu księdza Hieronima, skarykaturowane w olbrzymich cieniach, zamącały spokój śpiących ostrołuków. Czuło się wyraźnie, że to są ostatnie przedśmiertne drgawki czegoś dawniej pięknego i wspaniałego, ale i w tym była jakaś straszliwa nieziemska moc. Widmo-ksiądz w widmie-kościele dawało rzeczywisty ślub czworgu widm, zamierającym odpadkom wątpliwej wartości przeszłości. Nieodwołalne zaciężyło nad całym towarzystwem, wyciskając z duszy każdego to, co było w nim najistotniejszego. „Między takim ślubem a śmiercią niewielka jest różnica" – pomyślał stary Bertz i rzekł półgłosem do pani Osłabędzkiej:

– Czy pani nie uważa, że byłoby lepiej inaczej skrzyżować te pary: żeby córka pani wyszła za tego Prepudrecha, a ten słynny Atanazy żeby się ożenił z moją córką! Hę?

– Co też pan wygaduje, panie Bertz. Przepracowanie i nadużycia pomieszały panu zmysły.

– Nie tak bardzo, jak pani myśli. Straszny los czeka tych czworo w tej kombinacji, o ile zmiany społeczne, ku którym nieuchronnie zdążamy, nie zmienią zasadniczo ich psychologii.

Pani Osłabędzka „żachnęła się" i odwróciła się od starego, który utkwił bezwładnie czarne swoje gały w płomieniu jednej z świec. Przypominał w tej chwili raczej olbrzymiego karalucha, nie Belzebuba. Zaczął przemyśliwać nad tym, jak by tu nieznacznie, pomijając pierwszy etap, od razu prześlizgnąć się do partii socjalistów-chłopomanów i w razie następnego przewrotu zająć stanowisko ministra podziału ziemi. Miał w tej materii swoje oryginalne koncepcje: urolniczenia żydowskiego proletariatu. Musiał w nowych warunkach znaleźć jakiś sposób zużytkowania swojej energii, a wielkie masy kapitału poprzesuwał już uprzednio na zagraniczne pozycje. Dawno już marzył o tym, aby być mężem stanu – chwila zdawała się odpowiednia do spełnienia tych marzeń, o ile rewolucja zatrzyma się na drugim stadium. W tym kierunku należało wytężyć wszystkie siły.

Nareszcie skończyła się ceremonia i całe towarzystwo znalazło się przed kościołem. Mróz zelżał zupełnie. Dął południowy gorący wiatr, pędząc po czarnym niebie strzępiaste obłoki oświetlone rudą łuną miejską. Czuć było niepokój w całej naturze, wszystko rwało się gdzieś bezładnie, gorączkowo. Ten sam niepokój udzielił się i tak już zdenerwowanej wypadkami grupie społecznych odpadków ładujących się do powozów Bertza. W czerwonym pałacu miała odbyć się poślubna orgia – może ostatnia w ogóle. Stary zrezygnował z przeciągnięcia Tempego na swoją stronę już w czasie śniadania. Tempe był nieugięty – incorruptible. Ale musiał cierpieć go jeszcze dziś jako świadka ślubu i gościa na obiedzie. Nie spodziewali się jego „przyjaciele": Atanazy i Jędrek, jak ważną rolę już odegrywał ten pozornie niepozorny były oficerek i nieudany poeta. Bertz miał intuicję co do ludzi: w razie udania się niwelistycznego przewrotu widział go na szczycie władzy i drżał już na tę myśl. Należało go unieszkodliwić za jaką bądź cenę. Zasada absolutnej swobody, którą wyznawali przywódcy obecnego zamachu, uniemożliwiała wszelkie represje. Ale na tym tylko polegała możliwość powodzenia chłopomanów.

Wszystko możliwym było jutro (śmierć, zrabowanie pałacu itp. rzeczy), a więc dziś znowu trywuty i sosy agamelinowe i murbie na zimno (cud sztuki kulinarnej); taftany na słodko-słono i wino z wyspy Dżebel-Cukùr, i koniak ze zdegenerowanych winogron radży Timoru. Goście żarli i pili bezczelnie – wisząca nad głową rewolucja podniecała najniższe (czemu najniższe?) apetyty. Książę Ciemności we fraku, ze wszystkimi orderami, królował z córką, której sataniczna uroda doszła dziś do szczytu. Atanazy siedział obok Heli, która jadła mało, ale piła za to nad zwykłą miarę, dolewając ciągle swojej ofierze coraz to nowe kombinacje najrzadszych alkoholi świata. Uśmiechała się bestialsko, myśląc: „Właśnie na tej całej piramidzie świętości zrobić jakieś potworne świństwo, a jutro wezwać Wyprztyka, porozmawiać z nim o wszystkim otwarcie, ukorzyć się, a potem znowu to samo, i tak ciągle. A może jeszcze dziś mu o tym powiedzieć?".

Rozejrzała się za księdzem, ale miejsce jego było puste. Ojciec Hieronim dość miał na dzisiaj rzeczywistości i zemknął po angielsku czy gorzej nawet, bo w czasie obiadu podczas jakiegoś toastu. Atanazy pił dalej ponuro, pożerany coraz boleśniejszym pożądaniem. Łypał bokiem oczami na księżnę Prepudrech i zamierał od nieprawdopodobnych pragnień. Czymże było wszystko wobec jednego kosmyka jej rudych włosów na białym, lubieżnym karku, czymże cała przyszłość w porównaniu z jednym kwadratowym centymetrem tej piekielnej skóry, której jedno dotknięcie przyprawiało o utratę przytomności? Albo te szerokie usta i wilcze zęby zatapiające się z okrucieństwem w rozłażący się owoc hyalisu. Krew gęstniała w nim aż do bólu i żal utraconego na zawsze życia skłębiał się w myśli w niezrozumiałą koncepcję jakiegoś bezczelnego oszukaństwa. „Zostałem oszukany przez samego siebie – już nigdy nie uda mi się zakorkować życia – charczał wewnątrz siebie bezgłośnie. – Chyba żebym teraz zaraz zdradził z nią Zosię – to byłaby rozkosz niewyobrażalna. I wtedy skończyłoby się rozdwojenie i zacząłbym kochać ją znowu naprawdę – to jest kogo?" – spytał sam siebie. „Oczywiście Zosię. Inaczej znienawidzę ją za to, że mi zagradza drogę do szczęścia. Szczęście – wyszeptał z ironią. – Nieszczęście jest we mnie samym...".

Ale tamta koncepcja olśniła go: spotęgować potworność dla jej tym głębszego pokonania. Jednym rzutem zabić, jednym łykiem pożreć wszystko. Apetyt straszny, żeby całe życie mieć skondensowane w jednym błyskawicznym uczuciu, w jednym krótkim jak piorun czynie. A więc po prostu ciągły gwałt? Zaśmiał się sam z tych bzdur. „Śmierć, śmierć jedynie daje ten wymiar potęgi życia, w którym mogą się nasycić takie nieszczęśliwe kanalie jak ja". Alkohol przepajał mu mózg jak gąbkę, przepalał wszystkie łączniki, topił psychiczne stopki – na wszystkich liniach następowało krótkie spięcie. Spalające się lipoidy obnażały napięte, rozedrgane nerwy. Napięcia pozorne były wprost straszne – w rzeczywistości Atanazy był w tej chwili słaby jak dziecko.

Hela obserwowała go uważnie, jak puchł tak od środka, od najtajniejszych, ciemnych, krwawych bebechów, gdzie gorące, mokre, śmierdzące cielsko łączy się z tym małym pępuszkiem, z którego rodzą się potem jak aniołki wzniosłe myśli i wszystko: cały człowieczy świat. Zerwać ten związek, mieć go takim bydlęcym w upadku, słabym w nadmiarze i rozwichrzeniu sił, panować nad nim, zniszczyć go w sobie, pochłonąć, nie dać mu być tym nieuchwytnym, zmiennym wiatrakiem nieskończoności. Cały ten prąd siły naturalnej i sztucznej, wynikającej ze sprzeczności, skierować na siebie, choćby w to miejsce najgorszego upokorzenia i najstraszliwszej potęgi – oczywiście potęgi dla takich samozamęczających się mikrosplanchicznych nihilistów jak ten jej Atanazy. Gdyby można to urzeczywistnić, tak jak się chce, w innym wymiarze nasyceń, cały wszechświat pękłby jak mały balonik – na szczęście może jest to niemożliwe – tak jak rozpad atomów wywiązujący – teoretycznie – potworne ilości energii. Ach, gdyby przyszedł ten, co by ją wziął, zmiażdżył i odrzucił, myśląc o czym innym, czymś wielkim, czego by pojąć nie mogła – za tym czołgałaby się przez wszechświat cały, czekając na jego chwilkę odpoczynku – nie upadku – taki pokonałby jej nienasycony sadyzm. Może Tempe, gdyby... Na razie był tylko jeden Atanazy. Miał tę wyższość nad Tempem, że był piękny i podobał się jej więcej. Ale czyż od tego to tylko zależy? „To straszne, ale ja go chyba kocham. Jak jest pijany, jest tak silny psychicznie, jak powinien by być normalnie, aby być «tym»". Rozdarły się nagle jakieś zasłony i wszystko zaczęło się dziać naprawdę, stwarzając widowisko psychologiczne dla jej Boga, tej karykatury prawdziwego Boga księdza Hieronima. Gdyby ten łowca dusz mógł wiedzieć, jak straszne popełnił świętokradztwo, zaszczepiając katolicyzm w ciemnej duszy Heli, umarłby z rozpaczy, że nigdy zbawionym nie będzie. Siedział rozparty starzec, sam w swej loży prosceniowej. Naprzeciw była loża diabła. Od czasu do czasu zamienianie spojrzeń, a w antraktach rozmowa o innych rzeczach – matematyce, filozofii, socjologii. A na scenie trwał w mękach cały świat nieskończony, i święci patrzyli na to w pierwszych rzędach parteru czterowymiarowej widowni. Potworność tego skromnego obrazka była wystarczająca w duszy dwudziestodwuletniej, świeżo nawróconej katoliczki. Widziała na tej scenie siebie, gwałconą przez Atanazego, półzwierza cudownej piękności i siły. A na to patrzył cały parter i Bóg, mrugając znacząco na diabła. Obraz ten podniecił ją do szału. Oto, do czego w tej złej duszy zużyta była wiara! A może nie była złą, tylko nieszczęśliwą, jak ten pijany męczennik siedzący tuż obok niej? Hela myślała: „Metafizyczne nienasycenie, które znajduje tylko częściowe spełnienie w ochłapach zła rzucanych od czasu do czasu przez diabła. A społeczeństwo stwarza fikcję innych nasyceń, starając się z początku uświęcić to w wymiarze zaświatów – a potem już, po pewnej tresurze, nie zadaje sobie trudu, aby tak kłamać – i tak są dobrzy zbaraniali obywatele".

Na razie faute de mieux obiad u pana Bertza. Wszyscy wstawali i przechodzili do salonów na kawę z plantacji samego radży Balampangu (miał być obecny osobiście, ale przysłał tylko kawę) i likiery, zrobione z owoców stukilkunastu gatunków drzew He-He, z dodatkiem olejków lotnych, zaśmierdzających brazylijskie muchołapki (były też i normalne, ale nikt ich pić nie raczył).

Hela, umoczywszy usta w kawie i wypiwszy duży perang Camolli-Bemba z trzema kółkami, wymknęła się do swego „dziewiczego" buduarku. Jednocześnie (tak jak na filmie) pijany jak noc Atanazy spotkał się w „pewnym miejscu" z Łohoyskim. Jędrek zanarkotyzowany doszczętnie, z upudrowanymi kokainą wąsami, stał nieruchomo, wpatrując się w tafelkę czerwonego marmuru z Nowej Zelandii – tylko w tę jedną. Poza nią nie istniał dla niego świat w tej chwili – kokaina stwarzała z niej cud niepojęty. Potem chciał zgwałcić Atanazego, ale ten odmówił stanowczo, skarżąc się, że za dużo wypił i nie wie, co ze sobą zrobić.

– Masz koko – mówił Łohoyski czule – odrobinkę weź, otrzeźwiejesz natychmiast. – I pchał mu pod nos szklaną rurkę pełną białego, lśniącego proszku. Parę pustych wałęsało mu się już po kieszeniach.

– Na pewno otrzeźwieję? Nic więcej?

– Oczywiście. Weź mało – mówił chytrze mądry kokainoman; namawianie wszystkich na truciznę było jego manią, jak wszystkich zresztą „drogistów".

Atanazy wziął szczyptę – nie jako narkotyk bynajmniej – jedynie jako środek trzeźwiący. I rzeczywiście otrzeźwiał. Jakiś karbolowaty zapaszek i jasność w głowie. Ale trochę inna... Nos mu zdrewniał i poczuł przyjemny chłodek. O tak – trochę inny wydał mu się świat, to jest: Jędrek i „pewne miejsce" na razie. Jakoś wszystko było pozbawione tragizmu. O – stanowczo było dobrze. Teraz można by pomówić z Helą. To nic strasznego ta osławiona kokaina – lekki antydot na alkohol. Zażył tyle właśnie, że dwa jady ścięły się wzajemnie, z lekką nadwyżką po stronie „coco". Ale dziwność zaczęła się potęgować przez chwilę – potem stanęła i było tylko dobrze, bardzo dobrze. Cały poprzedni męczący nastrój rozwiał się jak puszek cykorii. Atanazy uciekł od łaszącego się doń Łohoyskiego. Wszystko przedstawiało się jakoś inaczej. Zaczął szukać Heli i nie wiadomo kiedy, znalazł się w jej pokoju.

A podczas tego (tak jak na filmie) Hela, ułożywszy się na kanapce, z lekka podpita, myślała: „Jestem na pewno

194

bezpłodna, bo po takiej nocy jak wtedy z Aziem... Teraz
– Salome woła świętego Jana. On musi być bardzo wło-
chaty. Jakie to jest? Tylko on. Niech już będzie, jaki chce.
Dziś, dziś właśnie". Wicher, południowy, gorący – „ten
sam" co wtedy przed kościołem po ślubie – zawył w wen-
tylatorze. Hela poczuła swobodę i pewność siebie, jaką
mógłby mieć i ma pewno jaguar w dżungli. Natężyła wolę
aż do pęknięcia, aż do zerwania w „tamtym" ganglionо-
wych połączeń. Po chwili oczekiwania, która omal sama
(tak) nie trzasła od wygięcia woli, stało się. Wszedł Atanazy krokiem złego zwierza. Robił wrażenie trzeźwego.
Niesamowity ogień płonął w jego zielonych oczach, źrenice olbrzymie, jak u kota w ciemnościach, łysnęły czerwoną purpurą wewnętrznego oka, gdy mijał lampę wprost
niej. „Ach – gdyby do tego on był prawdziwym księciem
albo sławnym artystą. Ale nie trzeba zbyt wiele wymagać
– nie trzeba: brać, co jest, brać, brać". Te oczy były ponad-
świadome, złowrogie, palące, raczej parzące i złe – a jednak pragnęły cierpienia, fizycznego bólu, a skryta za nimi
dusza torturowała ją swoją nieuchwytnością i ukrytą zdradą,
kłamstwem. To był ten jedyny – „Książę Ciemności". „Jeśli
on cały jest taki, to ja chyba umrę z rozkoszy, ja tego nie
przeżyję – i to w to. O Boże! Czymże są śluby dawane przez
niegodne Ciebie sługi wobec takiej miłości. Tak – to jest
miłość". Blasfemie podniecały ją jeszcze bardziej. Atanazy
stał, milcząc. [Wspaniale wyglądał w nowym fraku. Widać
było pewne deformacje...]. Hela podniosła nogi do góry
i nic nie mówiąc, zdjęła jakieś przecudowne nadmajtki.

– Masz mnie – powiedziała tym swoim straszliwym
głosem z wnętrzności. – Na całym świecie tylko my dwoje
rozumiemy to jedno, to w to i tamto wszystko: Jako symbol,
jako wspólną potęgę, jako wybuch jednoosobowej jednolitej
tajemnicy samej w sobie, a nie podłą walkę bydląt – to jest

miłość, a nie te twoje sentymentalne, gąskowate migdalenia się.

Kłamała bezczelnie, sycąc się jego upadkiem, wierzyła we wszystko święcie, korząc się przed jego potęgą – urojoną czy rzeczywistą – wszystko jedno – „jak królowa z lokajem" – pomyślała jeszcze. A potem zaraz: „Dlaczego ten właśnie – przecież mogłabym i jakiegoś księcia krwi. Czemu to ta nędzna kukła, a nie kto inny?". Taką jest miłość... Atanazy runął na nią jak wieża, która połknęła czterdziestodwucentymetrowy pocisk, i nieodbitym pchnięciem krwawego wału gdzieś aż pod samo serce przygwoździł ją do siebie, zdobył na wieki. I tylko co wypowiedziane kłamstwo stało się na chwilę prawdą. To była rozkosz. Jak maszyna posiadł ją dwa razy, nienasycenie, gwałtownie. Nie zastanowił się nawet nad tym, czy jest dziewicą, czy nie. A ona z bólem straszliwego wstrętu i tryumfu, z uczuciem nieznośnej, rozsadzającej wszystko rozkoszy, oddawała się już przyszłej pokucie. Jeszcze nie wiedziała, co ma czynić, aby być szczęśliwą – nie znała siebie – nie zgłębiła jeszcze swego sadyzmu. Nie – nie było dla niej miłości na tym świecie. „Co za nieszczęście być taką" – pomyślała z głęboką litością nad sobą samą. Ale jednak i w tym było coś, co przerastało jej dotychczasowe doświadczenia. Ale jeszcze nie to, nie to. „Muszę go zamęczyć i mieć jeszcze wielu innych jednocześnie" – tak, to może było rozwiązaniem. Teraz dopiero poczuła ból w zranionym ramieniu. Dla Atanazego, w lekkim zakokainowaniu, było to już szczytem. Nic podobnego nie wyobrażał sobie nawet.

Słychać było odmykanie odległych drzwi. Odepchnęła go i wpakowała do sypialni. Słyszała, jak wchodził do łazienki. Poprawiała włosy przed lustrem, gdy wszedł papa. Majtki leżały na fotelu. Nie zauważył tego.

– Już się zaczęło. Na przedmieściach już walą. Bruizor atakuje miasto koncentrycznie. Cztery pułki poddały się. A to co? – spytał, usłyszawszy plusk.

– Józia myje wannę. A co by papa zrobił, gdybym ja jako prostą konsekwencję chrześcijaństwa, nie katolicyzmu, wybrała komunizm?

– Ja sam to dziś myślałem, mówiąc z tym Tempe. A to kanalia! Ale zatrzymałem się i zostałem już socjalistą--chłopomanem. To musi przyjść. Ja muszę przeżyć się do końca, tworząc coś wielkiego, a tylko tam to jest możliwe. Rozumiesz? A jak ręka?

– Rozumiem, między nami nie może być nieporozumienia. Ręka dobrze – trochę boli, ale nie bardzo.

– Kocham cię, Hela, ciebie jedną – wyszeptał Belzebub--Karaluch, obejmując córkę szalonym uściskiem. – Z tobą nie będę nigdy jak król Lear, choćbym wszystko stracił, ty jedna mi zostaniesz – Prepudrechowa czy inna – to już mi teraz wszystko jedno. A jak tamto przyjdzie, bądź, czym chcesz. Jak ci nakaże twój demon. Tylko jedno – tamto było ostatni raz? Prawda?

– Ja cię też kocham, papo. Ty jeden mnie rozumiesz. Już nigdy, przysięgam.

– Mąż będzie dla ciebie zawsze dodatkiem. Ty jesteś jak duchowa Amazonka w metafizycznej krainie. – Ucałował jej czoło i popędził do salonów.

We drzwiach sypialni ukazał się Atanazy. Głowę miał nastroszoną wilgotnymi włosami, wzrok przytomny, ale niesłychanie „na piękno tragiczny", i usta ścięte „pięknym bólem". Już rzuciły się na niego wyrzuty sumienia i spotęgowana czysta miłość do Zosi. Ale też trochę inaczej się to przedstawiało: jako konieczność, z którą trzeba się zgodzić. W tym było też coś pięknego. To, że wziął ją prawie gwałtem przed ślubem, zdawało się teraz zbrodnią, na którą nie ma kary. A do tego ta rozkoszna zdrada. Ale to też łączyło się razem ze wszystkim w posępną, harmonijną całość. Jakby w dawnym artystycznym ujęciu życia, za nieszczęsnej aplikantury, jeszcze przed poznaniem żony. „Żony", powtórzył w myśli to dziwne słowo i przeszedł go dreszcz strachu. „Mojej żony", powtarzał i nie mógł zrozumieć nic. Słowo to nie czepiało się jego mózgu.

– Proszę się uczesać i poprawić krawat – rzekła zimno Hela jak do lokaja.

Cofnął się w kierunku sypialni i stanął bezradnie.

– Na lewo od łazienki, bałwanie, ukryte drzwi! – krzyknęła.

Nieczuły na obelgi (też nowość) znowu wszedł do sypialni. Hela, zwinięta na kanapie jak czarna anakonda z rudym łbem, myślała – ciągle myślała, psiakrew! – to było jej najgorszą wadą. Przede wszystkim nie bała się wcale, że lada chwila może tu wejść Azalin. Nie istniał dla niej zupełnie: nie czuła się księżną ani jego żoną ani przez chwilę. (Z daleka dochodziły dźwięki orkiestry jakby z innego świata. Tam tańczono i bawił się ten jej dancingbubkowaty mąż – w tym był mistrzem – to trzeba mu było przyznać). O jakże wstrętnym był dla niej teraz ten Atanazy, a mimo to jedynym na świecie całym. Czuła na sobie obrzydliwe piętno jedynej miłości. Może być wstrętnym, słabym, upadłym – nic nie pomoże: to był on, ten przepiękny Lucifer, który w noc księżycową uniósł ją kiedyś na sześciu skrzydłach w krainę zła i rozkoszy. Tak, czy też podobnie, pisze gdzieś Miciński. „Ale gdzie jest między nami dobroć, poświęcenie, wzajemne zrozumienie duchowe, gdzie spokój duszy, to pospolite uspokojenie, to zatulenie się w jakimś kąciku, gdy świat zdaje się jednym wielkim futerałem, kryjącym to jedyne (poza nim naprawdę nie ma nic) szczęście. Zamiast tego męczące zmaganie się dwojga metafizycznie niesytych istot i ciągłe wahanie wartości na rozdyndanych wagach własnych sprzeczności. To mogło stać się tak samo nudnym, jak wszystko inne. Ciekawa jestem, czy on zupełnie tak samo, tylko na odwrót? A jednak to właśnie na pewno jest istotą najgłębszą mego życia. Przecież są ludzie, którzy bez męki giną jak ryby bez wody. I jeśli życie samo tej męki im nie dostarcza, stwarzają ją sami dla siebie i dla niewinnie cierpiących osób drugich i trzecich. Wszystko powiem z detalami Hieronimowi, storturuję go opisem rozkoszy i nasyconej żądzy". Atanazy wyszedł znowu z sypialni uczesany, upudrowany, piękny. Spełniona „zbrodnia" dawała mu nową dymensję (tak – nie wymiar: to zbyt pospolite słowo) wzniosłości.

– Nie zbliżać się! (Ani myślał) – krzyknęła Hela.

Zatrzymał się i stał z lekka pochylony ku wyjściu, zakuty znowu w pancerz tamtych uczuć i w jeszcze coś nowego: „coco". „Jeśli ona powie Zosi, przysięgnę, że jest chorobliwie kłamiącą histeryczką i że odrzucona przeze mnie mści się. Nie wie nic takiego, czym by mogła udowodnić, że było inaczej".

– Precz!! – krzyczała dalej Hela. – Nie śmiej się więcej pokazywać u mnie, ty chamie! Słaby cham! Brr! Wstrętne! Masz mnie zdobyć – rozumiesz? A jak nie wiesz, jak to się robi, to precz na wieki.

Atanazy nie rozumiał jej zupełnie.

– Ależ wiem – mówił zimno. – Pani by chciała, abym mówił tak, jak robię tamto, i robił tamto tak, jak mówię, i żeby wszystko to działo się równocześnie, i było faktycznie jedno drugim. Mówię popularnie. Przypomina mi to słynną blagę Bergsona – a Bergson jest Żydem przecie – o tym sphexie, gąsieniczniku: gdyby ten sphex myślał o całym świecie tak, jak nakłuwa liszkę, dosłownie myślał, jak nakłuwa – proszę spróbować – trafiając ją nie wiadomo czemu w ten węzeł nerwowy, w który dla przyszłości rodu trafić musi, to wtedy by poznał istotę bytu. Czyż między tym a tym, co zrobiliśmy przed chwilą, jest różnica jakościowa? Tak samo są to czynności instynktowe. Tak myśleć jednak jest absolutną niemożliwością. Nawet nie poznaliśmy w tym nas samych wzajemnie, a cóż dopiero mówić o istocie bytu. Ja panią rozumiem dobrze. Pani jest bardzo nieszczęśliwa. Ja też – dodał z prawdziwym smutkiem.

„Ale piękny był! I te bary, i tamto wszystko...". Zmieniła ton.

– Czy pan wie, że na przedmieściach już się biją? Mówił mi papa – Bruizor zaatakował wojska rządowe.

„Jeszcze za słaba jestem na niego. Gdzie on ma tę siłę? A może to jest we mnie. Rzucił na mnie urok".

– Tak? To cudownie. Nareszcie zobaczymy wszyscy, czym naprawdę jesteśmy. Idę po Zosię. Trzeba iść, bo możemy być odcięci.

Pocałował ją w rękę i wyszedł.

„Więc czyż całe życie będzie ciągłym takim szarpaniem się, nudnym w istocie, mimo pozornej rozmaitości – czyż nigdy nie przyjdzie ukojenie, jak tylko w wyrzeczeniu się wszystkiego?" – myślała Hela z bezmiernym umęczeniem. Poszła do łazienki i wróciła stamtąd czysta, wzniosła i spokojna. „Trzeba zrobić eksperyment pokuty na większą skalę". Wszedł Azalin – mąż. Był pijany, ale się trzymał.

– Jestem tak dziwnie szczęśliwy, Helu. Nie mogę uwierzyć, że jestem twoim mężem. Może chcesz już pójść do naszych pokoi. Atanazowie wychodzą. Powiedziałem, że cię głowa boli. Chciałem dać auto, ale wolą przekraść się piechotą. Tam biją się już na dobre.

– Długi czas jeszcze, Aziu, nie będziesz mógł uwierzyć, że jesteś moim mężem – powiedziała mimo woli złowrogo Hela.

Prepudrech zbladł.

Cała pokuta Heli nie była w niej dziełem dobrego ducha, tylko tego małego podręcznego szataniątka. On, ten zły duszek, nakręcał małą sprężynkę, która odkręcając się, tworzyła wokół niej to małe, pospolite zło, które jej nie zadawalniało. „Zabrnęłam strasznie, bez wyjścia" – myślała z rozpaczą. Atanazy, nierealny jak widmo z przeszłości, odszedł od niej zwycięski i daleki. Czyż niczym nie można go zmusić do tego, aby ją naprawdę zdobył? „Albo flaki z niego wypruję i te flaki zdepczę, albo podniosę go tą męką na wyższy stopień ducha, tak że stanie się godnym tego, aby mnie zdobyć". Wierzyła w potęgę swego zmysłowego uroku. Ale na razie pokuta. Podświadome ciemności zaczynały się przecierać – mniej było już trochę kłamstw na wierzchu – tych najgorszych: przed samą sobą. „Zamęczę kanalię, najprzód wyrzeczeniem się, a potem po prostu tak: pazurami, zębami, nogami – wszystkim...". Zacisnęła pięści tuż przed twarzyczką biednego Azalina, który zaczynał się po prostu bać. Spojrzenie złe i cierpiące, to, które tak kochał, utkwiła bezmyślnie w jego oczy, myśląc o tamtym.

– Jak to rozumiesz, Helu? – spytał wreszcie książę. – Dziś chociaż nie bądź okrutną. Bądź dobrą katoliczką. Na cóż przyjęłaś chrzest? – gubił się w niedołężnych pomysłach Azalin, a żądza (iście perska) wzbierała mu w całym ciele jak pępek oceanu wznoszący się beznadziejnie ku nigdy niedosiężnemu księżycowi.

Wypiętrzał się cały w nieznane mu dotąd potęgi dzikich uczuć, przerastał sam siebie. Ale to wszystko było dla niej mało. „To jest właśnie nieszczęście tych ponadosobowych wybuchów, wykraczających poza prawdziwą miarę danego człowieka. On jest jakby pod działaniem jakiegoś narkotyku – tym narkotykiem jestem ja. Jakże mogę go podziwiać i korzyć się przed nim. Tamten jest takim, jakim jest". Nie pamiętała już, co myślała o jego pijaństwie, i nie wiedziała, że to spotęgowanie nieuchwytności, które najbardziej jej zaimponowało, było wynikiem narkotyku. Ale bądź co bądź zaszły wypadki, które ją usprawiedliwiały: było to drugi raz w życiu i to jak – coś naprawdę piekielnego. Prepudrech bełkotał coś jeszcze.

– Nie mów, nie mów tak! – krzyknęła Hela, zakrywając mu usta ręką. Zadrżał od tego dotknięcia. – Nie staraj się być wstrętnym. I tak już jest okropnie źle. Ty nie wiesz...

Azalin poczuł czarne jądro zła jak pestkę w mrocznych miąższach rozpaczy. Był na krańcach siebie – dalej chyba: zbrodnia i samobójstwo – te dwie rzeczy, których się najbardziej obawiał.

– Hela, ty nie wiesz, jak ja cię kocham – wyszeptał naiwnie.

Cała miłość jego upadła do jej nóg jak mały, szary, ledwo żywy ptaszek – ach, jakie to wzruszające. A ona kopnęła jeszcze tego ptaszka, cierpiąc sama tortury sprzeczności nie do zniesienia. Nie wiedział już, co powiedzieć, zawarłszy w tamtym zdaniu wszystko. Poza tym była tylko ponura pustka intelektualnych niedociągnięć. Z tym nie chciał się popisywać, będąc pijanym i rozmarmeladowanym zupełnie przez pożądanie, i to w dodatku bez żadnej nadziei zaspokojenia. Przez chwilę zdawało mu się, że zwariuje. Już, już miało coś pęknąć, ale wytrzymało. A gwałcić nie śmiał.

– Aziu, proszę cię, idź dziś spać sam – tam – wiesz! Ja prześpię ostatnią noc w moim pokoiku. Błagam cię...

– Hela, czyż ty nie widzisz?... – zaczął.

– Widzę – odpowiedziała cynicznie, spuszczając oczy. – Widzę i podziwiam. Ale nie dziś – jutro. Jutro rozpocznę pokutę.

– Więc ty miłość do mnie traktujesz jako pokutę? Może to Wyprztyk kazał ci się ożenić ze mną za jakieś zbrodnie, których nie znam?

– Ożenić się z tobą – to dobrze powiedziałeś: ty, moja lesbijko, mój ty cudny chłopczyku. Żegnam cię, do jutra. (Azalin był jednak fenomenalnie ładnym chłopcem; piękniejszym wiele od Atanazego, ale to było nie „to"). Nie gniewaj się.

Pocałowała go w czoło i zniknęła za drzwiami sypialni. Prepudrech stał nieruchomy, z piętnem hańby na czole wypalonym tym pocałunkiem, skamieniały, stężały w rozpaczliwej żądzy, która starła miłość w swych potwornych, bezzębnych szczękach jak małego, niepozornego owada. Przekręcenie klucza uczuł jakby w środku głowy. Za późno było na gwałt. Ale czymże byłby ten gwałt? – śmiesznostką jeszcze bardziej kompromitującą niż niemoc. I nagle w dzikiej złości, programowo, bez żadnej przyjemności... to okropne! Coś żywego zdawało się ruszać na okrutnych drzwiach z czerwonej laki. Może to było jego „rozbite serce" – „che, che". A potem wściekły, ociekający wstrętem do siebie, wyszedł z pałacu i piechotą udał się szybko do jednej ze swoich dawnych kochanek, obecnie utrzymanki oficjalnej Ziezia Smorskiego (właśnie grał w tej chwili w salonie Bertzów, upiwszy się jak świnia), niezmiernie sympatycznej, złotowłosej szesnastolatki, Izi Krzeczewskiej. I tam nad ranem z trudem dopełnił aktu zdrady. Zakochana w nim do szaleństwa Izia szczęśliwa była jak nigdy – trzy miesiące nie używał już jej książę jako antidotum. Zachwycona była tą nocą poślubną i rozpacz jej z powodu małżeństwa Azalina złagodziła się tym znacznie. Na to się przydały te dwa miesiące przykładnego narzeczeństwa. A on wyszedł od niej już w biały dzień, pełen okropnego obrzydzenia do siebie, ze druzgotaną wiarą w swoją wyższą wartość i coraz bardziej potężniejącym psychofizycznym przywiązaniem do Heli. Ale bądź co bądź trochę ją przezwyciężył. To, że uczynił to tak „z punktu", dobrze mu zrobiło na przyszłość. Gdzieś tam strzelano, ale co jego to obchodzić mogło? Położył się szybko sam w olbrzymim łożu z czarnego, jak mu się zdawało, ebonitu, inkrustowanego obrazkami z masy perłowej przedstawiającymi nieznane mu sceny z asyryjskiej (czemu?) mitologii. A może to był heban – sam nie wiedział – nie mogąc już odróżnić drzewa od kauczuku. Ale przed zaśnięciem podpalił zapałką sam rożek łóżka i poczuł zapach drzewa, a nie charakterystyczny smród przypalonej gumy. To go uspokoiło. Wkrótce spał już, a śniła mu się nieznana rodzinna Persja, którą miał poznać dopiero jako ambasador krajowego laboratorium niwelistycznych eksperymentów. Wieczorem zaczęło się ich życie. Hela nawet nie spytała go, co robił – przez pół dnia.

„Ich życie" – myślał Atanazy, prowadząc pod rękę żonę i teściową. Zaczynał się świt pogodny i mroźny po ciepłej, wietrznej nocy. Jedynie o świcie wygląd stolicy zgodnym był z tym, czym była w istocie: efemerydą. Tymczasowość życia prywatnego w tym dziwnym mieście, tymczasowość polityki, urzędów, fabryk, kolei, tramwajów, sklepów, telefonów – wszystkiego. Nikt nie wierzył w trwałość teraźniejszego układu w tej formie, w jakiej dotąd, czystym bezwładem gasnących potęg przeszłości, istniał. Brak ludzi – powtarzano szeptem, brak zgody – krzyczano głośno, brak wszystkiego, jeden wielki brak, miasto-brak, miasto--prowizorium. Pusta forma, w którą można by nalać coś, żeby było co i z czego. Przeszłość obowiązywała, a przyszłość była chwilami wstrętna, jak niewiarogodnie ohydny sen, którego opowiedzenie nawet samemu sobie byłoby przykre. Bywają takie sny. Wszyscy „grubsi ludzie" mieli kapitały za granicą i żyli, „siedząc na walizach", patrząc dookoła obłędnymi oczami podróżnych, czekających na pociąg w stacyjnych poczekalniach. Pośpiech, gorączka, wszystko z dnia na dzień: zarobić jakkolwiek bądź i użyć, zarobić i użyć... Jedynie o świcie następowała zgoda między wyglądem zewnętrznym i istotą tego miasta w oczekiwaniu rewolucji, którego symbolem mogłyby być rozkraczone nogi: jedna na stopniach międzynarodowego ekspresu, druga – w dancingu. To, co było rdzeniem, spało jeszcze snem twardym, budząc się tylko czasem w przygodnych nieusystematyzowanych „społecznych przestępstwach". Teraz zaczęło się coś i nie wiadomo było dokładnie, ani co to było, ani czym miało się skończyć, ani w imię czego się odbywało. Licytacja była nieunikniona. Może jeden ten przeklęty Tempe wiedział coś na pewno. A niech tam!...

Świt był przepiękny. Dalekie salwy maszynowych karabinów i bliższe pojedyncze strzały dodawały widokom nikłości i nierealności. Niebo wklęśnięte aż w Nieskończoność, mieniące się złotawym brązem, seledynem i migdałowym kobaltem i zamyślony nad własną, nikomu niepotrzebną pięknością, bladopomarańczowy stratus (taka uwarstwowiona chmura) potęgowały tęsknotę za innym życiem aż do bólu. Gdzież było to inne życie? „W nas samych", mówił jakiś nudny głos i nikt nie chciał go słuchać. Sylwety domów i perspektywy ulic układały się w nigdy we dnie nieprzeczuwalne kompozycje mas. Wszystko było tak konieczne, czyste i piękne w swej harmonii, jakby nie przez człowieka stworzone. Szli wszyscy troje przez puste ulice, obcy sobie, przedzieleni takimi przeszkodami, że na ich usunięcie żyć by trzeba trzysta czy pięćset lat, a nie kilkadziesiąt. Na jakimś placu zahuczała jak duży trzmiel zrekoszetowana zbłąkana kula i stuknęła w niewinną zupełnie ścianę. Cała ohyda przypadkowej śmierci stanęła nagle przed ich zdumionymi mózgami: skręcili w dalsze od walki ulice. Z daleka, gdzieś ze śnieżnych zamiejskich płaszczyzn, posłyszeli dwa huki wystrzałów ciężkiej artylerii, potem szelest metaliczny lecących jakby ponad nimi

małych wiatraczków, zawiniętych w szeroko drącą się materię stłumionego ryku, i buchnęły niedaleko dwa bebechowo-
-podziemne grzmoty pękających granatów. Generał Bruizor następował coraz groźniej. Poprzez nadchodzące wypadki zmalały nagle wszystkie pozorne zbrodnie i wstrząsające sprzeczności uczuć i jak skała wśród wzburzonych wód ukazała się twarda opoka rzeczywistości, jedyna obiektywność, społeczny byt, przetwarzający się tu, w ich oczach. Znowu seria pocisków i spokojny stukot niemieckich maszynowych karabinów, i odpowiadający im nerwowy rechot francuskich
– echa odległej Wielkiej Wojny. Znikło wrażenie tymczasowości tego miasta i zbyteczności jego mieszkańców. Coś działo się nareszcie. Ale dla niektórych (czy wielu ich było i na jakich stopniach hierarchii?) był to tylko narkotyk, taki sam jak kokaina czy morfina.

Za chwilę byli już w domu. Bitwa rozgorzała na dobre.

Informacja

Pokoje dla młodych państwa urządziła pani Osłabędzka na pustej dotąd górze.

Resztki narkotycznego stanu rozwiały się w duszy czy w nerwowych ośrodkach Atanazego. Pocałował Zosię (gruntownie okłamaną i jedynie szczęśliwą z nich czworga) w czoło i rzekł: „Jestem jeszcze pijany. Nie chcę w takim stanie z tobą rozmawiać. Kocham cię. Teraz idę spać"
– i wyszedł do łazienki. Gdy wrócił, Zosia już spała. Jakże strasznie, dziko, beznadziejnie kochał ją w tej chwili Atanazy. Przeszło działanie skombinowanych trucizn i nagle zaczął cierpieć potwornie. Jakiś nowy zupełnie „katzenjammer" (czyż nie ma na to polskiego słowa?) – prawie obłęd. Zaczynała się zemsta alkoholu i kokainy, a do tego

zrozumienie straszliwego znaczenia małżeństwa. Przecież nic się nie zmieniło istotnie, dlatego że ksiądz Wyprztyk związał ich ręce stułą? A jednak – a jednak wszystko było tak inne, nieporównywalnie inne, a mimo to takie samo – jak świat po kokainie. Na czym to polegało, nie mógł pojąć i nie pojął nigdy Atanazy. Znowu opanowały go wyrzuty sumienia i znowu jeszcze mocniej poprzysiągł wierność Zosi. „A jednak gdybym nie zażył tego świństwa, może bym jej dziś nie zdradził" – myślał, zasypiając po olbrzymiej dawce bromu. Ale nie był tego pewny. Nazajutrz zmieniony dziwnie codzienny dzień przemógł nawet potężniejące wypadki.

ROZDZIAŁ V

HOMO COCO

Informacja

Pod wieczór tego samego dnia, na tle szalonej strzelaniny, biedny książę Prepudrech wszedł oficjalnie w posiadanie swojej żony. Ale daleki był od nasycenia się rzeczywistością. Ciało Heli stało się dla niego obce, dalekie i niezdobyte, a dusza uleciała w niedosiężne już zupełnie kraje pokuty. Poznał teraz ten złowrogi urok, jaki mieć może ta „kupa organów", będąca siedliskiem nieuchwytnego, niepoznawalnego ducha. Zwęglał się cały na umęczony skwarek, gniotąc w bezsilnych uściskach wymykającą mu się Helę, która zmieniała się powoli w lotny jakiś element, mgławicę świecącą tylko zimnym wyładowaniem umysłowych potęg. Obojętna nawet w wyuzdaniu, wyższa była ponad wszystko, czym dotąd, i tak bez wielkiego skutku, starał się jej zaimponować. Nie mógł, na razie przynajmniej, zrobić jej najlżejszego zarzutu, a jednak wszystko było nie to... Zaciskał sparaliżowane jakby ręce, wyjąc do wewnątrz z nienasycenia bezrozumnych pragnień – miał przecie wszystko. Czekały go zaś rzeczy stokroć gorsze. Ping-pong, dancing, pływanie, sztuki magiczne, humorystyczne wierszyki, które przecie w kabaretach nawet mówiono, nawet improwizacje na fortepianie – wszystko było na nic. Spełnianie obowiązków przez Helę rozprzestrzeniało atmosferę złowrogiej nudy. Oddanie się tego aż nienawistnego mu chwilami ciała nie przypominało w niczym owej nocy, tak dla niego pamiętnej, kiedy to spadło nań niespodziewane szczęście, druzgocąc mu sam rdzeń wiary w siebie w chwili tak nieodpowiedniej. Od samego rana, z całym swym biednym intelektem zmobilizowanym, w ciągłym stanie czujności, aby nie wydać się jeszcze większym durniem, niż był, przechodził w coraz wyższe kręgi umysłowych męczarni, przekonując się powoli, że pogardzana przez niego z dancingowych wyżyn filozofia nie była taką „blagą niedołęgów życiowych, niewartą nic wobec wyników nauk przyrodniczych", jak mu to się dawniej zdawało. Gdyby miał teraz tę broń w ręku, inne by warunki mógł postawić – w tym stanie mózgu był bezsilny.

Hela znajdowała się w stanie, który gdzieś, na dnie świadomości, nie przyznając się niby przed sobą, nazywała „oszukiwaniem Boga". Był to szczyt wiary, na który mogła się zdobyć: Bóg istniał dla niej bezsprzecznie – czyż inaczej mogłaby go oszukiwać? Atanazy, utrzymywany w dalszym ciągu w randze widma przeszłości, przesuwał się od czasu do czasu w „tle zmięszanym", ale „jako taki" nie był dopuszczany do rozmów ani nawet do wewnętrznych łamigłówek: trzymała go w rezerwie, póki można było wytrzymać. Powoli nakręcała się wewnętrzna sprężyna, gromadziły się wybuchowe materiały. A jak wszystko będzie gotowe, jedno pociśnięcie guzika (ale jakiego?) i... Rewolucja nie istniała dla obojga Prepudrechów prawie zupełnie. „Pierwszy stopień", jak mówił stary baron Hammersmith, przyjaciel Bertza i wielki znawca stosunków rosyjskich, był czymś za mało radykalnym i intensywnym. Chociaż w tym stanie może nawet wyższe stopnie byłyby dla Heli nieinteresujące. Stary Bertz szalał wśród komplikujących się interesów, starając się na próżno nawiązać nici rwących się zagranicznych biznesów w wielkim stylu i kompromisów ideowych wewnątrz kraju. Hela codziennie odbywała jedną konferencję z ojcem, który referował jej w krótkości ogólny stan rzeczy, po czym wracała znowu do swego zamkniętego świata ekstaz, buntów i programowych – na tle poczucia obowiązku – upadków w codzienną prepudrechowatą rzeczywistość. Tam znajdowała zaspokojenie swoich okrutnych instynktów pod maską cnoty łamanej przez inną formę cnoty: spełnianie małżeńskich funkcji. Z początku oddawała się mężowi bez zastrzeżeń, ale wkrótce przestało ją to bawić. Dopiero gdy rozwścieczony oporem Prepudrech prawie że gwałcił ją w ponurym wybuchu zwierzęcej, upadlającej żądzy, Hela napawała się pogardzaną rozkoszą bez wyrzutów sumienia i upokarzania swej ambicji. Była wtedy w zgodzie ze sobą i obcym, mimo całej wiary, Bogiem, z którym mówiła wprost, nie używając pośrednictwa dalekiego jej Chrystusa. Dla drugiej osoby Trójcy Świętej, mimo całego „katolicyzmu", zachowała pewien brak zaufania, a nawet (o zgrozo!) wzgardę – coś niewyraźnego było dla niej w tym „całym odkupieniu". Najbliższym zaś był jej Duch Święty, czysty rozum – z tym porozumiewała się bez żadnych kompromisów. Wszystko to oczywiście ukryte było głęboko – na zewnątrz była przykładną katoliczką. W istocie nie zmieniło się nic: wzbogaciła tylko system sprzeczności i pokonała manię samobójstwa, ale zaślepiony, złudzony zewnętrznymi objawami ksiądz Wyprztyk widział w niej najdoskonalszy okaz prawdziwego nawrócenia. Nawet wyznane mu na spowiedzi „oszukiwanie Boga" (oczywiście nie tymi słowami) było jeszcze jednym dowodem jej zupełnego poddania się. Kłamstwo ukryte było daleko głębiej. Cały ten system pokut (modlitw, klęczeń aż do zdrętwienia, postów i różnych drobnych wyrzeczeń, aż do niemycia się przez dni kilka) i publicznych aktów czysto katolickich: leżenia krzyżem w kościele, przepełzania kościoła na klęczkach i tym podobnych (na przekór ogólnemu antyklerykalnemu tonowi obecnych rządów), był tylko prawie podświadomym podnoszeniem do wyższych potęg osłabłego uroku życia. „Oszukiwanie Boga" polegało między innymi na niejasnym zdawaniu sobie sprawy, że tak wiecznie być nie może. Ale któż w ogóle mówił o wieczności? Z chwilą kiedy śmierć przestała być zagadnieniem codziennym, problem wieczności zniknął z nią razem. Jednak nie wiadomo kiedy, wśród tych wszystkich przemian, uwierzyła Hela w nieśmiertelność duszy, niezależnie jakby od całości byłego filozoficznego poglądu będącego zlepkiem psychologizmu z witalizmem i idealizmem w stylu Husserla – było to tak zwane „założenie dodatkowe". Jak godziła w epoce tej wszystkie te sprzeczności, nigdy potem nie mogła zdać sobie sprawy. Kompromis polegał też na tym, że w stosunku do religii nie używała Hela całej potęgi swego intelektu. Poddała się poglądowi Wyprztyka, ogólnie naszkicowanemu w rozmowie po oddaniu się Azalinowi po raz pierwszy i rozwiniętemu z pewną naiwnością, już bez kompromisów, w następnych. Tak było lepiej. Stosunek ten był więc pragmatyczny – ha, gdyby wiedział o tym ksiądz Hieronim! Ale upojony tryumfem ukrywał też przed sobą pewne wątpliwości. Świadomie wyobrażała sobie Hela ostateczne rozwiązanie życia w postaci oddania się „służbie społecznej". Ale jeszcze był czas – to mogło nastąpić jedynie w partii najradykalniejszej – wszystko inne było za małe dla jej absolutystycznej natury. Na razie jednak tajna „bibułowo-agitacyjna" robota w sferach niwelistów przedstawiała się dość nudno. Przezwyciężenie miłości do Atanazego stanowiło też jeden ze sposobów uczynienia go godnym przedmiotem oczekiwanego podświadomie wybuchu. Hela ostrzyła sobie apetyt na ten kąsek pod pozorami idealnej przyjaźni dla obojga Atanazostwa, tak doskonałej, że nawet zazdrosny o Józię Figoń, o ojca-Bertza, o psy, konie, automobil i Wyprztyka – Prepudrech nie zdawał sobie z niczego sprawy.

Tak płynęły dni i noce w Czerwonym Pałacu, podczas gdy w podziemiach społecznych, po uspokojeniu się powierzchni zdarzeń, przygotowywał się wybuch drugiego stopnia, pronunciamento następnej, przedostatniej warstwy

– tam to pracował papa Bertz wśród kolosalnych trudności, ale z coraz lepszym skutkiem. Na tym tle powstał projekt opuszczenia stolicy, której atmosfera stawała się coraz bardziej groźna, dusząca i złowroga. Na próżno namawiał ojciec Helę na wyjazd za granicę. Uparła się spędzić czas przejściowy w willi swojej w górach, w Zarytem. Wiedziała, że Atanazowie nie mają pieniędzy na zagraniczną podróż i że nigdy nie zgodzą się na pożyczkę. Tu mogła ich zaprosić do siebie, nie wymagając zbytnich poświęceń ambicji. A życie wśród pokut bez Atanazego zaczynało być nudnym aż do bólu. Wybuch zbliżał się.

Atanazy i Zosia tonęli w psychofizycznym małżeńskim dobrobycie. Po pierwszych dniach strzelaniny (Boże, niech się to raz skończy, a życie będzie prawdziwym rajem!), podczas której trudności aprowizacji, możliwość „głupiej śmierci" w jakiejś awanturce częściowej (niemającej w sobie nic z posmaku wielkości historycznej chwili, którą to wielkość do pewnego stopnia przeżywali tylko ludzie kierujący pozornie oszalałymi i chwilowo wsadzonymi w kaftan bezpieczeństwa wypadkami) i inne przykrostki natury takiej, jak „strzelanie swoich do swoich", „swój do swego po swoją kulkę" lub niezgoda politycznych przekonań w rodzinie, nadawały ponury ton życiu w willi Osłabędzkich, nastąpił okres oceniania życia (tego pogardzanego i nieznośnego) w jego najbardziej poziomych objawach: życia samego w sobie. Wszystkie rozmowy na temat niewystarczalności tego, co jest, znudzenia szarym przepływaniem kończącej się „burżuazyjnej kultury", marazmu i uwiądu starczego wewnętrznej polityki, wydały się głupstwem bez żadnej podstawy. Zjedzenie pomidorów duszonych i wypicie kieliszka wermutu w domu, z perspektywą już pozbawionych trochę uroku małżeńskich sprawek, zdawało się szczytem życia. A gdzie podziała się wielka miłość na co dzień, nie wiedział Atanazy i nawet nie pytał. Ale miały przyjść zdarzenia, w których dziwność bytu zabłysła jeszcze raz przed zdumionymi oczami szczątkowych stworów z minionych epok, zabłysła nad otchłanią, w którą stoczyły się też jakby przypadkowo i inne wartości, te, o których mówiono dawniej jako o wiecznych: religia, sztuka, a nawet filozofia. Jak ryby wyjęte z wody konali pewni ludzie, a nawet klasy, niezdolne już do ujęcia burzącej się w niesamowity, obcy wszelkim idealistycznym przewidywaniom sposób codzienności zwykłego dnia, pierwszego lepszego wtorku czy czwartku, a nawet niedzieli. Ale co to kogo mogło obchodzić z tamtej strony!

Brak określonej pracy fatalnie zaczął wpływać na Atanazego. Ta cząstka siły, którą utrzymywał w karbach przy pomocy nienawistnej aplikantury, wymknęła się i hasając po niezbadanych dotąd czy też zaniedbanych obszarach jego umysłu, po „ugorach społecznych" jego intelektu, sprawiała straszliwe jak na jego mózgowe zapasy spustoszenia. Wszystko obracało się przeciw niemu, nawet wysiłki stworzenia pozytywnego życia. Zostawał sam za sobą w tyle i włókł się w beznadziejną przyszłość, której niebezpieczeństwa nawet – prócz Heli Bertz, wyeliminowanej na razie z programu – stawały się bezbarwne i blade jak futerały larw po wylęgłych dawno owadach. Przekonał się Atanazy faktycznie, jak to trudno jest „poddać się prądowi". Okazało się przy tym, że całe to dawne tak zwane „artystyczne komponowanie życia", wytwarzanie sztuczne interesujących „kawałków", było tylko ubocznym skutkiem nudnej pracy w biurze. Zabrakło trampoliny do małych skoków, materiału dla małych kontrastów, miejsca rozpędu i dopingu dla drobnych wyścigów ze samym sobą. Chyba zrezygnować ze wszystkiego i zacząć pić i kokainować się jak Jędrek? Ale na to nie miał jeszcze odwagi. Wypadki, którymi pogardzał, przerastały go – stąd płynęła spotęgowana jeszcze pogarda dla samego siebie, którą do czasu tylko mógł przed sobą ukrywać. W zniszczeniu tylko zdawał się być jedyny ratunek, a życie codzienne: „młode małżeństwo" i obowiązująca jeszcze mimo tylu zdrad (a może przez nie właśnie) zachodząca „wielka miłość" – z jakąż goryczą wymawiał w myśli te słowa – zmuszała do budowania każdego nędznego dnia w sposób pozytywny. Każdy wie, co to znaczy. A wmieszać się w jakąkolwiek działalność nie miał siły ani ochoty. Wszystko było jeszcze niby za małe, niedociągnięte do jego ambicji, której nieznacznie pozbywał się z dnia na dzień w przebiegu codziennego życia w willi pani Osłabędzkiej. Pisał i udawał przed sobą, że pisze coś wartościowego. Była to jakaś dywagacja filozoficzno-społeczna bez określonej formy i jednolitego punktu widzenia. Ale myśli, które w rozmowach z przyjaciółmi zdawały się mieć wagę i głębię, sformułowane na papierze z konieczną bezwzględnością i ścisłością, okazywały się albo zupełnie banalnymi bzdurami, albo niedoskonałym, zdeformowanym wyrażeniem czegoś w ramach jego możliwości niewyrażalnego, na granicy nieprzemyślanej do samych podstaw filozofii i półartystycznego bezsensu, nieusprawiedliwionego artystyczną formą. Tylko w rozmowach i w słabnących „przeżyciach" erotycznych z Zosią czuł Atanazy, że żyje naprawdę, ale i to wkrótce wyczerpało się definitywnie. W ponurej pustce, która nie wiadomo kiedy zawlokła powoli cały jego wewnętrzny widnokrąg, paliło się w oddali jedno ognisko demonicznych potęg, kusząc ku czemuś nieznanemu, niszczącemu. Była to pokonana do pewnego stopnia miłość (wstrętne słowo) ani wielka, ani mała, tylko zupełnie jakby innego rzędu, dla Heli Bertz. Ale na razie oddzielał go od tych możliwości bezwzględny nakaz podświadomego, nieprogramowego postanowienia. Po prostu bał się. Zawieszony między nurtującą

214

żądzą zniszczenia siebie, której zadowolenie jedynie mogło być ciekawe, i małą chętką stworzenia normalnego, zdrowego życia, co udawało się na bardzo małą skalę na strzępkach uciekających dni, Atanazy coraz bardziej tracił związek między sobą obecnym a tym, którym był przed pierwszą zdradą w stosunku do Zosi. Ale kwestia tego „zniszczenia" nie przedstawiała się też zbyt jasno, a nawet, mówiąc otwarcie, była zupełnie ciemną. Przy pomocy jakich środków miało to nastąpić, nie miał Atanazy pojęcia – czekał w tym względzie jakichś wyższych objawień, ale na razie na próżno. Ale nawet gdyby środki odpowiednie się znalazły, trzeba by wtedy zaryzykować wszystko, a w razie gdyby i to okazało się nudnym?... Mogło być za późno na cofnięcie się (ale cofnięcie się z czego?). Na próżno pytał się Atanazy niewiadomych potęg, co czynić z coraz bardziej zbytecznym i nieznośnie ciążącym życiem. A żyć jakkolwiek bądź – w „zniszczeniu" czy nie, chciało się jeszcze, bardzo chciało. Otóż to: nie on chciał, ale chciało się, protoplazmatycznie, nieomal bezosobowo.

„Wszystko jeszcze jest przede mną" – powtarzał sobie jeszcze tak niedawno. Bogactwo choćby oscylacji między sprzecznymi stanami zdawało się być niewyczerpanym. Teraz jak nędzny żebrak z zawiścią patrzył na tamtego siebie, widział wyraźnie, jak to, co uważał za swój skarb trwały: artystyczne ujmowanie życia, przeleciało mu przez ręce nie wiadomo kiedy. Nawet i to nie było pewnym, czy był to skarb, czy kupa śmieci. „Symptomem najgorszego upadku jest to, jeśli zaczynamy zazdrościć ludziom żyjącym złudzeniami" – myślał Atanazy, a w wyobraźni przesuwali mu się wszyscy znajomi, ofiary, jak mu się zdawało, złudzeń: Ziezio – ważność sztuki, Chwazdrygiel – prawda w nauce, Wyprztyk – odrodzenie ludzkości przez religię, Jędrek – kokaina, Tempe – szczęście w powolnym zbydlęceniu – ha, ten może najmniej. Ten przeklęty Tempe zawsze miał jednak trochę racji. „Ale w imię czego moje życie ma być nieznośnym cierpieniem?".

Na domiar złego Zosia oświadczyła po miesiącu (nie bez pewnego zadowolenia, które zmroziło Atanazego aż do szpiku „metafizycznego pępka"), że jest w odmiennym stanie. Przestała nagle zajmować się pielęgniarstwem po szpitalach i miewać wykłady o higienie dla znudzonych i ogłupiałych żołnierzy – zwaliła się na Atanazego całym ciężarem swoich uczuć, które wahały się między cichym bezgranicznym przywiązaniem a szalonym, wyuzdanym w swym bezwstydzie erotyzmem. I jedno, i drugie doprowadzało Atanazego chwilami wprost do rozpaczy. Urozmaicały ten przekładaniec warstwy nadzienia z krótkich epok nienormalnej jakiejś pogardy i wstrętu, już na granicy lekkiego bzika. Atanazy gubił się w domysłach na próżno: Zosia nie rozumiała już samej siebie. I jakby na złość wtedy właśnie wracały u niego okresy udające dawną „wielką miłość", a gdy Zosia była czuła i kochająca, dusił się ze wstrętu do niej, teściowej, willi i nie swoich pieniędzy. A o wzięciu jakiejś posady na nowo mowy nawet być nie mogło: lepiej śmierć od razu. Ale co było najgorsze, to że mimo ataków wstrętu Zosia kochała go takim, jakim był: upadłym, zakłamanym, słabym – bo nie mogła chyba nie wierzyć mu, gdy zwierzał się jej ze swoich wątpliwości ze zbyteczną otwartością człowieka, który już nic do stracenia nie ma. Ale co przechodziło już wszelkie wyobrażenie, to to, że Zosia kochała go jako ojca swego przyszłego dziecka. „Szczyt perwersji" – mówił Atanazy do siebie, nic już nie rozumiejąc. Zatracił poczucie swego męskiego czysto uroku, który nawet w najgorszym upadku bądź co bądź zachował. A myśl o tym dziecku (jego dziecku! coś nie do uwierzenia) stawała się zmorą nie do zniesienia. Widział w wyobraźni jakiegoś ohydnego pokurcza, jakąś niezdolną do życia hybrydę, cierpiącego jeszcze bardziej niż on sam, zupełnego degenerata, który w rodzącym się nowym społecznym bycie mógłby co najwyżej być albo zupełnie biernym flakiem bez żadnej negatywnej nawet wartości, albo jedną z tych plączących się zwykle we wszelkich przewrotach kanalii spełniających najniższe funkcje: katów, szpiegów i innej hołoty. A nie wyobrażał sobie, by mógł mieć córkę, choć to byłoby może jeszcze do przetrzymania. „Nie – z «tą» (jak już w myśli nazywał Zosię, ale w innym znaczeniu niż dotąd Helę), z tą nie mogę mieć dziecka, a muszę, bo nie będę miał odwagi jej tego powiedzieć. Z tamtą, z tą piekielną Żydowicą tylko mógłbym sobie na to pozwolić: byłby to syn, który by spełnił coś na świecie, może to, czego nie spełniłem ja. Ale co? Psiakrew, co? I to wszystko, co we mnie jest zgnilizną, w nim byłoby tylko wyostrzeniem narzędzi siły, którą dałaby mu «tamta»". Hela, która awansowała teraz na tamtą, stawała się dla niego powoli, podświadomie, symbolem najwyższej formy zniszczenia siebie: wyrażało się to i w tym, że z nią właśnie chciałby mieć dziecko. „Jeśli się żyć w sposób twórczy nie umie, należy się chociaż w twórczy sposób zniszczyć" – tak mówił kiedyś zupełnie już psychicznie spotworniały Ziezio. Tempe, Ziezio i Chwazdrygiel stawali mu się żywymi wyrzutami sumienia, ekranami, na których z piekielną wyrazistością widział swoje bezpłodnie zmarnowane życie. Jakże strasznie zazdrościł wszystkim, którzy są kimś (czy „kimiś") – byle czym, ale czymś. Ale powoli Zosia wchodziła też w krąg tych zwierciadeł odbijających mu jego własną nicość: gdzieś bardzo głęboko zaczynał jej nienawidzić, ale jeszcze nie przyznawał się do tego przed sobą. Jako przyszła matka stawała się też „kimś" bez względu na to, jakiego potwora porodzić miała. Zdobyła tym nad nim jakąś niezrozumiałą przewagę i to było też powodem utajonej nienawiści Atanazego. A jednocześnie kochał ją jako jakieś dobre, poczciwe nawet, skrzywdzone zwierzątko i sprzeczność ta rozszarpywała resztki rdzenia jego sił.

I do tego wszystkiego ten przeklęty, nudny jak chroniczne tuberkuliczne zapalenie otrzewnej, ciągły przewrót społeczny, wahający się obecnie między zupełną reakcją a rewolucją socjalistów-chłopomanów, którzy rośli w siłę z dnia na dzień. Inaczej wyobrażał sobie Atanazy to wszystko, o czym mówił z przyjaciółmi jeszcze parę miesięcy temu. Rewolucja stała się dla niektórych jedynie pretekstem do zakończenia niepotrzebnego im samym i nikomu, prócz podobnym odpadkom – własnego ich życia. „Nudzą się w nietwórczym, wegetacyjnym istnieniu i chcieliby, aby się coś działo dla ich zabawy" – mówił kiedyś ten przeklęty Tempe, który zdawał się mieć rację we wszystkim, o ile nie chodziło o religię, sztukę i filozofię – niegodne ich odpowiedników puste wyrazy, które wstyd było nawet wymawiać. „Oto, na czym polega zrewolucjonizowanie połowy tak zwanej «inteligencji». A do tego jeszcze nędza i blada nadzieja, że «a nuż będzie lepiej». Takich nam nie potrzeba" – tak śmiał się wyrażać. „Nam potrzeba ludzi idei, a nie niedoszłych samobójców, czekających z braku odwagi na szczęśliwy przypadek". Rewolucja jako zabawa dla znudzonych, bezpłodnych odpadków ostatniej kategorii! To oburzające, ale cóż zrobić na to, że pewne typy tak ją przeżyć muszą. „Jesteśmy na przełomie historii i wszystkie gatunki są dziś jeszcze reprezentowane. Życie przejdzie obok niektórych z nich – o ile litościwie nie rozgniecie ich mimochodem – i zostawi na wymarcie w nędzy moralnej, jakby na bezludnej wyspie osamotnienia, wśród mrowia tworzącej się nowej ludzkości. Stamtąd, jak z loży, mogą sobie patrzeć na koniec ich świata" – tak mówił Tempe.

„Nadmiar pewnych typów, które trudno określić ogólnie, jest zawsze symptomem niezdrowia odpowiednich sfer: dzisiejszy nadmiar logistyków w matematyce, perwersyjnych malarzy na tle końca tej może największej kiedyś sztuki, nadmiar artystów tego typu w ogóle w epoce końca sztuki. Za tę nikomu niepotrzebną ilość – nie dość, że są coraz bardziej obcy społeczeństwu, ale jeszcze jest ich za wiele – płaci ludzkość jakością tworów, które dalekie są od wielkości dzieł dawnych. No, może z matematyką jest trochę inaczej, ale też to dobieranie się do podstaw nic dobrego nie wróży. Tak samo nadmiar takich pseudo-Hamletów, jak ja, artystów bez formy, jest dowodem, że ta mdło demokratyczna sfera, do której należę, jest na wymarciu. Zdemokratyzowanie hamletyzmu. Ale czy ten typ życiowy był w ogóle kiedykolwiek wartością? Bohaterzy powieści stają się pod koniec albo: a) manekinami bez życia, albo b) artystami, kiedy już nic z nich wydusić pozytywnego nie można, albo c) w najlepszym razie rewolucjonistami i to nieokreślonego gatunku" – tak gorzko myślał Atanazy, gdy o dwa pokoje od niego Zosia, ta ukochana jeszcze przed paroma miesiącami Zosia, męczyła się w strasznych torsjach, o które przyprawiał ją ukochany przez nią zawczasu embrion przyszłego degenerata. Ileż podobnych kombinacji było naokoło?! A wszędzie również naokoło czekały zdrowe chamskie (tak z dumą mówił Tempe) siły, aby dorwać się do życia, swego własnego, tego, które dla niektórych było końcem „wszystkiego": religii, filozofii, sztuki...

„Tfu, do diabła z tym paskudztwem, z tą przeklętą trójcą umarłych wartości! To my zawalamy im niepotrzebnie drogę. I ten naiwny Wyprztyk myśli, że Kościół (nawet jakikolwiek) obejmie kiedyś ster świata! Szalone złudy à la Krasiński w *Nie-Boskiej*. Na odwrót: Murzyn spełnił swoją rolę i może odejść. I gdzie w tym jest dziwność bytu?

Wszystko się samo określiło, wyjaśniło, ograniczyło, wygładziło – jest tylko społeczeństwo, bez żadnych tajemnic, jako jedyna rzeczywistość całego wszechświata, a wszystko inne jest tylko jego wytworem. Fikcje pozwalające żyć pewnemu gatunkowi bydląt! – a jednak indywiduum... i tak w kółko. Tylko w świadomym zniszczeniu siebie może dziś przeżyć indywiduum samo siebie, tak jak dawniej przeżywało, tworząc. Usuwajmy się z drogi sami, póki nas nie wymiotą jak śmiecie. A kto bawi się w płaskie optymizmy (po naszej stronie oczywiście – tam gdzie działa Tempe, tam mają na to prawo), jest tylko krótkowzrocznym kretynem, który nie widzi całego tragizmu rzeczy, bo jeszcze dają mu trochę podyszeć, pożreć i pogrzać się na słońcu. Ale i to się skończy. To my, artyści bez formy i bez dzieł stworzonych, dyletanccy filozofowie, niemogący stworzyć «systemu bez sprzeczności», my, wierzący w małe przesądy, a nienależący nawet do żadnego Kościoła degeneraci religii, jesteśmy potomkami w prostej linii dawnych prawdziwych twórców życia, sztuki i metafizyki, a nie dzisiejsi pseudowładcy, pseudoartyści i przystosowani do warunków kapłani wymierających kultów w rodzaju ojca Hieronima i z zaciekłością odtajemniczający Byt filozofowie, sprowadzający wszystko do napisów takich jak: «przejście wzbroniono», albo co najwyżej: «droga prywatna – przejście dozwolone aż do odwołania». To są prawdziwe bękarty, ale i ich na równi z nami zetrze rosnący w siłę społeczny potwór".

Ohyda tych myśli, z których nikt nie mógł go wydobyć, przechodziła już możność wytrzymania. Chciał krzyczeć: „Ratunku!" – ale do kogo? W Boga nie wierzył. Aż któregoś dnia (tego właśnie) skręciło się wszystko ostatecznie. Była godzina czwarta po południu, trzeciego stycznia. Zapadał zmrok. (Bez pukania wszedł do mroczniejącego pokoju Łohoyski). [Tego dnia zaczęło się zniszczenie – ale w rozwoju swym miało przybrać zupełnie inne formy, niż to by się z początku zdawać mogło].

Łohoyski mówił. Atanazy zamknął drzwi i zapalił lampę.

– Zosia rzyga. Słyszę. Będzie syn. Nic nie szkodzi. I tak zginie. Nie warto rodzić. Ja zrezygnowałem z młodszej linii Łohoyskich. Za parę dni będzie nowy przewrót i wtedy wszystkie moje majątki diabli wezmą. Ci już nawet dobrali się do własności, tak zwanej większej. Jestem pod kuratelą społeczną.

Wyglądał straszliwie: ruchy miał niespokojne, jak u zwierzęcia w klatce, mówił gorączkowo, połykając często ślinę z wysiłkiem. Zielone tęczówki jego oczu zredukowane były do cienkich paseczków przez rozszerzone nadmiernie źrenice. Cała twarz tchnęła obłędem.

– Jędrek, co ty gadasz? Jesteś nieprzytomny?

– Ty jeden, Taziu. Mówię ci, tylko w tym jest ratunek. Z kobietami skończyłem dawno, no – nie tak bardzo dawno, ale zawsze. Kropnąłem koko po długiej pauzie – to znaczy po dwóch dniach. Mało nie zwariowałem przez ten czas. Nie mogę.

Zrzucił futro i próbował objąć Atanazego, który usunął się ze wstrętem połączonym z litością.

– Nie. Poczekaj. Powiedz coś jeszcze.

– Kocham cię, Taziu. Próbowałem z takimi... wiesz? Ale nie mogę. To jest pederastia – świństwo. Ty nie wiesz jeszcze, czym jest przyjaźń, ale na to trzeba się zespolić, zlać w jedno. Jesteś komunista – wiem – ale wszystko jedno. Jesteś piękny psychofizycznie, tylko ty jeden. Ach, cóż to za świństwo jest kobieta! Gdybyś chciał mnie zrozumieć bez uprzedzeń, weszlibyśmy razem w ten świat... Przeczytaj *Corydona* – masz!

Wlepił Atanazemu małą książeczkę Gide'a.

– Nie chcę. Słyszałem o tym. Na to mnie nie weźmiesz. Nie czuję do ciebie wstrętu, ale żałuję cię, choć sam jestem też w stanie zupełnego upadku.

– Też! Ach, ty nie wiesz! To nie jest upadek, tylko inne życie, jak na innej planecie. Ale bez ciebie nie mogę; nie mogę być tak samotnym.

Łohoyski objął go i tulił się do niego łagodnie z dziecinną jakąś czułością. „Wszyscy uwzięli się na mnie. Niedługo zwierzęta zaczną się we mnie kochać" – myślał ze smutkiem Atanazy, gładząc Łohoyskiego po jasnych, kręcących się włosach, które w ostrym świetle wyglądały jak mosiężne druciki. Ale uściski Jędrka znowu stały się jakieś nieprzyjemnie namiętne i Atanazy odsunął się z nagłym obrzydzeniem.

– Przypomina mi się znowu zdanie mojej ciotki: „Zabierzcie się do jakiejś pożytecznej pracy". Ale jakiej – i co to jest pożyteczność? Zużytkowanie danego człowieka w kierunku jego najistotniejszych możliwości. Wiesz – na dnie upadku jeszcze żal mi tych, którzy żyją złudzeniem, że coś jeszcze jest w ogóle. Wolę się przynajmniej nie łudzić. I pomyśl, ilu jest zdrowych byków, którzy by w przybliżeniu nie zrozumieli, o co chodzi: metafizyczne zmęczenie sobą samym. Tylko artyści nie czują przypadkowości, oprócz tych ludzi, którzy w ogóle nie myślą o tajemnicy bytu – ale tych znowu nie uważam właściwie za ludzi – i może jeszcze matematycy, i ci filozofowie, którzy tworzą absolutne prawdy. Ale niestety najogólniejsza prawda jest tylko negatywna – jest zakazem przekroczenia pewnych granic.

Atanazy próbował zaaranżować jakąś rozmówkę bardziej istotną: usprawiedliwić swój upadek i zwrócić myśl Łohoyskiego w kierunku bardziej abstrakcyjnym. Ale to mu się nie udało: mówił blado, produkując jakieś zaskorupiałe odpadki żywych kiedyś myśli. Jędrek z uporem maniaka wracał do swego tematu:

– Błagam cię, nie opuszczaj mnie dzisiejszego wieczoru. Zwariuję sam, a nikogo już nie mogę widzieć oprócz ciebie. Chodź, przejdźmy się – cudowna zima, a potem pójdziesz ze mną na kolację. Muszę wyjechać stąd w góry, ale bez ciebie nie mogę. Omówimy ten projekt.

W Atanazym coś drgnęło, co – jeszcze nie wiedział. Ale owiało go inne życie, jak wiatr z „tamtej" strony przy dochodzeniu do grani górskiej. Jakaś przestrzeń otwierała się powoli, a może nie przestrzeń, tylko wąska jakby szpara w bezwyjściowej jaskini, raczej w ohydnym, jak z niesamowitego snu, korytarzu przejściowym, w którym żył obecnie. Nie przeczuwał jeszcze, że znalazł się w tym momencie właśnie na pochyłości. Była w tym też nieuświadomiona pokusa zażycia kokainy, zamaskowane pragnienie wznowienia tego stanu z tak zwanej „nocy poślubnej" u Bertzów. Ale broń Boże nie myślał o tym wyraźnie: zapytany, zaprzeczyłby z całą stanowczością. Łohoyski wprost fizycznie, mimo wstrętu Atanazego do jego erotycznych zapędów, oddziaływał na niego katalitycznie, budząc w nim z uśpienia jakieś potwory, które przeciągały się rozkosznie po długim, przymusowym śnie. Na tle zupełnej nicości błysnął jakiś płomyczek, a w jego blasku ukazała się jak widmo Hela. Nie ta, którą widywał czasem teraz u Zosi i na oficjalnych wizytach w Czerwonym Pałacu, ale ta dawna, w której nie miał odwagi w porę się zakochać.

Za chwilę szli już przez słabo oświetlone ulice. Atanazy nie pożegnał się z Zosią. W tym stanie, mimo jego lotności, nie miał odwagi do niej się zbliżyć – do niej i do tego „czegoś", raczej kogoś, ukrytego w głębi jej ciała, kogoś, którego nienawidził i żałował: naprawdę żałował, właśnie jak oślepionego zdychającego kota. Latarnie otoczone chmurami śniegu majaczyły jak słońca w wirach planet. Cienie spadających dużych płatków biegły po ziemi koncentrycznie ku słupom jakby jakieś zwinne, płaskie zwierzątka. Dźwięk dzwonków przypomniał im obu dawno niewidzianą zimę w górach i ten sam żal ścisnął ich obu za serca.

– Pamiętasz góry – szepnął Łohoyski, z zachwytem przyciskając się do Atanazego z tą obrzydliwą, nieznaną dotąd poufałością. – Ten zachód słońca na szczycie Wielkiego Pagóra – ja już wtedy... tylko nie śmiałem ci tego powiedzieć...

– Bardzo źle, że teraz śmiesz. Chcesz tylko popsuć naszą przyjaźń. A ja podejrzewałem już coś dawniej...

– Nie, nie: nie mów teraz nic. Tak jest dobrze. – Wyciągnął z kieszeni nieodstępną rurkę, wysypał na dłoń trochę białego proszku i wciągnął nosem, oglądając się przy tym trwożliwie.

– Dałbyś pokój tej kokainie, Jędrek...

– Nie mów nic. Tak dobrze jest. Ty nie wiesz, co się przede mną otwiera. Wszystko jest takim, jakim powinno być.

Pociągał nosem z coraz większym zapamiętaniem. Wchodzili w bardziej ludne ulice. Łohoyski zesztywniał i szedł prosty, wypięty, pogrążony w niemej ekstazie. Milczeli długo obaj. Atanazego zaczęła przejmować głęboka, aż gdzieś z samych trzewiów płynąca zazdrość. „Ostatecznie jest wszystko jedno. Kończy się wszystko. Dlaczegóż bym nie miał i ja? Zamiast zdradzić jeszcze raz Zosię i opuścić ją z «tamtą», czy nie lepiej skończyć w ten sposób? A zresztą nie wiadomo, czy ta piekielna Żydowica będzie mnie jeszcze chciała?”. Hela była teraz tak dumna, nieprzystępna i zamknięta w sobie, że nawet nie dopuszczał możliwości pomyślenia o niej czegoś „takiego”. „A poza tym cóż jest jeszcze: brnięcie dalej w pospolitość codziennych, beztwarzowych dni i jeśli nie nowa miłość z Helą, jedynie godną zniszczenia się z nią razem, to jakieś małe zdradki z jakimiś tam «substytutkami» czegoś, co mogłoby być wielkie, choćby czysto negatywnie". Zazdrościł Łohoyskiemu tego innego świata, w którym przebywał on z taką nonszalancją w stosunku do swego zdrowia i w ogóle życia. Narkotyki! Ileż razy marzył o tym Atanazy, nie śmiejąc nigdy urzeczywistnić swoich pragnień. Może naprawdę jest to jedyny sposób wskrzeszenia dziwności życia i „tamtych" niepowrotnych już w normalnym stanie chwil: artystycznego ujmowania świata. Czyżby faktycznie Zosia i małżeństwo były temu winne? A może zawód, którego doznał na temat tak już nudzącego wszystkich, z wyjątkiem nowo występujących działaczy i „następnej warstwy", chronicznego społecznego przewrotu? Jeszcze się wahał, ale poczuł już, że znalazł się na niebezpiecznej równi pochyłej. W restauracji Łohoyski nie jadł prawie nic, pił tylko dużo i powoli przytomniał, zdawało się, ze swojej ekstazy, upijając się w jakiś odmienny od zwykłego sposób. Atanazy pił także nad zwykłą miarę i kiedy wyszli znowu na mróz, poczuł, że już jest po „tamtej" stronie. Postanowił zażyć znowu tego świństwa.

– Nie teraz – szeptał Łohoyski. – Chodź do mnie, tam spróbujesz naprawdę. Tamto było nic. Będziesz moim: wyzwolimy się od tych przeklętych bab. Ty nie wiesz jeszcze, jakie horyzonty otwiera to – pokazał Atanazemu rurkę – i tamto – dodał po chwili. – Ale ty nie jesteś jeszcze godnym prawdziwej przyjaźni. Wszyscy najwięksi ludzie byli tacy, największe epoki twórczości były w związku z tym. Nieznane uczucia, nieprzewidziane perspektywy i ta swoboda, bez upadlającego kłamstwa stosunku z kobietą...

Atanazy uczuł się urażony. Jak to – on nie jest godnym? Nie wiedział, że Łohoyski uwodzi go w ten sposób programowo w swój świat narkotyku i inwersji.

– Może najwięksi ludzie mogli sobie na to pozwolić, ale jeśli zaczniemy to robić my, jakieś marne wyrzutki ginącego świata, to na pewno nie staniemy się przez to największymi ludźmi dzisiejszych czasów.

– Zupełna izolacja od życia: zginąć we własnym zakamarku, choćby za cenę przedwczesnego zniszczenia.

– Cierpienie bez winy jest moim udziałem i chcę wziąć mój los na siebie bez żadnych ułatwień – rzekł Atanazy nieszczerze twardo, czując, że ma pod sobą nie skałę, ale uginające się trzęsawisko.

– Po co? W imię czego? Pokaż mi cel!

– Tak, to jest trudniejsza sprawa, o ile się nie jest dziś społecznikiem ani ginącym artystą.

– A zresztą tak mało jest już nas, takich właśnie. Mogliby nam dać zginąć spokojnie.

– W szpitalu wariatów lub w więzieniu – zaśmiał się gorzko Atanazy. – Nie, te „sztuczne raje" to jest łatwe zdobywanie bez wysiłku tego, co da się osiągnąć jedynie ciężką pracą, prawdziwym wzniesieniem się ponad samego siebie.

– Ale my nie mamy tego motoru, który podnosi. Na czym się oprzesz, zaczynając? Chciałeś tego dokonać na małym skrawku i w tym celu ożeniłeś się z tą biedną Zosią. Żal mi jej, mimo że dla mnie jest to nieszczęście. Ona źle skończy z takim panem jak ty. Ale cóż to jest? Zakorkowanie życia w buteleczce na pięć gramów, kiedy na twoją samą pustkę nie wystarczyłoby dużej beczki.

– Dialektyka narkotyku jest tak samo nie do odparcia, jak dialektyka socjaldemokracji. Tylko irracjonalnie można się temu przeciwstawić. Niedawno jeszcze syndykalizm wydawał się czymś urojonym. Dziś widzimy, czym jest państwowy socjalizm: utopią – nie tędy droga. Tak samo tam: stworzyć z niczego na początek małą podstawę, a rozrośnie się w nieskończoność bez żadnych sztucznych środków.

Pijanieli coraz bardziej: przestawali się rozumieć.

– Gdzie? W dzisiejszych niwelacyjnych warunkach? W co będziesz wierzył, tworząc to. Czemu ta chwila upojenia ma być niższa od całego życia przeżytego w kłamstwie i nędzy. Bo na nic innego nas nie stać. Chyba odegrywać komedię i iść na ich barykady i okopy. Dla awantury? Miałem ich dosyć.

– Tak, te wszystkie dzisiejsze odrodzenia intuicji i religii, i metafizyki, te wszystkie nowe sekty, towarzystwa „meta-jakieś-tam", to wszystko symptomy tego, że wielka religia upadła, a cała masa naiwnych cieszy się tym jako początkiem czegoś wielkiego...

– Wolę polować na tygrysy niż zostać kondotierem tłumu na małą skalę, tłumu, którym pogardzam, którego nienawidzę.

– I to mówi były esdek!

– Ale polować już nie będę. Skonfiskują mi bestie wszystko, a i tak teraz z tego nic nie mam. Mam tylko pałac, to jest tę ohydną budę zwaną pałacem, i ledwo żyję, odnajmując pokoje jakimś draniom. Ach, gdybym mógł wierzyć w ludzkość jak dawniej!

– Na złość ojcu. Hrabia się ocknął w nim od kokainy i to na tle społecznego przewrotu. Może...

– Milcz! Dawniej za to zerwałbym z tobą stosunki. Dziś okropnie tylko ranisz moje uczucia najgłębsze, stwarzając sztuczne nieporozumienia.

– Jednym słowem, zastępuję ci w tej chwili demoniczną kobietę – zaśmiał się Atanazy z jadem.

Bądź co bądź żałował w tej chwili, że nie jest hrabią. „Takiemu zawsze wypada zginąć w tych czasach. Może to zrobić z czystym sumieniem".

– Taziu! Taziu! Odbierasz mi jedyną wiarę. W ciebie tylko wierzę i to chcesz mi zabrać. Razem zginiemy pięknie. Beze mnie zamrzesz w najgłupszy sposób między tymi babami;

ja wiem wszystko: Zosia i tamta, anioł z prawa i demon z lewa. Jedna warta drugiej. A potwory, puste doły, które zasypujemy diabli wiedzą po co, rzucając w nie, co mamy tylko najwartościowszego.

– Nas nie ma co żałować. Zupełnie dobrze obejdzie się bez nas ludzkość!

– Ludzkość?! A gdzież jest linia demarkacyjna między nami a małpami? Czy to są ludzie, ci, którymi zajmuje się Tempe? Może linia przechodzi przeze mnie, przez każdego z nas przejść może, może się zmienia ciągle?

– O tak, to prawda. Zaczynasz mówić banalne nonsensy. Nie widzę, żeby kokaina dodawała ci wiele intelektualnie. Jestem pijany i czuję się daleko wyższym od ciebie.

– Zobaczysz jeszcze, zobaczysz...

– Jeśli raz jeszcze wspomnisz mi o tym, wrócę w tej chwili do domu! – krzyknął sztucznie groźnie Atanazy, wiedząc już na pewno, że się nie oprze.

– Do Zosi? Ha, ha – nie wrócisz. Nawet gdybym cię teraz chciał oddalić, nie opuściłbyś mnie. Już przeszedłeś tę linijkę: już mnie prosiłeś o to przed chwilą. Ja wiem wszystko, bo cię kocham.

Atanazy poczuł niemiły dreszczyk. Coś oblepiło go nagle jak ciepły kompres. „Ten demon naprawdę wie wszystko, demon trzeciej klasy. Hrabia. Jemu wszystko wolno" – pienił się i czuł, że zaczyna z coraz większą szybkością zjeżdżać w jakąś miękką, czarną, nie bardzo przyjemnie pachnącą boczną otchłań, boczną, nie tę główną. Tam była tylko Hela i ten idiotyczny Prepudrech. „Skąd on się wziął na moim miejscu?". I przypomniał sobie znowu swój brak decyzji, chęć ratunku przed Helą i sztuczną obawę przed miłością do Zosi. To była właśnie ta cała miłość: „wielka miłość" do żony. Bał się „tamtej" i próbował zdradą, co jest silniejsze. „A jednak potem kochałem ją tyle czasu! Nie, to były równe siły. Nigdy z tego nie wybrnę" – pomyślał z rozpaczą.

Właśnie dochodzili do ponurego podziurawionego kulami renesansowego domu, tak zwanego „pałacu Łohoyskich". Otworzył im młody lokaj, w którym Atanazy poznał dawnego służącego od Bertzów. Dziwnie poufale zdejmował z panów zaśnieżone futra. Łohoyski mówił mu coś na ucho.

„Ach, to tak – to jest pederastia, a ja mam być tylko tym homoseksualnym przyjacielem. Co za świństwo! Nigdy! Żal mi Jędrka – co innego mogło wyjść z tego gatunku człowieka". Ale przypomniał sobie siebie i przestał, urwał te ciche, niewczesne admonicje.

Przez zimny, pusty „hall", ogołocony z mebli, przeszli do prywatnych apartamentów Jędrusia. Zaledwie trzy pokoje dość słabo umeblowane, w których panował piekielny wprost nieład: brudna bielizna zmieszana z pomiętymi garniturami i piżamami, taca z ciastkami, w które włoczony był ciężki hiszpański browning, jakieś flaszeczki, resztki obiadu, mnóstwo pustych butelek, jakieś dziwne rysunki roboty samego gospodarza domu – wszystko to rozprzestrzenione po kanapach i stołach w najdzikszym nieporządku.

– Dlaczego niesprzątnięte, Alfredzie? – spytał z udaną wyższością Łohoyski, pokrywając tonem tym nieznaną dawniej Atanazemu nieśmiałość, najwyraźniej bał się fagasa.

– Myślałem, że pan hrabia nie wróci, jak wczoraj – odpowiedział bezczelnie lokaj.

– Gdzież to wczoraj byłeś? – spytał Atanazy.

– Ach, nie pytaj. Dawaj wódki – rzekł do Alfreda, patrząc bezmyślnie w dal, a właściwie w głąb ohydnych przeżyć wczorajszych. Ekstaza przeszła. Fagas wyszedł. – Byłem w towarzystwie moich jednoklasowców w jednym miejscu.

Niedobrze jest. Musimy wzmocnić dawki – to jest ja, tobie wystarczy pół grama. Ale przedtem pić, pić! Tylko z alkoholem daje to likwor lepszy niż miód z krwią pana Zagłoby. Boże! *Potop* Sienkiewicza! Kiedyż to było. Jakże cudowne było moje dzieciństwo. Ty tego nie znasz.

– Możesz nie mówić. Co mi przyjdzie z tych byłych twoich splendorów – odpowiedział brutalnie Atanazy.

– Nie chcesz wejść w mój świat. Tak, niestety wspomnienia nie dadzą się nigdy przenieść w duszę innego człowieka z tą intensywnością, z tym smakiem jedyności, który mają dla ich właściciela. Czemuż nie mieliśmy wspólnego dzieciństwa – to byłoby wspaniałe!

Fagas przyniósł wódę. Wypili. Atanazy poczuł się straszliwie pijanym. Nagle znikły w nim wszystkie zapory i zastawki: tak nagle, że nie zdążył jeszcze pomyśleć, a już wyciągnął rękę do zażywającego kokainę Łohoyskiego i powiedział: „daj" – nie mógł wytrzymać widoku tego człowieka, znajdującego się o dwa kroki od niego w innym, nieznanym bycie.

– Zazdroszczę ci – mówił Jędrek z nonszalancją. – „Les premières extases de la lune de miel". A potem? Potem „les terreurs hallucinatoires qui mènent à la folie et à la mort". La mort – powtórzył z rozkoszą. – Gdzie ja to czytałem? Ale używanie stałe ma inny znowu urok. Tylko trzeba coraz więcej, coraz więcej...

– Ty ładnie musisz się czuć po takiej nocy. Słyszałem, że nazajutrz występuje potworna depresja. Nawet po tym, co mi dałeś wtedy, czułem się fatalnie.

– Tak, dawniej tak. Teraz jak tylko jest źle, walę znowu i znowu jestem tam, gdzie nic mnie dosięgnąć nie może, chyba brak tego świństwa. Ale w tym masz rację, a może nie ty: bezpłodny narkotyk, nic w tym stanie nie stworzysz. Nawet myśli...

– Wiem, myśli twoje nie były szczególne, ten sam bałagan co zawsze – odpowiedział Atanazy i zażył szczyptę białego proszku jak tabakę, ale ze dwa razy więcej niż wtedy po ślubie. I nagle otrzeźwiał zupełnie.

– Nie lepszy od twego – odpowiedział Jędrek.

– A to co nowego? – mówił zdumiony Atanazy. – Nie tylko jak bym nic nie pił, ale naprawdę zmienia się wszystko w zupełnie, ale to zupełnie co innego, a przy tym jest takie, jakie jest. (Przyjemne zimno i znieczulenie zajmowało coraz wyższe części nosa i dochodziło aż do gardła). To cudowne! jestem zupełnie trzeźwy, a mimo to – na próżno starał się uchwycić istotę tej zmiany – tego nie było wtedy... Poczekaj!

I nagle wybuchnął dziwnym, drewnianym śmiechem, który zdawał się nie być jego własnym. Ktoś najwyraźniej śmiał się w nim samym, ale nie on.

– Siadaj i mów – rzekł Łohoyski, sadowiąc Atanazego obok siebie na kanapie.

Nagła jasność błysnęła gdzieś jakby w samym centrum wszechświata i Atanazy ujrzał ten sam pokój, w którym nic, na odrobinę jedną nawet, się nie zmieniło, przeistoczony w zupełnie inny świat sam dla siebie, zamknięty, doskonały. Wiszące na przeciwległej ścianie ubrania, nie drgnąwszy nawet, ożyły, spuchły, wydęły się wewnętrznie od jakiejś cudowności niepojętej i szare ich barwy, nie zmieniając się wcale, błysnęły jak najpiękniejsza harmonia obrazów Gauguina czy Matisse'a – a jednak były tym samym.

Jędrek patrzył na Atanazego z tryumfem. Jak każdy prawdziwy „drogista" (wyrażenie Ziezia Smorskiego) znajdował całą rozkosz we wprowadzaniu w ten świat innych. A do tego „tamto"... Czuł, że teraz Atanazy nie wymknie mu się, że nastąpi nareszcie to wprowadzenie w prawdziwą przyjaźń, o której dotąd nigdy nie śmiał z nim mówić, przechodząc męki zazdrości o Zosię, o Helę i innych tak zwanych przyjaciół. A zaczęło się to na dobre i stało się męczące na uczcie weselnej u Bertzów. Wtedy to uprowadził ze sobą młodego fagasa. Potworna była to noc: tak jak z ordynarną, antypatyczną, nielubianą, a piekielnie podobającą się kobietą. Tak mścił się na Atanazym za jego małżeństwo. „Ta niewystarczalność niczego – myślał. – Nawet i to świńskie koko ma swoje nieprzekraczalne granice. Może nawet ten Tazio używa teraz więcej niż ja. Poczekaj: będziesz moim. Wtedy dopiero zgnębię w sobie kobiety. A podłe ścierwa!" – przypomniała mu się ostatnia kochanka, która zdradziła go z muzykiem z dancingu. (Łohoyski, mimo że się do tego nie przyznawał, nienawidził muzyki, uważając ją za sztukę niższą, oddziałującą ordynarnym hałasem na najniższe warstwy duszy, i odmawiał jej wszelkich metafizyczno-formalnych wartości).

– Boże! Jakież to cudowne! Nie widziałem nigdy piękniejszej rzeczy od tych twoich spodni. Nie, nie przeszkadzaj mi, chcę się nasycić – mówił Atanazy drewnianym, nie swoim głosem, udając jakby trzeźwego.

Rysunek pepitowej kratki tych portek Jędrusia na ścianie był dla niego w tej chwili najpiękniejszą rzeczą na świecie. Pole widzenia zmniejszało się. Niczego więcej nie chciał, nie będzie chciał nigdy. Całą wieczność patrzeć na te portki i niech diabli sobie biorą cały świat. Niestety wszystko się kończy i kokainowy szał przewałkowuje się też na odwrotną stronę, i staje się męką straszliwą mimo powiększania dawek. O tym nie wiedział jeszcze biedny Tazio.

– Jeszcze – szepnął, nie budząc się z ekstazy, która przestawała być jego własnością, wypełniając cały wszechświat. Jednak mimo że zdawał sobie sprawę z innych możliwości, nie chciał oderwać się od tych, tych właśnie, jedynych pepitowych galifetów. Naprawdę nic podobnie pięknego jeszcze nie widział. – To cały nowy świat! Czemuż dotąd nie wiedziałem, że wszystko może być tak wspaniałe, tak jedyne – mówił, podczas gdy Łohoyski, z miną co najmniej kawalera de Sainte-Croix, podsuwał mu pod nos drugą dawkę zabójczej trucizny.

Atanazy wciągnął i zaraz poczuł, że to pierwsze wrażenie niczym jest w porównaniu do tego, co następowało, wobec tego, co jeszcze nastąpić mogło. Nie odrywał wzroku od tych spodni. Żył tam, wśród krzyżujących się czarnych i szarych pasków, jakimś wspaniałym, nieznanym życiem, pięknym jak najlepsze chwile przeszłości spotęgowane do niemożliwych granic. Bał się poruszyć głową, drgnąć oczami nie śmiał i spojrzeć na majaczące naokoło przedmioty w obawie, że będą inne, nie tak doskonałe w swej piękności, jak te nieszczęsne portki. Odtąd pepita stała się dla niego symbolem cudu – tęsknił do niej zawsze jak do utraconego raju. Ale o tym później. Oprócz starych portek „hrabiego” Łohoyskiego w kokainowym sosie istniały stokroć silniejsze jeszcze narkotyki, jak Hela Bertz na przykład – ale o niej nie myślał w tej chwili biedny, piękny, „interesujący”, śmiertelnie nieszczęśliwy „Tazio”. Teraz żył, po raz pierwszy może naprawdę, w tym „innym świecie”, o którym marzył – nasycał się rzeczywistością aż do najgłębszych fibrów swojej istoty. Gwałtem zwrócił mu głowę w inną stronę Łohoyski. Z jakimże żalem rozstał się z tym odrębnym bytem pepitowych galifetów samych w sobie: „die Welt der Reiterhosen an und für sich”.

– Nie głupiej tak na jednym punkcie, wszystko jest takie samo – mówił, zgadując jego myśli Jędrek.

I ujrzał Atanazy jakby nie w naszej codziennej, poczciwej, a w jakiejś psychicznie nieeuklidesowej, riemannowskiej przestrzeni cały pokój jako jedną wielką świątynię dziwności. Przedwieczna („przedustawna” – co za okropne słowo!) harmonia absolutnej doskonałości objęła cały świat. Nie było przypadku: jakby pogląd fizyczny wcielił się z całą swoją koniecznością w obraz bezładu tego pokoju, który stał się symbolem wiecznych praw bytu, w tym właśnie swoim przypadkowym wstrętnym statycznym zamieszaniu. Planety i Droga Mleczna, i wszystkie poza nią krążące mgławice gwiazd i zimnych gazów wirowały z tą samą matematyczną precyzją, z jaką trwał konieczny nieład tego jedynego w swoim rodzaju pokoju. Nie oglądał już Atanazy rzeczy objętych prawem „tożsamości faktycznej poszczególnej" księdza Hieronima – raczej idee ich trwające w niezmiennym bycie, poza czasem. Chciał o tym powiedzieć Łohoyskiemu, ale bał się spłoszyć tę jedyną chwilę, która zakrzepła sama w sobie bez skazy, stała się wiecznością. I nagle przypomniał sobie, że są ludzie drodzy, kochani ludzie. On nie jest sam w tym bajecznym świecie, w którym najnędzniejsza zwykła rzecz, nie deformując się, nie przestając być sobą, stawała się tak doskonałą, skończoną, konieczną, jedyną. Jest przecie Jędruś, ten kochany, który zażył to samo kochane koko. Objął Łohoyskiego za szyję i pocałował niewinnym, czystym pocałunkiem w policzek. Jędruś nie drgnął. Systematycznie, na zimno, uwodził dalej swoją ofiarę – bał się przedwczesnym przyśpieszeniem popsuć wspaniale rozwijającą się sytuację. Wiedział, że po ekstazie przyjdzie podniecenie i chęć mówienia, a potem ocknie się bydlę. I wtedy należało się rzucić jednym skokiem i zatrzymać przy sobie. Ale wszystko to czynił szczerze w imię tej koncepcji przyjaźni, jaką w nim wytworzyło przedwczesne zblazowanie i erotyczne zawody. Aby doprowadzić wszystko do końca, już w restauracji zamówił przez telefon paru znajomych, którzy od dawna domagali się dopuszczenia ich do kokainowych misteriów. Miał być nawet sam Tempe, którego wobec zmiennego kursu zdarzeń postanowił opanować

Łohoyski. Nie budził Atanazego z ekstazy, myśli przelatywały mu przez głowę z szybkością błyskawic. Wziął kolosalną jak na niego dawkę: jakie trzy czy cztery gramy. Był jeszcze w stosunkowo dość wczesnym stadium i „coco" działała nań jak „aphrodisiacum". Ale wstrzymywał się siłą woli: za chwilę mogli przyjść goście. Atanazy wyładuje się w rozmowach, a potem goście – precz, i ekstaza jedynej, zamalgamowanej z przyjaźnią miłości: „Wtedy będziemy mówić", pomyślał z dreszczem rozkoszy.

Do pokoju wchodził właśnie Ziezio, Purcel i Chwazdrygiel, a za nimi Prepudrech. Po chwili wśliznął się prawie niepostrzeżenie sam Sajetan Tempe: chciał w tym stanie przemyśleć pewne rzeczy: znał te „możliwości" jeszcze z Rosji. Jako tytan woli mógł sobie na to pozwolić. Atanazy witał wszystkich z dziką radością. Byli mu bliscy, jak nikt nigdy dotąd. Rozpoczęło się generalne picie i pociąganie nosami, i pomału wszyscy (z wyjątkiem Ziezia, który próbował już „sztucznych rajów" we wszystkich odmianach i pogardzał tak „gruboskórną przyjemnością" jak kokaina, zażywając niezmiernie rzadką i drogą apotransforminę), przeszedłszy te same fazy uczuć, co Atanazy, wpadli w stan niesłychanej gadatliwości. Tylko gdzieś w kącie prowadzili spokojną dyskusję o muzyce Ziezio i Łohoyski. Chwazdrygiel klął naukę i żałował głośno, że nie był artystą, i to malarzem, do czego według niego był stworzony. Rysował potworne rzeczy w albumach Jędrka: infantylistyczno-goyowskie sceny z dziewięćdziesięcioprocentową domieszką sodomicznej pornografii, bez cienia pojęcia o rysunku. Mimo to wszyscy uznali rysunki te za genialne. Tak mściła się na nim zoologia. De Purcel opowiadał wszystkim o tak strasznych znęcaniach się nad Żydami na froncie, że mógłby zadowolnić tym i Sade'a, i Gilles de Raisa razem wziętych w sześcianie. Za każdą taką historię mógł wisieć, całe szczęście w tym, że może to była blaga. Nic to: przypominał sobie rozkoszne chwile w „lejb-gwardii kawalergardzkom połku" i przeszłość z teraźniejszością zmieszała mu się w jeden nieartykułowany kłąb, który na próżno starał się zróżniczkować swoim ubogim polskim wokabularzem. W końcu przeszedł na rosyjski:

– Panimajetie, gaspadá: ana była takaja ryżenkaja Żydówka z malenkom „grain de beauté je ne sais où, mais enfin", my jejo podsadili na palik, a patom, panimajetie, graf Burdyszew, karniet, leib-dragun, w polskoj służbie tiepier, zdiełał jej takoj dlinnyj nariez...

Atanazy wpił się psychicznie w Azalina Prepudrecha, który właśnie przeszedł w stan ekstazy najwyższej. Całe towarzystwo przyszło już mocno pijane i kokaina działała znakomicie. Jeden Tempe, samotny i chmurny, siedział zagłębiony w ponure myśli. Teraz był bezpieczny wśród ogólnej krajowej „kiereńszczyzny", czyli zasadniczej tolerancji, nawet dla tych, co nóż bez ceremonii w brzuch samemu ustrojowi państwowemu wbijali. Nawet anarchiści chodzili po mieście z czarną chorągwią, wołając: „Precz z wszelką władzą!", ale w razie gdyby „pronunciamento" drugiej z kolei warstwy doszło do skutku, groziło mu aresztowanie, a może i śmierć. Miał w tym stronnictwie: socjalistów-chłopomanów, strasz-liwych wrogów, którzy po dojściu do władzy nie omieszka-liby wytropić jego kryjówek i tajnych „ateliers", w których przygotowywał zamach trzeciego, ostatniego stopnia.

– Rozumiesz, durniu – mówił księciu Atanazy – kocham jedynie twoją żonę. Zosia to biedna pokojowa suczka, którą kocham też, ale to nic. To takie nieszczęsne, opusz-czone stworzonko, ta moja Zosia – jest w odmiennym stanie. Nienawidzę tego embriona – zabiłbym! Albo nie: niech się chowa, niech cierpi jak ojciec albo więcej. Trud-no, sama chciała. Widzisz, Zosia to namalowany aniołek, kalkomania dla noworodków. A ty, idioto, nie wiesz, kogo masz: to pierwsza klasa ta twoja Hela. A wiesz, co wtedy, kiedy to wyrzuciłem cię od niej, co ja jej zrobiłem? No, wiesz – a ty, durniu, myślałeś, że ona mnie nie kocha – mówię ci, Aziu, że ona mnie tylko jednego... A może ci to przykrość sprawia? A wiesz, kto ją miał pierwszy raz – psychicznie, mówię – nie rzucaj się – w twoją noc poślubną? Ja. Może nie wierzysz? Opowiem z detalami. Powiedziała mi wtedy, że w ogóle już nie może, i sama objęła mnie nogami, i potem ta szalona metafizyka. Aziu – spokój – psychicznymi noga-mi. A taki jestem ciekawy, jakie ona ma nogi. Wszystko jest świństwo metafizyczne. To całe nawrócenie się to „trick", żeby życie stanęło przed nią dęba i wzięło ją gwałtem, tak jak ja – psychicznie, chociaż ona sama... O, niezgłębiona dziwności tego wszystkiego, o cudzie istnienia! Takie piękne jest to wszystko, że wierzyć mi się nie chce, że to praw-da. Ale...

I zapadł znowu w chwilową ekstazę, obserwując z napię-ciem zdolnym zabić byka jakiś punkt w brązowo-złotej tapecie, który nie wiadomo czemu (wszystkie kwiatki były ściśle jednakowe) wyróżniał się z całego (zdawało się) wszechświata swoją absolutną nieomal doskonałością. Nie zdawał sobie sprawy biedny Atanazy z jednej rzeczy, to jest z pospolitości i świńskości tego, co mówił. Podobnie jak portki Jędrusia i kwiatek w tapecie, własne jego ohydne zwierzenia wydawały mu się tak samo piękne, doskonałe i konieczne jak ruch planet dookoła słońca według praw Keplera albo konstrukcja sonaty Beethovena.

Azio słuchał, milcząc, wpatrzony z zapamiętaniem w ponurego Sajetana Tempe, który urastał mu psychicz-nie do rozmiarów jakiegoś wszechwładnego bóstwa, nie przestając być ani na chwilę niebezpiecznym „pospoli-tym niwelistą". Ale słowa Atanazego układały się w jego głowie tchórza w straszliwy deseń na jakimś nieubłaganym, stalowym tle, deseń mający sens wyroku śmierci. Więc ta męka, którą przeżywał, była jeszcze niczym wobec tego, co się teraz dziać miało? A może naprawdę on żartował? Ale książę nie śmiał go o to zapytać. Wolał tę niepewność niż nową jakąś okropność. W tej chwili nie rozumiał swojej męki „jako takiej" – była ona tylko tłem koniecznym dla uciekającej w przeszłość smugi czasu, wypełnionej czystym zachwytem nad istnieniem. Łohoyski bacznie obserwował ich obu i w pewnej chwili podsunął im nowe „szczypty" piekielnego proszku.

– Wot kak zabawliajetsa polskij graf w rewolucjonnyja wremiená – zawył, widząc to de Purcel. – Atrawlajet druziej, hi, hi! A nuka: dawajtie, graf, jeszczo. Ja riedko dieskat', no kriepko. W charoszom obszczestwie...

Tu nastąpiło szalone wciąganie śmiertelnego jadu gdzieś aż do pępków, może aż metafizycznych.

– Więc powiedz, Taziu, co robić? – zaczął Azalin nieśmiało, bez przekonania.

– Rób, co chcesz – rzekł nagle twardo Atanazy, przestając pojmować brązowy ze złotym kwiatek jako jedyną piękność na świecie. Hela wypełniła mu całą przestrzenną wyobraźnię po brzegi: poczuł ją w napęczniałych żyłach na równi z trucizną. – Ja ci ją zabiorę, to nie ma mowy. To jest wcielenie mojej żądzy życia. Z nią stworzymy wielki poemat zniszczenia, nowy mit. To nowa Astarte czy Kybele – ja odegram rolę Adonisa czy Attisa, czy kogoś tam – wszystko jedno – nie ty, o, nie ty – ja! (Wszystko mu się już kiełbasiło). Ty będziesz dalej moim przyjacielem. Ja o ciebie nie jestem zazdrosny. Ciesz się, że możesz tak pięknie męczyć się. A w ostateczności zbawi nas to! – Tu wskazał na rurkę z proszkiem, którą w samodzielne władanie oddał mu teraz Łohoyski. – Dla pewnych ludzi sens życia jest tylko w zniszczeniu siebie. Chodzi tylko o to, jak. Dla mnie twoja Hela jest tym pretekstem – ja nie mam sztuki, nauki – nic. Żyję sam w sobie dla tajemnych celów przyszłości. Jestem tylko bohaterem nienapisanej powieści czy dramatu.

Wszystko, co mówił, wydawało się Atanazemu nadzwyczajnie wzniosłym i ważnym – to nade wszystko. Świat przestał istnieć obiektywnie: był tylko on i jakaś projekcja nieistotnych samych w sobie obrazów stworzona tylko dla niego.

Azalin przechodził fazę podobną. Nagle cierpienie znikło, mimo że obraz jego życia na tle rewelacji Atanazego stał się potworny jak nigdy nienarysowana akwaforta Goi. Pierwszy raz poczuł sens swojego jedynego życia, jakby z boku patrzył na jakiś zawiły, niepojęty dotąd ornament, na tle głupio i pusto przeżytych dwudziestu sześciu lat przeszłości. Cała przeszłość ta zmalała do rozmiarów drobnej pigułki, którą na powrót połknął i rozpuścił, jak w tajemniczym, skondensowanym eliksirze, w obecnej, piętrzącej się w zawrotną wysokość chwili: był wreszcie ponad sobą. Utrwalić ten wymiar rzeczywistości, żyć w nim zawsze, z kokainą czy bez, niezależnie od tego, co będzie – to było zadanie. Mignęło mu coś nieobjętego, nie wiadomo gdzie, bo przecież nie mieściło się to w niczym znanym. I zaraz plan konkretny, improwizacja: Ziezio musi słyszeć to, nauka muzyki, sztuka. To było rozwiązanie. W jakich znakach myślał to – nie mógł pojąć. Coś samo myślało za niego w rozpalonych trzewiach samego nagiego Bytu. Ale ta okruszynka rozrastała się do rozmiarów wszystkości. Mógł teraz wziąć w siebie wszystkie męki świata i usprawiedliwić wreszcie przed sobą („a może i przed Bogiem", coś w nim szepnęło) sam okrutny, niepojęty fakt jego istnienia. Była to chwila metafizycznego objawienia. Skąd wziął tyle rozumu, aby pojąć ciemną otchłań tajemnicy swego „ja", o którym tak nigdy nie myślał? „Aha, koko" – przemknęło mu poprzez wir dziwności przerastającej jego dotychczasową wizję wewnętrznego świata. Teraz dopiero zrozumiał niektóre chwile dzieciństwa i sny, w których objawiał się sobie w niezrozumiałych na jawie formach, niedających się potem zrekonstruować, lotnych, nieuchwytnych. Poczuł głęboką wdzięczność dla Atanazego, że swymi świńskimi zwierzeniami rozbił w nim tę powłokę pospolitości, w której żył dotąd jak pisklę w jaju. Wykluł się i pełnymi skrzydłami (jak pełnymi żaglami) uleciał w nieznany świat.

– Dziękuję ci – szepnął. – To nie twoja wina. Ja cię o mało nie zabiłem. To było straszne. Nie byłoby tej chwili. Teraz jesteś dla mnie „tabu"! Ja wiem, że ty jesteś nieszczęśliwy, i to bardziej niż ja. Ja byłem zadowolony z życia, ale wpadłem w coś, co było ponade mną. Hela mnie gnębiła jak jakiegoś małego robaczka. Teraz jestem ponad tym. Już nigdy, nigdy nie zażyję tego proszku. Ale zrozumiałem tyle rzeczy. Wszystko musi być takim, jakim jest teraz i bez tego. Dziękuję ci.

Atanazy spojrzał na niego z pogardą. „Co u diabła? Jestem sam. Skąd ta straszna samotność i smutek bez dna?". Poczuł absolutną nieprzenikliwość dwóch jaźni w tajemniczym świecie, którego straszność i obcość staramy się zakryć sami przed sobą innymi ludźmi i przeświecającą siatką kłamliwych pojęć nieoddających nigdy istoty rzeczy, i zwałem funkcji wynikających ze społecznego musu. „Tak, tylko społeczeństwo jest czymś realnym – myślało to par excellence aspołeczne stworzenie. – I cóż z tego? Cóż z tego, kiedy ja jestem i muszę przeżyć ten nędzny mój wycinek czasu tak, jak mi nakazuje cały splot przypadkowych układów we mnie i poza mną. A czysta jaźń jest tylko punktem matematycznym, czymś w granicy równym zeru. Przecież mogło mnie nie być wcale". Nicość powiała potworną pustką, wyższą nad pustkę bezgwiezdnej przestrzeni. „Ale gdyby nie było nawet przestrzeni? Nic – punkt matematyczny. Witalizm i fizyka schodzą się w nieskończoności w zagadnieniu istnień i rozciągłości nieskończenie małych. Bez pojęć granicznych nie można nic w ogóle powiedzieć. A aktualna nieskończoność w Ontologii jest nonsensem. Niewyobrażalnie, nie do pomyślenia. A więc istnienie m u s i a ł o istnieć...".

Straszliwa przepaść rzeczy niewyrażalnych, nieobjętych żadnym znanym systemem (teoria mnogości babrze się w tym w abstrakcji) w ogóle nigdy, przez całą wieczność nawet, przez najdoskonalszy rozum niedających się ująć, otworzyła się przed zachwyconym i przerażonym wewnętrznym wzrokiem Atanazego. Wszedł na najwyższe piętro objawień. Tak mu się zdawało. W rzeczywistości mógł myśleć o tym wszystkim (i myślał często) bez kokainy. Ale teraz miało to ten posmak ważności, którego nie dawały zwykłe chwile rozmyślań bez podniet sztucznych. Tam nie mógł już podążyć za nim książę, zdobywszy z trudem pierwszą platformę dziwności. „Czyż musiałem być: to coś, co mówi «ja» o sobie raz na wieczność całą? Czy to nie są te rzeczy, o których mówi Wittgenstein, że są niewyrażalne, i czyż ściśle nie da się to wyrazić tak, że muszą być pojęcia proste nieposiadające definicji, bo inaczej musiałoby nastąpić kółko bez wyjścia: definiowania pojęć nimi samymi, tylko w innej formie. Czyż podstawowe pojęcie logiki i matematyki: pojęcie wielości, da się zdefiniować? To samo jest z pojęciem «ja» i w ogóle z pojęciem Istnienia". Zapadł w sferę nieściśliwych istności, tych, które są ostatnią zasłoną, kryjącą przed nami nigdy niezgłębioną tajemnicę realnego i idealnego bytu. „Byt idealny pojęć daje się wyrazić w terminach pochodzących od pojęcia bezpośrednio danego istnienia:

jakości i ich związków, przy założeniu jedności i jedyności «ja», czyli w uzupełnionym systemie psychologistycznym, ale byt realny nie da się sprowadzić do niczego. Ale skąd się bierze bezpośrednie poczucie tajemnicy? Z koniecznego, bezpośrednio danego przeciwstawienia się indywiduum całości bytu – z danej koniecznej różnicy jakości wewnętrznych i zewnętrznych w trwaniu każdej osobowości, i z tego, że forma istnienia, jedna i jedyna, jest dwoista: czasowo- -przestrzenna. A więc – ale skąd a więc? – (Atanazy przeskoczył całe szeregi rozumowań) – rozpuszczenie się indywiduum w społeczeństwie jest formą zbiorowej nirwany: jedyna realna nirwana poza samounicestwieniem się w oderwaniu od życia – nigdy niezupełnym – i poza śmiercią. Jedynie w stosunku do niej wszystko: najdrobniejszy pyłek, najniklejsze uczucie, widzenie jednego koloru, jest czymś nieskończenie wielkim: śmierć, za cenę której tylko się żyje, i cierpienie, które jest taką samą absolutną koniecznością bytu, będącego jedynie koordynacją i walką istnień swobodnych i istnień stanowiących tylko części istnień innych – jak komórki naszych ciał. W samym jądrze istnienia tkwi sprzeczność: jedność w wielości. Szczęście jest tylko przypadkowym spotkaniem bydlęcej bezmyślności z przypadkowym do kwadratu ułożeniem się zdarzeń dla danego indywiduum. Ale rozwój społeczny dąży do tego, aby wykluczyć przypadek odwrotny, ujemny dla wszystkich – nie tylko dla kogoś jednego. Rozwój społeczny działa przeciw najistotniejszym prawom bytu – jest ich jedynym zaprzeczeniem, tak jak myśl, którą wytworzył. Na małym kawałku wszystko sobie przeczy – ale i to jest włączone w ogólną konieczność. Cudowna rzecz. Jedynym bóstwem, prawdziwym bóstwem, takim, na jakie dziś zasługujemy, jest społeczeństwo...". Myśli te urwały się w nowej fali ekstazy, zachwytu nad jasnością tego światopoglądu, który wcale tak jasny znowu nie był. Chociaż kto wie – gdyby jeszcze nad tym pomyśleć. Ale to było niemożliwe. Ktoś mówił:

– ... z bydłaśmy wyszli i w bydło się obrócimy. I cały wzrost indywiduum był tylko etapem rozwoju społecznego, aby ich siła, indywiduów, rozpuściwszy się w masie, doprowadziła tę masę do możności samoorganizacji. Każdy nowy wielki człowiek, gnębiący niższych od siebie, był tylko ofiarą tych gnębionych na rzecz przyszłych pokoleń: dawał siłę masie i utrudniał przyjście następnego. Zdezorganizowana, raczej amorficzna od początku banda prymitywu społecznego u najniższych dzikusów i w kulturach, o ile można je tak nazwać, przedegipskich i przedbabilońskich, i prachińskich, wyłoniła indywiduum, poddała mu się, aby po wiekach, strawiwszy je i nakarmiwszy się nim, stać się szczęśliwą w zupełnej antyindywidualnej, mechanicznej organizacji – czyli dojść odwrotną drogą do stanu pierwotnego.

Tak mówił z kąta „natchniony" Chwazdrygiel. I Atanazy nie wiedział już, czy jego ostatnie myśli były podświadomym słuchaniem słów tamtego, czy jego własnym wynalazkiem. W każdym razie dwa szeregi spotkały się – może jeden z nich był urojony? Ale co można wiedzieć o tym, co się naprawdę dzieje w towarzystwie pod działaniem koko?

– Zresztą ja się skończyłem w tych dniach. Przewroty społeczne dają czasem objawienia lepsze od narkotycznych. Jestem wielki artysta, który się zmarnował w biologicznych przyczynkach – zakończył Chwazdrygiel i głośno zaczął płakać, bijąc pięścią o poręcz kanapy.

Nikt nie zwracał na to uwagi. Wszyscy, z wyjątkiem Ziezia, unoszącego się w swej muzyce jak w metafizycznym balonie ponad światem, wszyscy (nawet i de Purcel), jeśli nie zupełnie świadomie, to podświadomie, wiedzieli i czuli to, co za nich wypowiadał Chwazdrygiel.

Tempe wstał i powiedział do Łohoyskiego:

– Dziękuję panu hrabiemu za dzisiejszy dekadencki wieczorek. Przemyślałem tu pewne rzeczy czysto techniczne dzięki temu waszemu „coco", ale na stałe nie myślę się tym zajmować, specjalizować się w tym jak pan, były towarzyszu Łohoyski. A propos: może pan niedługo będzie znowu potrzebował swojej dawnej legitymacji. Prosimy do nas dla potwierdzenia dokumentu. He, he! Zostawiam sztukę następnym pokoleniom, o ile w ogóle zdołają one jeszcze coś podobnego wyprodukować. Możesz być pewnym, Taziu – zwrócił się do Bazakbala – że wierszy już pisać nie będę. Minęły czasy. Masz rację: to była tylko pseudomorfoza. Jedyną konsekwencją tych wszystkich rozmów byłaby realna praca właśnie w kierunku maksymalnego uspołecznienia, które przedstawia w zaczątku partia, do której mam zaszczyt należeć. Nic mnie z wami nie łączy, ginący ludzie. Ale biada wam, jeśli się w porę nie opamiętacie.

I wyszedł, nie żegnając się z nikim. Banalność, prostota i bezwzględność tonu tej przemowy zmroziła nagle wszystkich. Sięgnęli po nowe dawki. Przypadkowość tego, że Tempe był ich kolegą gimnazjalnym, w połączeniu z jego siłą, niedającą się pojęciowo wytłumaczyć, i z możliwościami jego nieobliczalnej przyszłości, była okropnym dysonansem dla pozostałych. (Chwazdrygiel, który był kiedyś ich profesorem zoologii, przestał nagle płakać).

„Ten Tempe to zupełnie jak ta ciotka, ale rację ma bestia zawsze" – pomyślał Atanazy i samotność bezdenna objęła go znowu swymi straszliwymi, bezlitosnymi mackami. Jakby w międzygwiezdnej przestrzeni unosił się podobny wymarłej planecie. „Może naprawdę w tej przyjaźni, o której mówił Łohoyski, jest wyjście z tej otchłani. Bo żadna, nawet największa miłość do kobiety pokonania tej samotności dać nie może. Z kobietą można się zniszczyć albo spospolicieć i zmarnieć, albo co najwyżej żyć tym normalnym życiem pracującego w społecznej maszynie automatu. Może najlepiej w łeb sobie palnąć od razu". Nigdy przedtem tak na serio nie pomyślał o samobójstwie. Teraz wydało mu się, że pierwszy raz zrozumiał metafizyczne znaczenie śmierci, swoją wolną wolę i tę wspaniałą prostotę rozwiązania. „Śmierć kończy nierozwiązalne rachunki – życia się lękam i jego tajemniczych mroków" – przypomniało mu się jakieś zdanie z Micińskiego. „Wszyscy kokainiści kończą samobójstwem, o ile nie umrą od samej trucizny. Nawet wyleczeni z samego fizycznego nałogu, po latach nie mogą się podobno pogodzić z pospolitością wyglądu świata bez tej podniety. Już w samej pierwszej ekstazie jest coś śmiertelnego..." – myślał ze zgrozą. Jutrzejszy dzień przerażał go. Na sekundę wszystko stało się takim jak zwykle: Zosia, przewrót społeczny, brak przyszłości, nuda i Hela Bertz jak widmo zniszczenia, równie groźne jak wszystkie narkotyki. „Tylko dla ludzi pustych w ogóle kobieta może być czymś groźnym" – ktoś mówił kiedyś. Jeszcze chwila, a zdawało się, że skona od tej męki. Na tle dziwnej pustki fizycznej i zimna w piersiach ta chwila normalna była bólem nie do zniesienia. „A więc jeszcze więcej tego świństwa. Niech jutro będzie, co chce. Dziś muszę użyć do końca". I sięgnął po nową dawkę. Goście wychodzili właśnie. Atanazy zanurzył się znowu w jakieś piekielne jasnowidzenie, ale innego typu niż poprzedni stan ekstazy. Równowartościowość wszystkich możliwych czynów: złych i dobrych, stała się dla niego czymś jasnym „jak słońce" i dziwił się, jak mógł nie widzieć tego wcześniej. Resztki „przyzwyczajeniowej", nieujętej w żaden pojęciowy system, niepopartej religią etyki roztapiały się w „nicościowym" absolutyzmie wszechrzeczy. Był tylko nieskończenie wąskim przecięciem dwóch światów: czasowego i przestrzennego, subiektywnego bytu

i zewnętrznego wszechświata – granicą dwóch nieskończoności: jednej w małości, drugiej w wielkości, i jak Bóg
unosił się nad bezimiennym chaosem. W tę cienką tafelkę biły dwie fale ponadskończonych niepojętych istności.
Nienazwane pełzło z oddali... Puls walił mu w skroniach,
a biczowane alkoholem na przemian z kokainą serce łomo-
tało nerwowym truchcikiem najmniej sto pięćdziesiąt razy
na minutę. Zacichł gwar wychodzących „drogistów", którzy
poszli skończyć wieczór gdzie indziej, zdaje się do Ziezia,
gdzie były jakieś „nadzwyczajne dziewczynki". Pałac zaleg-
ła cisza. Czasem tylko słychać było świst dalekiej lokomotywy lub stłumione buczenie i furkot przelatujących auto-
mobili. W tę ciszę jak w miękki futerał włożył się subtelny
szept Łohoyskiego:
– Czy rozumiesz teraz? – Atanazy kiwnął głową.
– My jedni, nie ma świata poza nami, nie ma ciał i dusz.
Bądź moim, tak jak ja twoim jestem od dawna.
Szept ten był przyjemny: zaniknęło uczucie wstrętu
w wygładzonym, beztreściwym, zdolnym do przyjęcia
wszystkiego – od zbrodni do objawień – wnętrzu psychicz-
nym. Na tle niepokoju serca i powierzchownych nerwowych
splotów ten spokój wyższych centrów zdawał się niepojętym cudem, Łohoyski stanął nad nim i patrzył mu w oczy.
– Czy mogę siąść przy tobie? – spytał głosem, który
przeniknął Atanazego jak naoliwiona szpada i wstrząsnął
dziwnym, nieznanym dreszczem rozkoszy.
„On nie jest kobietą – to jest ten jedyny, kochany Jędruś"
– bezsensowne to zdanie zdawało się kryć w sobie niezmierzoną głębię znaczenia. Dopiero teraz zauważył, że Łohoyski zgolił sobie wąsy. „Kiedy on to zrobił?" – pomyślał
leniwie. Wydał mu się pięknym, jak wspomnienie tej nigdy
niewyobrażalnej nawet, a w tej chwili byłej jakby gdzieś
kiedyś przyjaźni. „Ach – gdyby wszyscy ludzie mogli być

zawsze tacy – jak wspomnienia – kochałbym ludzkość całą, umarłbym dla niej z rozkoszą". Straszne uczucie międzygwiezdnej samotności rozwiało się. Mignęły gdzieś, w jakimś zakamarku dawnej normalnej świadomości, jeden po drugim obrazy najpierw Heli – właściwie tylko oczy – i cień całej postaci Zosi (ale jakby umarłej), i zapadły w wir niewypowiedzianych myśli, obojętne jak widma z innych bytów. I Atanazy „poddał się uściskom Andrzeja hrabiego Łohoyskiego w jego własnym pałacu" – tak pomyślał ostatnim odruchem należącym do tamtego, dalekiego, wstrętnego, rzeczywistego życia. „Weźcie się do jakiej pożytecznej pracy" – przesunęło się zdanie ciotki, ale było bez sensu, złożone z niezrozumiałych znaków bez związku. Łohoyski objął go silnie i pocałował w same usta – spełniło się: byli jednym duchem unoszącym się nad bezdenną otchłanią bytu, tak jakby ten pocałunek spalił, unicestwił ich rozdzielone dotąd ciała. Jak dym, podwójny duch uleciał w inny wymiar. A potem już w tym wymiarze podeszli objęci sobą do stołu, potem pili, potem znowu zażywali kokainę, a potem zaczęły się dziać rzeczy straszne, w których straszności „odstrasznionej" (jak żmija z wydartymi jadowitymi zębami) znalazła się gdzieś, jak dziwna, a wstrętna przy tym perła na dnie okropnej mieszaniny obrzydliwych przedmiotów (śmieci, odpadków ze sklepu rzeźniczego, ekskrementów czy diabli wiedzą czego) – znalazła się rozkosz płciowego orgazmu – stało się naprawdę to: ktoś kogoś w coś tam gdzieś o coś przy czymś na kimś pod kimś z boku wewnątrz obok i pomimo, pomimo – to najważniejsze, że pomimo – ale pomimo czego – ach, pomimo tego, że to nie ona, nie ona! – ale kto? A potem znowu pili i znowu wciągali truciznę do obrzękłych, znieczulonych nosów, nie w t y m pokoju, tylko – zdawało się – w samym pępku wszechświata, poza dobrem i złem, strasznym i czymś pośrednim

247

między swoistym a swojskim (tak: swojskim), poza granicami śmierci nawet. Mogli umrzeć, ale jeszcze nie chcieli – chcieli umrzeć, ale jeszcze nie mogli, nie mogli się ze sobą rozstać, wyrzec tego, i mówili, długo mówili, a potem znowu zaczęło się tamto: jeszcze dziwniej, jeszcze straszniej i jeszcze cudowniej czy ohydniej – nie wiadomo...

Był ranek, godzina ósma – to wiedział Atanazy na pewno. Już świt był torturą, a czarnej firanki nie było. Trzeba było zabić świt – zabili. Jasność dnia była nie tą, jak zwykle, była potworna – jak olbrzymia twarz trupa ukochanej osoby – może matki. Tak jeszcze nigdy nie zaczynał się dzień – był to dzień na innej planecie, gdzieś w dalekim nieznanym gwiazdozbiorze. Obce jak Syriusz, Wega czy Aldebaran, zwykłe „nasze" słońce wschodziło nad rozszarpanym chroniczną rewolucją miastem – dla tamtych „innych" ludzi było tym samym codziennym słońcem zaczynającego się zwykłego dnia.

[Miasto było jak obolały, narywający wrzód (może jak mały pryszczyk?), a ktoś nieznany, niewprawnymi rękami chciał ten wrzód wyduszać, zamiast zrobić operację en règle]. Ale czymże to było dla nich, zatrutych do ostatnich granic straszliwym, oszukańczym jadem, dla nich, gnijących odpadków, pożerających się wzajemnie pod pozorami najwyższej przyjaźni, najwznioślejszych uczuć, zaprawionych rzeczywistym, ohydnym świństwem? Tamten był na swoim miejscu, ale Atanazy? – na szczęście nie wiedział o niczym. Bezosobowy potwór zemsty i odwetu czekał na niego z rozdziawioną, bezzębną paszczą (był to po prostu nadchodzący słoneczny dzień zimowy), śmiejąc się z jego „ekstaz" i „wzlotów w inny odmienny byt" – oszukać go było niepodobna, chyba w śmierci. Czekał na pewno cierpliwie. A oni mówili. Ale co mówili? – to było najważniejsze. Niestety, żaden z nich pamiętać tego nie mógł: tej niezmiernie głębokiej (jak im się zdawało) gonitwy myśli na krawędziach obłędu, w samym obłędzie, poza obłędem – obłęd przeszyto na wylot – tam nie miało to słowo sensu. A mówili tak i zdawało się im, że odkryli nowy, psychicznie--nieeuklidesowy byt. Gdyby ich kto podsłuchał, to mówili to:

Atanazy: Czy widzisz teraz, jak wszystko przecina się tam, gdzie musi?... cudowne... to jest ta linijka, ten włosek, który rozdziela, a jednak łączy... ach, jakie to wspaniałe!... nic nie rozumiesz, jesteś kretyn... ja ją także... Hela wstrętne bydlę... ty jesteś, jesteś... to jest cud... nie ma nic... a jednak...

Łohoyski (trochę przytomniejszy, ale nie bardzo): To właśnie o to chodzi... jesteś jeden... ja zawsze wiedziałem... widzisz to właśnie, że ja jeden... oni to mówią, ale tego nie rozumieją... nie rozumieją, że tu o to nie chodzi, a jednak o to tylko, ale nie tak, tylko inaczej, zupełnie inaczej... rozumiesz?... Alfred to bydlę... rozumiesz, ja z jakimiś szoferami i z takimi specjalistami... a właśnie nie o to chodzi... nie mogę tego wyrazić... tam i gdzie indziej jednocześnie...

Atanazy: Nie mów o tym... Tak, ja wiem... w tym i poza tym... Ale gdzie jest kres?... granica... tak można w nieskończoność... ale to nie to... Zosi nie było nigdy... tak, jak jest, jest najlepiej... naprawdę kocham cię... Jedność absolutna... nigdy, a mimo to na zawsze...

Łohoyski: Tak, nigdy... jesteśmy sami... nikt tego nie pojmie... to takie proste... a jednak w tym jest wielkość... powiedz, że nigdy...

Atanazy: Tak... i właśnie dlatego... one nigdy, tylko my... ale poza sobą: w samym środku tego, czego nie ma... To cudowne... itd., itd.

A zdawało się im, że mówią rzeczy niesłychane, że gdyby kto to zapisał, to byłyby objawienia dla całej ludzkości.

„Takim jest przeklęte koko, «la fée blanche»", jak to sobie potem mówił Atanazy.

Zimowe ranne słońce wpadało przez zapuszczone rolety, oświetlając żółtym światłem straszliwy nieład pokoju i zielone, obłąkane twarze zanarkotyzowanych „przyjaciół". Cud dopełnił się: „zabili" nie tylko świt, ale biały dzień. Ale co teraz? Łohoyski jako dawno „wtajemniczony" drzemał na kanapie, słuchając urywanych, bezsensownych zdań Atanazego, który jak hiena w klatce, chodził tam i na powrót nerwowym krokiem, gestykulując w sposób zupełnie dla siebie obcy. Miał obce ruchy, obcą twarz, faktycznie był kim innym. Miał wrażenie, że rzeczywistość, spuchnięta, wypięta, obrzmiała, nabiegła do pęknięcia najistotniejszym swym sokiem, oddaje mu się bez pamięci w rozpaczliwym pożądaniu. Był jej cząstką, przyjmował wszystko w siebie, a jednocześnie gwałcił cały świat, miażdżył go w sobie, przeżuwał, trawił, womitował (czy wymiotował) i znowu pożerał. Odsłonił roletę i przez oślepiający blask spojrzał na podwórze pałacu zawiane czystym świeżym śniegiem, różowo-pomarańczowym w rannym słońcu: niski murek, a dalej ogród, w którym bezlistne drzewa pod światło zdawały się być zrobione z rozżarzonych do czerwoności żelaznych prętów. Pod murkiem kładł się fioletowo-niebieski cień niewypowiedzianej piękności. Zachwyt Atanazego doszedł do szczytu, już nie mógł go znieść; już wszystko pękało, rwało się, jakby powoli wybuchający pocisk wewnątrz mózgu. Wiązania świata trzeszczały, działo się coś niepojętego nawet w dotychczasowych kokainowych wymiarach. Gdyby Atanazy mógł widzieć swoją twarz przylepioną do szyby, przeraziłby się. Goya, Rops i Munch, czy diabli wiedzą kto, niczym było to wszystko wobec tego wyrazu. Zmięta, zielona ścierka, z buro-fioletowymi cieniami, w której tkwiły skażone obłędem oczy, o okropnie

250

rozszerzonych źrenicach i wykrzywione z dzikim okrucieństwem usta, wyschłe, spękane. Od wewnątrz wysuszony był, jakby przebywał w krematorium, a wody nie było już: trzeba było po nią iść... Wypił więc pół szklanki wódki. Ale czymże to wszystko było wobec tego zachwytu... Dzień był zabity, ale zaraz miał zmartwychwstać: okropny mściciel wyrafinowanego oszustwa, którego nad nim dokonano.

Aż nagle pocisk pękł i wszystko zmieniło się jak od dotknięcia czarodziejskiej pałeczki. Przecudowny w grozie niewysłowionej piękności świat skurczył się do skoku i rzucił się jak drapieżny zwierz na biedne, oszukujące go i siebie samo ścierwo ludzkie, wpił się z całą swoją zamaskowaną dotąd okropnością w nieszczęsną, szukającą na próżno zbawienia, świadomość. Rozwierały się perspektywy nieogarnionych mąk. Atanazy znalazł się nagle w jakiejś bezprzestrzennej kamerze tortur bezosobowego, okrutnego sądu – samotny jak nigdy dotąd, obcy sobie, a jednak ten sam, ten, który tylko co tonął w bezdennej rozkoszy nieziemskiego zachwytu. Jakimże sposobem to stać się mogło? Na próżno skowytałby teraz o litość – nie było kogo o nią błagać: był sam w całym nieskończonym istnieniu. Serce jak zaszczute zwierzę szarpało się ostatnim wysiłkiem, waląc ponad dwieście razy na minutę – chciało się ratować, niespokojne do obłędu, oszalałe z trwogi przed tym, co wyrabiał dotąd względnie dobry jego sprzymierzeniec, a teraz obcy, bezlitosny wróg – mózg. Chwilami stawało bezradnie – na trzy, pięć uderzeń – nic. Śmierć (obojętna nawet) pochylała się wtedy nad tą litości godną „kupą nieskoordynowanych organów", pytając, „czy już". Ee – jeszcze nie – niech się jeszcze pomęczy. Przychodziła zemsta – jakże okrutna, a jednak sprawiedliwa. Wymienić trzeba było fałszywe banknoty, zapłacić szczerym złotem za wszystko, i to z lichwiarskim procentem – inaczej więzienie lub śmierć. Stało się to nagle, cicho, tajnie, zdradliwie. Na nieprzygotowanego, tonącego w zachwycie Atanazego zwaliła się góra niewiarogodnej ohydy i przerażenia – przesadził dawkę i cały „katzenjammer" czy „pochmielie" (dziwne to, że nie ma na to polskiego słowa), które mogło przyjść nazajutrz powoli, zrealizowało się nagle, w jednej chwili, w najwyższej swej potędze. Już nie można było szukać zbawienia w szklanej rurce z białym proszkiem – tam była jedynie śmierć. Atanazy czuł, że już zwariował, że męka ta jest nie do zniesienia, że nigdy nie zaśnie i takim będzie przez całą wieczność. O ile wczoraj wieczorem wszystko (zaczynając od pepitowych portek Jędrusia), nie zmieniając się, stało się w niepojęty sposób piękne, jedyne i konieczne, o tyle teraz, przeskakując punkt normalnie wstrętnej rzeczywistości, wahnęło się o ten sam kąt, a może większy jeszcze, w odwrotną stronę: obrzydzenia, przypadkowości, bezładu i strachu. Ale to było dopiero zaśnieżone podwórze i ogród zalany rannym, styczniowym słońcem – coś względnie dość pięknego w obrębie miasta. Atanazy odwrócił się i zapadł wzrokiem w obrzydliwą, żółtociemnawą głąb pokoju. (Słońce uchodziło precz od tego widoku, przesuwając się na prawo). I wtedy pojął, że męka bez granic jest jeszcze przed nim. Już zdawało się, że przeżył coś najgorszego, a tu spiętrzyła się przed nim obrzydliwość tysiąckroć wyższego napięcia. Przypomniał sobie (teraz dopiero) wszystko i zatrząsł się od niedającej się objąć zgrozy. Półnagi, rozwalony na brzuchu Jędrek, z wypiętą tylną częścią ciała, był najjaskrawszym symbolem niemożliwego w swej potworności upadku. Przez chwilę chciał Atanazy po prostu wziąć nóż stołowy i zarżnąć tego bydlaka. Ale opanował się ostatnim błyskiem świadomości. Ocucił go strach (ale już inny) zwierzęcy, dziki: o siebie, o mózg, o serce. Ten strach dał mu jakąś automatyczną

252

bydlęcą przytomność i zimną krew. Zbudził Łohoyskiego z jego otumanienia, dotykając się go ze wstrętem jak ropuchy. „Oto jest twoja przyjaźń i «sztuczne raje»" – zamruczał do siebie przez zaciśnięte, zgrzytające jak u potępieńca na sądzie ostatecznym zęby. Udawał, że wszystko jest dobrze, aby jak najprędzej wymknąć się stąd. Ale sam nie miał odwagi wyjść na słoneczne ulice, oczekującego nowego zamachu stanu, miasta. Łohoyski ocknął się; był jakiś dziwnie przytomny (pozornie), zimny i daleki, a jednak grzeczny i uprzejmy, a nawet dobry.

– Słuchaj, Jędrek, przekręciło mi się wszystko. Mam wrażenie, że mózg mi fiknął ze sto razy kozła w czaszce. Wszystko jest inne, podwójne, a nie wiem, jak się to stało. Ja sam jestem podwójny.

– Przesadziłeś dawkę jak na pierwszy raz.

– I ostatni, możesz być pewny. O ile nie zwariuję.

Atanazy mówił jak automat. Jedynie trzymał go na powierzchni ten straszliwy, zimny strach – przed sobą samym także.

– Nie tak to łatwo zwariować, jak się mówi. – Zbadał mu puls. – Eh, nic ci nie będzie. Zaraz dam ci bromu. Wybacz, że jestem taki jakiś obojętny, ale to zmęczenie. Taziu, nie rób takiej miny – przecież przyjaźń nasza trwa dalej, nic się nie zmieniło.

Wziął jego rękę i uścisnął mocno. Atanazy wyrwał mu się, nie ukrywając wstrętu.

– Potem, potem. Nic nie wiem. Ratuj mnie wpierw. Ja się boję. Boję się, że za chwilę nie wiem, co zrobię. Okropnie mi jest. Tamten drugi wie, że nie wie, co ten zrobi – nie masz pojęcia, co to za męka.

Łohoyski przyjrzał się mu uważnie, uśmiechnął się pobłażliwie, włożył piżamę i zaczął szukać jakichś antydotów.

– Powrócisz do mnie jeszcze, nie bój się – powiedział łagodnie, lecz stanowczo.

Zupełnie nie był podobny do siebie samego, nawet z wczorajszego wieczoru. Po zażyciu dużej dawki bromu z chloralem Atanazy poczuł, że coś jakby jest trochę lepiej, ale nie miał jeszcze nadziei, że to przejdzie.

– Wiesz – mówił spokojnie Jędruś – Alfred umie robić jakieś pasy magnetyczne – parę razy mnie wyratował.

To mówiąc, wypił szklankę wódki i zażył wprost do ust dużą kupkę „tego". Atanazy patrzył na to ze zgrozą.

– Nie, niech mnie tylko nie dotyka ten bydlak. Odwieź mnie do domu, ja się boję dnia.

– Wybacz, Taziu, ale nie. Jestem zmęczony. A przy tym teraz muszę być sam – może zasnę. Ja śpię co parę dni parę godzin. Teraz mam taką chwilę.

Atanazy poczuł całą przepaść, która ich dzieli. Z Łohoyskiego wyłaził ten „hrabia", któremu czasem zazdrościł jego hrabiostwa i tego właśnie nieuchwytnego czegoś. A z „uchwytnych" rzeczy rysowało się w całym zachowaniu się Jędrusia zupełne nieliczenie się z niczym i z nikim, egoizm i ta naturalna wyższość płynąca nie tyle z urodzenia, ile z wychowania w pewnej od wieków spreparowanej atmosferze. I rzecz dziwna: mimo wszystko to były te właśnie cechy, które w tej chwili stanowiły cały urok Łohoyskiego, to coś, co przeszkadzało Atanazemu znienawidzić go ze szczętem.

– Odwiezie cię Alfred – mówił dalej Łohoyski. – A pojutrze spotkamy się i pomówimy o wszystkim. Podobno rewolucja numer drugi odłożona na pięć dni. Mamy czas. Pojedziemy w góry.

Pękła nić dawnej sympatii, ale poza tym ukazało się coś nowego. „Może to początek nowej przyjaźni – pomyślał gorzko Atanazy. – To bydlę ma jakąś wyższość nade mną.

Jest w nim jednak coś tajemniczego". Jeszcze nie mógł Atanazy pojąć całego swego upadku. Zasłaniał mu to „przeraźliwy strach", tak przeraźliwy jak ten, który doprowadza ludzi do rozwolnienia.

Za chwilę jechał już sankami w towarzystwie fagasa Alfreda przez ludne, zalane słońcem ulice. Dziesiąta biła na pobliskiej wieży. Było to piekło na ziemi: to miasto i ta jazda... Wszystko było najeżone przeciw niemu, jakby cały świat pokrył się kolcami, uderzającymi w duszę obolałą jak pobite miejsce, wzdętą do pęknięcia straszliwymi wyrzutami sumienia. Cóż by dał za to, żeby przeżycia tej nocy były tylko złowrogim snem! Pierwszy raz rzeczywistość miała naprawdę, bez blagi, charakter nieznośnego koszmaru bez końca. Tak, bez końca – nigdy nie zaśnie i zawsze będzie takim. Pierwszy raz od długiego już czasu pomyślał o zmarłej matce. Chciał wołać: „Mamo, ratuj mnie!", jak mały chłopczyk lub jak zbrodniarz pod szubienicą skazany właśnie za matkobójstwo – jak to faktycznie bywa. Wiedział już, w przybliżeniu przynajmniej, jak wygląda piekło naprawdę. Ludzie, gwar głosów, dźwięk dzwonków, huk ciężarowych aut, ryki syren – to wszystko, i tak dość mu wstrętne, stało się jakąś szatańską symfonią męczarni. Widok zwykłego, rannego życia miejskiego był teraz wprost nie do zniesienia. A tu Alfred mówił i Atanazy, bojąc się zostać sam w saniach, nie przerywał mu jego obrzydliwego bajdurzenia.

– Ale to pana ładnie urządził mój pan hrabia. Hrabia – zaśmiał się dziwnie. – Ja go mam za nic, a jednak... Pan to musi wiedzieć wszystko. Ja pana pamiętam od Bertzów. Psie wesele. I pan też tam tego. Ale mnie to teraz wywietrzało z głowy. Raz mi zadał hrabia „tamtego". Alem sobie zaraz powiedział: szlus! Tu mój koniec. Wolę bez tego, bo póki ma, to mi płaci przynajmniej. Ale koniec będzie

niedługo z tym wszystkim – rzekł głośno z proroczym poję-
kiem w głosie, aż czerwony dryńdziarz sanny odwrócił się
i spojrzał podejrzliwie na tę dziwną parę. – Oj, będzie! Idzie
jakaś wielka rzecz. Byle przeżyć, byle dożyć. I nasz hrabia
z nami. Ja go znam. Panie, com ja się od niego nasłuchał!
Co też on nie wygaduje, jak się dokumentnie zakokuje!

„Aha, to Jędruś zapewnia sobie odwrót w razie czego
przez te sfery. Oni go uratują".

– Ale on jest inszy. Hrabia to hrabia, zawsze coś takiego ma, czego nasz człowiek w żadnej komedii ci nie zrobi
– nie zrobi. To się nazywa dżentelman. To się nie potrafi,
drogi panie. To nawet bez pieniędzy taki potrafi być inszym,
że choćbyś nie wiem, jak chciał, do podufałości żadnej
z nim nie dojdziesz.

Atanazy mimo całego „zbolszewiczenia" – jak nazywała Zosia jego ostatnie metafizyczno-społeczne koncepcje
– oburzył się wewnętrznie do ostatnich granic. Jeszcze tego
tylko brakowało, żeby ten fagas!... Ocknął się w nim, czający się w nim na dnie, jak w każdym zresztą przeciętnym
człowieku, snob: cztery tysiące lat ciśnienia odziedziczo-
nego nie tak łatwo zrzucić z siebie jak znoszone ubranie
– daleko łatwiej jest zmienić przekonania niż bezpośrednie
uczuciowe stany. Spostrzegł się: „Ileż wieków przeminie,
zanim całkiem wygasną te uczucia. Sztukę diabli wezmą,
religia zniknie daleko prędzej" – zdołał jeszcze pomyśleć.
Na szczęście zajechali przed willę Osłabędzkich. Stan Atanazego był mniej więcej taki, jak wtedy, kiedy stał przed
lufą Azia. Przypomniał mu się też pewien ranek przed bitwą.
Chwiejąc się z osłabienia, z uczuciem takim, jakby całe jego
wnętrze było kłębem wijących się robaków, uciekł z sanek,
nie powiedziawszy ani słowa do Alfreda. Nie dał mu nawet
nic na piwo. Na domiar złego w hallu spotkał teściową.
Kryjąc twarz, ucałował jej rękę i popędził dalej. Aby ukryć

„tamto", postanowił zaraz przyznać się Zosi do kokainy. Wpadł do sypialni. Zosia, ubrana w czepeczek z niebieską wstążką, leżała jeszcze w łóżku. Jej biedna, „zmniejszona" twarzyczka wyrażała niepokój i cierpienie. Wyglądała na małą skrzywdzoną dziewczynkę. W Atanazego jakby piorun strzelił. Zdawało się, jak wtedy, że najgorsze przeszło. Ale nie – teraz dopiero poczuł całą niepojętą ohydę dzisiejszej nocy. Jeden olbrzymi wyrzut sumienia, zasłaniając mu cały świat, rozkwasił go w zgniłą marmeladę. Padł na kolana przy łóżku, szukając ręki żony. Czekał od Zosi jakiejś pociechy, a tu nic: głaz. Zosia leżała dalej nieruchomo, z oczami rozszerzonymi od męki, z rękami pod kołdrą. Cała dawna miłość buchnęła z najistotniejszych głębi Atanazego, zalewając go żarem wyrzutów, wstydu i żalu. Kochał najbardziej wtedy, kiedy krzywdził; litość i wyrzuty brał za miłość, ale z tego nie mógł sobie zdać sprawy w tej chwili. Czuł się czymś tak marnym i niskim, jak rozdeptane (koniecznie rozdeptane) jakieś świństwo na drodze, a kłamać musiał dalej, bo inaczej straciłby ten jedyny punkt oparcia, jakim była ona, ta biedna, skrzywdzona przez niego dziewczynka.

– Całą noc zażywałem kokainę z Łohoyskim. Pierwszy i ostatni raz.

– Telefonowałyśmy wszędzie...

– Telefon był wyłączony. Nigdy już. Przysięgam. Musisz mi wierzyć. Inaczej w tej chwili w łeb sobie strzelę.

– To świństwo. Zdradziłeś mnie? Czemu jesteś taki dziwny? – spytała ledwo dosłyszalnym szeptem.

– Z kim? Z Łohoyskim może? Mówię ci, że kokaina...
– Był na tyle bezczelnym, że się uśmiechnął nawet. – Jak możesz nawet pytać o to. Masz brom albo chloral? Dawaj prędko. – Mówił już innym tonem, widząc, że zwyciężył i że ostatecznie nic złego się nie stało.

„Och, jakże jestem podły, bezdennie podły" – pomyślał. A jednak przez zasłonę skondensowanej ohydy, początek i koniec tej strasznej nocy świecił jako wspomnienie tajemniczym blaskiem, odbiciem innego, „tamtego" świata. „Te portki Łohoyskiego i ten ogród w słońcu to było jednak coś. Nie to, co potem. To była jedna wielka obrzydliwość. Ale zawsze był to ciekawy eksperyment. Wszystkiego raz trzeba spróbować". Już poczuł w sobie okropną wędkę narkotyku. Ostatnim wysiłkiem zerwał sznurek, ale hak w nim pozostał. I popłynął dalej (to znaczy wyszedł z sypialni żony z bromem w ręku) jak ryba, niby swobodna, ale mająca w sobie zabójczy kawał ostrego metalu, zarodek przyszłej, przedwczesnej śmierci. „Właściwie Jędrek jest pospolitym zbrodniarzem. Takich jak psy należy..." – myślał, prychając w zimnej wodzie w łazience. – „Udało mi się. Nie jest tak źle, jak myślałem. Ale z «coco» i z tą «przyjaźnią» skończone". To wszystko, co popełnił dalej, nie zazębiło się o żadną istotną maszynerię jego psychiki – pozostało obce i wstrętne, mimo że stało się w „tamtym" świecie. Ale pomimo to stało się, psiakrew! Na próżno walczył z narzucającą mu się rzeczywistością winy. Jedno było pewne: przez tę „zbrodnię" (pomyślał to z pewnym dziecinnym zadowoleniem) zdobył w sobie na nowo dawną miłość dla Zosi.

Jeszcze wszystko było najeżone i potworne, jeszcze pokój jego i on sam nie był „ten", jeszcze był do połowy w tamtym świecie odwróconym na okropność działania kokainy, ale w każdym razie miał pewność, że za chwilę zaśnie i że kocha Zosię, ją jedyną, tak jak dawniej. Zasnął wreszcie, czytając ze wstrętem nudną apologię homoseksualizmu Gide'a. A kiedy się obudził (o szóstej wieczorem) i zapalił światło, i zobaczył swoją żółtą, atłasową kołdrę taką, jak zawsze, już niezjeżoną przeciw niemu, pogładził ją, jak ulubionego kota czy psa. A cały wyrzut sumienia przetransformował według dawnego wzoru na „jeszcze większą" miłość do żony. Zosia, którą męczyła ostatnia faza niezdecydowania Atanazego, zaczęła go teraz dopiero kochać naprawdę. Mogła sobie na to pozwolić, aby się do niego tak przywiązać, jak chciała. Upływały dni (tylko trzy) ciche i spokojne. Było zupełnie dobrze. Tylko miasto burzyło się coraz bardziej od samego dna, a tam u góry przywódcy tłumów wyprawiali dziwne rzeczy. Zapowiadało się nowe pronunciamento.

ROZDZIAŁ VI

ZBRODNIE

CZĘŚĆ I: PRZYGOTOWANIA

Informacja

Książę Prepudrech nie powiedział nic „księżnej" o zwierzeniach Atanazego. Zaciął się w sobie z siłą przerastającą jego dotychczasowe marzenia o sile. W ogóle postanowił zwyciężyć demona, uczyniwszy ze zdobytej od Atanazego tajemnicy nową broń w tej nierównej walce. Wiedział teraz na pewno, że potęga, z którą miał się zmierzyć, jest złą, i złem postanowił ją pokonać. Pod wpływem nienormalnego stanu w związku z kokainą wszystko to wydawało mu się łatwo wykonalnym i prostym. Nie wiedział jeszcze, z jakimi przeciwnościami przyjdzie mu się zmagać. W danej chwili chodziło przede wszystkim o unieszkodliwienie zazdrości. Systematyczna zdrada i tworzenie przeciwwagi dla uczuć dodatnich miały być głównymi środkami w tym celu. Prepudrech naprawdę zdobył dla siebie coś nowego owego wieczoru. Psychicznie gruntownie zamaskowany wszedł o dziewiątej rano do pałacu Bertzów, zdradziwszy uprzednio (na wszelki wypadek) Helę z jedną z dziewczynek Ziezia, z którym zawarł przyjaźń niezłomną. Ziezio zachwycony jego improwizacjami w stanie narkotycznym, wkraczającymi już w zakres zupełnego, ale posiadającego pewną intelektualną konstrukcję, muzycznego nonsensu, na który sam, jako już uznany i prawdziwy zresztą artysta, pozwolić sobie nie mógł, postanowił, syt sławy, wychować go na nowy, ostatni typ muzyka, w którym by ta mecząca się w śmiertelnych drgawkach sztuka znalazła wreszcie definitywne swoje zakończenie. To nadało nową zupełnie wartość życiu księcia. Wrócił obładowany specjalnymi książkami i zaraz po kąpieli i śniadaniu, nie kładąc się ani na chwilę, zabrał się do roboty, brząkając od czasu do czasu na pokrytym purpurową laką pianinie i pisząc z trudem jakieś dzikie muzyczne gryzmoły czerwonym atramentem – zdążył się już bowiem zarazić czerwonością domu Bertz. Poczuł się naraz artystą – co za szczęście! Błysnęła mu daleka perspektywa wolności i nieznanego mu dotąd psychicznego wyuzdania, tej możności pozwolenia sobie na wszystko, a nawet sławy. Znajdował się jeszcze pod działaniem narkotyku, a ponieważ zażywał dość umiarkowanie, czuł się, na razie przynajmniej, świetnie.

Zdumiona tak wczesnym brząkaniem – Prepudrech wstawał zwykle około pierwszej – Hela pobiegła natychmiast do pokojów męża. Rozstali się wczoraj bez żadnych przeżyć zmysłowych ani umysłowych. Książę, mając obietnicę kokainowego posiedzenia u Jędrka, nie zgwałcił jej jak zwykle i po raz pierwszy od ślubu wyszedł z domu późnym wieczorem, nie pytając się o pozwolenie. To były objawy nienormalne. Gdy weszła księżna ubrana w czarną ze srebrem piżamę (na pamiątkę tytułu wierszy Lechonia, którego z całego „Skamandra" uwielbiała jedynie naprawdę i dla jego pamięci tylko łamała czasem rano ogólną zasadę czerwoności odziedziczoną jeszcze po prababce z domu Rotszyld, z tych gorszych), Prepudrech, zawinięty w wiśniowy aksamitny szlafrok, taki sam, w jakim widział kiedyś w dzieciństwie zgrzybiałego Szymanowskiego przy pracy, zerwał się (trochę przerażony) od pianina. Ale opanował się natychmiast: ostatnia zdrada dodała mu sił znakomicie. Spojrzeli sobie w oczy.

– Widzę, że zażywałeś jakieś świństwa: masz zupełnie niesamowite źrenice.

– Nie zażywałem, to twórczość – odpowiedział takim tonem, że Hela zmarszczyła brwi i odwróciła głowę.

Jako obiekt dla celów małżeńsko-pokutnych Azio dobrym być mógł jedynie w stanie zupełnej potulności zakończonej codziennie bezprzytomnym gwałtem, który ostatecznie, gdyby nie jej poczucie chrześcijańskiego obowiązku żony, każdorazowo z łatwością odeprzeć by mogła przy pomocy systemu czysto intelektualnych „speszeń". Połączenie intensywności erotycznych przeżyć ze spełnianiem tego obowiązku było ostatnim życiowym tworem Heli, z którego w cichości była bardzo dumna. Zgłębiwszy oczy męża, poczuła, że coś się zmieniło. Czyżby nawet ten biedny Prepudrech zdolnym mógł być do jakichś głębszych transformacji?

– Zaczynam zajmować się muzyką na serio – mówił dalej książę z odcieniem pewnej niezaobserwowanej jeszcze nigdy dotąd wyższości. – Oto wszystko. Mam dosyć tego bezczynnego życia. Ziezio Smorski przepowiada mi świetną przyszłość, o ile nie zanadto wiele się nauczę. Pewne podstawy trzeba jednak mieć: tyle, co nauki kaligrafii i ortografii, aby móc pisać poezję. Za parę tygodni będę mógł już zapisywać to, co dotąd tylko grałem i zapominałem natychmiast po zagraniu. Jako środek pomocniczy kupuję sobie maszynę do zapisywania improwizacji, kramerograf; już wypisałem z Berlina. – Zadzwonił. Wszedł lokaj. – Piotrze, zanieś to zaraz na pocztę: ekspres.

Hela patrzyła na niego z wzrastającym zdumieniem i nieukrywanym niezadowoleniem. Ofiara wymykała się, katolicka równowaga domu była zachwiana, i to nie z jej strony. Powiało na nią jakimś obcym jej znudzeniem; była, jak nazywają to słusznie Francuzi: „contrarié". Postanowiła „speszyć" męża na innym punkcie, znając już teraz dobrze jego tchórzostwo. Podziwiała w nim tylko zdolność przezwyciężania tego stanu, kosztem jednak szalonej ilości zużytej psychicznej energii. „Może to rzeczywiście prawdziwa odwaga na tym polega" – myślała wtedy, gdy pożądane było w danej chwili usprawiedliwienie przed sobą swego upadku i nadanie pogardzanemu w głębi duszy mężowi wyższej jakiejś wartości.

– Ty nie wiesz, co się dzieje. Nie czytasz gazet i nic cię nie obchodzi. Papa jest jak oszalały – robi tytaniczne wprost wysiłki, żeby się ostać w tym nadchodzącym przewrocie i zdobyć stanowisko ministra rolnictwa, ale wszystko wisi na włosku. Jeśli ta rewolucja się nie uda, może być skazany na śmierć przez tych, co rządzą teraz. Zaangażował się zanadto po stronie chłopomanów – cofnąć się nie może.

– A cóż to mnie obchodzić może. Ja jestem artystą, Helu, teraz nie będziesz się mnie już wstydzić i nazywać niczym. Usprawiedliwię moje istnienie sam, bez twojej pomocy i twego sztucznego Boga, który mnie znudził ostatecznie tym, że w niego nie wierzysz. Ja jestem naprawdę religijny: au fond byłem takim zawsze. Tylko twoje nawrócenie uświadomiło mnie katalicznie.

Katalicznie! To już była bezczelność. Ostatnim wysiłkiem woli opanowała Hela wybuch. „I jakich «to» wyrazów używa! To takie coś śmie...". Nie mogła przecież zapytać tego Prepudrecha, czy nie przestał kochać jej przypadkiem albo czy jej czasem nie zdradził – to byłoby już zbyt śmieszne.

– Mego Boga, jak mówisz, raczej jak ośmielasz się mówić, zostaw, proszę, poza dyskusją. Ale natomiast...

– Tu nie ma żadnej dyskusji. Jest tylko stwierdzenie faktu. Stosunek twój do religii jest pragmatyczny: uwierzyłaś, aby ci było lepiej, a nie z wewnętrznego musu.

– Pragmatyczny! On śmie używać wobec mnie takich wyrazów. Z pewnością nie wiesz nawet, co to jest.

– Wiem, nauczył mnie Bazakbal. On jest bardziej twórczy w swoich myślach niż ty – Semici w ogóle zdolni
są tylko do reprodukcji i przeróbek.

Biała mgła wściekłości zasłoniła Heli wzrok. Zbladła
i niebieskie jej oczy błysnęły czystym, niepohamowanym
złem. Była szatańsko piękna. Książę zmieszał się lekko.
„Psiakrew, jeszcze nie mam na nią dość siły, ale poczekaj!".

– Sam jesteś pragmatysta. Twój stosunek do muzyki jest
taki. Nie mając talentu, chcesz gwałtem zrobić z siebie artystę, aby ci było z tym lepiej.

– Jestem artystą i koniec. Skończyły się czasy pogar-
dzania mną bez powodu. Sztuka to nie religia. Artystą można
zostać zupełnie przypadkowo – à propos czegokolwiek
bądź – można i pragmatycznie. Nic to nikomu nie ubliża.
Ale z religią inna rzecz: tam nie ma żartów. Bóg ścierpieć
pragmatystów nie może. Chyba że może ten twój sam jest
pragmatystą. Ha, ha!

– Ależ mój Bóg jest też twoim Bogiem, Aziu, jedynym
Bogiem, jedynego Istnienia. Poza Nim nie ma zbawienia.

– Nie wiem, kto z nas będzie jeszcze zbawiony, a kto nie.
Takiego demona jak ty, Hela, zbawić to bardzo trudne jest
zadanie. A artysta zawsze się jakoś dopcha do tronu Przedwiecznego. Religia i sztuka mają to samo źródło w bezpośrednio danej samotności indywiduum we wszechświecie,
z którego powstaje lęk metafizyczny. Sztuka ten lęk pokrywa konstrukcjami działającymi bezpośrednio, religia jest
systemem pojęciowym ujmującym uczucia, które z tego
lęku płyną. Tak mówił mi Atanazy, który jest moim prawdziwym przyjacielem.

Patrzył na nią uważnie. Ani drgnęła. Mimo wszystko,
co postanawiał, poczuł z tego powodu szalone szczęście.
„Trzeba się trzymać, gra jest niebezpieczna" – pomyślał.

– A teraz nie przeszkadzaj mi – powiedział głośno sztucznie ważnym tonem. – Mam świetny pomysł na mały prelud. Do widzenia. – I odwrócił się do pianina.

Hela skręciła się cała w bezsilnej pasji. Chwilkę stała jeszcze, podczas kiedy książę brząkał swoją biedną muzyczną bzdurę, po czym wolno odwróciła się, niosąc jakby samą siebie ostrożnie, niby niebezpieczną bombę, i cicho wyszła, mruknąwszy pod nosem słowo „dureń". Ten akt woli drogo kosztował Prepudrecha. Szybko poniechał brząkania, a wszystkie dawne uczucia dla żony rzuciły się na niego, jak rozjuszone charty na zająca. Ale zdławił łzy i po chwili pisał już bezczelne, bezecne i beznadziejne dysonanse w zupełnie nieortograficzny sposób. A to co u diabła? Nagle znowu weszła Hela. Wyraz jej twarzy był łagodny, a krwawe, okrutne, pełne usta jej „zdobił" pobłażliwy uśmiech. Prepudrech patrzył na nią zdumiony, nie wstając od instrumentu.

– Przepraszam cię, Aziu, że ci przeszkadzam. Chciałam tylko powiedzieć, że pojutrze jedziemy w góry. Nie chcę być tu podczas drugiego przewrotu. Z daleka mniej będę niespokojna o papę. Przygotuj się i namów Atanazego. Ja też namówię Zosię. Ona koniecznie potrzebuje zmiany. Zdecydowałam się zaprosić ich do siebie. Z pieniędzmi jest u nich trochę niewyraźnie na tle obecnych komplikacji. Zosia zgodzi się na pewno, ale ten ambitny improduktyw może robić jakieś wstręty. Namów go od siebie. A do tego nawet sam papa żąda stanowczo, żebym nie była tu w czasie tej awantury. Twierdzi, że to by krępowało jego inwencję. Te dwa dni przed wyjazdem muszę przeżyć w skupieniu. Do widzenia pojutrze w nocy. Każ przygotować wagon.

Pogładziła go po głowie i wyszła. Prepudrech chciał się zerwać i paść jej do nóg, ale nie mógł się ruszyć, jak sparaliżowany. Imię Atanazego, wymówione przez jej usta, zapiekło go jak kwas siarczany w oku (dopóki sam o nim do niej mówił, było to nic). Fala potwornej miłości razem z już na pożądanie przetransformowaną zazdrością zalała jego umęczone kokainą serce. „Łzy ciekły po jego zielonkawo-brązowej, arystokratycznej twarzy zakokaino-wanego Persa, gdy tłumiąc okrutne drgawki swoich książęcych wewnętrznych organów, zabrał się znowu do pisania, połączonego z okrutnym brząkaniem", tak nieomal pomyślał o sobie. Wszystko to ujął w formę muzyki i bez-sensowne preludium, zdobywszy drugi temat w cis-moll, którego mu brakowało, nabierać zaczęło nieuchwytnego polotu młodzieńczych utworów Szymanowskiego, którego Ziezio był jedynym godnym uczniem. Takim alembikiem szło natchnienie Azalina Prepudrech. „Muszę mieć maskę, inaczej zginąłem. Kocham ją jeszcze, psiakrew, kocham" – mruczał, przemieniając to jednocześnie na wcale ładny temacik o zmięszanym rytmie nieregularnych synkop. „Tak to stany uczuciowe stają się tylko dynamicznym napięciem i indywidualnym zabarwieniem kompleksów dźwiękowych, przetwarzając się na wartości czysto formalne, o ile nie chce się uczynić z muzyki, właśnie programowo, ilustracji wewnętrznych życiowych perypetii", przypomniało mu się zdanie genialnego Ziezia. Zebrał się do ujęcia tego tematu w oprawę harmonii dzikiej a perwersyjnej, bo ta, która sama „wyszła" mu spod palców, nie nasyciła jego ambicji. W szalonym, jak na jego bezmyślny dotąd łebek, intelektualnym trudzie zatopił resztki żalu i zamknął się jak w zbroi w fali wytworzonych przez siebie sztucznie konstrukcji dźwiękowych.

Hela szła do swoich pokoi krokiem pantery, gwiżdżąc zasłyszany poprzednio pod drzwiami pierwszy motyw preludium. Jednym przekręceniem maniwelki od głównego transformatora uczuć zdobyła dwie rzeczy: demoniczną

postawę nowego typu wobec męża i chrześcijańskie zadowolenie z siebie z powodu niepoddania się pierwszemu
atakowi złości. Jak na wczesne rano było to wcale nieźle.
Ale co dalej? Coraz częściej uczuwała gniotącą pustkę,
którą starała się zgnębić modlitwami i drobnymi umartwie-
niami. W głębi narastał jakiś złowieszczy psychiczny guz,
wrzód czy nowotwór, i groził lekkimi uciskami i niewyraź-
nym ujemnym zabarwieniem wewnętrznych uczuć, groził,
że nadejdzie ten czas, w którym przejdzie on w stan złośliwy
i rozprzestrzeniając się w tkankach zdrowych organów, znisz-
czy cały z trudem z drobnych klocków zbudowany gmach
wyrzeczenia się życia. Co było ośrodkiem tych niszczących
potęg, nie zdawała sobie i nawet nie chciała zdawać sobie
sprawy. We wszystkim, czym chciała zająć się i oderwać
od tej ssącej od wewnątrz pustki, czaiła się na wpół świa-
doma pogarda dla samej siebie z powodu kompromisowego
załatwienia ogólnożyciowego problemu. Nie pomagała też
prawdziwa, choć nieco wyrozumowana wiara, którą podsy-
cał w rozmowach z nią ksiądz Wyprztyk, używając dawnej
dialektycznej metody i przykładów nicości dyskursywnej
filozofii. Na myśl jednak, jakie męki upokorzenia musiałaby
znosić (choćby będąc aż tak bardzo bogatą) w razie wyjścia
za mąż za włoskiego czy francuskiego, a zwłaszcza za krajowego prawdziwego arystokratę, wdzięczna była przeznaczeniu i swojej intuicji, że mężem jej jest skromny, perski,
„nie całkiem już tak znowu" do ostatka wylegitymowany
książę, nad którym przynajmniej pastwić się było można
bez skrępowania. Bo kto tam wierzyć może w perski jakiś
almanach – sama nazwa jest już śmieszna. Tak, innego wyjścia nie było – było tak, jak być musiało – jedyna kombinacja możliwa, nawet najdoskonalsza. Jeden Atanazy, który
bądź co bądź przy idealnych danych fizycznych zadawal-
niał jej wyższe, istotne, intelektualne ambicje, budził pewne

wątpliwości na temat doskonałości rozwiązania problemu. Ale ten nie miał znowu nawet perskiego tytułu. A zresztą w każdej chwili może mieć go za kochanka... Nieznacznie zagłębiła się w dawny sposób myślenia, zapomniawszy zupełnie o Bogu księdza Hieronima; bo takim był właściwie dla niej w istocie katolicki Bóg: prywatnym fetyszem tego magnetyzera w sutannie, jedynego zresztą człowieka, który miał w stosunku do niej pewną władzę duchową. Tej władzy, co on, nie zdobył nad nią jeszcze żaden „płciowy" mężczyzna. Co prawda, co za hołota wstrętna byli ci dzisiejsi tak zwani „panowie"! Może jeszcze w sferze polityki zdarzały się jakieś silniejsze jednostki, ale i to nie bardzo... „Atanazy jest poza konkursem, bo jego po prostu kocham" – powiedziała sobie lekko, jakby nic. Ale przeraziła się tej myśli już w następnej sekundzie. „Drop this subject, please. Ale nie mogłam przecież zostać kochanką starego generała Bruizora, twórcy przewrotu Nr 1, albo jakiegoś niwelisty, nawet Tempego, przed ich zwycięstwem: nie mogłabym być przecie z pokonanymi. Zresztą zobaczymy, jakie typy wypłyną w rewolucji Nr 3" – myślała, patrząc w wyobraźni w niespokojne, czarne oczy Sajetana Tempe. W tym niepozornym blondynie kryła się jakaś „niewiadoma siła" – miał konsekwencję pocisku – i w czynie, i w dialektyce. Ale był za to brudny i nie widać było po nim już zupełnie jego duńskiego szlachectwa. Tak, jedynie Atanazy...

I nagle przestraszyła się – naprawdę tym razem: przecież On to słyszy. On widzi ją w tej chwili – o, jakże trudno jest oszukać Boga! On tu jest – ale gdzie? O – może czai się tam za purpurowym klęcznikiem... Widziała Go, groźnego starca z błękitną brodą, jak w pewnej kapliczce na Podhalu, straszliwego samotnika wśród nieskończoności wirujących światów. „Że też Jemu w głowie się nie kręci! Chyba dla odpoczynku siada na jakąś planetę i ma złudzenie spokoju jak my". Przerażenie jej wzrastało, a tu, jak na złość, narzucały się myśli świętokradcze, przymusowe, nie do odparcia. Mimo że pokój zalewało żółtawe od mgły miejskiej ranne słońce, ogarnął ją dziki strach. „Czy ja zwariowałam już? Boże! Ratuj mnie!" – krzyknęła, padając z zamkniętymi ze strachu oczami obok wspaniałego klęcznika wykonanego z jarzębowego drzewa przez najzdolniejszych uczniów Karola Stryjeńskiego z Zakopanego na specjalne zamówienie starego Bertza. „A czy Bóg, gdyby chciał, mógłby stworzyć drugiego Boga, takiego samego – przecież jest wszechmocny. Wtedy by się nie nudził" – przemknęła nowego typu blasfemia przez rozdwojoną świadomość. „A czy mógł stworzyć świat bez zła? Gdyby chciał, wszystko byłoby dobrze" – szeptał szatański głos tuż przy uchu. Najwyraźniej ktoś stał za nią. Nie śmiała się obejrzeć i zatopiła się w modlitwie prawie bezsensownej, nie wiadomo o co, może o łaskę. Otworzyła oczy i wpiła się w obraz Zofii Stryjeńskiej wiszący nad klęcznikiem, a przedstawiający Boga Ojca w stylu ogólnosłowiańskim, pijącego miód z niedźwiedziem, symbolem siły i płodności, i czegoś tam jeszcze, na podwórzu starej gontyny – małe aniołki bawiły się piaskiem w towarzystwie rudej kotki z młodymi, jeszcze ślepymi kociakami. Hela powtarzała w myśli wszystkie argumenty księdza Wyprztyka o zasłudze, pokucie i zbawieniu, ale nic nie mogło rozproszyć tej okropnej wątpliwości: „Przecież gdyby On chciał, nie byłoby zła na świecie. Ale wtenczas nie byłoby nic – wieczność zbawienia straciłaby swoją wartość. A więc zło jest konieczne, aby coś w ogóle było, jest integralną częścią Istnienia. A więc Bóg nie mógłby...". Straszliwa pustka bezdusznego pozornie dogmatu, kryjąca jeszcze straszliwszą, absolutnie niezgłębioną tajemnicę, otworzyła się gdzieś z boku, tam, gdzie nikt by się jej nie spodziewał. „Nierozwiązalna zagadka może być postawiona w sposób różny, mniej lub więcej doskonały. Gdzież znajdziesz lepsze ujęcie tajemnicy świata jak nie w katolickim Kościele?" – tak mówił niedawno ksiądz Hieronim. „A on wiedział o wszystkim zawczasu, bo jest wszechwiedzący" – zaszeptał znowu szatański głos. „Ukorz się przed doskonałością tajemnicy, a nie przed niedoskonałym rozwiązaniem" – przypomniały się znowu słowa natchnionego księdza. „Tak – o, gdybym mogła, byłoby to przecież najwyższym szczęściem" – szeptała ze łzami. Między życiową a metafizyczną sprzecznością stała szarpana najstraszliwszym ze zwątpień, zwątpieniem w ostateczny sens świata. I znowu zaczął ją owiewać, z lekka na razie, powiew śmierci, mogący lada chwila przekształcić się w ten „huragan" z niedawnych, a tak jednak psychicznie odległych czasów, sprzed dwóch miesięcy zaledwie.

Informacja 1

Wszystko, co robiła Hela dotąd (nawrócenie, pokuta, małżeństwo), aby przebić skorupę otaczającą jej życie, okazywało się tylko nędznym paliatywem. Skorupa nie pękła, tylko się rozszerzyła, jakby była zrobiona z gumy. Obiecywana przez nią samą sobie i przez Wyprztyka wolność nie przychodziła. Dawne problemy stały przed nią nierozwiązane jak gromada natrętnych żebraków proszących choćby o jakieś ochłapy. Resztkami już karmiła wiecznie głodną przepaść własnej swej tajemnicy. Mściła się na niej połowiczność życiowego zadowolenia: nigdy całą swoją istotą nie rzuciła się o nieprzebity mur zagadnień ostatecznych, nigdy nie zrobiła ostatecznego porządku z chaosem swego pozornie usystematyzowanego życia. Nad całym światem unosił się złowrogi cień dawnego, dziecinnego Boga, żydowskiego Jehowy, którego wtórną emanacją tylko zdawał się być katolicki Bóg ojca Hieronima. Życie płynęło obok coraz dalszym korytem, zostawiając ją jak beznadziejnie osadzony na mieliźnie okręt. Upokarzało ją w najdotkliwszy sposób to, że istnienie jej mogłoby być zgodne z jej istotą tylko jako funkcja niezależnego od niej erotycznego przypadku. A gdyby w ogóle Atanazy nie istniał? To co? Nigdy by nie wiedziała nawet o tym szczęściu, o tym wymiarze zgody ze sobą. Okropne. A jeśli teraz już jej nie zechce! „Musi, musi" – syczała przez zaciśnięte zęby, a skoszone oczy jej, utkwione w nieskończoność z natężeniem zdolnym zabić porządne stadko amerykańskich bizonów, powlekały się mgłą erotycznej potęgi. Samicza, wstrętna dla niej samej siła prężyła się w niej jak obce, pozornie obłaskawione zwierzę. Dumna, zuchwała i samodzielna w myślach, nie chciała się przed sobą przyznać, że tak jest w istocie, jak czuła, a nie mogąc z życiowych kontyngencji uczynić czegoś koniecznego, absolutnego, szarpała się w sprzeczności bez wyjścia. I to wściekało Helę najbardziej, że takie potulne cielątko jak Zosia używało na co dzień, jakby jakiegoś fizycznego instrumentu, tego przeklętego Atanazego, który mógłby być dla niej wszystkim, tak, wszystkim: tym właśnie jedynym, przeintelektualizowanym, wspaniałym nawet w upadku bydlęciem zdolnym zapłodnić jej mózg nowymi myślami, dać bezpłodnej, głodnej dialektycznej maszynie żer dla czysto pojęciowych koncepcji. Nasyciwszy ciało jego pięknością, a umysł krwawą, żywą miazgą jego myślowych odpadków, mogłaby wtedy dopiero oddać się temu, co najbardziej lubiła: tworzeniu nieodpowiedzialnych wobec jakiegoś wielkiego systemu częściowych rozwiązań różnych filozoficznych „ciekawostek". Ale bez niego ani rusz: pustka w życiu i pustka bezpłodnego, świetnie skonstruowanego intelektu. Tak dalej być nie może. Ale tym wszystkim stał się dla niej dopiero teraz, kiedy go straciła.

Informacja 2

Ślub jest dziwną ceremonią: pozornie nie zmienia się nic, a jednak momentalnie, jakby pod działaniem zaklęcia, wyrastają zupełnie nieznane problemy: specjalnego poczucia własności, honoru, specjalnej zupełnie zazdrości, domu i tego, co jest domowi obcym i wrogim, zdrady i niewoli – wszystko to w innym, niepojętym w swej inności wymiarze. Zosia jako urodzona niewolnica poddała się temu nowemu układowi zupełnie i nie widziała już szczęścia poza Atanazym i domem, do którego jako jeden ze sprzętów i on należał. Atanazy, mimo całego przywiązania do Zosi, czuł się trochę w tym wszystkim jak w wygodnie urządzonym więzieniu. Wycieczka w zakazany kraj narkotyków i wstrętnej mu do głębi inwersji, mimo reakcji znowu w kierunku domu i Zosi, powiększyła w nim jeszcze to poczucie beznadziejnego uwięzienia. Ale w tym stanie, w jakim obudził się po owej okropnej nocy, uczucie to miało nawet posmak przyjemny: bezpieczeństwa i swojskości. Zaszył się w swoją norę jak zaszczute zwierzę. Rozkosznie wkręcał się ze specyficznym domowym zadowoleniem w psychiczne zakamarki, wyłapując w nich resztki „wielkiej miłości" i chłonąc je z niezdrowym apetytem, a jednocześnie powoli przesuwał się na „tamtą" pochyłość, którą symbolizowała Hela, jedyne wcielenie istotnego zniszczenia. Zosia, złudzona tymi objawami, biorąc je za ostateczne nawrócenie się męża na wiarę w bóstwa domowe, poddała się swoim uczuciom ostatecznie. Zakochała się w Atanazym definitywnie, bezwyjściowo. To, co dla niego było tylko wahnięciem się na prawo, po silnym wytrąceniu z równowagi w lewo, dla niej było najistotniejszym celem jej życia. Szczególniej na tle zbliżającej się drugiej rewolucji stan ten był dla obojga przyjemnym. Pragnienie dziwności i niezwykłości zadowalniał w Atanazym wiszący nad głowami wszystkich przewrót. Ale po co z bliska to oglądać – na to, żeby dostać kulą w łeb od „rodaka" bez żadnego widocznego powodu? Wobec tej perspektywy Atanazy przyjął bez oporu zaproszenie Heli, tym bardziej że oprócz nich zaproszeni zostali także i inni znajomi: Smorski, Łohoyski i Chwazdrygiel. Jędrek wahał się jeszcze i Atanazy postanowił pójść do niego i namówić go ostatecznie. Miał w tym też jeszcze inny cel dodatkowy. Mimo szalonego wstrętu do wspomnień tamtej nocy, jakiś cień współczucia dla dawnego przyjaciela wałęsał się po zakamarkach jego spowiałej, wyliniałej i pokrytej drobnymi rankami duszy. Żal mu było tego wesołego i głupiego czasem po psiemu rasowego dryblasa. Czemu tak wstrętnie kończyć tę przyjaźń – obowiązkiem jego było nawet wpłynąć na niego dobrze. Ale kiedy usłyszał w telefonie ten głos będący symbolem okropnych przeżyć w pałacu Łohoyskich, wstrząsnął nim dreszcz zabobonnej trwogi. Głos ten zdawał się wychodzić z tego piekła, z tego zaklętego, zjeżonego przeciw niemu, niewyobrażalnego w normalnym stanie miasta, przez które jechał wtedy z wstrętnym jak pluskwa fagasem. Pokonał jednak strach i obrzydzenie i udał się do pałacu Jędrusia. Przed samym wyjściem dowiedział się, że Zosia pożyczyła od Heli znaczną sumę. Nie było już na to żadnej rady i Atanazy wściekał się, czując w tym jakąś wędkę. Miał wrażenie, że popełnia coś nieuczciwego, pozwalając na to niewidzącej i niechcącej (jak mu się zdawało) nic widzieć żonie. A przeciwdziałać temu nie było sposobu – w imię czego?

Atanazy szedł przez oświetlone popołudniowym słońcem ulice. Było ciepło i woda lała się z dachów, a powietrze przepojone było niedającym się zdefiniować zapachem wiosny. Często spotykał patrole sennych, zniechęconych żołnierzy. Publiczność była cicha i zalękniona: czuć było w powietrzu rzeź. „Że też im się chce zaczynać znowu taką robotę. Ale kto wie, co bym robił ja, gdyby chodziło tu o moje życie. Trzeba by mnie tylko postawić w odpowiednie warunki. Wszyscy mają rację – to jest najgorsze". Nie było po czyjej stronie stanąć. Obojętność, głucha i zimna, walczyła w nim z jakimś nienormalnym, starczym, a zarazem dziecinnym przywiązaniem do życia. Tak wszystko mogłoby być jeszcze dobrze! Takie chwile tylko trochę rozciągnąć, rozbełtać między ludzi, przyprawić przy pomocy jakiegoś mistycznego sosu i wszyscy by się zgodzili, że warto żyć, nie walcząc o nic, w spokoju cieszyć się każdą chwilką istnienia samego w sobie, a przy tym, tak troszkę z boku, doskonalić się wewnętrznie w wolnych chwilach dla korzyści tamtych, co ich tego sposobu nauczyli. W Ameryce podobno już tak jest – czyż zatrzyma to jednak pragnienia tłumu na pewnym poziomie wygodnym dla pewnych ginących już klas ludzi? Ale czy taki oto brudny, spracowany jak bydlę robociarz, który szedł teraz naprzeciw niego, mógł sobie pozwolić na ten luksus? „To nie jest człowiek" – tak się mówi w pewnych sferach. A może on jest człowiek – on, Atanazy, który... ach, zbyt dobrze znał siebie – nie ma o czym myśleć. A iluż jest dzisiaj takich pospolitych draniów jak on – to jest podstawa przeciętności, na której się wspiera tak zwana demokratyczna władza. Zielone, złe, zrozpaczone, a jednak pełne dzikiej nadziei młode oczy przechodnia obślizgnęły się po jego eleganckim futrze, jakby zdejmując je z niego, rozbierając go dalej, aż do wymytego, najedzonego, sytego rozkoszy ciała. Uczuł ohydne łaskotki – zrobiło mu się nagle wstyd za siebie i żal tego człowieka. Wstrętną zmieszaną falą podpłynęły mu te uczucia tuż pod serce. „Ach – gdybym mógł czuć tak zawsze, tak po prostu i to nie w stosunku do tego jednego człowieka, ale do wszystkich, to poświęciłbym im to marne życie z przyjemnością. Ach – cóż bym dał za to, aby mieć w tej chwili jakiekolwiek przekonania!". Miał tam na dnie jakąś niby-wiarę w mityczny prawie dla niego syndykalizm i nie wierzył, aby zwycięstwo niwelistów mogło przynieść komukolwiek szczęście. Z drugiej strony widział, jak faszyzm przejmuje w rozwoju swym syndykalistyczne maniery. Czyżby tą drogą miało iść zbawienie ludzkości? „Wszystko jest blaga. Nie wierzę w nic. Jestem typem nihilistycznego pseudoburżuja".

Wchodził do pałacu Łohoyskich jak do domu widzianego w koszmarnym śnie. Fizyczna nierzeczywistość tamtej nocy małą była pociechą. Moralna odpowiedzialność za okropny sen – przecież to nonsens. A jednak było to faktem. Jako odkupienie win postanowił nawrócić na dobrą drogę Jędrka, mimo że sam błądził po fatalnych bezdrożach. Zastał go w stanie opłakanym. Widocznie wzmożone dawki trucizny zabiły w nim wszelki, nawet inwersyjny erotyzm. Siedział ogłupiały, wpatrzony w jeden punkt i nie podniósł się nawet na powitanie swojej dawnej miłości. Powoli wciągnął się w rozmowę.

– ...musisz, dziś – rozumiesz? Inaczej jesteś zgubiony. Gdybym nie miał dla ciebie tej głębokiej sympatii, jaką mam – może to nie jest ta przyjaźń, o której marzyłeś (tu głos Atanazego nabrzmiał gorzką ironią), ale w każdym razie coś jest – otóż gdybym nie uznawał ciebie za normalnego

274

w gruncie rzeczy człowieka, nie przyszedłbym dziś do ciebie. Ty nie jesteś taki z urodzenia. To tylko nowotwór, wyrosły na tle przesytu i tego świństwa – wskazał na słoiki na stole. – Musisz zerwać ze wszystkim, a nade wszystko z kokainą. A propos chciałem cię prosić – mówił dalej z trochę niewyraźną miną – o jakie kilkadziesiąt gramów. (Łohoyski uśmiechnął się bladawo po raz pierwszy). Na wszelki wypadek. Teraz nie mam ani cienia zamiaru. Ale gdybym miał umierać – rozumiesz...

– Tak, to mocne jest jednak to świństwo. Kto raz skosztował, co? – rzekł z taką dumą, jakby to on właśnie był wynalazcą tej zabawki, a nie Indianie w puszczach Południowej Ameryki.

– Nie myśl, że mam zamiar to kontynuować. Jest to jeszcze poniżej mego upadku. Chcę mieć na ten wypadek, kiedy trzeba będzie skończyć z tym... – Zrobił kolisty ruch ręką.

– Ale ty, wiedząc o tym, jak mogłeś... No, mniejsza o to. Ja cię rozumiem: chciałeś, abym ja także był w tym twoim raju jako drugi Adam...

– To już przestaje być rajem. Mam potworne halucynacje...

– Oddaj mi wszystko, co masz, i od dziś koniec. Wyjedziesz z nami dziś jeszcze. Ja cię będę trzymał, będę naprawdę twoim przyjacielem, o ile nigdy niczego podobnego nawet mi nie zaproponujesz.

– Bez ciebie nie ma chwilowo dla mnie życia. Ale skoro nie, to nie – rzekł Łohoyski, patrząc na niego tak zrozpaczonym wzrokiem, że Atanazy nie wytrzymał i zaśmiał się dziwnym śmiechem: miał przez chwilę wrażenie, że jest demoniczną kobietą. „Nie rozumiem, jak one mogą nas brać na serio w takich chwilach, jeśli wyglądamy tak, jak ten kretyn teraz". – Śmiej się – to wcale nie jest zabawne dla mnie – wyszeptał Łohoyski i zakrył twarz rękami.

– A więc koniec i dziś zabieram cię ze sobą na kurację – powiedział twardo Atanazy, tak jakby co najmniej zapraszał Jędrusia do swoich dóbr własnych. – Na jutro obiecują awanturę wyższej marki, a ja w tym udziału brać nie mogę – no, nie mogę. To jest za obce, za cząstkowe, za małe – ja nie wiem. Może wszystko tak właśnie musi się zaczynać, ale ja nie mogę, nie będę i koniec. No? Przyrzekasz?

W oczach Łohoyskiego błysnął jakiś zdrowy blask. Ale postanowienie, nikłe jak iskierka, rozwiało się zaraz w ciemnych zwałach abulii.

– Mogę zresztą wyjechać. I tak nie mam pieniędzy, a od jutra pewno koniec zupełny. Niech płaci sobie pani Prepudrechowa za snobizm. Ale dziś muszę jeszcze. Bez tego nie wyjadę. Zupełny brak woli. Dziś i jutro na miejscu. A od pojutrza rób ze mną, co chcesz. O, jakże ja będę cierpieć! Ale może masz rację. Chociaż nie wiadomo, czy warto...

– Warto, na pewno warto. Ja chcę też uwierzyć w jedność, jedyność życia. Zrobimy to razem. Musimy zrobić, inaczej lepiej skończyć od razu.

– Weźcie się do jakiej pożytecznej pracy, jak mówiła ta twoja ciotka. To klasyczne! – rzekł Łohoyski, zażył dużą, po dziesięćkroć śmiertelną dawkę „coco". Po czym wstał i zaczął „przewracać coś między rzeczami". – Widzisz: chciałem dziś nie i nie mogę. Ty nie wiesz, co to jest ta szarość i ten strach, bezprzedmiotowy strach, który mnie opanowuje. W tym stanie nie potrafiłbym zrobić najmniejszej rzeczy, a cóż dopiero pakować się i wyjechać. A za granicą mam tyle, żeby nie zdechnąć z głodu. Nie usłuchałem, psiakrew, w porę... Alfred, Alfred! Pakować! – krzyknął już dawnym głosem rozradowanego ludzkiego byka, jakim był w niedawnej przeszłości.

„To jednak prędko idzie. Czy można poznać w nim tego człowieka, który kilka miesięcy temu zaczynał dopiero tę zabawę" – pomyślał Atanazy i umocnił się w swoim postanowieniu użycia „tego świństwa" jedynie w ostatniej chwili. Sam nie zdawał sobie sprawy z jednej zasadniczej rzeczy: oto jakkolwiek noc kokainowa z Jędrkiem nie była początkiem tej właśnie pochyłości, po której miał się na dno swego istnienia stoczyć, to była ona jednak pochyłością pośrednią, na której nie zatrzymując się, przeszedł lekko, jak po zwrotnicach, w inną sferę niebezpieczeństw: nieznacznie, nie wiedząc kiedy, stracił wszelki opór w stosunku do Heli, mimo że zewnętrznie trzymał się na dawnym poziomie. W każdym razie Łohoyski dał mu pięćdziesięciogramową rurkę doskonałego koko Mercka, zatrzymując dla siebie zapas konieczny na dwa dni. Gdy Atanazy schował ją, miał wrażenie, że zatrzasnęły się za nim jakieś tajemnicze drzwi i cała najbliższa przeszłość, ujęta w jedną epokę (trochę sztucznie), zwaliła się w martwą, niedającą się już wskrzesić „połać" życia. Już kilka razy miał takie chwile. Teraźniejszość co pewien czas odcinała się od życia, ustępując miejsca nowej. Czemu jednak stało się to w tej chwili? Czyżby w tej rurce z lśniącym, białym proszkiem była jakaś tajemnicza siła? Nie przypuszczał biedny Atanazy, w jakiej chwili otworzy ten potencjalny sezam zdradzieckiej rozkoszy.

Wyjechali wreszcie nocnym kurierem (do którego doczepiono wspaniały wagon domu Bertz) z burzącego się coraz więcej miasta. Pani Osłabędzka nie chciała za nic ruszyć się ze stolicy – bała się „zostawić dom swój na pastwę tłumów", jak to oświadczyła z odcieniem wyższości w głosie. Stary Bertz miał teraz wszelkie szanse zostania ministrem albo przejechania się w sferę niebytu bez żadnych już narkotyków. Fachowcy na usługach partii chłopomanów – oto była zasada nadchodzącej nowej władzy. Dzięki obrotności Bertza uznano go za fachowca właśnie w kwestii reformy rolnej i podziału ziemi – wszystko jedno – niech mu ta ziemia lekką będzie. Generał Bruizor, osaczony nawet w swoim własnym sztabie, nie chcąc popełniać kompromisu, gotował się do rozpaczliwej walki na czele paru wiernych pułków, sam nie wiedząc już, w imię czego. Nastąpiło ogólne skiełbaszenie wszystkich ideałów w jeden nierozplątany chaos – trzeba było koniecznie krwi dla oczyszczenia atmosfery. Toteż rzeź zapowiadała się wspaniała. Niweliści pochowali się w swoje kryjówki i czekali, co będzie. A nuż?...

Zosia, zostawiając matkę w czas tak niepewny w mieście, zrobiła wielkie poświęcenie dla Atanazego, którego ten nie oceniał należycie. Co mogła go obchodzić nudna, obca mu dama, której codzienną obecność w domu znosił z wielką trudnością? Cieszył się bardzo, że nie pojechała z nimi, a gdzieś na dnie (do czego by się nie przyznał za nic w świecie) życzył jej nagłej i bezbolesnej śmierci w nadchodzącej społecznej burzy. „«Wielka miłość» – myślał niepoprawny myśliciel – odróżnia się między innymi tym od małej i średniej, że wszystko, co jest wartościowym dla jednej strony, staje się też «tabu» dla drugiej. A więc ponieważ nic nie obchodzi mnie teściowa, moje uczucie dla Zosi nie jest tym, czym być powinno. Ale na codzienne życie wystarczy. Gdyby nie ta cała rewolucja („I nie Hela” – powiedział tajemniczy głos – zawsze ten sam doradca w chwilach stanowczych). [Atanazy otrząsnął się: „Co u diabła? Nie ma żadnej Heli, niech to raz wszyscy...”], byłbym zupełnie szczęśliwy i zadowolniłbym się spokojnym pisaniem «pośmiertnych» dywagacji na temat filozoficzno-społeczny. A tak?”.

A jednak jeśli chwilami czuł jakąś niezrozumiałą, krótkotrwałą radość życia, to było to tylko to, to właśnie, a nie co innego: podświadoma antycypacja nadchodzącego rozwiązania. Świadomie widział siebie, znienawidzonego przez siebie „mdłego demokratę”, małostkowego snoba, wielkiego egoistę, bezpłodnego dywagatora, konającego powoli w zupełnym nonsensie codziennego życia i nic nie mógł poradzić na swoją własną nicość – nie było nic na świecie, czym by mógł usprawiedliwić nagi, odarty z wszelkiej życiowej dziwności, fakt swego istnienia. „Tacy właśnie w powieściach zostają artystami, jak już autor nic z nimi zrobić nie może. Cała nadzieja jeszcze w tej podróży w góry. Ale co potem?". Dalsze życie leżało przed nim jak nieprzebyta pustynia jałowej nudy, u końca której czekała szara śmierć. Wspomniał kokainę z dreszczem strachu i wstrętu. „Nie, to zostawię sobie na sam koniec, kiedy już żadnej nie będzie nadziei. Skończę przynajmniej w sposób subiektywnie interesujący w tym «świństwie»". Ale nie chciał sobie uświadomić, że jedyną jego nadzieją była „tamta", narkotyk lepszy jeszcze od apotransforminy Ziezia. Własny jego „charakter" bawił się z nim jak kot z myszą: znowu nastąpiła zmiana. Normalna noc małżeńska w „sleepingu" jako nowość podziałała nań jak na złość świetnie – ale niestety na krótko. Nawet obecność Heli i Prepudrecha w sąsiednim przedziale i zakokainowany Jędrek błądzący bezsennie po korytarzu, wszystko to dodawało uroku spokojnemu szczęściu w zacisznym przedziale. Zasnął wreszcie wyczerpany zupełnie, a śniły mu się rzeczy dziwne i niesamowite. Było to kino, ale jednocześnie działo się to rzeczywiście. Na różowej pustyni gonił jak wściekły jakieś dwa dziwne zwierzaki, które – kiedy już miał ich dopaść – zmieniły się w rozwałkowanych na płytach meksykańskich bandytów (szybko się skonsolidowali w niepojęty sposób). Zapytał jednego z nich, drżąc nie wiadomo czemu ze strachu: „Usted contenta, habla español?". Miało to być we śnie zupełnie płynnie po hiszpańsku. I wtedy przekonał się, że ten drab meksykański to jest Hela Bertz. Zawstydził się okropnie i poczuł, że jest zgubiony. „Rozpal ogień" – powiedziała ona do tamtego draba, który okazał się księciem Prepudrech. Skąd mieli konie, nie miał pojęcia Atanazy. O ucieczce pieszo wśród pustyni mowy nawet być nie mogło. Prepudrech chwycił go za kark (ogień się już palił, nie wiadomo jakim cudem). Czuł, że będą go torturować i strach przed męką zmięszał się w nim z dziwną rozkoszą, prawie erotyczną. Ujrzał nad sobą skośne, błękitne oczy Heli. „Wyrzekam się Husserla, nie będę już nigdy" – mówił, mdlejąc z przerażenia i z tej dziwnej rozkoszy. Palące oczy były coraz bliżej, a tam pod niego podsuwał ogień Prepudrech. Ale ogień ten nie parzył w zwykłym znaczeniu: raczej była w odczuwaniu jego gorąca jakaś, wstrętna przyjemność. Okropny bezwład ogarnął Atanazego: był w tym i wstyd, i rozkosz, i wyrzuty, żal, rozpacz i zupełne rozłażenie się wszystkiego w bezosobową miazgę; a wszystko to w jej oczach, które były źródłem niepojętej męki i upokorzenia. Zbudził się szczęśliwy, że tak nie było, ale z wędką w sercu. Działo się to na pół godziny przed przybyciem na miejsce, to znaczy do Zarytego, kuracyjnej miejscowości wśród gór, gdzie stała willa Bertzów. Pociąg piął się z wysiłkiem pod górę wśród śnieżnych pagórków, pokrytych szpilkowymi lasami. Właśnie wschodziło słońce, oświetlając szczyty wzgórz i lasy w okiści pomarańczowym blaskiem, podczas gdy dolina, którą szedł tor, leżała w niebieskawym, przeźroczystym półmroku. Granatowa smuga cienia na granicy światła spadała coraz niżej, aż wreszcie złoto-różowe słońce zabłysło w dziwacznych deseniach zamarzniętych szyb wagonu. Zosia i Prepudrechowie jeszcze spali. Atanazy i Jędruś, zapatrzeni w przepiękny górski pejzaż, stali obok siebie w korytarzu. Dwie lokomotywy dyszały nierówno, wyrzucając kłęby czarno-rudego dymu w krystaliczną czystość powietrza. Ale i to nawet było piękne.

– Ty nie wiesz, co to jest. Ostatni dzień mój w tym świecie. Ale nie żałuję. Pierwszy raz widzę góry w tym stanie. Ty nie wiesz... A może chcesz? Także ostatni raz? – mówił Łohoyski w niepohamowanym zachwycie, wpatrzony w uciekające w dal wąwozy i wzgórza, na których krzywe powierzchnie, mieniące się wszystkimi barwami od różu do fioletu w rannym słońcu, pełne błyszczących jak iskry piór lodowych, kładły się głębokie, błękitne cienie od rudawych świerków i ciemnooliwkowych jodeł. Olchowe zagajniki świeciły szarawą purpurą, a w cieniach podobne były do delikatnej, fioletowej mgły. Świat nasycał się swoją pięknością w zapamiętaniu, w uniesieniu najwyższym. Rozkosz patrzenia na to wszystko graniczyła z jakimś rozdzierającym bólem.

– Nie. Dziś pozwalam ci na wszystko, ale sam nie chcę. Wiem, jakie to musi być piękne, bo pamiętam twoje portki pepita, które są w tym wspomnieniu porównywalne z pięknością tego poranku. Ale potem – brrr – byłem w piekle, wtedy po wyjściu od ciebie, kiedy jechałem z Alfredem przez miasto.

– A propos: wiesz, że on mnie nie chciał puścić. Zapomniałem ci powiedzieć, tak byłeś zajęty Zosią. Zamknąłem szelmę w alkowie bez okien i uciekłem. Może z głodu tam zdechnąć, jeśli go nie znajdą.

Łohoyski wpadł w zwykłą kokainową gadatliwość i plótł bez pamięci, z tym złudzeniem, że mówi rzeczy niezmiernie ważne i ciekawe. Nie słuchał go prawie Atanazy. Czymże wobec tej piękności świata są nieszczęścia narodów i upośledzonych klas, o ile się do nich oczywiście nie należy. Co go to wszystko obchodzić mogło: wszystkie rewolucje i przewroty, kiedy ten cud trwa tutaj naprawdę, a nie tylko w kokainowych wymiarach, za które płacić trzeba zidioceniem, obłędem i śmiercią. Ale w tej chwili właśnie pociąg doganiał jakiegoś draba, idącego gdzieś wzdłuż toru na ranną robotę. Miał stwór ten na sobie podartą „ceperską" kurtkę, góralski wytarty kapelusik i stare, całe w łatach „cyfrowane" portki, a na nogach pantofle z sukna, tzw. „puńcochy". W jego bezmiernie cierpiącej twarzy wolowatego kretyna tkwiły raptawe oczy, które obojętnym spojrzeniem przemknęły po mijającym go, błyszczącym zbytkiem „sleepingu". „Oto ta, tak zwana po rosyjsku «dierewianskaja biednatá», «wsiowa nędza», za którą tam może się już rżną ze zwolennikami Bruizora socjaliści-chłopomani ze swymi przywódcami na czele, objedzonymi u Bertza czy innego potentata trywutami i murbiami, pełnymi bezcennego wina z drzewa Dżewe". I nagle wstyd zrobiło się Atanazemu samego siebie i tego wspaniałego wagonu, którym jechał, aby bawić się zimą w górach za pieniądze bogatej fantastki, której ojciec tam w mieście „zostawał" może właśnie w tej chwili ministrem chłopomanów, wśród salw kulomiotów i ognia ciężkiej artylerii, wylewających potoki krwi z nieszczęsnych, opętanych ludzi. Ich pociąg podobno miał być ostatni. Mimo że Hela nie była teraz jego kochanką, coś alfonsowatego było w sytuacji Atanazego. Zaczerwienił się nagle ze wstydu przed tym kretynem znikającym na zakręcie toru, na tle przepięknego górskiego widoku, w blaskach olbrzymiego, zimowego słońca, wstającego gdzieś zza odległych szczytów, aby oświetlić nędzną walkę rozżartych na siebie wstrętnych istot, plugawiących swoim istnieniem „astronomiczną" czystość planety. A tu mąż tejże „fantastki" (i mówiąc już zupełnie otwarcie kochanki) i jego „przyjaciel" (obrzydliwe było teraz dla niego to słowo), i żona, żona, u której też był właściwie na utrzymaniu (ale to podobno się nie liczy), wioząca we wnętrznościach swoich tego jego syna (tak, to musi być syn, aby dopełnić miary nieszczęścia) z niego poczętego (to szczęście i nieszczęście zarazem), a tuż obok jego były kochanek – a nie: dosyć. Kombinacja była godna jego, słynnego w pewnych, dość zakazanych zresztą, kółkach, bezpłodnego twórcy artystycznych konstrukcji w życiu. „Czy ja czasem podświadomie nie wytwarzam tego wszystkiego naumyślnie, dla samego zestawienia potworności – pomyślał Atanazy. – Ale ostatecznie nic w tym potwornego nie ma – wszystko musiało być tak właśnie, a nie inaczej, wszystko da się bez reszty wytłumaczyć, a przeszłość nie obowiązuje chwili obecnej". Tak to zaczynało się to tak zwane „nowe życie" w górach, na takich podstawach.

Ale nagle pociąg, przebiwszy się przez zasypany przekop, staczać się zaczął po pochyłości w pełnym blasku słońca w śnieżną równinę, na krańcu której majaczyły zanurzone od dołu w opalowo-rudawym oparze góry, wznosząc czyste szczyty o błękitnych cieniach na seledynowo--kobaltowym niebie. Wszystkie zwątpienia i sprzeczności pochłonęła niepojęta piękność świata. „Przede wszystkim uciec od życia. To są te właśnie niebezpieczne «mikroskopijne perspektywy», przekręcające wielki obraz rzeczywistości w sumę małych sprzecznostek. Tego trzeba się strzec – to wpędza w bezwyjściowe myślowe zakamarki. Precz ze słabością, nawet wobec rzeczy oczywiście szlachetnych, o ile nie leżą naprawdę na istotnej linii przeznaczenia. Przez cierpienie na szczyty życia – to jeszcze można wytrzymać. Ale cierpienie moje własne, a nie jakichś tam «łapserdaków»". Już miał się spytać sam siebie: „No dobrze, ale w imię czego", ale się wstrzymał w porę. Bezlitosny w grozie swej obojętności widok słonecznych gór potwierdzał Atanazemu tę prawdę. „Ale tylko co widziany wolowaty nędzarz żyje też w tym świecie, tylko go nie widzi – w tym jest różnica. Ale i dla mnie nie na długo wystarczy ten widok – to są chwilki – trzeba kimś być. A znowu

283

co do tego kretyna (po co ja go zobaczyłem, psiakrew?!), to jak zaprowadzić tę niwelistyczno-chrześcijańską równość, jak zrównać takiego wolowatego z generałem Bruizorem na przykład? W przyszłości będzie tylko odpowiednie zużytkowanie pracy wszystkich w coraz bardziej specjalizującym się społeczeństwie i lepsze odpowiednie wynagrodzenie – nic więcej. Ale to podobno dzieje się dziś w Ameryce bez żadnego niwelizmu. A wartość idei? Jest różnica dla tego, który trzymany jest w dyscyplinie, czy trzyma go całe społeczeństwo dla jego i ogólnego dobra, czy jakieś indywiduum dla swojej fantazji. A nieskończoność apetytów, które płyną z jedyności każdego indywiduum w nieskończonym wszechświecie? Chyba zanikną w dalszym rozwoju społecznym. Nie – nie rozstrzygnę tego problematu. Kłąb sprzeczności".

Zniechęcony zaczął znów patrzeć na góry.

Informacja

Czerwona oczywiście i wspaniale urządzona willa Bertzów stała na krańcach wsi otaczającej rozległe kuracyjne miejsce, Zaryte. Hela zajęła się zorganizowaniem gospodarstwa, na czele którego stanął jej „butler", tak wspaniale nazwany stary Antoni Ćwirek z Czerwonego Pałacu. Willa w górach była (wewnętrznie, poza architekturą – styl zakopiański, oczywiście) dokładną kopią stołecznej rezydencji Bertzów: począwszy od czerwoności do słynnej, nawet poza granicami kraju, kuchni. Przyszłość przedstawiała się niepewnie, ale to tylko dodawało uroku podróży i pierwszym chwilom instalacji. Po czym w ciszy górskiej rozpoczęło się oczekiwanie wypadków samo w sobie. Wszyscy robili najdziksze przypuszczenia – nikt nic właściwie nie wiedział. O ile by zwyciężyli chłopomani i staremu Bertzowi udałoby się zostać ich ministrem – wszystko dobrze, o ile nie, mogły zajść komplikacje w stosunku do zmieniającej się władzy lokalnej i wtedy wszystko było możliwe. A może, korzystając z zamieszania, niweliści zrobią swoje i rewolucja przeskoczy wtedy drugą fazę, aby przejść od razu w trzecią, definitywną. Prepudrech i Łohoyski na podstawie ostatnich plotek miejskich twierdzili na pewno, że wszystko to jest tylko pretekstem do zamięszania jeszcze wyższej marki, z którego mieli skorzystać miejscowi faszyści, a nawet monarchiści, chcący osadzić na tronie Miguela de Bragança, powinowatego Jędrka. „Wtedy użyjemy wszyscy" – mówił z obiecującą miną Łohoyski. Dla całego towarzystwa wyznaczone już były w jego wyobraźni wspaniałe stanowiska, w razie gdyby ten ustrój miał się urzeczywistnić. Z Zarytego, tego wyrostka robaczkowego kiszki ślepej całego kraju, cała ta historia przedstawiała się fantastycznie, prawie aż humorystycznie. Wszystko pachniało z daleka jakimś potwornym skandalem, ale na razie ogarnął towarzystwo nastrój zupełnej beztroski. Jutro zaczynało się tak zwane „nowe życie", jutro miało rozstrzygnąć o dalszych losach realnych, w abstrakcji od metafizyki dywagacji społecznych i odrodzenia duchowego, którego wszyscy pragnęli. Prepudrech, którego Hela trzymała dalej na antyerotycznym dystansie (wszelkie gwałty zostały znowu wzbronione), komponował zawzięcie od samego rana, i Ziezio Smorski, który korzystając z małej ilości śniegu na ubitych drogach przyjechał autem po południu, uznał definitywnie księcia za artystę przyszłości. Improwizowali to na cztery, to na dwie ręce, wzbudzając zachwyt towarzystwa. Wiadomości były bez zmiany: wrzód puchł, ale nie pękał. Jeden Atanazy „czegoś" niezadowolony przeżywał wszystkie dawne myśli, dobywając je na zawołanie ze swojego podwójnego psychicznego bebechu. W oczekiwaniu jutra ostatni wieczór spędzono na szalonym pijaństwie. Lały się najdroższe i najlepsze płyny: Dżewe nie Dżewe, Camolli Bemba i patagońskie likiery. Piła nawet Zosia, zrzuciwszy dostojną maskę matrony w ciąży, zatruwając bez litości i degenerując jeszcze więcej Atanazowego embriona. Hela szalała jak dzikie zwierzę, potęgując jeszcze niezartykułowany niepokój Atanazego. Łohoyski, używając po raz ostatni swego ulubionego narkotyku w szalonych dawkach (coś koło dwunastu gramów), przekonał się nawet do Heli i leżał przed nią z pół godziny na brzuchu, oddając jej cześć najwyższą w nieposkromionym zachwycie. Atanazy zazdrościł mu, ale mimo pokus nie zażył nic – teraz upewnił się, że uczyni to jedynie w ostatniej chwili. Tylko którą z chwil uznać za tę ostatnią – to był problemat. Wszystko było tak „dobrze", czemuż nie mogło być tak zawsze i czemu wszystko tak się popsuło?

Następny ranek był smutny. Rozpoczęła się nudna zawieja śnieżna i o sportach nie było nawet mowy. Ale około siódmej wieczór przyszedł szyfrowany telegram od Bertza (telefony nie funkcjonowały) treści następującej: „Udało się. Zdrów. Minister rolnictwa Bertz".

Nastąpiło ogólne rozradowanie i nowa orgia, a zaczęcie „nowego życia", już na „platformie" pełnego optymizmu poglądu socjalistów--chłopomanów, którzy mieli szanse dłuższego istnienia niż partia „zlepieńców" generała Bruizora, odłożono do następnego dnia. Tylko Łohoyski, który cały zapas kokainy pozostały po wczorajszym wieczorze rzucił do pieca, pił ponuro, rzucając na Atanazego podwójne błagalne spojrzenia, których ten nie chciał rozumieć zupełnie.

Nazajutrz rozpoczęło się normalne życie. Wszyscy umieli jeździć na nartach, ale potrzebowali wyższej szkoły. Wycieczki odbywały się pod przewodnictwem wynajętego na ten cel przez Helę Szweda. Tylko Zosia nie mogła brać udziału w sportach, ale wytrzymywała to z pokorą, coraz bardziej przejęta nadchodzącym macierzyństwem. Ruch w mroźnym powietrzu wśród wspaniałych lśniących śniegów pochłonął na razie całe zło ich umęczonych dusz. Łohoyski bohatersko znosił brak ukochanej trucizny, a jego sflaczałe serce znajdowało nową podnietę w przezwyciężaniu coraz to trudniejszych rekordów wytrzymałości. Nawet straszliwy tchórz fizyczny, Ziezio, dał się porwać sportowi, dokazując jak na siebie wprost cudów odwagi i dzielności. Prepudrech, mimo przykładu swego mistrza, nie zaniedbywał dla nart kompozycji. Znalazłszy w sobie złotą (czy też, jak mówił poufnie Ziezio, „tombakową") żyłę, eksploatował ją w sposób niszczący. Jedno było fatalne, to, że Hela postanowiła trwać w cnocie, twierdząc, że erotyczne igraszki źle oddziałują na prężność sportową jej organizmu. Ale tuż obok stał dom starego Hlusia, jednego z ostatnich patriarchów góralskich; miał on córkę, dziką, trochę obłąkaną blondynę dziwnej urody. Do niej to zaczął uczęszczać zlekceważony przez żonę książę i rozkochał w sobie piękną półwariatkę do zupełnego już obłędu. Śpiewała mu godzinami góralskie pieśni, które on transponował w niedościgłe dla niefachowców wymiary swego muzycznego nonsensu, a przy tym znajdował nieznaną rozkosz w jej prymitywnych, trochę śmierdzących uściskach, ucząc ją subtelnych perwersji, które przestały już działać na żonę. Atanazego nie podejrzewał o nic, bo gdzieżby w jego uczciwej głowie perskiego chana mogła zrodzić się myśl, że jego przyjaciel, będąc gościem w jego własnym domu, mógłby uwieść mu żonę, mając pod ręką swoją własną, i to w odmiennym stanie. Katolicki Bóg Heli poszedł na razie na urlop. Potrzebny był tam, w mieście. Tu, w otoczeniu wspaniałej górskiej natury, rozpłynął się w jakiś zwierzęcy, pojęciowo niedający się ująć panteizm. Był tylko jedną z figur w państwie fetyszów, poczynając od rzeźbionego przez Papuasów z Nowej Gwinei aligatora, a kończąc na czerwonym wężu Bajacho, który przyjechał w swoim specjalnym szklanym pudle i czuł się świetnie, pochodził bowiem z niższych stoków śnieżystej Aconcaguy. Gdyby ksiądz Hieronim mógł zajrzeć w duszę swojej duchowej wychowanki, zmartwiałby z przerażenia: zaiste religia traktowana była przez nią na równi z jedzeniem: „menu" musiało się zmieniać, inaczej byłoby to nudnym. Nie wiedząc sama kiedy, zatapiała się Hela coraz głębiej w pragmatycznym świństwie, w pluralistycznym bałaganie, z którego nawet nieboszczyk James byłby zadowolony. Odezwała się w niej wreszcie, jak twierdziła, krew przodków jej, Hetytów, mieszkańców wyżyn Małej Azji. Góry wywierały na nią wpływ magnetyczny. Roztapiała się w ich niezdobytej piękności, zapominając o Bogu, księdzu Wyprztyku, mężu, wężu, ojcu i rewolucji, ale nie o Atanazym. Ten przeklęty improduktyw był jednak czymś, nawet w odniesieniu do nowych, zarysowujących się poza osobowym Bogiem panteistycznych koordynat. Mimo że piękny blondas Szwed-trener, Erik Tvardstrup, wzbudzał w niej odrazę, poza podziwem dla jego wyższej szkoły jazdy, kokietowała go z wyrafinowaniem, okazując Atanazemu zupełną obojętność. Poniżyła się aż do programowego prowokowania zazdrości, wiedząc, że wytrwałością tylko pokona nieuchwytność kochanka – bo tak zawsze nazywała go w myślach. Cel wyższy był ponad wszystko: chodziło o życie całe, a może tylko o wstęp do życia, ale wstęp konieczny, nie do uniknięcia. Przyjaźń jej z Zosią szła zwykłym torem małych kobiecych kłamstewek, przy pozornym „wylaniu" i wzajemności przysiąg na wieczność. Dla powierzchownego obserwatora przedstawiało całe towarzystwo to dobrze zharmonizowaną grupę przyjaciół – w istocie był to kłąb niebezpiecznych, nietrwałych, eksplozywnych połączeń, czekający tylko odpowiednich detonatorów. Na tym tle wyrosły dwie nowe idealne przyjaźnie: Zosi z księciem i z Łohoyskim. Był to dla niej doskonały antydot na opuszczenie jej (na razie duchowe tylko) przez męża, który coraz bardziej lenił się rozmawiać z nią na serio, zużywając

cały swój osłabiony zresztą intelekt na uwiedzenie „tamtej", również
na razie „duchowe".

Łohoyski czuł się też opuszczonym, ale niedługo – zaraz po przyjeździe zaczął już myszkować po okolicy, szukając nowych ofiar dla
swojej inwersji, tym bardziej że kokainowa abstynencja przywracała
mu siły z dnia na dzień. Oboje z Zosią byli ofiarami „demonicznego
Tazia" i to najbardziej zbliżało ich do siebie, mimo że przyczyny tego
zbliżenia dla Zosi były całkowicie nieznane. W głębi duszy, mimo
ambitnego ukrywania tego przed wszystkimi i przed mężem, cierpiała
bardzo z powodu tego zaniedbania i nawet erotyczne przeżycia nabrały dla niej na tym tle jakiegoś tragicznego charakteru. Czuła, że Atanazy używa jej tylko jako nieistotnej rozrywki, jakiegoś paliatywu,
będąc w istocie zajętym czymś nieodgadnionym. Ale czym? Zazdrościła rozmów „tamtym", ale erotyczna zazdrość była u niej jakby
w uśpieniu. Podobnie jak Prepudrech, nie przypuszczała nawet, żeby
podobne świństwo w ogóle było możliwym. Ataki wstrętu i pogardy
dla męża przeszły jej bez śladu: widocznie był to tylko wynik wczesnej ciąży. Do tego jeszcze zaczęła silnie brzydnąć, zrobiła się nieru-
choma i ospała. To wszystko zniechęcało do niej Atanazego coraz
bardziej. Z rozpaczą myślał o przyszłości, mając wrażenie, że wciąga
go na dno jakaś półżywa topielica, kurczowo trzymająca się jego szyi.
Dosłownie zaczynał uczuwać ciężar fizyczny w karku i grdyce, jakby
był przez kogoś trzymany na uwięzi. Nic nie pomagały już chwile
zadowolenia, raczej „zadowoleńka", że wszystko jest tak dobrze; nic
nie dawało zatulenie się w kącik życiowej rezygnacji na małą skalę.
Pospoliciało wszystko beznadziejnie.

Chwilami tęsknił Atanazy do owej straszliwej nocy z Łohoyskim
– nawet nie do kokainy i broń Boże nie do obecnego tu Jędrusia – ale
do tego innego, koszmarowego, tego, którego głosu przeraził się
wtedy w telefonie. Ale czemu? Bo wtedy, na drugi dzień, czuł swój
związek istotny „w poglądzie rozczuleniowym" (jak nazywał tę sumę
stanów połączonych: wyrzutów sumienia i małej, prawie teoretycz-
nej pokutki bez wielkiego cierpienia) z Zosią w jej małym światku.
Ale czyż jego własny świat był wielkim? „Boże! Czymże mierzymy
wielkość?" – myślał z rozpaczą, nie mogąc znaleźć żadnego stałego
punktu zaczepienia dla swoich rozdyndanych myśli. „Czy natężeniem uczuć, czy ilością wplątanych ludzi, czy szerokością zastosowań
– czyż nie jest to ten sam wypadek, co z wielkością w sztuce, którą

określa nie siła jednego elementu, ale proporcja maksymalnych natężeń: poczucia konstruktywnej jedności, kontroli intelektu, bogactwa sfery wyobrażeń i myśli – i talentu, to znaczy danych czysto zmysłowych. Ale wartościowanie jest zawsze względne, zależnie od danej klasy ludzi. Czyż tym, w co ja wierzę, nie ma rządzić niezależna myśl, tylko przypadek należenia do danej klasy i danej epoki? Chyba że to, że ja w tych warunkach właśnie powstaję, nie jest przypadkiem, ale właśnie najistotniejszą koniecznością. Ale w takim razie jest to konieczność metafizyczna, wyższego nawet rzędu od fizykalnej przyczynowości?". (Idea osobowego Boga mignęła na dnie tych rozmyślań, ale niewyraźnie). „Może nawet tego rodzaju rzeczy wyznaczają też bieg myśli w sferach pozornie niezależnych od tych kontyngencji, w matematyce i logice. Tak twierdzi Spengler, ale chyba to nie może być prawdą". Poczucie przypadkowości i niemożność nasycenia się koniecznością stawały się stanem codziennym, a symbolem rzeczywistym tego stanu zaczynała być nieodwołalnie Zosia, podczas gdy Hela przechodziła w sferę absolutnych konieczności, nieomal w rejon idealnego bytu pojęć, przy czym zamaskowana namiętność do niej coraz trudniej dawała się utrzymać w granicach wymuszonej podświadomości. „Ale czy można twierdzić coś o «przypadku indywidualnego istnienia»? To nam się tylko wydaje, że mówiąc o sobie samych «ja», moglibyśmy być zupełnie innymi stworami, że to «ja», związane z innym ciałem, w innym narodzie, na innej planecie, byłoby identyczne ze sobą. Przede wszystkim nie ma ciała i duszy, tylko jedność osobowości czasowo-przestrzennej; z tej dwoistości jednej formy istnienia i z wielości indywiduów wynikają te złudzenia ograniczonego Istnienia Poszczególnego. Raz tylko na całą wieczność jest ono wytworzone jako to właśnie, a nie inne: powoli powstaje z całej masy narastających istnień poszczególnych częściowych, pozbawionych swobody, komórek organizujących się dla wspólnego celu. Złożoność nieskończona istnień, które zawsze z innych istnień składać się muszą, tajemnica aktualnej Nieskończoności w małości i w wielkości, w związku z Istnieniem, a nie Teorią Mnogości, graniczne pojęcia: istnienia poszczególnego nieskończenie małego, a z drugiej strony pojęcie już nie jednego istnienia (to by implikowało jedność, w granicy równą Nicości Absolutnej) – tylko nieskończenie wielkiej organizacji takich istnień-indywiduów, jaką jest na przykład roślina. A bez przyjęcia tej organizacji niewytłumaczalnym byłoby to, że coś w ogóle istnieje: świat nie może być tylko zbiorowiskiem istnień – musi być więc organizacją, skoro jednym istnieniem być nie może".

Z tych „witalistyczno-biologicznych bzdur" śmiał się otwarcie niedawno przybyły Chwazdrygiel, przed którym Atanazy zwierzał się czasem, w chwilach upadku, ze swoich wątpliwości. Ale teorie nowoczesnych materialistycznych biologów, implikujące wszystkie nierozwiązalne problemy i przeskakujące niezgłębioną przepaść między poglądem psychologistycznym – czystych jakości, a fizycznym, w sposób pozornie ciągły (od elektronów do komórek przez ciała białkowate), które to teorie tym „bzdurom" przeciwstawiał, były tak naiwne, że Atanazy, zniechęcony, powracał znowu do swojego „systemu". Ale Chwazdrygiel, nie wychodząc poza swój biologiczny fizykalizm, zaczynał na serio pojmować, że sztuka, na którą patrzył również jako na zjawisko socjologiczno-biologiczne, sprowadzalne ostatecznie, jak wszystko w jego koncepcji, do ruchu ładunków energii, była jego istotną drogą. Uczuwał, nawet nie tylko jak wtedy pod działaniem kokainy, ale i teraz, upiwszy się po prostu rzadkimi specyfikami z piwnicy Bertzów, nieusprawiedliwiony żal do nauki, że go oszukała, ukazując mu fantomy wielkich problemów, które już w jej obrębie dawno wyczerpane zostały. Konsekwencja upadkowego kierunku we wszystkich sferach, z wyjątkiem jednej: społecznego rozwoju, była zabójcza. Ogólne zaś, zaprawione metafizyką, tęsknoty i porywy społeczne stawały się wobec konkretnych wypadków czymś zupełnie nierealnym: nie miały żadnego punktu zaczepienia o stającą się rzeczywistość. Tymczasem jeszcze Bertz był przy władzy i można było przynajmniej rozmawiać o wszystkim spokojnie. I może, gdyby mu zostawiono kierownictwo naczelne, potrafiłby rozwiązać problem podziału ziemi przez organizację powolną kooperatyw rolnych. Ale nie był to moment odpowiedni dla pracy twórczej. Ludzi ogarnął szał wyzwalania się. Nie chcieli pracować, tylko brać i używać.

Atanazy cierpiał coraz straszliwiej. Dla Zosi miał litość bez granic i tęsknił do niej czasem, siedząc tuż obok niej albo nawet leżąc z nią w łóżku. Tęsknił za tą, którą była dla niego dawniej. Widział tamto życie: ciche szczęście, pisanie tak zwanego „dzieła filozoficznego" z poczuciem niezależności od kryteriów najwyższych i sądów mędrców oficjalnych, spokojne, umiarkowane „życie płciowe", pozbawione niesamowitej rozkoszy perwersyjnych dodatków, i małe zadowoleńko z siebie i innych, i kto wie, czy nie drobne świństewka i zdrady żony i samego siebie na niewielką skalę. Nie było tu miejsca na żaden wyższy pogląd życiowy implikujący poświęcenie, dążenie do doskonałości, do absolutnej dobroci – te „rzeczy" przesuwały się czasem jak odległe góry za uciekającym w dal horyzontem, stanowiły nigdy niezaktualizowane tło niemożliwości. Zosia wchodziła raczej w tę sferę absolutnej etyki: z kompromisowej, półdziewiczej panienki, na tle stanu „odmiennego", odmiennego też od dotychczas jej znanych, przetwarzała się w fanatyczną samicę-matkę-żonę, a wszystko to nie było pierwotne i zabawne, tylko raczej ponure i wyrozumowane, przy czym miłość jej do Atanazego wzrastała stale i ciągle i dochodziła do złowrogich, męczących rozmiarów. Często teraz mówiła z Łohoyskim o problemie etyki absolutnej, którego znieść nie mógł Atanazy, wierząc w swoją teorię względności implikującą tylko pojęcie stosunku indywiduum do gatunku i społeczeństwa. Jędrek pod wpływem zerwania z kokainą stał się powoli bardziej zrównoważonym i zaczął pracować nad sobą: czytał Biblię i etykę Spinozy na przemian z średniowiecznymi mistykami i *Krytyką praktycznego rozumu* Kanta, co nie przeszkadzało mu szukać wyższych form przyjaźni między zdegenerowanymi autochtonami tego zaczarowanego zaiste kraju. Książek dostarczała mu zdziczała i wychudzona od sportów i głodówki Hela. Askeza jej przeszła z górnych regionów ducha w sferę czysto higienicznych zabiegów. I jedno, i drugie zjawisko nie miało żadnych cech trwałości: były to raczej objawy chronicznego kryzysu, który ostatecznie skończyć się kiedyś musiał. Atanazy unikał teraz rozmów z nią, bojąc się wprost samego siebie. Oboje byli jak beczki napełnione obojętnymi w obecnych warunkach, ale napiętymi potencjalnie materiami, żądnymi tylko dobrego katalizatora. A jednocześnie zdawało się, że nic już nigdy między nimi zajść nie może, i to poczucie, równoczesne u obojga, nadawało nieznany dotąd odcień tragizmu każdemu ich spotkaniu. Najgorsze były śniadania i obiady. Atmosfera stawała się chwilami groźna. Łohoyski, mówiąc cicho z Zosią, obecnie przeważnie na temat bezwartościowości życia w ogóle i piękności śmierci (wyglądali na dwoje spiskowych), Prepudrech obsesjonalnie zatopiony w muzyce, nawet podczas jedzenia, Smorski coraz wyraźniej wkraczający w sferę obłędu, ponury niedoszły artysta i profesor biologii Chwazdrygiel – i nad tym beznadziejnie napięte ku sobie złe i nienasycone dusze (i nie tylko dusze, ale i ciała) Atanazego i Heli. Objadali się (z wyjątkiem Heli) potwornie, a najwięcej żarł wychudzony przez kokainę Łohoyski. Jaśniejsze jeszcze stosunkowo były chwile, kiedy Jędrek, w nagłym napadzie pożądania swego jadu, wyprawiał dzikie historie (które nazywał łagodnie z cudzoziemska „Abstinenzerscheinungen"), przechodząc od szalonej wesołości do zupełnie beznadziejnych ataków rozpaczy. Od miejscowego towarzystwa prowincjonalnych sportsmanów (prócz „trenera"), „societymanów", „artmanów", „dancingmanów" i megalomanów odgrodzili się przybysze zupełnie. Na „wyżerkach" w willi bywał tylko czasem piękny, brodaty trener Erik Tvardstrup, który coraz wyraźniej zakochiwał się w Heli. Atmosfera wtedy gęstniała i pęczniała w jeszcze bardziej złowieszczy sposób.

Któregoś dnia Atanazy powiedział sobie wyraźnie i nieodwołalnie, że bez Heli żyć więcej nie może – a jednak żył i nie był w stanie zrobić żadnego kroku w kierunku przerwania tego stanu. A o wyjeździe nawet myśleć nie mógł. Stało się to nieznacznie, niedostrzegalnie i zanim się opatrzył, już był po „tamtej", „czarnej" stronie swego życia, po stronie zniszczenia. Ona widziała dokładnie jego nagłą przemianę, gdy mienił się pod jej ukośno-błękitnym drażniącym spojrzeniem. A gdy zwracała się potem do nienawistnego Atanazemu Tvardstrupa, nieszczęśliwy „kochanek" doznawał charakterystycznego, pozornie bezpłciowego ściągnięcia się wszystkich bebechów w jeden węzeł bezbolesnego bólu. Pierwszy raz zaczął pojmować ten niezwyciężony dotąd Don Juan, że zazdrość nie jest czczym wymysłem, jak to twierdził dawniej.

Był już koniec marca i w górach wytworzył się „firn". Dnie były gorące, wiosenne, płowoniebieskie niebo ziało łagodnym ciepłem, a „szrenie" na grzbietach gór błyszczały jak aluminium. W dolinie duże płaty gołej, gorącej ziemi wydawały zapach zmysłowy, podniecający. Ogólny nastrój wszystkich był bydlęcy, daleki od przepojonego metafizyczną dziwnością okresu prawdziwej zimy. Całe towarzystwo udało się któregoś dnia na przełęcz Bydlisko, skąd zjazd był niebywały na drugą, luptowską, stronę. Żar był iście tropikalny i wszyscy wspinali się w silnych negliżach po wschodnim stoku góry, graniczącej prawą stroną z przełęczą. Tvardstrup poprosił o pozwolenie zdjęcia koszuli i nikt, jako oryginalnemu Szwedowi, odmówić mu tego nie mógł. Po chwili na tle zwykłego krajowego śniegu zabłysły w słońcu jego potworne, czysto szwedzkie mięśnie. Hela szła pierwsza, za nią on, a za nimi Atanazy. Reszta wlekła się w tyle. Atanazy wściekły był na Tvardstrupa za to obnażenie się i za to, że nie mógł zrobić tego samego, co on, z obawy przed względną nikłością swoich muskułów, które jakkolwiek wcale niezłe same w sobie, nie mogły się równać z żelaznymi zwałami mięsa tamtego. Złość zatykała go i dlatego nie mógł nadążyć tamtym. Zadyszany, widział, jak przeszedłszy małe cieniste zagłębienie, zabłyśli na grani w słońcu, na tle granatowego nieba. Rozwiana blond broda Tvardstrupa świeciła jak złota, gdy pochylał się ku Heli ze śmiechem. Na grani dął gorący południowy wiatr. Odległe luptowskie góry ginęły w rudawej mgle. Ponieważ śnieg od południowej strony był zbyt mokry, Tvardstrup rozpoczął ćwiczenia na tym samym zboczu, którym wyszli byli do góry.

Przez chwilę Atanazy z Helą zostali na przełęczy sam na sam. Hela, wpatrzona rozszerzonymi oczami przed siebie, w kierunku południowych gór, zdawała się wchłaniać w siebie wszechświat cały w bydlęcym zapamiętaniu. Straszliwe nienasycenie objęło jej głowę prawie dotykalnymi mackami. Atanazy zapatrzył się na jej drapieżny profil owiany ryżymi włosami, targającymi się w wichrze. Była dla niego w tej chwili widomym symbolem całego sensu istnienia. Gdyby nagle znikła i on chyba zniknąłby z nią razem. „I to bydlę...", pomyślał prawie jednocześnie o niej i tym samym słowem o Szwedzie, którego nawoływania słyszał z zapadającego już w granatowy cień północnego stoku kotła. Przemijała nieznacznie jedna z tych nikłych chwil, w których ważą się przeznaczenia przyszłości, w których są potencjalnie zawarte. Nagle Hela, która zdawała się nie pamiętać o istnieniu „kochanka", odbiwszy się silnie kijkami, zaczęła zjeżdżać w prostej linii na południową stronę śnieżystym żlebem, po którego bokach sterczały grzędy nagich skał pokrytych żółtym porostem. W Atanazym coś się szarpnęło: polecieć tak za nią, zapomnieć o wszystkim, zostać z nią gdzieś po drugiej stronie gór, uciec aż do tropików, o których marzył od dzieciństwa i które znał z opowiadań Łohoyskiego i samej Heli (jeszcze jako mała dziewczynka była kiedyś z ojcem w Indiach). Tak – ale za co, za co? Może za pieniądze żony jakże obco przesunęło się to słowo przez znaczeniową stronę świadomości. Albo może za jej własne? Uczuł się bezsilnym i, rzecz dziwna, poczuł gwałtowną sympatię do partii niwelistów i niezwyciężonego Sajetana Tempe. Hela, zjechawszy jakie pięćdziesiąt metrów, zatoczyła łuk w lewo, chcąc małym śnieżystym siodełkiem przedostać się przez grzbiet skalny do drugiego żlebu. Zniknęła na lewo, przemknąwszy zręcznie przez wąski pas śniegu. Ale zaraz potem posłyszał Atanazy chrobot nart na skałach i krzyk – po czym cisza. Tylko krew waliła mu w skroniach. Bez namysłu pomknął na dół żlebem i zrobiwszy szaloną „christianię" przejechał wolno grzbiet i ujrzał Helę leżącą głową na dół wśród nagich piargów pod ścianą. Hela jęczała cicho. Szybko odpiął narty i rzucił się na ratunek. Odpiął jej narty i zaczął obmacywać nogę w kostce.

– Niech pan zdejmie pończochę. Mam wrażenie, że to zwichnięcie.

– Gdyby było zwichnięcie, nie mogłaby pani ruszać nogą wcale.

W stosunku do jej nogi to zdanie miało dla niego wybitnie nieprzyzwoite znaczenie. Odpiął jej krótkie spodnie (Hela nie uznawała długich dla kobiet), wyciągnął pończochę, odpiął podwiązkę, zdjął kamasz i but, i zobaczył wreszcie przez przeźroczysty jedwab tę nogę, o której zawsze marzył. Była rzeczywiście piekielnie ładna. Po czym spojrzał na Helę, to znaczy na jej twarz. Leżała z półprzymkniętymi oczami, blada, z ustami skrzywionymi bólem. Atanazy poczuł nagle, że ją kocha, tak samo jak kilka miesięcy temu kochał Zosię, a nawet może więcej – albo może nie więcej, ale pełniej – nie było w uczuciu tym rezygnacji i litości, sztucznego zatracenia siebie i poświęcenia. Ale za to było to przepojone, wszystko „to", czymś wstrętnym, prawie podłym nawet niezależnie od stosunku jego do Zosi. Ale nie miał czasu zanalizować swego stanu. W tej chwili myślał o Heli z niezmierną czułością (tendresse – czułość, wstrętne słowo) połączoną z wściekłym gniewem na nią o Szweda. I oba te uczucia przeszły w straszliwe, nagłe, bezprzytomne pożądanie. Zdjął pończochę i zobaczył tę nogę nagą, białą prawie jak śnieg. Tego było trochę zanadto, ale jeszcze się trzymał. Pomacał puchniejącą w oczach prawie kostkę i pokręcił stopę w różne strony – nie było zwichnięcia. I nagle, patrząc na zamknięte oczy Heli i jej wykrzywione jakby z rozkoszy usta dzikim wzrokiem, wpakował sobie tę nogę między swoje nogi. Hela jęknęła i spojrzała na niego z wyrzutem, ale gdy spostrzegła, co się dzieje, twarz jej przybrała wyraz bestialski, a palce jej nogi natrafiwszy na coś niesamowitego, zaczęły się lekko poruszać. Atanazy patrzył na to i nasycał się. Słońce prażyło i świat roztapiał się w mgle, blasku, gorącu i diabelskiej rozkoszy. „Ja umrę, ja nie wytrzymam" – pomyślał nieszczęsny „kochanek" i poczuł, że jest zgubiony, że nic go od tej kobiety nie oderwie. Zmieszana z tkliwością (drugie wstrętne słowo) wściekłość, rozpacz i zatracenie, wstyd i pogarda, wszystko to przeszło w dziki orgazm rozkoszy, która go unicestwiła, rzuciła go twarzą na skały jak zmięty łachman. Przekrzywił przy tym biedną bolącą nogę Heli, która (Hela – nie noga) jęknęła cienko, jak małe dziecko, a potem powiedziała lubieżnie wlokącym się głosem:

– No, teraz pan wie, co to znaczy zgadywać czyjeś myśli. A gdybym ci powiedziała to, co chcę, umarłbyś po prostu – nie wytrzymałbyś tego. To już ostatni raz – teraz może pan odejść na zawsze – wie pan wszystko.

– Nie! – ryknął Atanazy, podnosząc się. – Teraz cię nie oddam. Teraz wiem dopiero, kto jesteś, czym jesteś dla mnie.

– Dlatego, że pan dotknął się mojej nogi. To jest śmieszne.

Ale był tak piękny w tej chwili, że Hela poczuła to samo, co on: nic jej od niego nie oderwie, musi być jej, tylko wyłącznie jej. To nie jest coś dla takich sentymentalnych Zoś: to zgniły kąsek, który trzeba umieć zjeść ze smakiem, przyprawiwszy go odpowiednio, choćby przez to kogoś nawet miało spotkać nieszczęście. Raz trzeba wyzbyć się tych głupich skrupułów – życie jest jedno. Sczepili się oczami, jak atleci rękami. Hela pierwsza spuściła wzrok, uśmiechając się lubieżnie, i nie powiedziała nic. Goła, spuchnięta noga leżała dalej bezwładnie na kamieniach, ta właśnie, należąca do tej jedynej twarzy. Nowa fala beznadziejnej żądzy zatopiła w Atanazym wszelką ludzkość na dnie zezwierzęconego ciała – był w tej chwili dzikim bydlęciem gotowym nawet do mordu. Usłyszeli krzyki na grani. Drugim żlebem jechali wprost na nich Łohoyski, Prepudrech i Tvardstrup. Ziezio i Chwazdrygiel zostali na przełęczy.

– Czy nic złego? – spytał książę, zakręcając niedołężnym „telemarkiem" i wywalił się głową na dół w śnieg. Na przeczącą odpowiedź Atanazego rzekł, gramoląc się wśród mokrego „firnu": – Dziękuję ci, Taziu. No, ale na kilka dni co najmniej koniec z nartami.

On też nie miał sympatii do tego Szweda, a zaufania do Atanazego nie stracił (mimo kokainowych rozmówek) zupełnie. W ogóle dziwny był to człowiek ten Prepudrech, daleko dziwniejszy, niż się z początku wydawał. Muzyka przetwarzała go powoli w zupełnie kogoś innego. Sam dla siebie nawet stawał się codzienną niespodzianką i zagadką niepojętą. Sam nałożył pończochę Heli i zasznurował but, po czym poprowadził ją z Atanazym we dwóch do góry. Narty nieśli tamci. Na górze związali narty, dwie pary razem, tak zwieźli Helę do małej restauracyjki podgórskiej. Doktór skonstatował naciągnięcie ścięgna i kazał leżeć przez dni parę.

Atanazy cierpiał jak na torturach, nie mogąc ani na chwilę pozostać z Helą sam na sam i rozmówić się z nią co do przyszłości. Nie był pewnym niczego, a wspomnienie tej nogi napełniało go żarem dzikich, nieznośnych pożądań. Zosię znienawidził zupełnie, a do siebie czuł wstręt nieprzezwyciężony, będąc jednym wielkim kłębowiskiem niesytych, przewrotnych żądz. Kiedy siedział koło olbrzymiego małżeńskiego łóżka Prepudrechów, w którym, rozwalona na przekątni, księżna czytała (zawsze przy świadkach) lub bawiła się z gośćmi, zdawało mu się, że pęknie od potwornego, niepojętego pragnienia jej ciała. Siła tych uczuć przenosiła go prawie w metafizyczny wymiar. Zaczynał pojmować teorię Malinowskiego powstawania uczuć religijnych z zupełnie zwykłych stanów zwierzęcych w odpowiednim natężeniu. Hela stawała się dla niego czymś nadnaturalnym, groźnym jakimś fetyszem nie z tego świata: w beznadziejnym poddaniu się jej znajdował jakąś okrutną rozkosz. A ona dręczyła go w sposób wyrafinowany, chcąc go definitywnie do siebie przywiązać. Wiedząc już o jego zboczeniu, pokazywała mu czasem przy wszystkich niby to niechcący nogę spod kołdry lub kazała sobie poprawić coś w poduszkach czy też wstążkach czepeczka, i wtedy podsuwała mu pod sam nos, pachnącą cyklamenem (Hela nie używała teraz żadnych perfum), rudą nieogoloną pachę. Atanazy parę razy o mało nie doznał najwyższej rozkoszy bez niczyjego udziału, ale trzymał się jeszcze ostatnim wysiłkiem. Wieczorem – i to było najgorsze – zatrzymywała Hela męża przy sobie i posyłała Atanazemu znaczące, bezwstydne spojrzenie. Ale rzecz dziwna: Atanazy nigdy nie był zazdrosnym o Prepudrecha – cierpiał jedynie dlatego, że to nie on. Książę jako rywal nie istniał dla niego kompletnie. Aż wreszcie trzeciego dnia zostali przypadkiem sami. Hela wysunęła spod kołdry zdrową nogę i tu stało się z Atanazym coś tak strasznego, że lepiej w ogóle o tym nie mówić. Po prostu spalił się, zniszczył w wybuchu tak przewrotnych uczuć, że wyobrażenie sobie tego potem było tak niemożliwe, jak zrekonstruowanie kokainowego psychicznie nieeuklidesowego świata. Usta i nogi, i t e n zapach, prawie zmięszany z błękitem oczu... Nie wiedział już, czego chce, gdzie co jest, co najpierw, a co potem. Ale ona kierowała teraz wszystkim i umiała spotęgować mękę nienasycenia i torturę rozkoszy do bezmiaru. Preparowała go dalej na wolnym ogniu, ukazując mu przez małe szparki jedynie świat niedosiężnego szczęścia w zupełnej zatracie, w zniszczeniu ostatecznym. Ale zaraz potem ktoś wszedł (zdaje się Ziezio) prawie równocześnie z zakończeniem tej sceny i nastąpiły znowu zwykłe, do rozpaczy doprowadzające rozmówki. Cierpienia Atanazego przechodziły po prostu w szał. Nie mogąc się porozumieć ustnie, posłał jej jakiś list nieprzytomny przez „butlera" Ćwirka, ale na próżno. Nie otrzymał odpowiedzi. Tylko Prepudrech, nie wiadomo czemu, zaczął nań od tego czasu patrzeć dziwnym, złym okiem – ale to przeszło wkrótce. A ciągle wszyscy mówili tylko o nodze Heli: t e j n o d z e. Atanazy tracił przytomność i panowanie nad sobą. Aż wreszcie na czwarty dzień, gdy Tvardstrup rozpoczął jakieś sportowe przechwałki, a Hela słuchała go z zachwytem, Atanazy rzekł niby to nie do niego, z gniewem, przerywając mu ni w pięć, ni w dziewięć rzecz jego. A prawda: coś tam bajał jednak biedne Szwedzisko o Grecji.

– Nienawidzę Grecji, to nieszczęście całej ludzkości. Tam powstała pierwsza demokracja, której skutki oglądamy teraz.

– I to mówi ten „bolszewik" – wtrąciła się Zosia.

– Cicho bądź, nic nie rozumiesz: ja mam podwójny system wartościowania.

Tvardstrup zaśmiał się i powtórzył:

– Komisch. Ein „Doppelwertung System". Haben Fürstin je so etwas gehört? – zwrócił się do Heli. Rozmowa prowadzona była po niemiecku. – Ale co to ma wspólnego ze sportem?

– Nie tak „komisch", jak to się panu wydaje. Względne systemy wartościowania, indywidualny i społeczny, ujmuję w jednym, który jest absolutny: wykazuję konieczność obu poglądów.

– Aber das ist selbstverständlich...

– Największe prawdy stają się samo przez się zrozumiałymi, gdy się je wypowie. Ale trzeba je znaleźć. Wracając do Grecji, tam powstała oprócz demokracji dyskursywna filozofia jako walka pojęciowa, beznadziejna zresztą, z tajemnicą bytu, czyli upadek religii; tam z upadłej religii, bo za taką uważam religię grecką, wyrosła naturalistyczna sztuka, której odrodzenie było przyczyną upadku całej europejskiej sztuki na długie wieki; tam wreszcie powstał sport jako taki, również pierwszy symptom degeneracji. Ta mania dzisiejsza nie jest czymś dodatnim, tylko jednym z dowodów, że dzisiejsza ludzkość schodzi na psy. Uważać to za coś pozytywnego to tak, jakby syfilityk cieszył się, że ma wysypkę, ponieważ jest to reakcją organizmu walczącego z chorobą. Dawni ludzie nie potrzebowali sportu: byli zdrowi i silni z natury. Dziś sport zabija wszystko, zastępuje nawet sztukę, która upada coraz bardziej. Ja sam bardzo lubię narty, ale nie znoszę, jak z was, sportsmanów, robi się największe chwały narodów i kiedy wasze idiotyczne rekordy zajmują tyle miejsca w gazetach, gdzie tego miejsca nie ma na poważną artystyczną krytykę – bo ta, która jest, to są bzdury – i na polemikę w kwestiach sztuki.

– Krytyka artystyczna i polemika są czymś zupełnie zbytecznym, ponieważ chodzi tam tylko o to, czy dane coś podoba się czy nie. Co tu o tym w ogóle można powiedzieć. Te rubryki w ogóle powinny być skreślone. Nie wiem, czemu pan tego broni, nie będąc nawet artystą. – To „nawet" ubodło Atanazego w samą wątrobę. – Sport odrodzi ludzkość, która potrzebuje antydotu na złe uboczne skutki kultury. W sporcie jest przyszłość rasy ludzkiej...

– Sport rekordowy niczego nie odrodzi, tylko dogłupi jeszcze tych, których nie ogłupił dancing, kino i mechaniczna praca.

– Jak to mam rozumieć, panie (dosłownie „Herr", bez „mein"). Sie elender Müssiggänger. Sie Schmarotzer – rzekł groźniej niż pierwsze zdanie. (Ty nieszczęsny próżniaku, ty pasożycie).

Zazdrość o Helę, połączona z obrazą, wystąpiła u obu panów z niedającą się skontrolować gwałtownością. Atanazy szybko i lekko dał Tvardstrupowi w twarz, wręczył mu czort wie po co bilet i padł wyczerpany na kanapę. Szwed skłonił się wszystkim i wyszedł, spokojny, jak ruchomy mur. Zosia rzuciła się ku nim, oczywiście poniewczasie.

– I o co, o co? – krzyczała, łapiąc się za znacznie powiększony brzuszek. – I żeby przy paniach...

– Milczeć. Niech nikt do mnie nie podchodzi. Nie ręczę za nic – rzekł ze ściśniętymi zębami Atanazy.

Hela patrzyła na niego z podziwem i uległością prawie suczą. Zosia dostała spazmów i rzuciła się na łóżko Heli, która zaczęła ją uspokajać, drażniąc przy tym Atanazego aż do szału. Nie poznawał już tego pokoju ani widoku przez okno, nie mówiąc już o ludziach. Wszystko zdawało się być przesycone jakimś potwornym nonsensem, którego źródło nie było w nim samym, tylko w otaczających przedmiotach i osobach. Stan Atanazego był już z lekka „bzikawy", jeśli nie całkiem bzikowy. Wszyscy siedzieli struchlali, milczący. Teraz nagle poczuł Atanazy absolutną pewność, że tak czy inaczej zabije znienawidzonego blondasa. Rozmowa przestała się kleić i całe towarzystwo, zwarzone jak nać kartoflowa przez przymrozek, rozeszło się szybko.

O siódmej zjawili się już świadkowie Tvardstrupa, jacyś dwaj krajowi sportsmani, obwieszeni nagrodami i znaczkami. Jeden szczególniej, o twarzy na zwierzęco zaciekłej i chytrych oczkach, wzbudził szczególną nienawiść w Atanazym. Natychmiast rozwścieczony Don Juan uwiadomił księcia i Jędrka o ich przybyciu. Konferencja odbyła się à la fourchette, w wyniku czego pojedynek naznaczono na jutro rano. Szwed umiał się bić oczywiście tylko na ciężkie szwedzkie rapiry, którymi jak na złość dość słabo władał Atanazy, będąc specjalistą we floretach. Ale przyjął wszystkie bardzo ostre warunki – walka do zupełnego obezwładnienia. Był pewnym zwycięstwa, ale w inny sposób niż przed pojedynkiem z księciem. Wtedy uczucie dla Zosi dawało mu iluzoryczną nietykalność – było to coś zewnętrznego, niewchodzącego w samą istotę tego pojedynku, a raczej związane było, na przekór jakby, z przeciwnymi całej sytuacji siłami o innych etycznych wskaźnikach. W tym wypadku czuł przewagę swojej wściekłej żądzy, miał rację z punktu widzenia swego gatunku jako samiec bijący się o samicę, która więcej wartości przedstawiała dla niego niż dla tamtego. A jednak wszystko to była bzdura – Tvardstrup był podobno mistrzem w tej broni, na którą zgodził się Atanazy. Na szczęście nowa ustawa pozwalająca na prawidłowy pojedynek na białą broń, wydana przez generała Bruizora, nie została jeszcze skasowana. Dla pewności jednak napisano obustronne listy samobójcze (w razie kłucia, które było naprawdę niebezpieczne, można było samobójstwo upozorować) i pod względem formalnym sprawa przedstawiała się wspaniale.

W pewnej chwili Atanazy pomacał rurkę z białym proszkiem, którą zawsze miał na wszelki wypadek przy sobie. „Jeszcze nie czas" – szepnął i nagle przesunął się przed jego wewnętrznym wzrokiem niejasny ruchomy obraz czekających go wypadków, wobec których cały ten pojedynek był tylko głupią farsą – obraz ten nie był wzrokowy, z nieznanych jakby składał się jakości. I tego wieczoru nie udało mu się zostać z Helą sam na sam. Czuł, że jeśli dalej tak pójdzie, to może dojść do publicznego skandalu i zdecydowany był na wszystko.

Zosia, dowiedziawszy się o warunkach pojedynku (diabli wiedzą czemu powiedział jej o tym Łohoyski, „dyskwalifikując się" tym oczywiście), zrobiła nową awanturę.

– ...ty egoisto, który dla jakiejś faramuszki poświęcić chcesz żonę i dziecko...

– Otóż to; nie chodzi ci o mnie, tylko o ojca tego dziecka, którego właściwie wolałbym nawet nie mieć.

– Ty śmiesz? Ty chyba kłamiesz! Nie wiesz, czym jesteś teraz dla mnie. Pamiętaj, że jeśli zginiesz, to ja ani chwili żyć po tobie nie będę. Zginiemy razem z tobą: ja i Melchior.

(Takie miał mieć imię syn, na pamiątkę kasztelana Brzesławskiego, przodka Zosi po matce).

„Mało mnie to wtedy będzie co prawda obchodzić"
– pomyślał Atanazy i powiedział:

– Ach, Zosiu, po co zatruwać sobie wzajemnie ostatnie podrygi. Przecież jest rewolucja – możemy i tak zginąć lada chwila. A może będzie Rozalia? – rzekł ze śmiechem.

(Było to imię domniemanej, mało prawdopodobnej córki, identyczne z imieniem mniej sławnej pamięci babki nieboszczyka Osłabędzkiego, która była jedną z kochanek Stanisława Augusta – ale zawsze było to „coś".) Nastąpił prawdziwy atak nerwów. Uspakajaniom nie było końca. Ale na szczęście Zosia nie domyślała się istotnych motywów całej sprawy, a Atanazy pod wpływem myśli o jutrze stał się chwilowo zimny i obojętny na wszystko. Tylko dlatego udało się im przeżyć wieczór ten we względnej zgodzie. Za to Hela była uroczysta i milcząca. Nareszcie zaczynało się coś dziać naprawdę. Wstała po raz pierwszy z łóżka i przyjęła udział w ponurym, spóźnionym obiedzie. (Ale potem już nie przyjęła nikogo prócz dopuszczanego znowu od kilku dni do pełnych erotycznych łask męża). Małe wypadeczki szły jak awangarda przed czymś, co nadciągało z wolna, systematycznie od wszystkich krańców widnokręgu, jak te słynne podolskie koliste burze (o ile takie w ogóle istnieją), które skupiają się potem (niby po czym?) w jednym punkcie, wywalając w nim cały ładunek piorunów. Już rano (przed awanturą) pojawiły się dziwne znaki: rokmorontowe lustro ręczne w pokoju Heli pękło samo, Zosi zegarek stanął na jej fatalnej godzinie: 20 minut przed X-tą, „butler" Ćwirek oderżnął sobie mały palec, krając precyzyjną maszyną Michelsona wędlinę z cejlońskich dzików. Późnym wieczorem wszyscy byli już zdenerwowani. Bóg Heli, ten najbardziej katolicki Bóg księdza Hieronima, „skrył się tak w głębi wszechświata, że nawet wpatrywanie się w wyiskrzone przed wichrem górskim niebo nie mogło Go wywołać z Jego gwiaździstych kryjówek".

Tymi słowami prawie pomyślała o tym cyniczna wychowanka Wyprztyka. Czuła się opuszczoną i udawała przed sobą, że potrafi nie oddać się Atanazemu jeszcze przez tydzień c a ł y. Miłość rozsadzała jej kobiece wnętrzności, miłość po prostu szatańska, wskutek której substytuty jej: mąż i wszystkie inne „fetysze", bladły coraz bardziej wobec jednego tylko, o którym nie śmiała otwarcie pomyśleć. A tu na dobitkę ten przeklęty Atanazy mógł zginąć jutro – i co wtedy? No co? Traciła z każdą chwilą zdolność utrzymania stanu pokuty, a wobec niepewnego jutra dziś na nic sobie pozwolić nie mogła. Ostatni wieczór przed pojedynkiem (Hela wiedziała dobrze, o co chodzi) miał się skończyć muzykalnym popisem kompozytorów. Atmosfera była duszna i pełna niepokoju. Na dworze zawywał w równych odstępach kondensujący się coraz więcej górski „hurikàn". Mimo że niespokojna była o Atanazego (o Szweda nie dbała wcale, chociaż chwilami podobał się jej bardzo jako „zwierzę sportowe"), cieszyła się jednak, że odbędzie się ten pewien rodzaj sądu bożego, który zrzuci z niej odpowiedzialność za wybór. Jeśli Atanazy zginie, nieodwołalnie miało się wszystko skończyć klasztorem. Chociaż właśnie w tym czasie mała książeczka o Buddzie (Sir Grahama Wensleya, indianizowanego Anglika, którego matka była córką maharadży Gwalporu) zachwiała w niej dawne rozumowanie księdza Wyprztyka o doskonałej wierze i niedoskonałej filozofii, czyli „filozosi", jak mówił sam twórca tej teorii.

W czasie obiadu wszyscy byli trochę (ale nie bardzo) oburzeni na Atanazego, że rzecz załatwił publicznie, i to przy damach. On sam nie robił sobie nic z niczego i pił ze swymi świadkami na umór. Koło dziewiątej przyszły trochę niepokojące wieści ze stolicy. Telefonował stary Bertz, że na jutro wyznaczono próbny zamach stanu niwelistów-komunistów, którzy mieli za sobą dwa pułki, i to niecałe. O ile uda się im zawładnąć arsenałem, walka może być ciężka i zakończyć się zupełną ruiną miasta. Do tego wszystkiego pociągiem o jedenastej przyjechała niespodzianie pani Osłabędzka, wnosząc nieprzyjemny ferment starszej osoby w i tak już zdysocjowaną kompanię. Wobec czego Hela znowu opuściła swoje apartamenty, wzięła udział w dodatkowej kolacji i została na resztę wieczoru w towarzystwie. Zizolowano potem matronę dość szybko i unieszkodliwiono, przynajmniej do rana. Tym niemniej była to nieprzewidziana komplikacja. Starsza pani oświadczyła, że miała złe przeczucia, że w magicznym lustrze metapsychicznym widziała nad Zosią zieloną aurę i że nadworne widmo rodu Brzesławskich (hrabiów, wywodzących się od Nieczuja z Sanoka), rycerz w zbroi bez głowy, ukazał się jej w półśnie w wagonie. Nieprzyjemny nastrój pozostał w towarzystwie po tych wszystkich opowiadankach. Jedyną rzeczą, której bała się naprawdę Hela, były duchy. Na myśl o rycerzu, który nie mając głowy, orientował się mimo to w przestrzeni, robiło się jej wprost niedobrze. Zosia posmutniała jeszcze więcej po wyjściu matki i już miała iść spać, kiedy wielkie, różowe, adiamalinowe (co to jest?) zwierciadło w kącie salonu pękło wysadzone z trzaskiem. Było ciemnawo: Ziezio miał właśnie improwizować. Jednocześnie ktoś (zdaje się, że Prepudrech) zawołał: „a, a, a! o tam, tam!".

— Widziałem rycerza bez głowy — powiedział Ziezio Smorski przy fortepianie.

— W którym miejscu? — spytał Atanazy głosem zupełnie zmienionym, jak z beczki.

— W tym rogu, na tle tego dywanu. Był pochylony i odwrócony do mnie tyłem.

— A więc widzieliśmy tę samą rzecz, tylko z innej strony. Ja w lustrze widziałem go z przodu, pochylonego ku mnie czarną jamą pustej szyi.

– Zbiorowa halucynacja. Proszę milczeć w tej chwili! Ja też coś widziałem. Graj, Zieziu! – krzyknął ostro Chwazdrygiel.

Ziezio zaczął grać i zaświatowy nastrój przeszedł. Ale Hela stała się ponura i nie rozchmurzyła się już do końca. Nie widziała nic, ale ta wspólna halucynacja czterech mężczyzn na tle poprzednich opowiadań zrobiła na niej piekielnie nieprzyjemne wrażenie. Czuła się winna narażenia życia Atanazego, ale wiedziała, że jeżeli chwila obecna ma jakiś urok, to przez ten mimo woli prawie zaaranżowany przez nią sąd boży. Ale gdzie był sam Bóg? Jakże śmiesznie zmalało całe jej nawrócenie wobec miłości i nowego, żydowskiego wymiaru buddyzmu. Tak – żydowski buddyzm zaczynał tworzyć się na samym dnie jej duszy i jednocześnie uświęcony tym erotyzm rozluźniał resztki wiązań katolickich samoudręczeń. Ale na czym polegała żydowskość buddyzmu, nie wiedział nikt ani ona sama: sam fakt przepuszczenia książeczki Sir Grahama przez intelekt Heli nadał jej tekstowi zupełnie inne znaczenie – poza tym rozciągały się obszary tajemnic, które jedynie ksiądz Hieronim mógłby był wyjaśnić. Właściwie była to tylko brahmańska metafizyka, zmieszana z resztkami chrześcijaństwa na tle psychologistycznego monizmu graniczącego z zupełnym solipsyzmem. A do tego chęć izolacji od reszty świata: żeby tylko ten naród panował, dla porządku, dla jednolitości – żeby nie było już tej wstrętnej rozmaitości. I potem ukazywała się niwelistyczna rewolucja jako jedyne wcielenie dwóch dobrych religii świata. To tylko wstęp: dalej etyka pożera metafizykę, z której wyszła, przeradzając się z oderwanego systemu zasad w działający system napięć dynamicznych, które trwając, przetopią każde indywiduum na cząstkę organizacji. Otóż tylko siły organizacji braknie tamtym religiom. Cóż za potęgę można by stworzyć, organizując nie w imię materialistycznych idei! Ale czy można znaleźć koncepcje dynamiczne bez implikowania kwestii dobrobytu? Zasada Marxa może być fałszywa, ale tym niemniej jest ona działającą siłą, nie abstrakcją. Pragmatyzm! Gdzie się nie ruszyć, jak nosem w ścianie, utyka się w tym przeklętym, świńskim, bezecnym pragmatyzmie. „A może pluralizm naprawdę jest słusznym poglądem?" – przesunęła się z wolna wątpliwość, jakby jakaś postać o bladych z przerażenia oczach – z przerażenia nad własną odwagą. Okropny strach, że tak jest, że ona, dotąd tak „zapalona" absolutystka może nagle, nieznacznie, przejść na ten wstrętny jej dotąd system, uwierzyć w wielość prawd i żyć w tym okropnym chlewie kompromisu, wstrząsnął nią aż do ostatecznych podstaw jej metafizycznej istoty. „Co za paskudny bałagan jest ten cały mój intelekt. Jak tylko wyjdę poza czyjś system albo nie formułuję ściśle czegoś za kogoś, plotę bezecne bzdury" – pomyślała pierwszy raz szczerze.

Jedyny prawdziwy, katolicki Bóg odwrócił się od niej ze wstrętem i odszedł na wieki: była potępioną – czuła to, a jednak nie mogła wierzyć. Jakimże sposobem to się dziać mogło. Zadygotała: była już w piekle... Ale może piekło będzie „zlikwidowane", jak się wyraził kiedyś nieostrożnie ojciec Hieronim. „Nie wierząc w grzech śmiertelny, biorę go sobie od jutra za kochanka, jeśli żywy będzie (oczywiście), a jeśli umrze, to klasztor albo wstępuję do niwelistów, choćby nawet papę miało to do grobu wpędzić". Jedna rzecz była wątpliwa: czy tak zwany „huragan śmierci" przestał wiać od chwili chrztu czy od chwili oddania się Atanazemu w noc poślubną? Teraz na próżno błagał ją oczami o tę ostatnią noc. Zdawała się nie rozumieć, daleka i obojętna, wsłuchana w straszliwy, metafizyczny dramat walczących ze sobą dźwięków, które wychodziły poprzez instrument z długiego, chudego ciała Ziezia Smorskiego. Grał dziś całym ciałem, a głowa jego odpoczywała w niemuzycznym zaświatku, dodatkowym tworze jego wynaturzonego intelektu, który można by porównać z pierogiem: wnętrze stanowił zwykły zabobon (jakieś klucze, guziki, kamyczki, daty, godziny i tym podobne rzeczy), zawinięty w cienkie francuskie ciasto zdegenerowanego bergsonizmu. Ta kombinacja, razem z muzyką i apotransforminą, dawała mu wyższość nad wszystkim.

Z pewnością zwycięstwa, ale z rozpaczą w sercu poszedł spać Atanazy. Zosia na wpół otruta weronalem zasnęła już dawno. Pierwszy raz (oprócz „popojki" po przyjeździe) uczyniła coś przeciw dziecku. „Ale to jego było winą. W takiej chwili narażać się na idiotyczną awanturę. Nie dość już niebezpieczeństw – och, nie myśleć już, tylko spać do dziewiątej, nie budząc się". Zosia była też małą egoistką.

CZĘŚĆ II: FAKTY

Kiedy Zosia ocknęła się na dobre w objęciach płaczącego męża, była godzina 8.20 rano. A było to tak: ranek wstał ciepły, ale wietrzny i pełen grozy. Wał ciemnych chmur, obrzeżonych świetlistym pomarańczowym konturem, walił się z grani gór w dolinę, sięgając granatowych lasów i rąbanisk, upstrzonych drobnymi półkami znikającego śniegu. Wiotkie, różowe „cirrusy", splątane w fantastyczny welon w zenicie, dziwnie nieruchome w stosunku do pędzących jak kule, oderwanych od głównego wału ciemnych „gonflonów", zdawały się mówić coś tajemniczego o lepszym bycie, gdzie nie ma miłości, samczych awantur, religijnych kompromisów, społecznych zbrodni i metafizycznej bzdury. Tam być, trwać wcielonym w ten zakrzepły wir chmur, choć sekundę jedną żyć innym istnieniem niż to przypadkowe pienienie się brudnej pianki na niewiadomej głębi fali. Pianka rozłazi się, rozkręca, rozwiewa i tyle wie o sobie – aha! na odwrót – czyż nie wszystko jedno?

„Mijamy, nie wiedząc o sobie nic: cierpiące albo głupio szczęśliwe fantomy, pusząc się naszym nędznym (a mimo to jedynym dla całego bytu) aparacikiem pojęć, który czymże jest wobec nieprzejrzanych przestrzeni niewiadomego w nas i poza nami, niewyrażalnego w psychologistycznym i fizycznym poglądzie, i w obu razem ujętych w metafizyczny system, wykazujący ich niewystarczalność i konieczność przyjęcia obu jako wynikających z zasadniczych praw Istnienia. Czyż jest tak zwane szczęście nieoparte na bydlęcej głupocie albo na jakimś choćby szczytnym (ale czym mierzymy tę szczytność?) omamieniu jakąś fikcją, albo wprost na grubej bladze. Chociaż dawniej, jeszcze może w XVIII wieku, wszystko, co związane było z metafizyką – może trochę bezrozumną – dawało jakieś upojenie – dziś tworzy tylko zwątpienie i przedwczesny przesyt”. Tak myślał nieposkromiony „myśliciel”, idąc na „plac boju” swego o samiczkę, wierząc w ważność swego problemu: zniszczenia się w interesujący sposób.

Wicher dął na polanie wściekły. Co chwila jakieś drzewo waliło się gdzieś z trzaskiem. Szwed spóźniał się. Oczekiwanie zamiast osłabiać zwierzęcą siłę Atanazego, potęgowało w nim pewność siebie aż do absolutnej wiary w zwycięstwo. Nie żal mu było nic ohydnego dla niego blondasa, który chciał wydrzeć mu dla zabawy ostatni sens jego życia. – Zaczęło się – i skończyło się zaraz. Nim Tvardstrup zdołał się zasłonić, po strasznej kwarcie, którą odparował (kłucie i rąbanie razem), dostał pchnięcie w szyję, które otworzyło mu arterię carotis, sprowadzając śmierć natychmiastową. Był tak pewnym zwycięstwa, że nie miał czasu uświadomić sobie swej klęski. Nie spodziewał się, biedaczek, tak strasznego ataku z punktu i lekceważył sobie przeciwnika. I oto leżał już bezsensowny szwedzki trupek na Podhalu, z rozwianą w wietrze blond brodą i wywalonymi w nieskończoność nieba błękitnymi oczami, a nad nim stało również bezsensowne widmo i symbol przewalonego na tamtą ciemną stronę jakiegoś prawie bezosobowego życia widmo Atanazego Bazakbala, zbytecznego człowieka. Wicher syczał wściekle w gałęziach miotających się świerków i huczał w dalekich przestrzeniach wśród posępnych gór.

„Zabiłem go" – pomyślał po prostu z nagłym bezmiernym umęczeniem Atanazy. I myśl ta odbiła się złowrogim echem w najgłębszym bebechu jego istoty. Ten cały świetny mechanizm sportowy i ten ledwie wiedzący o sobie mózg, ten tak upragniony „katalizator" – przestał istnieć. Dopiero teraz po raz pierwszy, mimo wielu o tym rozmyślań i widoku śmierci na wojnie (raz nawet zastrzelił kogoś w ciemności, w nocnym ataku), uświadomił sobie Atanazy sens śmierci – wtedy, kiedy sam zabił człowieka w biały dzień, w „normalnych" warunkach. Co prawda to warunki te wcale znowu tak normalne nie były. Okropnie sam był w tej chwili. I trup, i zabójca byli jakoś tak majestatyczni, że żaden ze świadków nie śmiał podejść. O doktorze zapomniały obie strony. Cała samcza wściekłość, z którą rzucił się Atanazy na znienawidzonego rywala, rozwiała się bez śladu gdzieś w zakamarkach jego ciała. Został tylko głuchy ból wyrzutu (jeszcze niezupełnie uświadomionego), a jakiś tajemny głos instynktu szeptał mu, że teraz na pewno Hela będzie jego – zabił przecie tamtego: ma prawo.

Wracali ponurym korowodem do wsi, wioząc trupa Tvardstrupa na małym tobogganie Heli. Atanazy szedł skamieniały wewnętrznie, nie mogąc połączyć zdysocjowanych kompleksów swojej psychicznej treści, był jakby zrobiony z kilku luźnie bełtających się kawałów, między którymi nie było żadnego związku: nie myślał o konsekwencjach, nie myślał prawie nic – nareszcie odpoczywał. Tego aż trzeba było, aby uspokoić choć na chwilę ten bezpłodnie szarpiący się mózg. Chwała Bogu i za to, dobra psu i mucha. Postanowili udać się wprost do odpowiedniego urzędu. Rapiry zostawiono po drodze. Nie pomogły bujdy o znalezieniu trupa w lesie. Musieli przyznać się zaraz do wszystkiego. Naiwność tego pomysłu była zaiste wielka. Przykrości jednak były porządne: obcy poddany – to niepokoiło najwięcej komisarza ludowego, czy kogoś tam podobnego. Ale ostatecznie puszczono Atanazego z lekkim przedsmakiem tego, co by być mogło, gdyby i tak dalej. Najbardziej pomogło nazwisko Heli Bertz, córki wszechwładnego jeszcze „ziemiodzielcy". Może wda się w to prokuratura okręgu – ale to wątpliwe. W każdym razie Atanazy poczuł się po raz pierwszy w życiu na zbrodniczej pochyłości – raczej nie tyle zbrodniczej, co karnej – tamto miało wystąpić dopiero później: był jak zahipnotyzowany, nie czuł ani własnej woli, ani odpowiedzialności, miał wrażenie, że jest doskonale skonstruowanym automatem. Jednak, jakkolwiek sprawa była prawie że załatwiona, ten sam malutki ogonek, który „oni" mu przyszczypnęli, bolał dotkliwie, wskutek czego urok teraźniejszości podniósł się o 20 procent co najmniej. (Ale działo się to w zamkniętej sferze samego ośrodka dziwności – tamte tereny, rzeczywistych uczuć, były jeszcze nietknięte).

A powierzchownie był Atanazy zadowolony z siebie: pierwszy raz czuł, że dokonał czegoś realnego, jakiegoś czysto indywidualnego „czynu" – na szczęście nie zdawał sobie sprawy z całej swojej moralnej niskości – broniła go od tego mała czerwona książeczka (obecnie znajdująca się w kieszeni księcia): krajowy honorowy kodeks. Warstwy jego duszy ułożone były mniej więcej tak: urok życia – pustka – zadowolenie z „czynu" – pustka, pustka, pustka – mały światek z Zosią, w którym można teraz odpocząć – pustka – wielki urojony balon, w którym unosiła się w sferze tak zwanego zniszczenia Hela – to ostatnie bez żadnych cech rzeczywistości. Ale miały zajść tektoniczne zaburzenia, wskutek których potworzyły się „szarjaże" i uskoki tak zawiłe, że żaden najgenialniejszy psychotektonik rozplątać by ich nie potrafił, chyba przyjmując z góry specyficzność metafizycznych stanów osobowości lub twierdząc, że kwestia następstwa w czasie nie jest „transcendentalną prawidłowością" w znaczeniu Corneliusa.

Do domu wkroczyli jak zwycięzcy – Łohoyski i Prepudrech przejęli się bowiem nastrojem swego klienta. Atanazy miał sposobność skonstatować w ciągu tego dnia, jak jego „ważność" w stosunku do kobiet wzrosła wskutek dokonanego zabójstwa. Nawet pani Osłabędzka, którą dla bezpieczeństwa wyprawiono mimo protestów już o siódmej z rana na przymusową wycieczkę autem w towarzystwie Chwazdrygiela, patrzyła później na swego zięcia z daleko większym respektem: zagrała w niej krew Brzesławskich, którzy nigdy podobno najdrobniejszej urazy nikomu nie przepuszczali. „Kobiety lubią zbrodniarzy", przypomniało się Atanazemu zdanie doktora Chędziora. A więc przede wszystkim obudzona nagle Zosia rzuciła się ku niemu, patrząc mu w oczy z podziwem, zgrozą i przywiązaniem graniczącym z obłędem. Atanazy objął ją i spojrzawszy w jej zielone, załzawione, prześlnione zachwytem oczka, odczuł coś w rodzaju dawnego przywiązania. Przez chwilkę dałby wiele, aby nie mieć na sumieniu nieszczęsnego Tvardstrupa i kochać Zosię tak, jak pół roku temu. Oddzielne psychiczne kawały połączyły się i nastąpił kryzys: Atanazy dostał ataku szalonego płaczu, po prostu wył. Na równi opłakiwał siebie, jak i niepotrzebnie zamordowanego Szweda. Długi czas nie mogła go uspokoić Zosia. Ale gdy do jadalni, gdzie dla uczestników tragedii podano drugie śniadanie (murbia w sosie azamelinowym i kryps z gonzolagą à la Cocteau), weszła kulejąca (na tę przeklętą nogę) Hela, wszystkie cierpienia Atanazego zniknęły pod wpływem jej wzroku jak puszki ostów zdmuchnięte jesiennym huraganem – była jego, niczyja więcej, tylko jego – odczuł to od razu i mało nie pękł z rozkoszy. Zosia rozwiała się wraz ze swoim Melchiorem jak mgiełka wśród skał w czasie górskiego wichru. Zaczęło się picie i ścianka oddzielająca urok życia sam w sobie od rzeczywistości prysła pod ciśnieniem rozpierającej żądzy użycia – nareszcie. Ale niedługo trwał ten stan, jak każde szczęście. Po wyjaśnieniach faktycznych Hela nie wiadomo czemu położyła rękę na ręce Atanazego, który drgnął jak sparzony.

– Panie Atanazy, niech mi pan wierzy, że bardzo przykro mi jest, że z mojej przyczyny... – powiedziała niby niewinnie.

– Jak to z twojej? – przerwała jej Zosia tonem kogoś zranionego do głębi, a Prepudrech dziwnie zaczął strzyc uszami. – Przecież bili się o kwestie sportowe?

– To był tylko pretekst. Pan Atanazy przejął się zbytnio zachowaniem się biednego Tvardstrupa w stosunku do mnie. Trochę był niesmaczny ten Szwed, ale mniejsza o to: pokój jego duszy. Mógł to uczynić mój Azio, a uczynił twój Tazio: czyż to nie wszystko jedno. W każdym razie tamten nie żyje. Dziwne to – może nie uwierzycie – że dzień dzisiejszy jest zwrotnym punktem mego życia: cała przyszłość zawarta jest w tym wypadku.

[W tej zimnej żmii, bez sumienia i skrupułów, nie poznałby ksiądz Hieronim dawnej pokutnicy: jakże straszne spustoszenia szerzyła w tej świeżo nawróconej duszy miłość.

313

Ale i ta „odkrywka" (termin geologiczny) nie ukazała jeszcze wszystkiego, nawet przed nią samą].

– Czyżby ci się aż tak podobał ten ordynarny blondyn? – spytał Azalin. – W takim razie dziękuję ci, Taziu – dodał, zwracając się do Atanazego z bardzo głupią miną.

W gruncie rzeczy zadowolony był, że pozbył się rywala tak tanim kosztem, jak jedna nudna rozmowa i wstanie raz o piątej z rana. I nic sobie z tego nie robił, wiedząc, że zaraz po śniadaniu zabierze się do kompozycji. Cudowna rzecz ta sztuka! Wszystko zaczynało być wysoce niesmacznym. Te rozmówki z drobnymi przycinkami będące w zupełnej dysproporcji w stosunku do tego, co działo się w istotnych wymiarach, były nie do zniesienia. Małość, płaskość, a z drugiej strony tej obrzydliwej zasłony kryła się tajemnica całej przyszłości i sensu życia, raczej możności okłamania zniechęcenia i przesytu (tego najgorszego, który i w zupełnym niedosycie wystąpić może), czyli po prostu pokrycia kupy świństwa różnokolorowymi fatałaszkami dla marnej zabawy, mogącej kosztować czyjeś życie – o to, to nareszcie. Trwało to jeszcze chwilę, po czym rozeszli się wszyscy wściekli. Żałował Atanazy tego ranka, który popsuł się wskutek pospolitości i małoduszności otoczenia.

„Ambiwalencja, dementia praecox, jestem mikrosplanchik, nic mnie od tego nie uratuje" – myślał Atanazy, idąc za Zosią na górę. Jak przeżyć dzień ten do końca? Jak wyobrazić sobie choćby w przybliżeniu dni następne? Teraźniejszość ta należała już jakby do przeszłości. Wszystko to było martwe, podświadomie dawno załatwione, nie można w tym było żyć, oddychać tą atmosferą ani chwili. Atanazy wzdrygnął się od dotknięcia ręki żony: miał uczucie, że dotknął go zimny trup, a nie żywa żona, i to w odmiennym stanie.

— Taziu, powiedz, że to nieprawda te żarty Heli. Przecież ona cię nic nie obchodzi? Czy pamiętasz jeszcze naszą dawną miłość?

— To jest właściwie moją, bo ty może właśnie za późno, to jest, nie w porę – o Boże! Po cóż ja to mówię? Nie wierz mi, Zosiu – ja bredzę po tym wszystkim.

Uczuł nieprzezwyciężoną potrzebę kłamstwa, ale takiego brutalnego, gęstego, a nie jakichś dyplomatycznych wybiegów. Tu nie mogło być żadnego kompromisu: albo pokryć to taką gęstwą fałszu, żeby nikt nigdy dowiedzieć się o tym nie mógł, albo rozedrzeć wszystkie zasłony i ukazać nagą prawdę, którą na tle zupełnej pustki zdawał się być olbrzymi, aż zdeformowany od żądzy, sterczący w ciemnościach ducha, krwawy, udręczony lyngam. Atanazy wzdrygnął się jeszcze raz. Musiał kłamać do czasu – „dopokąd"? Czyż zdoła jedną godzinę jeszcze przeżyć w tej sprzeczności: okropna litość szarpnęła mu wnętrzności, ale już odwracał głowę od zielonych, dobrych oczek Zosi, już zagłębiał się w ciemny, wielki, zły świat, który roztwierał się jednocześnie w nim i poza nim. Zosia patrzyła na jego twarz z przerażeniem. Ten ból okropny, a dla niej bezprzyczynowy, i obcość, jakby trupa, bardzo kochanego trupa... „tak – nie trupa ukochanej osoby". Dwa trupy nie wiadomo po co skute ze sobą. Tylko że ona nie miała już poza tym nic. „Więc na cóż było to wszystko, ta walka ze sobą o niego, sprowokowana bezczelnie jego «Wielką Miłością»? Na to, przez wstrętne dla niej z początku płciowe świństewka wciągnęła go do małego swego barłogu, by uczynić z niego swoją własność, żeby teraz on oddalał się od niej w jakieś niepojęte dla niej, niedosiężne cierpienie, którego może ona była powodem. Na to nareszcie zaczęła go kochać w taki zwykły idiotyczny sposób, aż tak bardzo, tak bardzo, na to przywiązała się do niego, aby on, ten zły, ten jedyny, ten kochany

– o Boże!". Już czuć było w tym wszystkim zapach mleka i gutaperki, i domowych „dzieckowatych przysmrodków". Już piętrzyła się ściskająca za gardło dobroć, z której nie było wyjścia, chyba przez śmierć lub zbrodnię. I ona czuła to także: z każdą sekundą stawał się dla niej coraz bardziej obcym.

[A tam Łohoyski i Prepudrech opowiadali Heli swoje obserwacje o przebiegu pojedynku, których przy Atanazym opowiedzieć nie mogli. A przerażony katolicki Bóg księdza Hieronima słuchał zza pieca z czerwonych kafli (Hela chwilami zupełnie na zimno myślała, że już wariuje): w Jego oczach, tych w jej wizji, ot tak, na poczekaniu, w tej jej kłamliwej, złej duszy (taką ją teraz widziała) całe chrześcijaństwo przewaliło się nagle na stronę zwykłych, znienawidzonych, śmierdzących robotników. Czy była to prawda, czy tylko nowy rodzaj perwersji? Ale wpierw niech się spełni życie (Tempe tymczasem zwycięży) choćby na krótko, ale niech błyśnie jeszcze niespełniona piękność tego, czego naprawdę nigdy być nie może. Ostateczne konsekwencje zbliżały się powoli, ale zawiłą, dookolną drogą. „O, czemuż wszystko zależy od nich, od tych niegodnych już dziś nas, mężczyzn? Dlaczego jesteśmy tak upośledzone? (Właściwie tylko ja)". Wstręt ogarnął ją do wszystkich bab – poczuła się jedyną kobietą na świecie. „Te bestie (oni) mogą same robić, co chcą. My tylko przez nich. Ostatni raz ten upadek, a potem koniec. Wyrzeknę się ich na wieki. Chyba jeden Tempe... Ten będzie ostatnim". Skulona w kącie śmierć to śmiała się dziwnie, to spoglądała z niepokojem].

Do śniadania było jeszcze tak daleko. Aż wreszcie przeszedł i podwieczorek i nastał ten dziwny czas między piątą a siódmą podczas wczesnej wiosny, kiedy dzieją się rzeczy najmniej prawdopodobne i szalone. Ale nie zaszło nic. Biegło normalne życie w willi Heli, w marcowy, chmurny i wietrzny wieczór. Ktoś gdzieś siedział z książką, ktoś drzemał, część poszła do kawiarni – ktoś grał coś smutnego w odległym od sypialnych pokoi salonie na dole – nie wiadomo było już, czy Ziezio, czy Prepudrech, bowiem jeden drugiego przeganiał czy przesadzał ciągle w dziwaczności, atematyczności i dysharmonii. Pani Osłabędzka, wróciwszy z nieudanej z powodu wichury wycieczki, poszła spać, nie wiedząc nic o zaszłych wypadkach. Zosia szyła jakieś dziecinne rzeczy, pogodziwszy się z Atanazym, który nakłamawszy olbrzymią kupę, zapadł w jakąś iście wschodnią apatię. Może to nareszcie zagrała w nim tatarska krew. Dość, że nic, ale to absolutnie nic: jakby zanarkotyzował się własnym kłamstwem. A była to tylko czysta litość, przetransformowana na coś, co wcale nieźle między piątą a siódmą mogło udawać wielką miłość. Gdzież była w tym, co się działo, wielka tajemnica bytu! Gdzie wyrażały się wieczne prawa? Chyba tam, w tej modern-muzyczce dochodzącej słabo z odległego salonu. Atanazy wyszedł na balkon. Z pokoju Heli buchało światło – co tam się dziać mogło? Nie mógł, nie śmiał tam pójść. Wicher, zaczaiwszy się po południu, uderzać zaczął ze zdwojoną gwałtownością. Żółtawy sierp księżyca i srebrzysty Jowisz zdawały się pędzić do góry nad przelewającym się w dół złowrogim wałem obłoków. Z daleka, od strony „miasta", słychać było w momentach ciszy inną muzykę: jazz-band. Te dwie współczesne muzyki, przeplatające się ze sobą z dwóch odległych szczytów (bo czyż tamta też nie była szczytem czegoś?), zawierały w swoich granicach całe życie: to gasnące, mieniące się jeszcze szalonymi, ale trupimi barwami jesieni, po której miała nastąpić beznadziejna, nieskończona szara godzina zimowego mroku, zupełnej martwoty. Już niedaleki jest ten czas, ale jesień trwa jeszcze – jego jesień też. Jeszcze chwila, a życie przemknie i nie zostanie z niego nic – chyba jakaś tam głupawa filozoficzna dywagacja i może „Melchior" – trzeba używać, póki czas. A w środku tych dwóch muzyk dzikie podmuchy wichru, tego samego pewnie, co w kambryjskiej epoce, wiecznie młodego starca. Ale i on nie był wieczny – wygładzi jeszcze ostatnimi podmuchami piaskowych burz opustoszałą, wyschłą planetę, a potem zamrze w rozrzedzonym, bezwodnym powietrzu, zacichnie w mrozie międzygwiezdnej przestrzeni. Atanazy czuł (co rzadko mu się w ostatnich czasach zdarzało), że dzieje się to na planecie, na jednej z milionów planet: astronomiczny wymiar, dodany do zwykłego stanu między szóstą a siódmą, miał posmak sztyletu wbitego między oczy. I nagle okropny wyrzut, czający się do tej chwili, po raz pierwszy wdarł się w ten mizerny światek prawie że urojonych przeżyć: „Zabiłem człowieka dla tamtej". Biedny Szwed stanął pierwszy raz przed nim (jako ten zabity) jak żywy, z wesołymi oczami i mosiężną brodą. Przesunął się też obraz widziany na grani Bydliska: ich dwoje w słońcu i on zdyszany, wściekły, odtrącony. I jednocześnie z tym wyrzutem twarda, płomienista żądza przeszyła jego narządy płciowe. Innego wyjścia nie było. Odległe życie, prawie równocześnie ze śmiercią, wołało z mrocznej, wypełnionej podmuchami „hurikanu", górskiej przestrzeni. Głos ten drżał w bebechach, flakach i lędźwiach metalowym echem olbrzymich dzwonów. Wszystko inne wydało się małym. Bez momentu decyzji „tamto" było już podświadomie zdecydowane i załatwione. (Tylko ten nieszczęsny Szwed piłby teraz grog w kawiarni, tam, skąd dochodziły dźwięki jazz--bandu, albo bredziłby coś o smarach i gatunkach śniegu). O na cóż ta okrutna „bogini" (tak nazywał ją zupełnie szczerze, bez blagi – to było najgorsze) zażądała jego życia? Tak, zdecydowane jest już, załatwione – nie ma o czym myśleć. W tym tkwiła już pewna nuda, ale była to ta nuda absolutna, która jest koniecznym atrybutem wszystkiego, co istnieje, nuda ogólnoontologiczna – może ona istnieć w różnych stopniach, aż do samobójczych włącznie. Przeszedł przez pokój oświetlony lampą z zielonym abażurem, cichy, spokojny, i dreszcz powierzchownego wstrętu przebiegł po jego psychofizycznej peryferii. Cóż by dał, żeby móc tu pozostać i czuć się dalej dobrze w tym otoczeniu? Nie spojrzał na żonę. „A jeśli Zosia się zabije?" – coś spytało w nim nagle. Za niego odpowiedział mu Szwed Tvardstrup, który znowu jak żywy stanął mu w pamięci. „Czymże moje życie mniej jest warte od twojego i jej. Jeśli mnie zabiłeś, zabij i ją, a i siebie nie zapomnij. I to ci mówię: «du wirst in furchtbaren Qualen zu Grunde gehen»" – szepnęło prawie głośno widmo w mrocznej głębi korytarza. (Zapomniano zapalić światło). Czy w nim, czy poza nim – nie wiedział. Mimo pozy przed sobą, mimo że był pewnym tego, że to on wypowiedział w tej chwili, diabli wiedzą czemu po niemiecku, te słowa, mimo że Zosia tuż obok szyła bieliznę dla Melchiora, Atanazego ogarnął strach. Spiesznie przekręcił kontakt i błyszczący korytarz uśmiechnął się do niego na czerwono, zdrowo i zbytkownie. Wszedł do salonu, gdzie grał Ziezio, zapatrzony w pejzaż Deraina wiszący na wprost fortepianu. Jednocześnie drugimi drzwiami weszła kulejąca Hela, zawinięta w zielony szal, przy którym włosy jej zdawały się płonąć własnym światłem. Siedli na kanapie, której Ziezio, grając, widzieć nie mógł.

– Miałam telefon od ojca. Zamach niwelistyczny nie udał się. Tempe aresztowany.

– Nie mów o tym. To obojętne. Teraz musisz być moją. Ale nie tak – na zawsze. Takim było przeznaczenie, którego chcieliśmy uniknąć, które chcieliśmy oszukać.

– Tak, mój Bóg już umarł, nie mam nic do stracenia. Chce mi się teraz poznać prawdziwe życie. Musimy stąd uciec.

– Ja nie wytrzymam tego, ja muszę cię mieć dzisiaj, całą zupełnie, jak nigdy dotąd. To nie jest zwykłe podobanie się tej albo innej kobiety, to najwyższy sens istnienia wcielony w to.

Czuł całą głupiość tego, co mówił, ale nie mógł mówić inaczej. Miał dość poetycznych bzdur i zwykłej, równie wstrętnej, dialektyki.

– Czy w to? – spytała z bestialskim uśmiechem „tamta", odkrywając krótką spódniczkę i ukazując koronkowy labirynt. Jeszcze jeden ruch ręki i zabłysnął rudy płomień włosów.

Atanazy rzucił się, ale odtrącony padł na kolana i wpił się ustami w jej kolano przez cienki jedwab pończochy. Uderzony z całej siły pięścią w głowę oprzytomniał i uświadomił sobie wszystkie męki, które go jeszcze czekały. Ziezio zatopiony w improwizacji nie słyszał nic. „O, nie będzie to prosta miłość jak z Zosią. Ale niech się dzieje, co chce. Wytrzymam wszystko i wszystko zdobędę, i zniszczę się wreszcie tak, że nie zostanie ze mnie nic – nawet wyrzut sumienia". Ziezio wyrywał z siebie ostatnie bebechy wbrew zasadom Czystej Formy w muzyce: był to jakiś straszliwy taniec kołyszący się między męką Bytu a zupełną nicością. Hela mówiła spokojnie:

– Dziś będę w nocy sama. Nie zasnę. A jak Zosia zaśnie, przyjdź do mnie. Azio idzie na muzyczny seans do tamtej dziwki. Zapomniałam ci powiedzieć, że zerwałam z nim. To znaczy, nigdy nie oddam mu się już. Przez Ćwirka dowiedziałam się, że mnie zdradzał już od dawna z tą wariatką Hlusiówną. Tam też mają być jacyś młodzi górale dla Łohoyskiego. Możemy potem pójść podglądać ich. Ćwirek obiecał zostawić szparkę w firance.

Atanazego nieprzyjemnie uderzyła ta niewyłączność jej myśli: ona mogła mieć jeszcze jakieś projekty „na potem", jakieś idiotyczne podglądanie tamtych po tym – dla niego to właśnie było szczytem życia. Poczuł niebezpieczeństwo i postanowił zdobyć nową siłę. I tu błysnęła mu myśl nieznana: „Czy tworząc inną, programowo złą siłę dla opanowania jej, nie stworzę czegoś naprawdę nowego w sobie? Może jestem jeszcze przygotowany do innych przeznaczeń i to jest tylko rodzajem próby?".

– O czym myślisz? – spytała Hela, zbliżając płomienną, natchnioną twarz do jego ściętego w bydlęcej już zadumie, zwierzęcego, przepięknego „pyska".

– O tym, co ty stworzysz we mnie. Ale muszę cię wpierw zdobyć. Jeszcze nie jesteś moja. Wiem wszystko. Nikt nie mógł ci tego dać co ja, bo ja ryzykuję wszystko, całego siebie: nie boję się wewnętrznych niebezpieczeństw. Tylko dla mnie twoja miłość jest tak niebezpieczna, bo jestem tym jedynym, który musiał być tylko twoim. Nonsens, to jest niewyrażalne. – Znowu poczuł potworny wstręt do własnych słów, ale mimo to mówił dalej, nic innego nie mógłby powiedzieć. – A może wtedy życie moje nabierze wreszcie sensu. Zatracając się w tobie, może odzyskam siebie na nowo. Ja cię nie okłamuję, że jestem kimś bez ciebie: tylko razem stanowimy jedność bez treści, której istnienie jest samousprawiedliwione wobec najwyższych nawet kryteriów. To wiedziałem już tam w kościele podczas twego chrztu.

– Nie przypominaj tego. Ja jeszcze wierzę. Może przyjść kara za tę zbrodnię. Byłam niegodna tego chrztu.

– Jestem niczym i dlatego mogę być wszystkim dla ciebie. Jestem cały tylko twoją własnością i niczym więcej.

– Nic jeszcze nie wiadomo, nic. W nas są takie możliwości, że nic teraz powiedzieć się nie da. Poddajmy się fali. Musimy stąd uciec. Ja też nie zniosę dłużej tego życia. Ja wiem, że ty będziesz miał wyrzuty sumienia wobec Zosi.

Nie miej, pomyśl, czym byłbyś dla niej, zostając teraz: obcym trupem czegoś, co było i nie wróci nigdy.

– Ja wiem, a jednak straszliwej trzeba siły, aby tego dokonać. Tylko gnębi mnie to wszystko wobec problemu wielkości. Nie dokonałem nic. A może potem...

– Tak, potem możemy zrobić wszystko. Tylko teraz nie myśl już. Ja boję się jednego: jak będziesz mnie miał, przemyślisz wszystko i znajdziesz nicość na dnie. Bądź raz mężnym bydlęciem, a nie tym analitykiem bez celu – weź raz twoje życie za łeb. – Nie raziła go dziś wcale zwykła niesmaczność tego, co mówiła.

– Tak, dobrze. Może wielkość jest w tym, aby być właśnie tym, którym się być ma, w tym wypełnieniu, w wejściu wszystkiego w odpowiednie miejsce...

– I tego, tego – szepnęła Hela, muskając go rozpalonymi mokrymi ustami po wargach i przejeżdżając delikatnie ręką tam, gdzie prężył się nieświadomy żadnych metafizycznych głębi dyrektor czy dyktator tej całej głupiej farsy. Jak okropny polip zaczajony na przepływające drobne stworzonka morskie, tak on czatował, krwawy i niesyty, na myśli krążące wokół niego jak komary dokoła płonącej świecy, by potem, obojętny i sflaczały, odrzucić całego człowieka jak niepotrzebny dodatek. I im się zdawało, że są w tym jakieś wyższe wartości, mogące usprawiedliwić zwykłą ordynarną zbrodnię! A może mieli rację? Może to tylko punkt widzenia zmieniał się? Ale co zostawało stałym w tym wszystkim? Dlaczego musieli razem dopiero?... Bo sami dla siebie pozostawali zawsze dwiema pustkami, których nic zapełnić nie mogło. Ten cynizm, włączony w największe napięcie uczuć – wstrętnych czy nie, to obojętne – potęgował złowrogi urok płciowej rzeczywistości aż do niemożności wytrzymania. „Ale czemu na dnie musiało być to właśnie. Może tylko u takich typów jak on, które poza tym już nie mają więcej nic, dla których to, jak dla kobiet, jest jedyną treścią życia. Czemu musiała być ta przeklęta druga strona z genitaliami, ustami, nogami, z całym tym aparatem brudnych (nawet u najczystszych ludzi) cielesnych wyrostków, ochłapów, bebechów, czemu nie można zdobyć tego poza życiem, tym właśnie wstrętnym życiem, o którym mówią prostytutki, znawcy ludzkiego świństwa, bubki na dancingach i naturalistyczni aktorzy – kto jeszcze? Tam, poza życiem, była tylko sztuka. Oto tam był, właśnie w tym świecie się znajdował, ten grający Ziezio. Ale czy mógł zazdrościć mu Atanazy? Czy nie był Ziezio właśnie – i wszyscy artyści, czyż nie byli tylko pewnym gatunkiem życiowych kastratów o «zastępczych czynnościach», czyż oni właśnie nie brali wszystkiego przez gumowe rękawiczki, metafizyczne prezerwatywy, a nawet żelazne zbroje z materacami, którymi oddzielali się w sposób konieczny od rzeczywistości. Tak: możliwe, że to ja właśnie z nią, ten kontemplacyjny improduktyw, a nie artysta (o kobietach w ogóle nie myślę: istnieje tylko jedna ONA, która coś rozumie), wysysam najistotniejszą esencję bezpośredniego przeżywania".

– Więc dziś – szepnęła Hela.

Atanazy uciekł z salonu i wyszedł na dwór. Gorący wicher dął mu prosto w twarz, buchając z czarnej czeluści gór jak oddech jakiejś potwornie wielkiej żywej istoty. Resztki śniegu bielały fosforycznie w poświacie zachodzącego za wał chmur bladego sierpa. Gwiazdy migały niespokojnie. „Czemu największe uczucia, najgłębsze przemiany ducha związane są zawsze z wyszukiwaniem odpowiedniego miejsca dla tej wstrętnej kiełbasy? – pomyślał z rozpaczą Atanazy. – I to nie tylko u mnie, ale u największych tego świata. Unosić się oto tam, w bezpłciowej postaci na tym wale obłoków, zmieszanych ze szczytami, być tą jednością w metafizycznym znaczeniu, a nie złudą rozwścieczonych ciał. Małżeństwo w obecnej formie zniknąć musi. Na tle zmechanizowania pracy i rozwoju sportów erotyzm w ogóle zaniknie lub dojdzie do tego poziomu, na jakim jest obecnie u bardzo prymitywnych warstw. Dzieci wobec konieczności specjalizacji już w drugim miesiącu będą zabierane matkom, badane i segregowane. A matki więcej będą miały czasu na zajęcia, które będą wydzierać powoli mężczyznom". To pomyślawszy, odwrócił się.

Willa płonęła prawie wszystkimi oknami. W przerwach wichru słychać było szalone grzmocenie nienasyconego formą Ziezia w nieszczęsny instrument. Zażywając niezmiernie rzadki narkotyk [czysta, oryginalna apotransformina Mercka ($C_{38}H_{18}O_{35}N_{85}$)], zbliżał się on szybko do ostatniej fazy swego obłędu. Apotransforminiści (na palcach można było ich policzyć) uważali kokainistów za ostatnią hołotę. Ale cóż – gram tego „najszlachetniejszego świństwa" kosztował dobry majątek ziemski. A Ziezio nie częstował nikogo z zasady. Istniał tylko w muzyce. Już życie samo w sobie odpłynęło od niego, mimo że uwodził jeszcze automatycznie jakieś dziewczątka. Sławny na świecie całym, bogaty, jak niejeden amerykański nabab, nieubłagany dla nędzarzy i chorych, protektor wszystkich sztuk, pierwszy po księciu Brokenbridge elegant świata, konał powoli w zupełnym ześrubowaniu jaźni, w zamknięciu w obcym świecie, który zwężał się ciągle i chwilami był już tylko wąską szparką, przez którą czerniała Absolutna Nicość. Rozkosze świata były właściwie już poza nim. Żył jak człowiek w więzieniu, skazany na śmierć, i teraz już nieustraszonym okiem patrzył w nadciągający ze wszystkich stron obłęd. Nie było sfery, która by nie była wykrzywiona, ale wszystko trzymało się jeszcze jakimś niepojętym cudem: jeszcze nie wypisał się do dna, jak mówił. Ludzie, jak widma przeszłości, przesuwali się w tym jego wymarłym świecie, nie mogąc złapać żadnego kontaktu z tym dziwnym żywym trupem, przez którego płynęła z Nieskończoności wieczna harmonia bytu wyrażona w konstrukcjach potwornych dysonansów. Na tym polegała niesamowitość wrażenia, które robił na innych. Hela długo słuchała jeszcze jego muzyki, a kiedy skończył i połknął, wstając od fortepianu, jakąś pigułkę, pogładziła go lekko po głowie.

– Pani mogłaby kiedyś, gdybym był mądry. Miała pani trzynaście lat. Ale wolałem to – tu stuknął w pudełeczko w kieszeni od kamizelki. – Kiedyś ludzkość będzie wiedziała, że żyła, o ile jakiś kretyn-wirtuoz potrafi zagrać to, co napisałem. Orkiestra to już nie to – jestem jedynym muzykiem, który mniej uznaje symfoniczną muzykę od fortepianu. Ja to, wie pani, rzeczywiście spaliłem się na ołtarzu sztuki – powiedział to tak po prostu i zaśmiał się tak głupawo, że frazes ten nie wydał się Heli śmiesznym. – Ale na to trzeba być odważnym. Tchórz tego nie zrobi nigdy: zabrnie w jakiś kompromis, zacznie udawać siebie, nie będzie miał dość tupetu, aby przestać być sobą w porę, tym podziwianym i chwalonym przez kretynów w danej chwili. Ale po co ja to mówię? Chcę doczekać jeszcze tej ostatniej rewolucji: chcę zobaczyć, jakie twarze wypłyną wtedy. Spojrzę i będę wiedział już wszystko. Ha, trudno. Ja tu sobie pogram jeszcze, a pani niech idzie. Może pani opuścić męża – on jest na drodze do regularnej manii muzycznej i nic mu już nie zaszkodzi. A może coś zrobi jeszcze w sztuce – w sztuce – powtórzył głośniej. – Dawniej wiedziałem, a dziś już nie wiem, co to jest „ta" sztuka – i nie chcę wiedzieć. Jakiś narkotyk pewnie. – Delikatnie wypchnął Helę z pokoju.

Tak zwana druga kolacja o jedenastej w nocy przeszła normalnie, tylko Łohoyski z Aziem pili dużo i ulotnili się natychmiast. Zosia też poszła na górę upojona kłamstwami

Atanazego. Tamci spojrzeli sobie w oczy – wyrok nieodwołalny był wydany.

Kiedy nareszcie Zosia zasnęła (albo udawała, że śpi), Atanazy włożył piżamę i cichym krokiem opuścił małżeńską sypialnię. Nie miał w tej chwili żadnej ochoty na erotyczne przeżycia z Helą. Z przyjemnością porozmawiałby z nią o tych rzeczach w oświetleniu z lekka metafizycznym – nawet kochał ją dziś trochę. I właśnie dlatego dzisiaj właśnie musiał „gwałcić". Wszelka żądza opadła z niego jak zwiędły listek. Och – wolałby umrzeć w tej chwili nawet niż czynić to. Myślał, że Zosia się obudzi, że coś się stanie, co mu przeszkodzi w spełnieniu tego całego świństwa. Ale nie – wszystko było przeciw niemu – czy też za nim – jeszcze nie było to dokładnie wiadomym. Wicher dął i wył jednostajnie za drzwiami do drugiej połowy korytarza. Atanazy wyjrzał przez okno. Z pobliskiej chałupy Hlusiów bił czerwony blask w czarno-wietrzną czeluść nocy. „W taką noc podpalono Troję" – przypomniało mu się zdanie z Szekspira. Gwiazdy się zaćmiły, sierp księżyca zapadł w czarny wał chmur – była to noc zaiste złowroga. Od czasu do czasu słychać było dzikie śpiewy i rzępolenie góralskiej orkiestry. Najlepiej by spać. Trochę zazdrościł Atanazy Jędrkowi i Aziowi ich zabawy. Co by dał, aby móc być z czystym sumieniem: homoseksualistą, artystą, kokainistą – w ogóle jakimś „istą", wszystko jedno jakim – nawet sportsmanom zazdrościł manii sportowej. A był tylko skomplikowanym umetafizycznionym masochistą. A gdzież się podziała wielkość tego wszystkiego? Nigdy jej nie było – jak to było możliwe, żeby on, względnie inteligentny osobnik, mógł się tak okłamać? „Coś gdzieś, bogata Żydówka (tak jakby to, żeby Hela była Aryjką czy Mongołką, mogło pomóc na tę małość), grube pieniądze, ohydne świństwo". Chwycił go nagle taki żal za Szwedem, że zaczął płakać. „On ma gdzieś matkę tam,

326

siostry – o Boże, Boże!" – podwywał cicho i myślał, że go może coś ochroni od tej strasznej hańby, żeby właśnie w ten dzień... Ale tak właśnie chciało prawo wyższe. Ktoś niewiadomy wziął go za kark (on dobrze wiedział kto) i pchnął go w półprzymknięte drzwi sypialni Heli, a kiedy się tam znalazł i poczuł dawno znane zapachy i jej skórę pod ręką, tę niezwyciężoną (dla której podobno zastrzelił się ubiegłego roku największy uwodziciel powojenny naszego wieku, młody garbus baron de Vries), i spojrzał w te oczy, słodkie dziś i kochające, poprzez wieczne zło ukryte na dnie, świecące jak złowrogi ogień zbójeckiej bandy w głębiach podejrzanej jaskini (albo lampka elektryczna przez mleczną szybę jakiegoś po prostu potwornego klozetu), stracił Atanazy poczucie realnego bytu i brutalnie, bezwstydnie, okrutnie zwalił się na Helę, jak buhaj na krowę. Zaledwie skończyło się raz, już nowy wybuch żądzy spiętrzył znowu jego aryjskie bebechy nad otchłanią złego, czarno-rudego, semickiego Chábełe Chíbełe. I tak dalej i dalej, a potem zaczęły się inne rzeczy. Niby większej okropności być nie mogło, a czymże to było wobec tego, co nastąpiło później. Ale nie wiedzieli, że kiedy po raz nie wiadomo już który tracili oboje przytomność w tej jasnowidzącej rozkoszy, która nie rzuca mgły na wzrok i nie rozluźnia mięśni, tylko czyni spojrzenie jastrzębim, a muskuły zamienia w żelazno-gumowe okrutne węże dusiciele, a z tamtych rzeczy stwarza piekło rozdzierającego bólu nie do wytrzymania – wtedy drzwi uchyliły się lekko i ktoś zajrzał. Była to Zosia – krzyknęła i uciekła. Ale podmuch wściekłego hurikanu zadusił ten krzyk.

A było to tak: Zosia nie spała, gdy Atanazy wychodził z ich sypialni. Ale myślała, że mąż jej udaje się w pewnych celach... ale mniejsza o to. Po długiej chwili, nie słysząc nic dalej – upłynęło może dwadzieścia minut – wstała i wyszła na korytarz. Tam była cisza. Za to drzwi przepoławiające korytarz były otwarte. Atanazy miał zamiar załatwić to dziś szybko i pójść spać, robiąc oczywiście jak najmniej hałasu. To go zgubiło. Przecież i tak był głuszący wszystko wicher. Ale były też chwile ciszy. Zawiódł się jednak na sobie. Dlatego i drugie drzwi, do pokoju Prepudrechów, pozostawił również niedomknięte i przez tę szparę i drugą, czyli pierwszą, spostrzegła Zosia jakiś ciemnoczerwonawy żar. Podkradła się wiedziona jakimś zupełnie nieświadomym parciem wewnętrznym („duchowym", ale mającym swój jakiś odpowiednik w dolnej części brzucha) i zobaczyła rzecz niewiarogodną: goły zad Atanazego myśliciela i opadnięte spodnie od fioletowej piżamy (nie zdążył zdjąć jej w zapale), a na lewo trochę skręconą głowę Heli z rozwichrzonymi lokami i dwie gołe jej nogi rozwalone w dzikim bezwstydzie. Widziała, jak nogi te kurczyły się od nieznośnej rozkoszy i widok ten przeszył ją okropnym, ostrym, nieznanym dotąd bólem. Więc on mógł, ten jej Tazio. To był on, na tej „Żydówie" (czyż przedtem nie była też Żydówką?), jej przyjaciółce! Co za niezrozumiała ohyda. Świat zawalił się nagle jakby w jakimś trzęsieniu ziemi – nie wiadomo, jakim cudem ona żyła jeszcze po tej katastrofie. Już wiedziała wszystko, co dalej być miało. „Tak? On jeszcze to popamięta". Szła wolno korytarzem na zwiotczałych nogach, niosąc swój brzuch z „tym biednym maleństwem" (tak pomyślała o Melchiorze). „Nie – ono żyć nie może. Świat jest za okropny. On miał rację, że nie lubił tego dziecka. I to miał być syn. Byłby naprawdę nieszczęśliwy. W tych czasach tacy ludzie jak on, jej mąż, zakładający rodzinę, chcący mieć dzieci (ależ on nie chciał) – są naprawdę zbrodniarzami. Nie mogąc zapewnić im nic: ani miłości, ani atmosfery zgody, ani dobrobytu (wszystko jest przecież zachwiane), stwarzając degenerata (bo sam nim jest – czegóż dowodzi tamto: żona przyjaciela, przyjaciółka żony, na jej utrzymaniu jesteśmy tutaj, goście, ładni goście!), popełniają społeczne przestępstwo – a podły – nie, on nie może mieć syna. Podły, podły – powtórzyła jeszcze. – Ale on będzie jeszcze płakał nad tym wszystkim. Może to cierpienie wydobędzie z niego coś szlachetniejszego". Już nawet nie czuła żalu do męża, tylko wstyd za niego i pogardę bez granic. Po prostu przestał być jej mężem, nawet już nie był nienawistnym. Ale życie po tym stało się niemożliwym. A do tego te nogi „tamtej"... Ani chwili więcej – każda sekunda była nieznośnym upokorzeniem. Gdyby mogła pomyśleć choć trochę – ale nie: myśli skłębiły się w obłąkańczy chaos. Tylko słowo „podły" rysowało się czasem płomiennym zygzakiem na tle jakiejś bezimiennej kaszy, ale nie miało już tego znaczenia co w pierwszej chwili. Czuła palący wstyd za niego – nie do zniesienia. A matka, która spokojnie spała, tam o kilka pokoi dalej? „Czyż taką, jaką jestem i będę, mogę dać jej szczęście na te ostatnie dni życia? Zatrułabym je tylko moim cierpieniem. A zresztą, czyż nie wszystko jedno? Nie dziś, to jutro – zarżną nas. A bez niego co? Któż jest taki jak on, mimo swoich wad. Ach, gdyby tylko mógł nie kłamać, przebaczyłabym mu może i to – choć nie z nią... On się w niej kochał dawniej jeszcze. Tak, przecież są fizycznie, a nawet duchowo dla siebie stworzeni. Taka idealna para, którą się raz na tysiąc lat spotyka na świecie. Nie – ja mam dosyć tego. Nikt mi go nie zastąpi". Nagła złość ją ogarnęła. Schwyciła i gorączkowo podarła jakieś tam dziecinne szmatki, które szyła dla Melchiora. „Biedny Melchior! Nie ujrzy nigdy tego świata i tym lepiej dla niego". Zdawała sobie wyraźnie sprawę z wariactwa tych myśli. A tam trwało to okropne dalej i im obojgu było tak przyjemnie, kiedy ona... A głos jakiś mówił: „Poczekaj do jutra choćby. Poczekaj tydzień. Wszystko się wyjaśni. Urodzisz dziecko – będziesz żyć dla niego". Ale gwałtowność i niespodzianość tamtego wrażenia, a głównie obraz tych nóg „tamtej", skurczonych od rozkoszy, stawiał nieprzebyty mur między tą myślą a chwilą obecną. Zosia była jak w hipnozie. Śpieszyła się, aby nie stracić ochoty na śmierć przedwcześnie. Napisała ledwo czytelnymi kulfonami:

„Przebacz, Taziu, ale nie wiedziałam, że jesteś taki podły. Mógłbyś nie kłamać przynajmniej. Nie będziesz miał syna degenerata, bo go zabieram ze sobą.

Twoja Zosia"

Parę łez padło na te gryzmoły, tworząc pierzaste plamy. Ale twarz miała zaciętą, spokojną. Niepodobna była do siebie. Nie poznała się, gdy z przyzwyczajenia spojrzała w lustro, przechodząc. Z szafy wzięła duży bębenkowy rewolwer Atanazego i włożywszy na gołe nogi półbuciki, i narzuciwszy futro, wyszła przez boczne schody, minąwszy drzwi do pokoju matki. Nie miała odwagi spojrzeć na nie. Tam było ocalenie, ale go nie chciała. Było już za późno. Dął wicher, taki sam, ten sam, który niedawno, parę godzin temu, chłodził rozpalony podły łeb Atanazego. Zaczynał kropić deszcz, zmieszany ze śniegiem. Zosia płakała teraz otwarcie, pełnymi oczami, całym ciałem. Potworny żal tego biednego dziecka, które w niczym nie zawiniło, rozdzierał ją całą, ale raz zrobione postanowienie wlokło ją bezwolną, jak psa na smyczy, w rozwichrzoną ciemność marcowej nocy. Gdzieś darły się koty. „Oto oni w tej chwili tak..." – pomyślała i uczucie zemsty owładnęło nią zupełnie, zamykając ostatnią możliwość powrotu. Szła tak długo, aż na jakiejś podnoszącej się w górę polanie, na której leżały jeszcze duże płaty mokrego śniegu, siadła zmęczona, spłakana jak bóbr, zła na cały świat i pełna okropnej goryczy. I wiedziała, że jeśli wstrzyma się teraz, jeśli zdoła odwlec tę chwilę do rana, wszystko może się jeszcze zmienić. Nowy podmuch szalonego wichru – i właśnie dlatego, śpiesząc się ze strachu przed tą możliwością, wstała i przyciskając lufę do lewej piersi, z zawziętością taką, jakby strzelała do swego śmiertelnego wroga, wypaliła sobie w serce. Nie uczuła żadnego bólu, ale podcięta jakby jakimś uderzeniem po nogach, pochyliła się i uklękła. I teraz dopiero pojęła wszystko. Straszliwy żal za życiem zatrząsł jej wnętrzem, rzucając ku sercu całą krew z obwodu. O czemuż to uczyniła?... Serce uderzyło raz i nie napotykając oporu, stanęło nagle. Trysnęła fala krwi z rozdartej głównej arterii, zalewając wnętrzności i buchając gorącym strumieniem na zewnątrz. Ostatnia myśl była: czy dziecko już umiera i kto umrze pierwszy? Męka tej myśli była tak straszna, że z bezmierną ulgą powitała Zosia bezprzedmiotową czarność, która od mózgu przez wzrok spłynęła na jej ciepłe, rzygające krwią ciało. Umarła. Wicher dął dalej na pustej polanie i nisko przelatywały postrzępione, czarne obłoki, na trochę jaśniejszym tle przesianego gwiezdnego światła – zdawały się ciekawie zaglądać na samotnego trupa.

A w tej chwili właśnie Atanazy, wyczerpany pierwszym atakiem normalnych uczuć, przeszedł do wyższej erotologii. Sadyzm z masochizmem prześcigały się wzajemnie w świadczeniu sobie obrzydliwych usług. A dwie niesyte niczym dusze, złączone w jedną miazgę cielesnej rozkoszy, dorwawszy się na koniec do swych źródeł, wysysały rzuconą im przez nieskończony przypadek kropelkę tej piekielnej esencji istnienia, którą na próżno artyści starają się uwięzić w formach sztuki, a myśliciele zamknąć w pojęciowe systemy. Atanazy wśliznął się do „ich" pokoju, kiedy już zaczynał się lekki świt. Był nasycony. Spojrzał przez okno w korytarzu. Wiatr ustał i padał równo marcowy, mokry śnieg. Łóżko Zosi było puste. Nie zdziwił się tym wcale. „Aha, jest w pewnym miejscu. Powiem jej, że wychodziłem patrzeć na nową zimę" – pomyślał. Był zmęczony aż do zaniku świadomości położenia i istoty otaczających osób. Nie myjąc się już, wpadł w łóżko i zasnął wstrętnym bydlęcym snem. Chrapał, ale był piękny. Nie wiedział, że czyny jego już wydały okropny owoc, który miał od rana samego zerwać. Tak to mścił się na nim kompromis.

Trupa Zosi znalazł, wracając do swej chałupy pod reglami, Jędrek Czajka, który wcześniej niż inni wyrwał się z homoseksualnej orgii Łohoyskiego, odbywającej się przy akompaniamencie wycia pijanej, obłąkanej Hlusiówny i potwornego rzępolenia na miejscowej fabrykacji instrumentach rżniętych. Działy się rzeczy „moralnie" tym straszliwsze, że wszystkie trzy media Łohoyskiego (na próżno starał się namówić wszystkich, poddał mu się i to niezupełnie tylko jeden piękny, ale ułomny Jaś Baraniec) były kiedyś kochankami szalonej Jagniesi. Książę Belial-Prepudrech szalał w erotyczno-muzykalnej ekstazie i pił na umór, do „chałodnawo pierepoja", jak nazywał ten stan po kawalergardzku rotmistrz de Purcel.

– Muzyka jest sztuką dionizyjską, musi powstawać w szale. Ale ten szał, rozumiecie, zamknąć w kryształach zimnych form – oto jest sztuka – oto jest sztuka – mówił nieprzytomnie.

> Zamknijcie w krystały
> Wase krwawe pały
> W wariackie głosicki
> Wase złe dusycki

– zawyła Jagniesia, obnażając się po pas. Piosenka była ohydna, góralsko-ceperska, wypozowana, niesmaczna w najwyższy sposób. Nikt na to uwagi nie zwracał. Alkohol zacierał wszystkie możliwe różnice i granice. Przeze drzwi od „komory" zajrzał stary Jan Hluś, niegdyś wyga i gaduła pierwszej klasy – dziś na wpół zidiociały starzec-bydlę.

– Bawcie się wej, panowie grófy, bawcie się, ksionzenta. Niech ze ta, niech ze ta – ja nic prociw temu haw ni mam, ino wicie, ino wicie... – mieszał się, nie mogąc wyrazić zbyt prostej myśli. (– Ino baccie w porę zbawić złe dusenta – dośpiewała okropna Jagniesia). Dostawszy paręset obowiązujących jednostek monetarnych, cofnął się do „kómory", kaszląc potwornie. Ale we drzwiach zatrzymał się i rzekł: – Tera my syćka równi – gróf nie gróf. My syćka tera hłopi. Bo hłop to je wiecne – a panowie to sie na tym wylengli, jako wsy na głowie, hej.

– Tak – zawył Jędrek Łohoyski, obejmując dwóch pozostałych parobków. [Książę ratował Jagniesię, która zaczęła rzygać, oddając wspaniałą zimną kolację, przyniesioną z willi (trywuty, murbje i tym podobne rzeczy źle się czuły w jej prymitywnym żołądku)]. – Wszyscy równi na kawałku ziemi. Każdy sobie z jednym przyjacielem chłopem – tak się porównamy, że nikt nas nie odróżni – jedno będziemy, jak chłop z babą, albo więcej...

„Corydon Gide'a w zastosowaniu do tych pijanych zwierząt" – uśmiechał się do siebie Prepudrech.

– Ziemie równom, haj – ale co byś wiedzioł, kany mój zadek się zocyno, a twój końcy – mówił pijany Jaś Baraniec.

– Zbudź się – szeptał mu drugi, Wojtek Burdyga. – Ani wis, kie on ci te śtuke wykono.

Łohoyski nie słuchał już. Zachciało mu się nagle kokainy. Pod wpływem szalonego picia bez miary przypomniało mu się wszystko i straszny żal za ulubionym narkotykiem złapał go jak miliony kleszczy za całe ciało. Każda komórka z osobna i zaćmiony mózg błagały go choćby o szczyptę trucizny. Mignęło mu w ciemnej głowie, że Atanazy ma ten zapas, który on dał mu w mieście – nagle rzucił się ku drzwiom, zapominając o wszystkich przysięgach. Musi być znowu w tym świecie – wytrzymał jednak dwa miesiące. Już było prawie jasno. Buchnęła para – przez nią rysował się obraz biało-różowego śnieżnego poranka – jakby na innej planecie. Gór nie było widać we mgle – pobliskie świerki gięły się od okiści. Ku chałupie biegł ktoś od strony lasu.

– To ten bałwan wraca. Namyślił się za dwieście. Żeby ta biedna Hela wiedziała, na co ona wydaje pieniądze – pomyślał Łohoyski.

– Panowie, panowie, a dyć tam ta Jatanazowa pani przystrzelona w śniegu lezy! – krzyczał Jędrek.

Wszyscy kopnęli się do lasu, jak stali. Jagniesia zarzuciwszy kożuch na nagie ciało biegła pierwsza, aż jej prześliczne zresztą piersi lubieżnie mlaskały zmęczone pieszczotami księcia. Jaś Baraniec pobiegł dać znać do willi. Zosia leżała przysypana śniegiem, z rozchylonymi ustami i półprzymkniętymi oczami. Nie było znać na jej twarzy ostatniej walki o życie: spokojna była i pogodna. Wokół śnieg padał miarowo, bez wiatru – brał lekki mróz. Nieśli trupa, milcząc. Wytrzeźwieli wszyscy – na razie przynajmniej – powiew śmierci zwarzył w nich wszystkie żądze. Nagle stali się cisi, milczący, głębocy. Każdy robił jakiś rachunek w myśli. „Czemu?" – pytał siebie Prepudrech. Uporczywie powracał mu temat z samych słów „czemu". Wszystko transponował teraz na muzykę. Nic sobie nie robił z tego, że Hela zerwała z nim wczoraj erotyczne stosunki na zawsze, dowiedziawszy się o orgiach u Hlusia, które dotąd starannie ukrywał. Wiedział, że powstanie z tego tylko nowa muzyka – o resztę nie dbał. Ale teraz nagle poczuł, że coś jest w jego żonie, czego nawet przy pomocy Jagny Hlusiówny na czyste tony przetransformować nie zdoła – to dała mu ujrzeć ta śmierć. Nie chciał jeszcze nic wiedzieć, i naprawdę nie wiedział, a jednak... I przeraził się nagle swych przeznaczeń, które mu zamigotały jak „czarno-brylantowy ptak, wydzierający się w przestrzeń z klatki zrobionej z surowego mięsa". „Gdzie ja to widziałem? czy we śnie?" – pytał sam siebie ze strachem, patrząc na lniano-złotawe loki Zosi, które przysypywał krupowaty śnieg. Kuleczki białe zatrzymywały się, a potem staczały się od miarowego kołysania niosących. „Ale kto wie, czy przeżyłbym to, gdyby Hela się zabiła" – myślał dalej. Jednak ten strach intelektualny przetworzył się w nim z czasem w rodzaj przywiązania zupełnie niezmysłowego. Aż dziwił się sam sobie: taki demon... ha, trudno. Na razie Hlusiówna wystarczała mu zupełnie, ale bez przyjaźni tej wyższej istoty nie mógłby już żyć – przez czystą ambicję – czułby taką pogardę dla siebie, że by tego nie przeżył. Tak myślał w tej chwili, ale za sekundę wszystko mogło się zmienić na zupełną odwrotność. W tym była najistotniejsza rozkosz istnienia: beztroska zmian, którą dała mu muzyczna transpozycja życia. Zdumiał się nad sobą Prepudrech, nad tą głębią, którą w nim samym otworzyła ta śmierć. I ujrzawszy nieskończone perspektywy męczarni, zatrzasnął wysiłkiem woli drzwi prowadzące do tych podziemi.

Naprzeciw nich biegł od willi we fioletowej piżamie i pantoflach, rozczochrany, nieprzytomny Atanazy. Zatrzymał się – oni opuścili ciało na ziemię. Właśnie przy drodze był mały grzbiecik gliniasty ze ścieżką – tam ją położyli, na podwyższeniu. Była cisza – w jałowcach syczał lekki jak chuch powiew zrywającego się wschodniego wiatru. Krupy z szelestem padały na ubrania. Atanazy milczał, a świat cały stawał mu dęba pod czaszką. „Zosia nie żyje" – szeptał, ale nie rozumiał tych słów. „To mi da nowy wymiar pojmowania siebie" – rzekł w nim ktoś zupełnie zimno. Jeszcze czuł tamtą rozkosz, a tu już trup, i to trup Zosi. „Ach – więc ten syn także już nie żyje". Tu jakiś ciężar spadł z niego, zdawało się tu, na tę glinkę przysypaną krupami, jako zupełnie materialna bryła. Górale szeptali między sobą. I dopiero teraz, kiedy ucieszył się prawie, że nie będzie miał syna, zrozumiał nagle, że stracił ją i że zwrotnicę jego życia nastawiał jakiś groźny zwrotniczy-bóg na ten tor wiodący ku zniszczeniu najistotniejszemu. Wyrok słyszał tętniący gdzieś aż w głębi bebechów i pochylił się ze czcią jakąś idiotyczną przed tajemniczą siłą, która mu przyniosła to nieszczęście. A jednocześnie wybuchnęła ze zbolałego, umęczonego jego serca dawna miłość do Zosi. I choć wiedział, że było to wtedy kłamstwem, którym chciał, histerycznie kłamiąc przed sobą, zamknąć przed samym sobą na zawsze tę drogę, której symbolem była tamta kobieta, jednak kochał Zosię w tej chwili tak, jak wtedy, w ten dzień, kiedy szedł zdradzić ją po raz pierwszy – i może teraz nareszcie było to prawdą. A zresztą w ogóle gdzie jest prawda w tych rzeczach – kto wie cokolwiek na pewno? „Dlaczego nic nie może być takim, jakim jest i powinno być? Czyż nie może być choć jednej chwili szczęścia?" – pomyślał z bezdennym a dziecinnym egoizmem ten piękny, dość inteligentny dwudziestokilkoletni dryblas, zbyteczny w najwyższym stopniu na tym świecie. I w tej chwili szedł w drugą kondygnację bólu: zrozumiał Zosię od wczoraj do chwili śmierci. Co się z nią musiało dziać... Zaczerwienił się ze wstydu za swoje myśli poprzednie. Musiała go widzieć – kiedy, w jakiej pozycji... Ona już wtedy poszła tam w las, kiedy on wrócił od tamtej. Zrozumiał jej istnienie samo dla siebie, jej, którą tak ohydnie oszukał i zabił. Sczerniał od męczarni. Cierpienie tak wielkie, że aż znieczulające samo siebie i wszystko inne objęło go kleszczowym uściskiem. Chwycił się za głowę i począł biec nieprzytomnie w kierunku willi, jakby tam jeszcze był jakiś ratunek.

A oni wzięli trupa i ponieśli w ślad za biegnącym obrzydliwym cierpiętnikiem we fioletowej piżamie. Nikt nie powiedział ani słowa. Wszystko to było nad wyraz wstrętne. A cierpienie, jak go chwyciło, tak trwało nieubłaganie: były to jakieś śruby, kolce, gniotące walce – nieruchome, zaśrubowane okrutną łapą losu – to wielkie słowo, może obce, może czasem śmieszne nawet, ale tak jest – teraz zrozumiał jego zbanalizowane znaczenie po raz pierwszy. A tymczasem okazało się, że cierpienie, które już, zdawało się, dosięgło szczytu, może jeszcze wzrastać dalej. Znalazł jej kartkę i przeczytał, znalazł też podartą bieliznę Melchiora. Kartkę podarł bezwiednie na drobne kawałeczki i te strzępki spalił razem z tamtymi. Cała machina drgnęła i „łapa losu" zakręciła i zacisnęła korbę o parę trybów dalej. Wszedł w trzecią kondygnację. Słowo „podły" wgryzło się przez kości czaszki w sam środek mózgu. Dzień trwał bez końca. Co robić, co robić? Mózg przewracał oczami wyłupionymi z bólu, a „bezmózga" dusza pytała, kiedy i czy się to w ogóle skończy. A płacz nie przychodził. Potem ubrał się, nie myjąc się, jeszcze ze śladami „tamtej" nocy, tej nocy z tamtej połowy życia. Potem ją spotkał, „tamtą", w korytarzu i razem weszli do pokoju, gdzie leżała Ona. I Atanazy jęknął wtedy z bólu, tak po prostu, jakby mu kto łydkę czy co innego rozpalonym żelazem przypiekł. Ale to, co go czekało, było jeszcze okropniejsze. Cały ten ból był teraz czysto bydlęcy: nie dawał żadnych metafizycznych przeżyć. Śmiech wykrzywił twarz Atanazego, jakiś śmiech wywrócony spodem na wierzch, jak rękawiczka czy pończocha.

Hela patrzyła spokojnie na zmarłą. Nie zazdrościła jej śmierci, ona, która tyle razy od tak dawna usiłowała „opuścić ten świat". Ta notoryczna samobójczyni żyje, a tamta, pełna radości życia, medyczno-pielęgniarska, poczciwa demi-arystokratyczna Zosia leży z rozwalonym sercem. Prawie nie do uwierzenia. Nie czuła żadnych wyrzutów. Jej wina, że nie umiała go przy sobie zatrzymać. Nie będzie się poświęcać dla nikogo. Zresztą już za późno. Ale tysiąc razy postąpiłaby tak samo. Może kto to nazwie świństwem, ale ona odpowiada za to tylko przed sobą. „Zbrodnia popełniona w imię najwyższego życia jest tylko odparowanym ciosem włóczni" – przypomniało się jej jakieś zdanie z Micińskiego. „Może papa by mnie zrozumiał i usprawiedliwił". Atanazy był teraz jej – był tym, którego przeznaczenie miała wypełnić i udoskonalić w cierpieniu, radości, zbrodni, nawet w świństwie. Katolicki Bóg przestał dla niej istnieć zupełnie – nie było winy ani kary. „Zobaczymy, kim on będzie teraz. Jakie to ciekawe. Nie potrzeba nic więcej – nawet Boga". Jakiś lęk przeszedł ją i nagle poczuła się słabą, małą dziewczynką. Chciała, aby on ją objął i przytulił, ten morderca właśnie – o sobie jako o wspólniczce zbrodni nie pomyślała nawet. Schyliła się (Atanazy stał zupełnie zgięty) i chciała go pocałować w głowę dla zachęty. Odtrącił ją brutalnie, waląc pięścią w pierś. A sam padł na kolana i słyszał, jak ona wyszła – został sam z trupem. Przez okna wpadał coraz silniejszy blask. Aż wreszcie wyjrzało zza śnieżnych chmur słońce i oświeciło złote włosy i twarz sinawą Zosi. „Biedna Zosia, biedna (biedaczka, bidulka, biedactwo, „biedniażka" – po rosyjsku) – nic. W taki dzień robiła się pogoda – wspaniały dzień się robił, śnieg do nart idealny – krupa na zmarzłym firnie. To ten był też temu winien, ten Szwed. Nie czuł teraz nic żalu, że go zabił. Sam się nie zabije, „choćby nie wiem co" – to postanowił twardo – wszystko, ale nie to. Musi to życie przeżyć do swojego własnego końca. Nie na darmo zabiła się Zosia – on się domęczy do ostatka. Ale czymże były te postanowienia wobec tej męki, która przyszła jeszcze. I później parę razy „łapał siebie" z browningiem przy skroni, kiedy już, już miał pociągnąć za cyngiel. Byłoby to rozkoszą taką, jak wypicie szklanki mrożonej limonady po tygodniu błądzenia w piaskach upalnej pustyni. Ale nie mógł. Co go wstrzymało? Strach nie istniał. Chyba poczucie obowiązku wobec siebie – żeby Zosia nie umarła na darmo. Musiał się poprawić ze swoich błędów. Ale może to było kłamstwo? Może – o hańbo, o wstydzie – zatrzymywała go miłość, może kochał „tamtą" naprawdę? Samo przyznanie się do tego przed sobą byłoby równe śmierci. Nic – ciemność. Dość, że trwał w nieludzkim cierpieniu, trwał, trwał, nie śpiąc, nie jedząc. Czasem myślał o szklanej rurce z białym proszkiem, ale odtrącał tę myśl natychmiast. Ale Łohoyskiemu rurki nie oddał mimo jego błagań – dla jego dobra tylko, tak mówił sobie nawet, ale wiedział, że to nieprawda. Miała ta rurka jeszcze jakieś specjalne przeznaczenie – jeszcze nie wypełniły się losy. Był podły – podłym umrzeć nie mógł. Trzeba było wytrzymać za jaką bądź cenę.

A tego samego dnia przyszły chwile jeszcze straszniejsze. Obudziła się pani Osłabędzka – było to piekło gorsze nawet niż powrót z Alfredem z kokainowego wieczorku. Nie mogła też płakać – zmartwiała z rozpaczy, traktowała Atanazego jak dziurę w powietrzu. Potem płakała i to było jeszcze gorsze. Wytrzymał i to. Ale po nocy, którą Atanazy „spędził" w niewiadomy sposób na jakimś półdrzemaniu i rozmowach, przyszła policja i sędzia śledczy i rozpoczęło się badanie. Podejrzanym wydało się to, że zawiadomiono władzę o jeden dzień za późno. Było to wynikiem prostego zaniedbania. Wszyscy musieli się przyznać do tego, co robili tej nocy. Atanazy, który przez prawdomówność czy też ogłupienie przyznał się do tego, że nie spał aż do świtu, nie mógł wykazać swego „alibi" od pierwszej do trzeciej (a list Zosi zniszczył), zaczął nieprzyjemnie plątać się w odpowiedziach, aż wreszcie zamilkł, utkwiwszy bezradny trochę wzrok w sędziego, w którego umyśle powstał jak na złość wyraźny obraz jego, goniącego żonę aż na polanę, mordującego i aranżującego „samobójcze okoliczności".

– Tu może być zbrodnia – powiedział ten pan (sympatyczny blondyn w binoklach), patrząc dookoła wzrokiem doskonale obojętnym.

Na to wystąpiła Hela.

– Pan Bazakbal spał ze mną tej nocy – to jest w moim łóżku – rzekła dźwięcznym, silnym głosem.

Był to jeden z tych momentów, które określano później złośliwie w kołach antysemickich jako „zagranie krwi Bertzów i Szopenfelderów" – tak była z domu matka Heli – a kto wie, czy nie Rotszyldów, z tych gorszych. Wszyscy drgnęli (na szczęście pani Osłabędzkiej przy tym nie było), a Atanazy spojrzał na Helę, jakby spod ziemi, jakby już z grobu, jakby widział ją po raz pierwszy w życiu. I nagle wstąpiła w niego siła. Pierwszym objawem jego własnej siły (dotąd wszystko było automatyzmem zupełnie zmarmeladowanego indywiduum) było to, że wybuchnął szalonym płaczem. Pękł tak z płaczu, jak to się zwykle pęka ze śmiechu, pękł jak balonik, wydymany do ostateczności i gnieciony przez jakieś bezmyślne, bezlitosne ręce. Ryczał wprost, zachlustując się kupami łez i nosowych wydzielin. Było to wstrętne, ale zdrowe. Ale na dnie znalazło się jeszcze miejsce na przykre wrażenie, że nikt o niego nie dbał (cóż, tamto było po prostu obowiązkiem Heli, jeśli go kochała) i nie niepokoił się o jego los. „Gdyby Zosia żyła, ona jedna by może..." – pomyślał i aż zaśmiał się prawie wśród płaczu na tę myśl. Zaczął się śmiać dziko i pieniącego się w ataku histerii wyniesiono go z pokoju. Hela składała dalej zeznania.

Prepudrech nie rozumiał nic. Po skończonym badaniu, gdy wszyscy wyszli, podszedł do niej.

– Helu, ja wiem, że ty to powiedziałaś, aby jego ratować. Posprzeczali się o kwestię dziecka. Potem on wyszedł na spacer. Wiatr zawiał ślady. Nikt go nie widział. A ona wyszła właśnie wtedy. Gdy wrócił, myślał, że ona – wiesz? – i zasnął. Tak mi mówił dziś rano. Udowodnić nic nie może, ale... Może to nawet szlachetne, ale jednak to trzeba będzie wyjaśnić, bo zrozum moje położenie...

– Jesteś głupi, Aziu. Zasłaniałeś mi istotę życia, kiedy chciałam się pogodzić z jedynym prawdziwym katolickim Bogiem. Jestem już poza tym. Nie kocham cię. Możesz być dalej moim nominalnym mężem i nawet z czasem, jeśli chcesz, przyjacielem (Prepudrech drgnął z zadowolenia), ale ja faktycznie „przespałam się" z nim wczoraj, jak pewnie mówi twoja Jagniesia. I to nie pierwszy raz. Zdradziłam cię przed ślubem – to wiesz. A potem w noc poślubną także, wtedy kiedy Ziezio miał grać – dlatego nie chciałam potem z tobą – rozumiesz? Mówię ci to, aby wypróbować, czy możemy być przyjaciółmi, czy nie – a jeśli nie, to rozwód i wyjdę za Atanazego – jeszcze nie wiem.

Przed Prepudrechem otworzyła się śmierdząca jama: to, co uważał za kokainową produkcję Tazia, to, w co nie chciał uwierzyć, mimo że ostatecznie dawno już mógł; ta okropna, niewiadomej konsystencji galareta psychiczna, do której miał wstręt, graniczący z wstrętnym przewrotnym upodobaniem jako do czegoś niemożliwego – to było prawdą! Okazało się to czymś na razie „intransformable" – jako niedające się przełożyć na czyste dźwięki, a nawet na nieczyste. Teraz pojął nagle po raz pierwszy, co to jest żona (można ją zdradzać, ale nie można być zdradzanym – „wot kakaja sztuka") i to, że tę żonę kochał cały ten czas bez pamięci, nawet zanurzony w świat rodzących się dźwięków, gdy tarzał się w twardych objęciach Jagniesi. W żonę się strzela – na to nie ma rady. Może to wreszcie odezwała się w nim perska krew książąt Belial-Prepudrech – nie wiadomo – dość, że nie namyślając się już, sięgnął z wolna do tylnej kieszeni od spodni, coś tam wyjął, a potem nagle wystrzelił w Helę z browninga, mierząc mniej więcej w pierś przy pomocy bocznej akomodacji i patrząc w jej oczy, które śledziły go z pewnym ironicznym zaciekawieniem. (W chwili gdy mierzył, Hela powiedziała: – Ależ, mój Aziu, nic lepszego nie mogłeś zrobić). Padła i zamknęła oczy – zdawało się, że kona, ale kto mógł to wiedzieć na pewno: zapadała w nicość, z uczuciem nieopisanej rozkoszy – ta nieodpowiedzialność, ta lekkość wszystkiego – zdawało się jej, że pochyla się nad nią Bóg, ten jedyny, i przebacza jej wszystko – uśmiechnęła się i zemdlała. „To mi da dopiero nowy wymiar muzyczny – pomyślał Prepudrech słowami, których nauczył się od Tazia. – Możliwość tych rzeczy, których nie śmiałem jeszcze sobie wyobrazić. Ha, gdybym miał naprawdę talent, byłbym wielki. Jako jakość maszynę artystyczną mam pierwszorzędną". Myśląc tak, wyszedł z pokoju, nie spojrzawszy już na Helę (czuł, że jeśli spojrzy, zacznie ją ratować, a to byłoby już śmieszne), włożył futro, wziął olbrzymi plik nutowego papieru i parę ołówków i pobiegł za sędzią śledczym. Dogonił go wsiadającego już do sanek. Po drodze „butler" Ćwirek pytał go gorączkowo:

– Co jeszcze? Co jeszcze? Czy książę pan oszalał?

– Zabiłem księżną panią: leży w dużym salonie na pierwszym piętrze, tam, gdzie pani Bazakbalowa – rzekł spokojnie Azalin, odsuwając natarczywego staruszka. Ten popędził dalej.

Sędzia przyjął wiadomość bez drgnienia. Kazał natychmiast aresztować księcia, którego, ubranego w cudne futro z nowokinłandzkich berberów, odstawiono do aresztów gminnych. Tam też, zupełnie stężały w katatonicznym ataku, książę, kompletnie zresztą przytomny, dowiedział się, że Hela z przestrzelonym szczytem lewego płuca żyje i prawdopodobnie żyć będzie. I nagle wyprężone jego ciało wróciło do stanu normalnego, a zdrowa myśl muzyczna przebiła zwały skamieniałych bolesnych uczuć. „A więc będziemy żyć oboje i jeszcze kiedyś spotkamy się. W tym jest szczęście. A tymczasem do roboty". Kazał sobie przynieść duży stół, rozłożył papier nutowy i zaczął pisać. Nazajutrz rano odwiedził go Ziezio. Zajrzawszy w nuty, mistrz nie mógł wstrzymać pewnego odruchu niechęci, który z radością zauważył książę: za szybkie postępy robił jego pupil. Trzeba będzie mianować go oficjalnym następcą i usunąć się przy pomocy apotransforminy w zaświaty, przed zejściem do szpitala wariatów. Tylko jak wiedzieć kiedy? Ale tego nie powiedział Ziezio Azalinowi. Rozmawiali jedynie o Heli... (Czuła się świetnie. Atanazy pilnował jej fizycznie – ona jego – moralnie. Tylko płakał teraz ciągle, a chwilami wył). Prepudrech ucieszył się tą wieścią – bardzo żałował biednej Zosi, tak samo jak i Łohoyski.

– Trudno, niech wyje ten drań – inaczej nie nazywał teraz Atanazego – musi być ukarany. Inaczej nie byłoby sprawiedliwości na świecie.

Przyjaźń była wyczerpana. Naiwny Prepudrech nie wyobrażał sobie świata bez sprawiedliwości, nawet tej, bez żadnych zaświatowych sankcji. Teraz dopiero przekonał się, jak nikłym jednak był jego katolicyzm, podtrzymywany w okresie pokuty przez Helę. Obraził się na Boga za te wszystkie klęski i wiara przeszła jak ręką odjął. „Muzyka jest moją jedyną religią. Z talentem czy bez, zginę jako ofiara na jej ołtarzu" – myślał górnolotnie, nie krępując się już niczym. Bóg pozostał dla niego czymś bardzo dostojnym, ale stanowczo mniej rzeczywistym od septimowego akordu choćby. A cóż dopiero mówić o dziełach, tych, których nie ma w żadnej preegzystencji w naturze, które są tylko w nim. Ziezio, na granicy obłędu, czekający wybuchu ostrej paranoi w każdej chwili, zazdrościł perskiemu cherubinowi jego beztroski. Odczuł pierwszy raz może ciężar swych czterdziestu lat i łupnął kolosalną dawkę apotransforminy Mercka: „Specialité pour les musiciens, verschärft das Gehörsinn, exciting musical sensibility" – tak stało w różnojęzycznych Gebrauchsanwajzungach. Pustka była przed nim straszna. „Nie – nie zabiję się: chcę zobaczyć, czym jest obłęd. (Ziezio nie bał się nawet tego, a więc był absolutnie odważny). I tak nie mam już nic do stracenia". Ale wszystko to mści się okropnie: zobaczył niedługo. Już o dziesiątej wieczór, kiedy Atanazy, wysłuchawszy zabójczej tyrady pani Osłabędzkiej o świństwach bezrobotnych pseudointeligentów, szedł storturowany do siebie (miał teraz pokój obok Heli), Ziezio rzucił się nań ze szczytu olbrzymiej czerwonej szafy stojącej w korytarzu i rycząc, zaczął go dusić. Ledwo żywego Atanazego wydarło mu dwóch lokai. Skrępowano Ziezia pasami, a w nocy jechał już do sanatorium Widmannstädta w Górach Świętokrzyskich. Prepudrech był bez konkurenta, ale za to w więzieniu. Tak skończył się ten dzień.

ROZDZIAŁ VII

UCIECZKA

Atanazy „spędził" noc przy łóżku Heli. Wszystko było
zasłonięte tak gęstą warstwą wyrzutów sumienia, że nie
widział nawet jej piękności przez okropne koszmarowe
zwały jakichś buro-czerwonych i czarnych materii nie
z tego świata. A jednak przez nią tylko żył jeszcze. Może,
gdyby nie ona, ambicja, aby nie umrzeć podłym, okazała-
by się za słaba i uległby jednemu z samobójczych ataków,
których miewał od pięciu do siedmiu dziennie. Nie zdawał sobie sprawy z możliwości jeszcze podlejszych rzeczy,
które przyjść mogły, i co wtedy? To, co się stało, „uzwznioś-
liło", wysublimowało jego uczucie dla Heli – przynajmniej
chwilowo. A przy tym czuł, że poza nią jest już zupełnie
sam w życiu, że nie czeka go nic. Jak ohydna, tłusta plama
leżała na dnie myśl, że bez niej będzie musiał szukać posady i zacząć pracować, zarabiając na życie w niepojętych
dla niego warunkach bytu, pod panowaniem socjalistów-
-chłopomanów. Ale z tym dał sobie jakoś radę na tle pewności, że ostatecznie w każdej chwili może sobie w łeb strzelić.
Dziwne to było rozumowanie. Ohyda życiowa szczerzyła
żółte, spróchniałe zęby i wystawiała lubieżnie czarno obło-
żony język ze śmierdzącej paszczy, bez żadnej maski. Ból
i cierpienie mogły być w ogóle piękne – w tym wypadku

– nie. Zosia odeszła, dawszy mu moralnie w mordę z wyrafinowaną pogardą, wiedząc o tym, jakie sprawi mu cierpienie. To łagodziło trochę wyrzuty sumienia – chwilami, oczywiście. Męka bez granic trwała do szóstej z rana. Siedząc, zasnął do siódmej. I to piekielne obudzenie się z tym jasnym poczuciem, że wszystko zaczyna się na nowo: z początku bezprzedmiotowe przerażenie, że coś się stało, ale jeszcze nie wiadomo co – a potem piekielny film wypadków rozkręcał się w pamięci i maszyna do tortur chwytała Atanazego w swoje zębate koła i transmisje. Regularnie co godzinę płakał. Zdawało się, że każda sekunda przeszłości była już czymś najgorszym, że teraz powinno przyjść, zacząć się choćby jakieś polepszenie. Ale nie: im dalej, tym gorzej. O którejś tam godzinie któregoś dnia pani Osłabędzka mówiła jak maszyna (biedna staruszka, widząc prawdziwe cierpienie zięcia, okłamana przez niego, że sprawa poszła o dziecko, przebaczyła mu troszkę – nie bardzo, ale zawsze. Strzał księcia w Helę przedstawiono jej jako zupełnie dodatkową historię. Nie pytała nikogo i nikt nie śmiał jej nic powiedzieć). „Czas leczy wszystko. Wiem ostatecznie, że nikt nigdy niczemu zupełnie winien nie jest i że cierpisz bardzo. Przebaczam ci, bo wiem jednak, że z początku ty kochałeś ją więcej i gdyby ona umiała inaczej tym uczuciem pokierować, nie doszłoby aż do tego. Może po jakichś pięciu latach rozeszlibyście się w zgodzie. Trudno. Przetrzymaj to i bądź szczęśliwy. Niech cię to nauczy cenić więcej czyjeś uczucia. Czas wszystko leczy. My się już nie zobaczymy – bo po co? Wątpię, abyś chciał mieć jakieś pretensje finansowe...". Tu Atanazy przerwał tę mowę wybuchem płaczu. Podała mu rękę. Nie śmiał powiedzieć jej prawdy – może i lepiej dla niej. Nie wiadomo.

Ale przyszły rzeczy nie do zniesienia. Musiał asystować przy sekcji zwłok, bo tak chciał umyślnie przybyły na tę ceremonię prokurator, który jeszcze coś podejrzewał, a miał jakieś dziwne przesądy na temat „krwi trupa, która rzuca się na zbrodniarza". Krew się nie rzuciła. Ale Atanazy widział, jak z krwawego wnętrza Zosi (ukochanej niegdyś) wydobyto jego dziecko – był to syn, kilkomiesięczny Melchior Bazakbal, koloru kurzego pępka na surowo. Ten cios był już za ciężki. Nie zapłakał już na ten widok, ale zwalił się, jak podcięty, a oczy zasłoniła mu dobrotliwa czarność. Zemdlał na dobre po raz pierwszy w życiu i to było jedno z jego przyjemniejszych wspomnień z tego okresu, prócz paru godzin szalonego bólu zęba – wtedy nie czuł nic. Ale panowie ci zrozumieli wreszcie, że fizycznej zbrodni winien nie jest, a za moralną nie mieli prawa karać go.

Odbył się pogrzeb w prześliczny dzień marcowy, ostatni tego miesiąca. Góry świeciły czystym, świeżym różowym śniegiem, a i w dolinie było go dość. Miało się wrażenie pełnej zimy i Atanazemu przesunęły się w pamięci ze straszliwą jasnością wszystkie dni od jesieni aż do dzisiaj, a szczególniej okres środkowy: sportów i opuszczenia Zosi. Mimo że był zjedzony przez wyrzuty sumienia jak kawał sera przez robaki, na pogrzebie zachował maskę spokoju – ułatwiła mu to okazana mu przez panią Osłabędzką łaska: prowadził ją pod rękę za trumną. Zosię złożono na cmentarzu dla samobójców, tuż za murem cmentarza „prawdziwego". Dla przykładu biskup nie udzielił pozwolenia, i miał rację. Pomnik – szary, prosty, stylizowany trochę kamień – miał wykonać jeden z najlepszych uczniów Karola Stryjeńskiego wezwany na ten cel umyślnie z Zakopanego.

Cierpienie dławiło Atanazego jak kat rozporządzający dziką wprost pomysłowością torturową. Jak nie z tej strony, to z innej – zawsze umiało go podejść i jak najboleśniej uderzyć. Czuł to cierpienie prawie jako realną osobę mieszkającą w nim stalė. Wychodziła czasem na chwilę (może z jakąś potrzebą?), by wrócić natychmiast i znowu zacząć wszystko na nowo, za każdym razem gorzej, inaczej. Wyrzut sumienia, podany we wszystkich możliwych postaciach, rozrastał się w duszy włóknami, z których każde było nowym ośrodkiem bólu. Po powrocie z pogrzebu (była godzina szósta i góry jarzyły się cudownym dalekim żarem zaszłego dawno słońca) Atanazy, patrząc na wspaniały widok, oświadczył Heli, że żyć dłużej nie myśli. Był jak małe dziecko w tym, co mówił i jak się zachowywał, i wzbudził mimo wszystko w Heli pewne matkowate (matczyne?) uczucia – nawet w niej, w tym notorycznym, bezpłodnym demonie. Jedynie pani Osłabędzka, która wyjechała wreszcie, pozostała zimną do końca. Ale i tak okazała dużo zalet, których przedtem nikt w niej widzieć nie chciał. Atanazy wspominał ją z pewnym uczuciem wdzięczności, mimo że cierpienia ich były nieporównywalne, czego w żaden sposób uznać nie chciała.

Hela, nie zbliżając się do Atanazego (na jej dotknięcie reagował jak na rozpalone żelazo), zaczęła mu tłumaczyć łagodnie, aby poczekał do jutra. Twierdziła, że kryzys przejść musi, że nikt jeszcze z cierpienia samego nie umarł, że powinna lada dzień nadejść ta chwila, w której się coś przekręci i powoli zacznie się zdobywać przewagę nad wspomnieniami. Mówiła tak, wsparta na łokciu, patrząc smutnie na gasnący na szczytach bladopomarańczowo-czerwony poblask wieczornej zorzy. Atanazy spojrzał na nią, od dawna po raz pierwszy, i poczuł, że kocha ją nad wszystko. Było to przykre, nawet wprost obrzydliwe, ale było to prawdą. Ale jakież otchłanie okropności były jeszcze między nimi! Któreż z nich zapełnić to zdoła i czym – nowym świństwem? Jakichż uczuć na to trzeba, aby zniszczyć prawie fizyczny wstręt do niej, wyrzut sumienia za zbrodnię zabójstwa niewinnej, kochającej go istoty i to obrzydzenie do siebie, to najgorsze... Czuł się tak, jakby pokryty był cały jakimś śmierdzącym, lepkim śluzem czy ropą. A do tego ból tępy, nieznośny, bez miejsca, obejmujący, zdawało się, wszechświat cały. I ta pogarda wyrażona w ostatnim liście, ten „policzek", na którego wspomnienie palił się cały obrzydliwym wstydem bezsilnego tchórza. „Duchowi memu dała w pysk i poszła" – powtarzał sobie zdanie z *Niepoprawnych* Słowackiego. Nie – za wiele tego. Do jutra może dożyje, ale dalej?... Nie można żyć z tą męką. O Prepudrechu nie było mowy zupełnie.

Łohoyski chodził ponury, okazując wyraźny wstręt do Heli i Atanazego, ale nie wyjeżdżał. Nie miał za co, a o pieniądze prosić nie chciał, w mieście zaś nic nie miał do roboty. Pracować? Ah, non, pas si bête que ça. W ogóle bogactwo Bertzów traktowało się jako coś samo przez się zrozumiałego i używalnego bez wielkich nawet wdzięczności. Raczej miałoby się do nich pretensję, gdyby byli nie tak uprzejmi i gościnni, niż wdzięczność, że takimi byli. Jak raz już ustali się taki stosunek, nie ma na to żadnej rady. Łohoyski powrócił znowu do uwodzenia młodych górali, a nawet zaczął pisać w ludowym dialekcie coś w rodzaju popularnego *Corydona* dla klas niższych: *Dialog gazdy z diabłem o zadku* – taki miał być tytuł tego dzieła. Pomagał mu w tym Jaś Baraniec, nawrócony zupełnie na nową wiarę w „wyższą" przyjaźń. Prepudrech (o którym nie mówiono) przewieziony został do więzienia w prowincjonalnej stolicy. Chociaż przez cały czas pobytu jego w Zarytem posyłano mu obiady i kolacje z willi, które przyjmował, odmówił stanowczo widzenia Atanazego i żony. Najwidoczniej dziwaczał coraz bardziej pod wpływem „twórczości". Na próżno namawiała Hela Atanazego do wyjazdu. Ciągle twierdził, że do jutra nie dożyje – ale „dożywał" i nareszcie na dziesiąty dzień poczuł, że jest mu jakby troszeczkę lepiej. Już widok piękna natury nie sprawiał mu tego palącego bólu, z powodu uświadomienia sobie, że tego samego właśnie, co on, nie widzi zamordowana przez niego Zosia. O niedoszłym synku swym koloru świeżej wątroby (?) nie myślał już prawie wcale. Powoli zaczynał znajdować ulgę w zapatrzeniu się na jakieś „kotki" na wierzbie na tle nieba lub skały obnażone na szczytach, świecące o zachodzie ciemnoburo-malinową czerwienią. Zasypiał też czasem w nocy. Ale za to wpadł w zupełną prawie abulię – wola osłabła w nim do tego stopnia, że trzeba było go karmić i ubierać nawet – tym zajmował się „butler" Ćwirek. A był tak piękny (Atanazy, nie Ćwirek) w tym cierpieniu, że Hela zaczęła się powoli niecierpliwić. Jej zmienna, burzliwa natura zbuntowała się wreszcie przeciw poddawaniu się „takim rzeczom".

Któregoś dnia wstała z łóżka, ubrała się w piżamę purpurową z deseniem stylizowanych czarnych krzewów hyalisu ze złocistymi owocami i otworzyła okno. Był ciepły kwietniowy poranek. Wiosna wisiała w powietrzu, ptaszki ćwiergoliły wesoło, a słońce grzało jak latem. Tylko ziemia wiała jeszcze w cieniu zimowym chłodem i rano kałuże i brzegi potoczków pokrywały się lodowym szkliwem. Z okna o parę kroków na prawo wysunęła się głowa Atanazego.

– Panie Taziu (byli ze sobą teraz na „pan" i „pani"), niech pan zaraz tu przyjdzie. Mam panu coś ważnego do powiedzenia.

– Jestem nieubrany – brzmiała niechętna odpowiedź.

– To nic nie szkodzi. Proszę zaraz tu do mnie.

„Krzyczy jak na psa. Ja jestem naprawdę jak biedny, obity, parszywy pies na łańcuchu" – myślał Atanazy z głębokim współczuciem w stosunku do siebie, przyczesując swoje wspaniałe, lśniące, czarne włosy o zapachu miodu, jakichś rzadkich grzybków i jeszcze czegoś nieuchwytnego (to przynajmniej o nich twierdził Łohoyski). Czuł się dziś trochę lepiej i robił sobie na ten temat srogie wyrzuty. Jeszcze nie wycierpiał się dostatecznie, nie „wypokutował" ani setnej części win, a tu już mu było lepiej! „A jednak jestem podły. Gdybym przynajmniej mógł usprawiedliwić życie w innym wymiarze, choćby tak jak ten biedny Azio, gdyby coś z tego powstało, psiakrew! A tak na darmo zginęła, biedactwo!".

Jakkolwiek wskutek wyjazdu ze stolicy i aktualnej rewolucji, która zatrzymała się na stopniu drugim, wszelkie społeczne aspiracje Atanazego skurczyły się i zmalały, to jednak teraz, na wieść, że tam znowu coś się gotować zaczyna, uczuł pewną ulgę. Cierpienia jego straciły na ważności i poczuł, że bądź co bądź jest członkiem społeczeństwa, jeśli już nie narodu, o czym nawet marzyć nie mógł, tak dla wewnętrznych, jak zewnętrznych powodów. Można będzie może zginąć w tym wszystkim w jakiś twórczy sposób, a może nadarzy się jakaś sposobność dokonania czegoś doniosłego. Straszne miał zamieszanie w głowie na ten temat, a Hela jako instrument zniszczenia straciła chwilowo na tle wypadków całą swoją wartość. Leniwie ociągając się, poszedł do niej, myśląc z pewną przyjemnością, że ma ją jeszcze w rezerwie przed ostatnią z rezerw – śmiercią.

– A teraz niech pan mnie słucha uważnie i niech pan nie będzie już tak ogłupiały cierpieniem, bo mnie nudzi już to wszystko!

Tupnęła nogą w nagłej złości. Jakże prześliczna była w swym gniewie! Z wyrzutem sumienia, dobytym z najgłębszych, zapleśniałych, kryjówek ducha, przyznał się do tego Atanazy, że ją podziwiał, a może nawet... ale nie – dosyć i tak.

– Dziś wieczorem wyjeżdżamy stąd. Ja nie chcę być tu podczas sprawy Prepudrecha – za tydzień będą go sądzić – a i panu nie będzie przyjemnie: wszystko zostanie wywleczone na nowo. Jak pan jest takim jak teraz, to doprawdy nie wiem, czy się cieszyć, czy martwić, że ten osioł nie zabił mnie wtedy. Czyż nie widzi pan, że w panu tylko jest dla mnie cały urok życia.

Ostatnie słowa wypowiedziała z hamowaną namiętnością, a może czymś głębszym nawet. Przez twarz Atanazego przeleciał jakiś bury płomień, ale zgasł zaraz w zaroślach więdnących już cierpień.

– A po drugie, zaczyna być w ogóle niedobrze. Jakkolwiek oni mówili, że są najwyższą marką, bo kraj nasz, to jest wasz – wtrąciła lekceważąco – jest rolniczy i że niweliści nie mogą znaleźć tu miejsca do zapuszczenia korzeni na stałe, jednak papa pisze, że nie jest tak dobrze, jak myślał. Agitacja wśród „miejskiej biedoty" wzrasta wskutek niemożności szybkiego przeprowadzenia podziału i zorganizowania kooperatyw rolnych. Wszystko to nudne jest jak jakaś weneryczna choroba – przynajmniej tak to sobie wyobrażam. Ach, panie Taziu, czemu wszystko, co dobre, jest takie śmiertelnie nudne! Ja chciałam być dobra, robiłam, co mogłam – to jest ciągle jedno i to samo: jedna wielka, szara, wszawa masa – dobra, ale wszawa. Ja już nie mogę... Trzeba będzie oddać pałac i tę willę – papie zaczynają mieć za złe różne rzeczy, że korzystając ze swego stanowiska – ale mniejsza o to – wobec tego, co mamy za granicą, to jest kropla w morzu.

– Ja się zgadzam z tym w zasadzie, ale nasze zło jest na małą skalę. Dawniej było twórczym, w epokach rozkwitu indywiduum: tworzyło siłę mas i dobro przyszłości, które nas zanudza. Ojciec pani, demon pierwszej klasy, musi być dobrym dla biednych chłopów, o ile chce być czymś dzisiaj. Niweliści muszą być źli tylko dla konających resztek dawnego indywidualizmu. A źli ludzie dzisiejsi, małe pluskiewki i glistki, bandyci i złodzieje, siedzą po więzieniach. Zostają jeszcze interesy, ale nawet w wielkich aferach trudno jest dziś być złym na wielką skalę – i to się kończy na szczęście. A cóż dopiero my: odpadki bez określonego zajęcia...

– Mniejsza o to. Musimy dożyć nasze życia do końca. Ja nie oddam pana na to, żeby pan się tu dał rozlizać tym wszystkim cierpieniom. Pan ma więcej siły, niż panu się wydaje – ja wiem. Proszę się zaraz pakować. Mam wszystkie paszporty, pozwolenia i pełnomocnictwa. Papa przysłał wczoraj. Załatwiłam bez pana wiedzy. Jest pan księciem Prepudrech – papa może wszystko. A zresztą chcę wyjść za pana za mąż – dokończyła, śmiejąc się niepewnie.

– A ja się stąd nie ruszę. Tu jest jej grób. Ja nie mogę. Niech pani jedzie. Ja tu skończę najlepiej i przynajmniej zniknie dla pani problem mojej egzystencji.

Mówił tak, wiedząc, że jest to absolutnie niewykonalne – ale tamto było również niemożliwe: sytuacja bez wyjścia lub „z wyjściem na wieczność", jak to napisał jako dedykację na jakiejś książce swojej Miciński.

– Ja pana kocham, panie Taziu (pierwszy raz ten demon wymówił te słowa), pana jednego na życie całe. Ja mam dwie drogi przed sobą: albo pan, albo klasztor, a w ostateczności niweliści – i może Tempe, o ile go do tego czasu nie rozstrzelają. Na razie pan przeważa klasztor i niwelizm razem wzięte. Czyż to nie komplement? Zdaje się, że naprawdę pierwszy raz w życiu i ostatni, zdaje się, kocham – i to pana. Niech pan zaraz idzie się pakować. Pociąg pośpieszny do Kralovanu mamy o trzeciej po południu. Do stacji daleko – ciężarowe auto nie pójdzie prędko po takiej drodze.

– Panno Helu (nie wiadomo, czemu mówił: „panno"), czy pani wie, co to znaczy mieć taki wstręt do siebie, jak ja mam? Jestem gorzej niż nic – jestem jakiś ohydny robak, soliter czy motylica.

– Tak, we mnie. Ja się nie brzydzę panem. Czy panu to nie wystarcza?

– Pani sama pomniejsza się w moich oczach, mówiąc tak do mnie...

– Co?!

Fioletowa błyskawica mignęła w oczach Heli i oczy te, przepiękne w wybuchu wściekłości, skosiły się jeszcze bardziej. Jakże cudowna była w tej chwili. Gdyby nie ten okropny samowstręt, przyprawiający o zupełną psychofizyczną bezsilność, zgwałciłby tę „Królową Małej Azji" natychmiast. Hela, w zimnej pasji, spokojnie, pewnym ruchem zdjęła karminową z byczego surowca szpicrutę ze skomplikowanego wieszadełka zrobionego z murzyńskich spódniczek z Kongo koloru cynobru. Świsnęła giętka wstrętna rzecz i Atanazy poczuł piekielny ból w policzku. Rzucił się, ale był osłabiony głodem i cierpieniem – od dwóch tygodni nie jadł prawie nic. Hela chwyciła go lewą ręką za włosy, prawą biła, co tylko sił starczy, wszędzie, bez wyboru, zupełnie nie na żarty, gorzej niż psa. Ogarnął ją szał. Atanazy wył z bólu, ale była w tym rozkosz. Osłabł tak, że objąwszy ją, wpółklęczącą w powietrzu, nie mógł jej wywrócić. Hela biła dalej jak opętana. Usta jej wykrzywiły się, spod szerokich warg błyskały drapieżne zęby. Z początku biła na zimno, programowo, chciała czymkolwiek bądź oddziałać na kochanka; wiedziała już teraz, że jest w nim coś masochistycznego, wiedziała, że jak raz mu się odda – będzie uratowany; trzeba było przerwać to uczucie wstrętu do siebie. Ale zacząwszy raz bić, zasmakowała w tym. Siły jej wzrastały w miarę tego łupienia i zaczęło ją ogarniać potworne, nieznane jej dotąd podniecenie, chęć jakichś rzeczy strasznych, do morderstwa włącznie, nienasycenie ostateczne, bydlęce – była przepiękna. Widocznie stan ten był zaraźliwy: skatowanego Atanazego wstrząsnął nagle dreszcz piekielnej żądzy – ból znikał, przeradzając się w wariacką erotyczną wściekłość. Stało się coś niewyrażalnego... „No – teraz on mi pokaże – pomyślała

Hela resztkami świadomości, omdlewając w jego straszliwych uściskach. – Odzyskał siły, biedaczek, kochanie najdroższe...". Teraz on bił ją całym ciałem, wszystkim – och, nigdy nie czuła jeszcze nic takiego, ciało jej rozrywało się, coś niepojętego miażdżyło ją w bolesną miazgę niedoścignionej rozkoszy. Oboje w zupełnym rozbestwieniu krzyczeli niewiadome słowa: „głuche i poszarpane". Spełniła się nareszcie ofiara ich miłości. Ale jeśli taki był początek, jakie otchłanie mąk i rozkoszy czekały ich jeszcze? Bo przecież nie mogło słabnąć to świństwo. – Wtedy nie warto żyć. Atanazy był uratowany: obudził się jakby z okropnego snu. Nowe życie otworzyło swe bramy, cały świat zmienił się nagle do niepoznania. Zamordowane znienacka w bestialski sposób cierpienie wydało swój wspaniały kwiat nowych uczuć. Tak przynajmniej im się zdawało.

Kiedy szli do miasteczka (właściwie bez powodu, niby to po jakieś sprawunki) w przepięknie kwietniowe południe (Atanazy z czerwono-siną pręgą przez lewy policzek, ona ze spuchniętymi, poranionymi wargami), patrzyły na nich błyszczące niepokalaną białością świeżego śniegu szczyty i niebo palące się gorącym fioletowym błękitem. Ironicznym spojrzeniem zdawał się żegnać ten zaklęty świat gór nieszczęsną parę szaleńców, chcących okłamać własną pustkę wyuzdaniem zmysłów; uciekających od samych siebie w nieznaną dal odległych krajów – prawdopodobnie na próżno. Ciała ich były poranione, zmiętoszone, wycieńczone i mdłe (szczególnie zbity jak pies Atanazy nie miał jednego miejsca, które by go nie bolało, jak narywający wrzód), ale dusze po raz pierwszy ulitowały się nad sobą i gdzieś, pozornie daleko, w tych zaświatach, które każdy ma w sobie zawsze na zawołanie, połączyły się nareszcie w cichym szczęściu. Cała małość życia, jego przypadkowość, okłamane wielkie okrucieństwo i bezwzględność uciekły w przeszłość spowitą w nieludzkie cierpienie.

– Ty myślisz, że tylko ty cierpiałeś. Moje życie było jedną wielką męką. Naprawdę przestałam pożądać śmierci dopiero wtedy, wiesz? po ślubie. Tego, co ty mi dajesz, nie mógłby dać mi nikt.

„Tak – myślał smutnie Atanazy – czasem przez erotyczne świństwo wzbija się człowiek ponad siebie. Wszyscy jesteśmy wariaci, chcący uciec za jaką bądź cenę od rzeczywistości. Dzisiejsza rzeczywistość jest dla pewnych typów nie do przeżycia. Nie wiemy tylko czasem, jak wyzwolić się z nas samych, stwarzając absolutną zgodę ducha ze samym sobą. Cóż jestem winien, że potrzebuję tego, aby ona mnie biła? jeśli potem mogę być tam, gdzie bym bez tego dostać się nie mógł". Chwilowy stan zanarkotyzowania, po okresie męczarni, brał Atanazy za objawienie nowego świata w sobie. Zmęczonym, ogłupiałym mózgiem nie mógł skontrolować istotnych wartości przeżywanych stanów. Rozpoczynało się wymarzone zniszczenie. Hela przynajmniej nie kłamała: dla niej istotnie było to na razie wszystkim. Mijali więzienie, gdzie niedawno siedział biedny substytut męża z czasów pokuty, Prepudrech, którego rolę miał teraz odegrywać Atanazy (trochę głupio czuł się jako książę perski, ale trudno, czego się nie robi dla interesującego zniszczenia siebie). Drewniane, świeżo sklecone budy świeciły jasnożółto w wiosennym słońcu. W cieniach panował jeszcze chłodek, przypominający tylko co przeszłą zimę.

– Nic go nie żałuję – mówiła Hela. – Nie powieszą go na pewno. A teraz on naprawdę gotów zostać wielkim artystą, jak się trochę skupi i zizoluje od życia. Ja przyjaźń dla niego zachowam. Pozwolisz, Taziu?

– Ależ naturalnie. Ja nie jestem zazdrosny. Jesteś zbyt bogata wewnętrznie, żebym mógł mieć do ciebie pretensję, że rozdajesz swoje skarby. Ale gdyby nie to, co było dziś, nie wiem, czy byłbym tak bardzo pewnym siebie. – Uśmiechnęli się do siebie bestialsko.

– Nie myśl, że tylko dlatego. Ja cię kocham. To tylko podnieca moją miłość, nie wiem, jak to wyrazić: chciałabym cię duchowo pożreć. Tak niedawno to było, a już jestem zła, już teraz chciałabym cię męczyć. Jesteś jedynym na świecie całym. Któż mógł mi dać to.

Wiosenny wietrzyk, ciepły i łagodny jak pocałunek dziecka, muskał ich twarze, gdy spojrzeli na siebie głębokim bydlęco-tragicznym spojrzeniem, w którym była śmiertelna trwoga o trwałość tych uczuć, tego całego świństwa. Wiedzieli, że rozpoczęli zabawę niebezpieczną, ale stawka, to jest życie całe, nie przewyższała tego, co być jeszcze mogło. W najgorszym razie śmierć. A czyż nie gorszą jeszcze byłaby nuda normalnego życia w jakimś „cichym domku", bez tej właśnie kombinacji uczuć? Ale przychodziły jeszcze chwile okropne (nie dla niej, tylko dla niego), kiedy zabity wyrzut sumienia wstawał na nowo z martwych i patrzał mu w oczy oczami zmarłej żony. A czasem znowu duch Zosi w jakiejś nieuchwytnej formie (ona sama jako taka, ta była, żywa, stała się prawie czymś nierealnym – jakimś prywatnym mitem) zawalał się na cały psychofizyczny horyzont, z równą siłą na duchowe wnętrzności, jak i na cały świat, i wtedy nie było ucieczki: Atanazy starty na miałki proszek, wstrętny ekskremencik niewiadomej, ale bardzo marnej istoty, rozwiewany był na wszystkie strony wichrem zupełnego zwątpienia w wartość czegokolwiek bądź w sobie i poza sobą – to było najgorsze, że na zewnątrz nie było za co się uchwycić – zostawała tylko Hela. Szklanej rurki bał się jeszcze jak ognia; jakiż potworny mógłby być ten stan potem, jeśli wtedy... O Boże, kiedy żyła ona... I cóż z tego? Czyż milion razy, gdyby milion razy żył, nie postąpiłby za każdym razem tak samo? A na to znowu przychodził piekący wyrzut sumienia i królował sam, wszechwładnie, niepodzielnie, już nie wiadomo gdzie, bo zdawało się, że naprawdę nic nie ma. Czyż cała metafizyka, żądza religii i wynikające stąd absolutne nienasycenie, chęć śmierci, czyż wszystko to miało być sprowadzone do paru przewrotnych pocałunków, paru uderzeń, ugryzień, paru niby-zgwałceń? Hela nie czuła dysproporcji tych elementów – gdyż tamto zostało jakby w „tle zmięszanym" i nie istniejąc jako takie samo dla siebie, dodawało uroku każdej chwili: Atanazy zastępował jej całą skomplikowaną metafizyczną maszynerię dawnego życia – ale dla niego jego własna „jaźń" zdawała się czasem cienko rozsmarowanym świństewkiem na obojętnej, metalowej płycie „konieczności, aby coś było" – tym pojęciem określał niemożność przyjęcia absolutnej nicości. Takich chwil zmiennej męczarni miał już kilka od czasu, gdy wyszli z domu, ale sam zdumiewał się nad tym, jak po tych erotycznych okropnościach zbladł cały ten świat tortur – jakiś świt nikłej nadziei jaśniał gdzieś za czarną poszarpaną granią ponurych szczytów męki otaczających codzienne piekiełko.

Hela nie miała żadnej samoistnej filozoficznej koncepcji. Umysł jej był tylko miejscem skrzyżowania wszystkich możliwych systemów, ale swego własnego nie mogła wyprodukować i cierpiała nad tym bardzo. Dlatego lubiła niejasne dywagacje Atanazego, pobudzające ją do ściślejszych sformułowań, dlatego to tak łatwo nawrócił ją Wyprztyk przy pomocy „tricku" (jak to nazywała teraz) z niedoskonałą filozofią i doskonałą religią...

I oto właśnie na skręcie modrzewiowej alei, wiodącej do miasteczka, ukazała się nagle wysoka postać w cywilnym ciemnym ubraniu: już po wiatrakowych ruchach można było z daleka poznać księdza Hieronima. Rzucili się oboje do ucałowania ręki, ale on wyrwał się im ze wstrętem – jakkolwiek gest ten był nieco przesadny i przesadzony. Jako znający na wylot dusze tych czworga (tylko co do szczerości nawrócenia Heli miał pewne złudzenia) z łatwością mógł był odwrócić od nich nieszczęście, uświadamiając każdego i każdą z osobna co do czekającego ich losu. Ale cóż, tajemnica spowiedzi – nikt temu rady nie da. A jednak...

– Jestem tu incognito. Przyjechałem zrobić objazd wsi i zbadać sytuację. Myślę, czy tu nie przenieść mojej działalności, między tych autochtonów górskiej krainy, którą w młodości tak kochałem. Jestem przecie z tych stron, tylko trochę poniżej, tam – wskazał dalekie, lasami porosłe Beskidy, majaczące w błękitnej mgle na północy.

Atanazy czuł się bardzo niewyraźnie – jak chłopiec złapany na kradzieży jabłek czy coś podobnego. Zaczął mówić, aby ukryć zmięszanie:

– Zdaje mi się, że wskutek zwlekania z podziałem ziemi i nędzy po wsiach chłopi tutejsi raczej oświadczą się za niwelizmem. Jeszcze nie są zdecydowani, ale już czuć pewną zmianę, choćby w stosunku do nas.

– Tak myślisz, synu – mruknął ksiądz i zamyślił się. – Oto jedyny kącik ziemi, do którego miałem zaufanie, i tu nawet nie mogę być pewnym z moim klasztorem. Ha, trudno, trzeba będzie zdjąć sutannę i czynić dzieło boże po kryjomu. Męczeństwo dla formy zewnętrznej jest rzeczą śmieszną. Jeśli trzeba będzie, zostanę nawet pozornie niwelistą. To dla nich wielka gratka – nawrócony ksiądz. W razie czego inteligencja nie ma być tępiona, tylko przeflancowywana – cha, cha! Tak piszą oni w swoich orędziach.

– Czy ojciec przypuszcza, że aż tak daleko wszystko już zaszło?

– O, daleko. Nie widzą tego tylko ci, co stoją dziś u władzy – i twój papa także, Helu. Minęły czasy bezpłodnych męczeństw. Wierzę, że Kościół na długi czas stanie się instytucją podziemną jak za czasów pierwszych chrześcijan. I nie myślcie, że to ze strachu przed torturami czynię. Nie – napisałem już o tym memoriał do Rzymu. I zdaje się, że na wypadek chwilowego zwycięstwa materializmu na świecie całym nastąpi taka mimikra religii – nie tylko naszej, ale i innych – a potem przyjdzie dopiero ostateczne zwycięstwo naszego Kościoła. W Indiach nawet ruch antyreligijny zaczyna zyskiwać na sile – razem z Anglikami pokonają siebie samych te Hindusy.

Nie chciało się Atanazemu przekonywać ojca Hieronima, że ulega tylko złudzeniom. Według niego nie była ta kompromisowość chwilowym zamaskowaniem w celu obrony na daleki dystans, tylko raczej symptomem zupełnego upadku.

– A jaki jest stosunek ojca do nas pod względem życiowym? – spytał.

– Widzicie, dzieci, wy nie żyjecie w stolicy i nic nie wiecie, co się dzieje – odpowiedział wymijająco ksiądz. – To znaczy: wiecie z gazet, ale nie przeżywacie atmosfery. Ja jestem po stronie przeciwnej, ale muszę przyznać, że jest w tym pewien odcień wielkości. Straszliwa epoka, mówię wam. Wy tu, pod opieką córki „ziemiodzielca", jesteście na razie jak pod kloszem.

– No, nie bardzo. Mówię ojcu...

– E, co tam. Nie macie pojęcia o ogólnym sosie, w którym pławimy się my. Mówią, że właśnie tu niweliści nie dadzą rady i że stworzycie osobną republikę.

– Chyba alkoholiczno-dancingowo-sportowo-suchotniczą z dodatkiem jeszcze sztuki stosowanej. To są brednie, proszę ojca. Ale nie odpowiedział ojciec na poprzednią kwestię: jak ojciec patrzy na zmianę naszego życia?

– No cóż, jeśli koniecznie chcesz, to owszem: jesteście pospolici zbrodniarze. Ty, Atanazy, zabiłeś dwoje ludzi, ona ci tylko w tym pomogła. Wiem, że teraz musisz cierpieć okropnie z powodu upokorzenia – przed samym sobą. I uważaj, żebyś nie został pospolitym alfonsem. Mało jest już w tobie materiału na człowieka. Wypalisz tę resztkę i zabijesz się – taki będzie koniec. A ona zostanie niwelistką, jak Bóg na niebie – czy się zabijesz, czy nie. A to co? – spytał, przypatrując się prędze na policzku Atanazego (w ogóle nie patrzył dotąd na nich wcale). – Czy już cię bije ta czarownica jako narzeczona! Cha, cha!

Atanazy zaczerwienił się.

– Skąd ojciec wie o tym? To niesłychane...

– Jesteś dziecinny, to jeszcze twoja jedyna obrona. Tylko nie udawaj przed sobą więcej dziecinnego, niż jesteś, ona jest szczęśliwa teraz, ale ty nie nasycisz jej serca – to bezdenna próżnia, której nic zapełnić nie zdoła: zwątpiłem w możność jej nawrócenia teraz. Może, może po latach. Ja was tak znam, jak własne gangliony. Mógłbym wam opisać dokładnie przebieg waszego dnia, tylko nie chcę babrać się w świństwach. Mówić do was teraz byłoby zupełnie zbytecznym. Ale kiedyś wpadniecie w moją norę mrówkolwa. Otóż to, wszystko to długo trwać nie będzie i z powodów wewnętrznych, i zewnętrznych. Ty, Atanazy, nie jesteś tak wielka świnia, żebyś w tym długo wytrzymał – nie wiem, muszę się przyznać, że jest w tobie coś tajemniczego.

– Metafizyczna istota bez formy – wtrąciła Hela. – Dziś jedziemy do Indii.

– To na wiele wam się nie zda. Myślicie, że uciekniecie przed waszymi problemami, wyjeżdżając w podróż – one pojadą za wami. A może w Indiach silniej jeszcze wszystko to się rozwinie. Jak widzicie, złagodniałem bardzo – takie

czasy. Mimicry – rzekł tajemniczo i nie żegnając się, odszedł
od nich, wymachując rękami.

– A może ojciec pozwoli do nas na ostatni obiad? Będzie
murbia na zimno – krzyknęła za nim Hela.

Odwrócił się.

– Nie – wybaczcie, ale nie. Mam do was wstręt nie
do przezwyciężenia. – I odszedł.

– Boję się czegoś. Czemu on nam właśnie dziś przeszedł
drogę? – szepnęła Hela.

– On jest jednak wysłannikiem wyższych potęg.

– Z nim odeszło ode mnie tamto życie na zawsze, nie
wróci już. Jedyny Bóg opuścił mnie definitywnie – tu, na tej
drodze.

– Tylko w walce z czymś wyższym od nas jest jeszcze
jaki taki urok życia – w nas czy poza nami. Powiem ci otwarcie, że uważam cię za coś wyższego ode mnie – w pewnym
sensie; wiem, że tobie właśnie mogę to powiedzieć. Ale nie
obraź się: jest to wyższość jakby zwierzęca, rasowa – poza
intelektualną, którą też ci przyznaję. Przed inną kobietą nie
zdradziłbym tego nigdy.

– Przed inną! Drugiej takiej jak ja nie ma na całym świecie. Wiesz, co ci chciałam powiedzieć: na temat miłości
wszystko jest już powiedziane, jeśli nie w życiu, to w książ-
kach; mówienie o tym – to obowiązkowe – uważam za objaw
złego smaku; nie mówmy już o tym nigdy, chyba że będzie
to absolutną wewnętrzną koniecznością.

– Zgadujesz moje myśli. Prawie w tej chwili to samo
myślałem, tylko nie śmiałem ci tego powiedzieć – kobiety
lubią...

– Ach, tylko nie mówmy o kobietach w ogóle. Na drugi
raz „śmiej" – mów, co ci tylko na myśl przyjdzie. Między
nami nie może być żadnego skrępowania, możemy sobie
pozwolić na wszystko.

Kwietniowe słońce budziło powoli zdrętwiałą ziemię. Ta sama fala promienistego ciepła, buchając z oddalonego o biliony kilometrów pieca, objęła wszystko tym samym uściskiem: i budzącą się do życia trawkę, i starego autochtona, i jego krowę, którą wyszedł przegnać po zimowym więzieniu, i śnieżne szczyty, promieniejące metalicznym blaskiem na tle kobaltowego nieba, i tę parę skazańców, uciekających przed ich wspólną męczarnią w daleki, obcy świat. Było to banalne, ale prawdziwe. Raczej nie była to prawda zrozumiała, tylko najzwyklejszy fakt, zrozumiany od wewnątrz jako najdziwniejsza dziwność. Zdarza się to niezmiernie rzadko – inaczej zresztą normalne życie byłoby niemożliwym. Cała małość zniknęła. Czuli przepływający koło nich czas, zatrzymani nad nieskończoną wklęsłością wieczności przez to samo uczucie – stopienia się z całym światem – które ich też spoiło w jedność. „Gdyby tak wszystko od razu to samo poczuło, świat przestałby istnieć" – pomyślał Atanazy, ale nie śmiał powiedzieć tego głupstwa obkutej w filozofii Heli. Możliwe, że była to wielka prawda naiwnie wyrażona – „pojęcie Istnienia implikuje pojęcie Wielości" – powiedziałaby Hela w swoim filozoficznym żargonie.

Żal im było teraz (po rannym ataku szału) rozstawać się z tą smutną, górską wiosną, ale oczekiwane zdarzenia polityczne wisiały już nad głowami jak złowroga burzowa chmura. A z chwilą dojścia niwelistów do władzy można było oczekiwać wszystkiego: oprócz zarżnięcia mogło być i uwięzienie, a w najlepszym razie niemożność wyjazdu za granicę. Postanowili nie brać Łohoyskiego i wyjechać w tajemnicy przed nim (od rana wyszedł na swoje eksploracje i miał wrócić dopiero późnym wieczorem), mianując go przez Ćwirka opiekunem willi Bertz. O siódmej wieczór stali już w oknie sleepingu Orient-Ekspresu, żegnając ulatujący pejzaż. Migały przed nimi przykarpackie wzgórza w czerwonawym mroku zapadającego wieczoru. Tam w szarej dali za nimi zostawał ich kraj – raczej jego, Hela była już kosmopolitką zupełną – rozszarpany jak jedna wielka rana. Nad tą raną unosił się tylko cień Zosi (który, zdawało się, opuścił Atanazego w tej podróży) i piętrzył się u władzy żywy (jeszcze) stary Bertz – jedyne rzeczywiste istoty, które zostawiali za sobą. W tej chwili nie obchodziło ich to wiele – byli szczęśliwi. „Teraz albo nigdy spełni się moje przeznaczenie" – myślał Atanazy, czując gdzieś na dnie, że popełnia fatalny błąd, przenosząc środek ciężkości wszystkiego na zewnątrz, licząc na zmianę miejsca, nową miłość i przypadek. Ale nie chciał zbyt wyraźnie uświadamiać sobie tych prawd. Nie wiedział, że stany, które przeżywał dziś rano, miały powrócić ze zdwojoną siłą – był zanarkotyzowany. Na razie podróż z Helą, i to do wymarzonych od dzieciństwa tropików, pokryła wszystkie wątpliwości – nawet problem alfonsostwa usunął się w „tło zmięszane", czuł się teraz dosłownie jak pocisk wypuszczony z działa – nareszcie „myśliciel" ten przestał na chwilę myśleć.

Informacja

Nie przeczuwał tego wszystkiego Prepudrech i pewny był, że zobaczy swoją żonę i przyjaciela ich „domu" na rozprawie. „Cóż to za wspaniała rzecz sztuka! Gdyby to wszyscy wiedzieli, wszyscy zostaliby artystami" – myślał czasem z wdzięcznością w stosunku do Ziezia, a także Łohoyskiego i kokainy w ów wieczór, kiedy po raz pierwszy zdobył się na odwagę przedstawienia swoich bzdur tak wielkiemu „mogołowi" jak Smorski. Nie wiedział, że nie jest już artystą w znaczeniu dawniejszym, jak jego mistrz – nie miał kryteriów, aby to sprawdzić. Jako uboczny produkt pragmatycznego stosunku do świata powstawała tego rodzaju sztuka (ostatni typ już na tej planecie) nie jako twórcza konieczność przeżyta do głębi, niewypuszczona przez tak zwany „metafizyczny pępek" (bezpośrednio dana jedność osobowości), nieprzepuszczona nawet dostatecznie przez pokręconą sferę myśli i wyobrażeń, tylko zrobiona, sfabrykowana raczej, przez prawdziwy nawet talent z pomocą artystycznego intelektu, a nawet tego zwykłego, spekulatywnego. Wkrótce po przewiezieniu z powodu braku oddzielnego miejsca przeniesiono obojętnego jak tłomok księcia do innego więzienia, gdzie siedziała wyższa marka tej klasy ludzi: przestępcy polityczni. Nie można było trzymać muzyka tej miary i w dodatku księcia między zwykłymi zbrodniarzami. Chłopomani odznaczali się programową względnością osobistą wobec ci devant aristos – również pewna forma snobizmu. Rozprawa miała się odbyć niedługo, mimo że główni świadkowie uciekli za granicę. Ale co to kogo w tych czasach obchodzić mogło. W prowincjonalnej stolicy dopiero poznał Prepudrech rozkosze prawdziwego więzienia i zaznajomił się gruntownie z niwelizmem, siedząc, podczas śledztwa jeszcze, w jednej celi z Sajetanem Tempe, z którego ważności, mimo przypadkowego uwięzienia w jakiejś pomniejszej organizacji, nikt sobie wtedy sprawy nie zdawał. Miał szczęście ten przeklęty Tempe, że najwięksi jego wrogowie zginęli w pamiętnych dniach listopadowych. Jeden stary Bertz wiedział coś o tym, ale milczał na wszelki wypadek ze względu na niepewną przyszłość. Tam to definitywnie stał się Prepudrech artystą i zaciekłym niwelistą jednocześnie. Czego nie dokonało samo uwięzienie, dokończyły rozmowy z Sajetanem, którego dialektyka była nie do odparcia. Czekali obaj przewrotu jak zbawienia. Wkrótce rozeszły się ich drogi: Tempe pozostał w więzieniu śledczym, a skazany (dzięki interwencji poczciwego Bertza, a pośrednio i Heli) tylko na dwa lata książę (obecnie towarzysz Belial in spe) przeniesiony został do „zakładów poprawczych" w Górach Świętokrzyskich. Wyrok zniósł spokojnie, jak prawdziwy artysta. Ale odjechał z obietnicą Tempego natychmiastowego uwolnienia go w razie zwycięstwa niwelistów. Obiecywał sobie, że nawet dwa lata wytrzyma, a całą młodą energię włożył w niepohamowaną twórczość muzyczną. O Heli od chwili wystrzału nie myślał prawie zupełnie. Jakoż Tempe dotrzymał swego przyrzeczenia. Już w kilka miesięcy towarzysz Belial opuścił miejsce kaźni z plikiem takiej marki utworów, że zaraz prawie mianowany został głównym komisarzem dla muzyki – ale o tym później.

Łohoyski, zostawszy sam w willi Bertz z pensją wypłacaną mu przez „butlera", z właściwą tylko prawdziwym arystokratom zdolnością przystosowywania się, rozpoczął życie zupełnie już fantastyczne. Zmienił przede wszystkim kompletnie swoją ideologię i stał się czymś niedającym się wtłoczyć w żadne kategorie. Nazywał to „pluralizmem życiowym", a jedyną jego ulubioną lekturą stali się teraz William James i Henryk Bergson. Reszty dopełniały szalone orgie z autochtonami i dodatkowy, prawie że idealny stosunek z Jagniesią Hlusiówną, którą pocieszał, jak mógł, po stracie jedynej jej miłości: księciu Azalinie Prepudrech. Powoli, ale systematycznie odzywała się w nim krew matki, obłąkanej księżniczki rosyjskiej z Rurykowiczów. Marzył o kokainie, ale na próżno. Ciężkie nastały czasy dla „drogistów" – za sprzedaż tego „szlachetnego narkotyku" naznaczona była kara śmierci. Zamknęło się nad nim wieko powszedniejącej z dnia na dzień rewolucji. Wszyscy ginący ludzie przyzwyczajali się powoli do tego stanu chronicznego kryzysu. Przeżyć dzień, zapełniając go byle czym, byle tylko nie myśleć o tym, co będzie – to było głównym zadaniem. Niektórzy, zupełnie nawet obcy niwelistycznemu ruchowi, czekali nowej „awantury" z upragnieniem, ponieważ ten stan rzeczy zaczynał być sam w sobie nudny. Na podstawie tej psychologii i nędzy niwelizm zdobył sobie tylu wyznawców wśród upadającej inteligencji, tym bardziej że obiecywano jej przedstawicielom, że zostaną „zużytkowani".

Z daleka od tego nowego centrum społecznych eksperymentów, w atmosferze wspólnie wytworzonej przewrotnej miłości, Hela i Atanazy dokonywali swoich ostatecznych transformacji. Wszystko jednak miało się skończyć zupełnie inaczej, niż to mógłby przewidzieć największy życiowy fantasta.

Nie ma najnormalniejszego człowieka, który by pozwalając sobie na wszystko, nie doszedł do najdzikszej erotycznej perwersji i nie uczynił z nasycenia się niezmiernie skomplikowanego procederu, obstawionego spełnieniem piekielnie rzadkich i zawiłych warunków. Z początku wszystko było dobrze. Życie erotyczne bez przeszkód z dnia na dzień uspokoiło trochę ich oboje i pozwoliło nawet wznieść się na pewien – śmiało można powiedzieć – wyższy poziom duchowy: zaczęły się „istotne rozmówki". Odbywało się to za pieniądze Heli – tak – ale cóż w tym złego: była jego najprawdziwszą żoną, tylko bez ślubu; rozwód z Azalinem, na tle nieudanego morderstwa, był tylko kwestią czasu. Ale cóż mogli robić innego, jak nie czytać razem, rozmawiać i nasycać się sobą, z początku w dość stosunkowo normalnych wymiarach. Tak było jeszcze w Atenach, gdzie w smutny, szary, wiosenny dzień zwiedzali nędzne greckie ruiny (tu przypomniał się im biedny, bredzący o Grecji Tvardstrup), tak było w Port-Said i nawet (mimo czterdziestostopniowego upału) na Morzu Czerwonym. Intuicyjne, nieoparte na ścisłych studiach, filozoficzne dywagacje Atanazego były dla umysłu Heli żerem, którym karmiła swój wyostrzony, ale bezpłodny intelekt. Razem tworzyli nowy witalistyczny system, ale utknąwszy kiedyś na nierozwiązalnym problemie „istot nieskończenie małych" i tak ironicznie zwanego „metafizycznego śluzu", niezróżniczkowanej, żywej pramaterii, zagłębili się w kwestie społeczne, tak blisko związane z zagadnieniem organizacji istnień nieswobodnych w wyższe indywidua.

Bezsilność jednak współczesnej myśli (czy nie myśli w ogóle nawet najdoskonalszych istot?) wobec problematu dualizmu, który wyrastał w ich systemie jako dwoistość niesprowadzalna istot żywych (aż do przeklętych nieskończenie małych włącznie) i jakości w ich trwaniach, zaczęła powoli zniechęcać ich oboje do zgłębiania tych tajemnic. System fizyczny i witalistyczny zlewały się razem w granicy: z chwilą przyjęcia istot nieskończenie małych występowała konieczność przyjęcia czegoś jeszcze, jakiegoś spiritus movens dla wszystkiego, energii czy też jakiegoś substytutu znienawidzonego „élan vital" Bergsona, a ordynarny dualizm psychofizyczny stawał się nie do uniknięcia. Jedyną pociechą tego systemu było to, że w całym nieskończonym Istnieniu nie było nic prócz indywiduów i jakości w ich trwaniach – ale tu znowu cienka ścianka dzieliła to wszystko od zwykłego psychologizmu. Próbowali wgłębić się w Russella – okazał się za trudny, nawet na ich mózgi, a w swoich łatwiejszych pracach pomniejszał się do wymiarów zwykłego, czysto negatywnego stróża tajemnic – „no admittance this way (please)", a o Chwistku, z jego nieeuklidesową (w znaczeniu przenośnym) matematyką nawet marzyć nie śmieli. A cóż innego robić mogli, jak nie to i jeszcze tamto, w czym stawali się coraz bardziej nienasyceni i rozbestwieni – bestwili się, bestwili, aż się rozbestwili. Przesuwające się coraz to nowe tło nasycało w nich także pożądanie zmiany. Ale już gdy minęli Półwysep Somali i Wyspę Sokotra i gdy wzięły ich w swe objęcia wściekłe podmuchy „South--Eastu", południowo-zachodniego monsunu (a był to już początek czerwca i gorąco było straszliwe), niewystarczalność wszystkiego stała się jasna w ten niemiły sposób jak tropikalne słońce. Mieli jedną jeszcze rezerwę: Indie. Tam znalazła Hela, na razie w książce Sir Grahama Wensleya i na mapie, jakąś mniej znaną miejscowość, Apura, gdzie dorocznie właśnie w czerwcu zgromadzały się tysiące wiernych dla uczczenia, ręką samego Buddy zasadzonego, świętego banyanu – tam miało nastąpić objawienie ostateczne.

Tymczasem pożerali się w niesytych pieszczotach jak pająki, o ile w ogóle pieszczotami można nazwać to, co się między nimi działo. Atanazego zaczęło ogarniać powoli jakieś nieznane mu dotąd niesamowite psychiczne zmęczenie, graniczące chwilami z zupełnym umysłowym (na szczęście jeszcze nie zmysłowym) zaćmieniem. Coraz cięższe były dlań rozmowy z kochanką, coraz mniej go zajmowała dyskursywna filozofia. Oddawał się za to cichej kontemplacji własnej nicości, czemu pomagał znakomicie bezmiar otaczającego oceanu. Patrzył bezmyślnie godzinami (w przerwach od morskiej choroby), jak podnosiły się zielonawo przeświecające góry fal i jak z ich lśniących powierzchni wypadały, jak srebrne strzały, latające ryby, by upaść znowu w ruchome masy wód błyszczących błękitem odbitego nieba. A kiedy zmrok zapadał znienacka, tak samo bezmyślnie wpatrywał się w zielone fosforescencje wzdłuż biegnącego okrętu – jasno błyszczące na powierzchni i łyskające tajemniczo jak twarze umarłych, w głębi, w półprzeźroczystej smudze spienionej ruchem śrub wody. Monsun słabł i wygładzały się myśli Atanazego aż do zupełnego ogłupienia. Jeszcze dawne „menu" prawidłowo zmiennych rozpaczy wracało od czasu do czasu, ale słabiej. Przewrotna miłość zjadała go jak kwas pożerający metal, wchłaniała jak amerykańskie czy pińskie bagno konia czy człowieka. Sam nie wiedząc kiedy, ani się opatrzył, jak stał się własnym cieniem, istniejącym tylko w potworniejącej z dnia na dzień erotycznej wyobraźni tej kobiety. Nie wiedział naprawdę, czy ją kocha. W miarę jak nasycał jej ciało i swoją żądzę, poddając się jej piekielnym wymysłom, a może nawet wynalazkom (chociaż, co tam jest nowego na świecie?), dusza jej stawała mu się coraz bardziej obca i tajemnicza, co potęgowało w nim jeszcze nienormalne, upadlające do niej przywiązanie. Upajał się jej złowrogim czarem jak beznadziejnym narkotykiem. Czyż tak miało wyglądać to „zniszczenie", za którym dawniej tęsknił? Czyż nie lepszy był biały, czysty proszek w szklanej rurce, którą przechowywał jak najcenniejszy talizman – ten właśnie, a nie inny – graniczyło to z lekkim fetyszyzmem.

Ale to zabójcze upojenie nasiliło się jeszcze, gdy wysiedli na ląd w Bombaju. Przepych tropikalnej roślinności i niewiarogodny żar słońca, które tu przestało być dobrotliwą potęgą i zmieniło się w groźne bóstwo zniszczenia mogące zabić przez nieostrożne zdjęcie chroniącego hełmu nawet na kilka sekund, żar, niezłagodzony już słonym oddechem oceanu, a mokry i duszący, czarno-brązowe ciała, rozszalałe barwy strojów ludzi i kwiatów – wszystko to zmieniło codzienny dzień od samego rana w męczący koszmar, potęgujący się w czarne, ziejące żarem noce do rozmiarów potwornego obłędu. Spoceni, rozpaleni, przesyceni pieprznymi tropikalnymi potrawami, nieprzytomni z nieustającej żądzy i wyczerpania, które chcieli oszukać coraz to nowymi pomysłami, tonęli w nieprawdopodobnej sadystyczno-masochistycznej lubieży.

Dziwność otaczających form, specyficzna ponurość podzwrotnikowej przyrody przygnębiały Atanazego. Włóczył się półprzytomny za Helą, zwiedzając świątynie, teatry i zakazane spelunki, patrząc na pogromców węży i fakirów, wyprawiających w biały dzień niepojęte cuda. W głowie miał chaos bóstw, kwiatów, zwierząt i niesamowitych ludzi. Męczyły go na równi splątane figury na frontonach brahmańskich świątyń i wiecznie ten sam, głupkowato--mądrawo-chytro-naiwny, zmysłowy uśmiech olbrzymich posągów Buddy, a nade wszystko tajemnicza psychologia ludzi, którzy przez swoją niezrozumiałość robili wrażenie złowrogich automatów. Nie – to wcale nie była taka przyjemna rzecz te osławione tropiki. Ileż by dał w tej atmosferze za jedną chwilkę czerwcowego krajowego upału z podszewką chłodnego powiewu, którego tu nie było ani śladu. Wicher, o sile górskiego hurikanu w Zarytem, był tu gorący, jakby wiał z wnętrza olbrzymiego pieca, a rzadkie ulewy zamieniały się natychmiast w parę, nie ochładzając powietrza, a czyniąc je podobnym do tego, które bywa na najwyższej półce w łaźni – czuło się to charakterystyczne szczypanie w nozdrza. Każda trawka, każda najdrobniejsza roślinka była tu obca. Nawet chmury układały się w zupełnie inne formy i oszałamiająca piękność zachodów słońca, po których gwałtownie zapadała czarniejsza przez kontrast w porównaniu do naszych noc, pełna była złowróżbnej grozy.

A jednak brnął w to wszystko z coraz większym zapamiętaniem i z rozpaczą myślał, że kiedyś trzeba będzie się tego wyrzec – czemu, nie wiedział. Nie da się ten urok tropików rozłożyć na elementy proste, sprowadzić do rzeczy znanych – jest jak blok litej skały, urąga wszelkiej analizie. Taka jest tajemna potęga tych krajów – kto raz je ujrzy – może znienawidzić je nawet – jest niewolnikiem tej wizji do końca życia. Ostatecznie mogli zostać, gdzie by chcieli i na ile czasu by chcieli – wszystkie banki stały dla Heli otworem: nazwisko Bertz nawet i tu było znanym, a zresztą Hela miała pełnomocnictwo papy na wszystkie sumy zagraniczne.

Ale Atanazy czuł, że tak się skończyć nie może, żeby on rozlazł się powoli w erotycznym świństwie, nawet tak wysokiej marki – mimo że nic na razie nawet nie przeczuwał, miał już teraz pewność, że inne czekają go przeznaczenia. Jednak niedługo miał nadejść czas ten, w którym podświadome materiały skonsolidowały się w pozytywny plan działania. A Hela, wpadłszy w szał podróżomanii, pędziła przed siebie jak szalona, pochłaniając jedno miasto za drugim. W miarę jak potęgowała się ich zmysłowa miłość, w Atanazym zaczęła zachodzić dziwna przemiana. Stłumiony nasycaniem nieznanych pragnień wyrzut sumienia powstawać zaczął znów na horyzoncie duszy jak blade, niskie podbiegunowe słońce, oświetlając w zupełnie odmienny sposób to pobojowisko ostatnich złudzeń, jakim było naprawdę obecne jego życie. To coś nieobjętego w swym ogromie (może było to histeryczną fikcją), co czuł kiedyś dla Zosi i czego by teraz nie śmiał nawet nazwać miłością, zaczęło się w nim rozrastać jak nowotwór – powoli, ale ciągle. Coraz częściej obcował w myślach swych z duchem zabitej (inaczej jej nie nazywał) żony. „Żona" – jak dziwnie brzmiało to nigdy do ostatka niepojęte dla Atanazego słowo teraz, kiedy jej już nie było. Dawniej było symbolem rezygnacji z życia, tym „zakorkowaniem", o którym marzył – dziś zdawało się oznaczać całe utracone i pogardzane niegdyś to zwykłe szczęście, które teraz dopiero zaczynało być czymś istotnym na tle zaspokajanej żądzy samozniszczenia. Mimo że uczucia obojga kochanków stawały się coraz bardziej dzikie i nieposkromione, poprzez chwile niszczącego szału zaczęło przezierać dno tej całej awantury i widmo rozczarowania i niemożności nasycenia się rzeczywistością straszyło ich już czasami beznadziejną pustką. Bezsilność w okłamywaniu tej nicości żądzy bez miłości istotnej stawała się coraz wyraźniejsza, jakkolwiek oboje nie chcieli się do tego przyznać. Ani dla Heli nie był to ten „tygrysi skok", o którym marzyła, ani dla Atanazego wymarzone niby zniszczenie nie miało już tego uroku, jaki wyobrażał sobie przed śmiercią Zosi.

Nareszcie dojechali do ostatniej stacji przed Apurą. Zostawili automobile i bez służby puścili się we dwoje tylko dwukolnym „bullock-cartem" w dwa garbate woły, z jednym woźnicą. Przez „wysoką" dżunglę wśród piekielnego „mokrego żaru", jadąc pięć dni i nocy, dostali się do małej wioski położonej u stóp granitowej, nagiej góry, podobnej do grzbietu olbrzymiego słonia, piętrzącej się wśród morza rozszalałej roślinności. Była to właśnie owa wyśniona przez Helę Apura. Uroiła sobie Hela, że tu musi spaść na nią objawienie mogące zmienić jej dotychczasowy pogląd na świat, uwalniając ją ostatecznie od katolickiej idei pokuty, niedającej jej żyć całą pełnią. Dusiła się już bowiem w sobie od pewnego czasu i Atanazy przestał jej wystarczać jako intelektualny żer. Fizycznie czuła się cudownie i znosiła klimat i niewygody doskonale – tylko stan metafizyczny pozostawiał wiele do życzenia. Zarażony tym intelektualnym nienasyceniem kochanki, Atanazy czekał też z upragnieniem (nie wiadomo czemu) tego kresu ich indyjskiej podróży. Potem miał nastąpić Cejlon i Wyspy Sundzkie.

Była wietrzna, księżycowa noc. Palmy gięły się jak trawy i drzewa dżungli, splątane lianami w nieprzebyty chaos, huczały jak morze uderzane miarowymi wybuchami wichru. Raz w raz słychać było trzask gałęzi i huk głuchy: to spadały z drzew ogromne owoce wielkości dyni wiszące na długich kichach i orzechy palmowe. Księżyc w pełni oświetlał potwornie dziwny i smutny krajobraz. Po niebie leciały nisko nad ziemią białe chmury rozszarpane wichrem w kształty niedające się porównać z formami naszych obłoków. Atanazy był zdenerwowany: przez ostatnie dziesięć kilometrów szedł za ich dwukolnym wozem, pokrytym budką z palmowych liści, ogromny słoń. Szedł sobie spokojnie, z głową tuż przy otworze budy i nie czynił nic złego, ale gdyby chciał, mógłby bez wysiłku zrobić jedną marmeladę z wozu, wołów i ludzi. Czemu tego nie robił i czemu szedł, nikt nie byłby w stanie powiedzieć. Z dżungli po obu stronach drogi dochodziły na tle szumu wichru żałosne miauko-szczeki gepardów. Helę bawiła niezmiernie ta przechadzka słonia. Kształt jego, chwiejący się miarowo, zasłaniał cały otwór budy i widać było w miesięcznym blasku jak na dłoni jego trąbę, którą czasem podnosił, zdecydowany jakby już na jakiś słoni żarcik, i kły białe, błyszczące w zimnych promieniach, i małe złośliwe oczka. Ginąć w tak pospolity sposób nie uśmiechało się wcale Atanazemu mimo częstych napadów samobójczej manii i ledwo powstrzymał Helę, która koniecznie chciała podrażnić słonia okutą ostro laską w trąbę. Wreszcie znudzony olbrzym został wśród leśnej drogi, wymachując trąbą, a potem runął z potwornym trzaskiem w las, skąd odezwały się jakieś podejrzane ryki. Woźnica, nierozumiejący ani słowa po angielsku, mówił do nich coś niepojętego w hindustańskim narzeczu, a potem zaśpiewał dziwną pieśń bez określonej melodii. Ta niewinna przygoda rozdrażniła Atanazego, który po odejściu słonia chciał posiąść Helę na wozie, co czynił już wiele razy. Ale księżna Prepudrech odsunęła go łagodnie.

– Nie, nie teraz. Zbliżamy się do świętego miejsca – burknęła dość nieprzyjaźnie w odpowiedzi na jego powtórne zabiegi.

Właśnie mijali grupę pielgrzymów biało ubranych i w białych turbanach na głowach. Z głębi lasu, w przerwach od podmuchów wichru, słychać było nieregularne bicie drewnianych bębnów. „Czyżby już naprawdę była buddystką? – pomyślał Atanazy. – Co za zdolność transformacji. To tylko Żydzi zdolni są do czegoś podobnego". Pierwszy raz pomyślał o niej w ten sposób od wyjazdu. I jednocześnie ujrzał prawie że materialnie twarz umarłej Zosi, taką, jaką widział przed samym włożeniem do trumny: z jednym niedomkniętym okiem, ukośnie jakby na niego patrzącym, i z nienormalnie wywiniętymi wargami, przez które błyszczały zęby. Poczuł się sam z tajemniczą, obcą mu kobietą wśród mrowia czarnych, niepojętych ludzi – i straszna tęsknota za Zosią i „tamtym" życiem zalała go ciepłą, bolesną i wstrętną falą. Pogarda, z którą ona od niego odeszła, przygniotła go ciężarem nie do zniesienia. Jakimkolwiek czynem ponad siebie wyrównać trzeba ten piekielny rachunek i móc, odchodząc, pojednać się z jej duchem, być z nim na równi. Cała wyższość nad nią, którą odczuwał za jej życia, zmieniła się teraz w zupełne poniżenie: czuł się małym i nie było na to sposobu – miał rację. „Jestem człowiek skończony za życia. Trzeba teraz skończyć to życie jak najprędzej, zginąć w porę po własnym istotnym końcu – tylko nie tu, nie tu. Dokonać czegoś przed śmiercią, ale tam, skąd jestem. Ale czego? Boże! Jak mało ma człowiek możliwości, choćby nawet chciał zginąć w jakiejś awanturze. Albo wszystko jest za małe, albo absolutnie nieosiągalne. Ale tego właśnie, czego akurat potrzeba, nie ma nigdy". Zazdrościł Heli jakiejkolwiek wiary, nawet tej w katolickiego Boga, mimo że zdawał sobie sprawę z nieistotności obiektywnej tych jej przeżyć. A jednak mimo tak częstych zmian i sprzeczności coś było żywego w tym wszystkim, a dla niej, proporcjonalnie do jej psychicznej struktury, ta zmiana właśnie może była czymś najistotniejszym. W „resthousie" w Apura oczekiwała ich telegraficzna poczta. Między innymi kablogram starego „butlera" Ćwirka z willi Bertz w górach, przeszwarcowany najpierw przez południową luptowską granicę. Wiadomości były „intensywne": tryumfująca niwelistyczna rewolucja w pełnym biegu, Tempe na czele jako komisarz dla spraw wewnętrznych, stary Bertz rozstrzelany przypadkowo, bez sądu, przy zdobyciu pałacu, willa skonfiskowana, Łohoyski uwięziony, Prepudrech wypuszczony, mianowany komisarzem czystej muzyki. Atanazy nie otrzymał nic – nie miał, biedactwo, od kogo. Samotność jego stawała się prawie że aż metafizyczna – jak po dużej dawce eteru. Jedynie ona i to taki potwór. Ale w tym jest cały urok.

Hela, nie powiedziawszy ani słowa, zamknęła się w swoim pokoju. W ogóle były w domu tym tylko dwa pokoje z łazienkami. Gospodarzem był stary, gruby Hindus z siwą, rzadką brodą – na dziesiątki kilometrów nie było białych ludzi dookoła. On nawet bliższym był Atanazemu niż ta dziwna stwora (inaczej jej w myślach nie nazywał), do której, mimo całej obcości jej, był jednak w pewien sposób piekielnie przywiązany. I teraz, kiedy twarz jej skurczyła się od bólu na wieść o śmierci ojca (Hela stała się nagle do niego podobna – podobna i ptasia, bardzo ptasia) [„ach, ona będzie taką na starość" – zdołał pomyśleć Atanazy], zmęczone potworną miłością jego serce zabiło dla niej w jakiś ludzki sposób. Ale był właśnie „małym" w tej chwili – nie mógł powiedzieć nic. Obie one gnębiły go bezlitośnie: jedna jako cień, objęty wielkością dobrowolnej śmierci, w czym dla niego przekreślał się cały świat i on sam ze swoją „samoosobową" ważnością, druga – jako wcielenie niepojętej kombinacji: takiej piekielnej semickiej inteligencji i takiej perwersji, a w dodatku tej najpiekielniejszej, jedynej dla niego piękności. „Czy może to różnica ras wytwarza ten stan obcości nie do zniesienia. Ona jest jednak niezdobyta w tym samym stopniu, co ten gospodarz Hindus czy pierwszy lepszy kulis chiński, z którym chciałbym się porozumieć. Ale to właśnie nadaje pożądaniu ten diaboliczny charakter, tę absolutną dzikość i niezrozumiałość, na tym także polega to coś niedającego się ująć, czym mnie opętała". I teraz widział jasno, że jeśli ona go opuści pierwsza, zgubiony jest bez ratunku. Ale skąd wziąć siłę, aby od niej odejść? Chyba tamten cień, zwyciężając jego samego za cenę tamtego cierpienia na nowo od samego początku, wyzwoli go z tego piekła, aby wciągnąć go do swego własnego, na wyższej kondygnacji ducha. Ale wtedy trzeba z tego nędznego życia zrobić ofiarę dla czegoś – ale czego? Dysproporcja pojęć i faktów, uczuć urojonych i obowiązków, i rzeczywistej mizerii – nie do wyrównania. Wszystko stawało się tak niepojętym i do dna potwornym jak wtedy, gdy jechał z Alfredem, wracając od Łohoyskiego – i to bez kokainy i inwersji: był znowu w prawdziwym piekle.

Wokół resthauzu szumiały drzewa gięte wściekłym monsunem, a w drgającym płomieniu świecy spalały się dziwaczne muchy i komary, i ćmy ogromne: czarne i złotawe. Kilka z nich walało się po stole, furcząc opalonymi skrzydłami. Moskity cięły bez litości. Ich cichy chóralny śpiew brzmiał jak jakiś ostrzegawczy sygnał: „ratuj się, póki czas". Z daleka dochodził przerywany szumem wiatru odgłos bębnów. Wszystko było straszne i idiotyczne – jak twarz wolowatego kretyna przylepiona do szyby na tle ciemnej nocy. I to jej spojrzenie skierowane w niego, oderwane, odklejone od tamtej depeszy. Co myślała ta nieodgadniona stwora, co zamierzała dalej? Tym straszniejsza była ta jej „nieodgadnioność", że przecież mówiło się o wszystkim, nic nie pozostało niewypowiedzianego, sytuacja powinna być jasna i prosta, jak rozżarzony napięty drut – w tej niesprowadzalności tkwił jakiś szatański „trick". Na sekundę, na ćwierć sekundy zdołał Atanazy ująć tę chwilę artystycznie w dawny sposób. Ale wtedy „operował małymi napięciami". Teraz popsuł się transformator potencjałów i prąd przerywany o ciągle zmiennym, ale zawsze straszliwym natężeniu płynął przez jego duszę, a nawet ciało, spalając wszystko niewysłowionym żarem, stapiając heterogeniczne elementy jaźni wyższego rzędu w jedną kupę zwierzęcego strachu, cierpienia, obłędu i rozkoszy. Na ile czasu starczy jeszcze sił? Kojący moment bezosobowego artystycznego ujęcia (jakby z boku) całej tej historii rozwiał się bez śladu. Zostawała niepozwalająca się w żaden sposób odwartościować naga, bezwstydna straszność istnienia. Było to tak, jakby Atanazy, przesuwając rączkę transformatora na niższe, raczej inne napięcia, złamał ją. Pchnięta sprężyną maszyneria odprężyła się na dawne miejsce, strzałki zegarów skoczyły znowu daleko poza czerwone linie niebezpieczeństw i wszystko poszło dalej niepowstrzymanym tempem. Ach, zatrzymać to tam – na to trzeba być artystą. Wzdrygnął się dawnym wstrętem na to słowo i całe dzieciństwo i młodość zawirowała przed nim szalonym kołowrotem wspomnień. Tam to, w podświadomych głębiach, była już zawarta ta chwila, i wszystko, co nastąpi dalej. Za olbrzymim, zasłaniającym świat widmem Zosi mignęło w innym już wymiarze widmo matki, skurczone i biedne, a dalej jeszcze już tylko zapach lewkonii na jakimś klombie i czarna łapa z dzwoneczkami wysuwająca się zza pieca we śnie o piekarni na wsi, ale nie tej prawdziwej, tylko spotęgowanej, stokroć rzeczywistszej, nigdy niebyłej. Ocknął się. Na tle niszczącego całą radość życia poczucia własnej małości przesunęła się myśl, że jednak on coś takiego przeżywa, że to nie jest znowu takie zwykłe i banalne, że coś w tym jest – i myśl ta odwartościowała do reszty wszystko, demaskując przed nim samym jego własne, nędzne komedianctwo. Kółko bez wyjścia zamknęło się znowu – tym razem zdaje się na dobre. Nie miał siły dobijać popalonych ciem, jak to czynił zawsze z litości. Na dworze (to słowo wydało mu się obcym w stosunku do tej całej natury) huczał obcy wicher, gnąc obce drzewa, a tam, w drugim pokoju, ona, połączona z tą całą obcością otoczenia, dziwna, niepojęta, uchodząca w swój świat niedościgły dla niego nawet w najśmielszych myślach. Wedrzeć się tam, zdobyć jak horda barbarzyńców jakieś miasto, złupić, obrabować, nasycić się raz w życiu. Na próżno myślał tak – wiedział, że to niemożliwe. A może to właśnie jest prawdziwa miłość?

A jednak pocieszył się trochę. Moment artystycznego ujęcia pozostawił jakiś ślad nadziei. Ale czuł, że nie na tej drodze należy szukać wyzwolenia – raczej w jakimś szalonym akcie woli, na przekór wszystkiemu i sobie: świadomie oddać się katom na tortury. Skąd zaczerpnąć na to sił i odwagi? I nagle, przeniesiony z tamtych światów z nieskończoną szybkością, był znowu tu, w środku Indii, mały – takie nic, co mogłoby być wszystkim – zdany na pastwę fantazji obcej, fantastycznej i kochanej (ach, ale w jakże okrutny sposób), a przede wszystkim tak nieznośnie pożądanej „stwory" nie z tego świata. Czuł ją we krwi, w mięśniach, w kościach, wszędzie – w każdym włókienku znienawidzonego, pogardzanego swego ciała. „A może ona dlatego jest dziś taka, że nie dałem jej pchnąć słonia w trąbę laską? – myślał, zapominając o śmierci starego Bertza i o buddyzmie. – Może myśli, że się bałem? Dla udowodnienia tego, że tak nie jest, mogę się zabić w każdej chwili". Przeraził się tej myśli (a może był to odruch tchórzostwa?), że mógłby dla tak marnej przyczyny umrzeć podłym, takim, jakim był dla Zosi przed śmiercią, nie usprawiedliwiwszy swego życia odpowiednim zakończeniem, nie połączywszy się z jej duchem. Co będzie? Przypomniała mu się rewolucja i doznał nagle ulgi – tam jednak, w jego kraju, zamieszkiwał naprawdę duch Zosi, tam jedynie mógł się z nim połączyć. „Narody się przeżyły. Już faszystą być bym nie mógł, bo w to nie wierzę. To są ostatnie podrygi. To wytrzebiła wielka wojna. Przecież biłem się już za te rzeczy i co z tego zostało dla mnie? Wobec tego konsekwentnie powinienem przyjąć udział w rewolucji niwelistycznej. Chyba to jest ostatnia już marka, bo cóż jest poza tym? Wystarcza jako nasycenie mojej ambicji. Uda się czy nie uda – w tym jest wielkość, bo to już jest dno. A ostatecznie wszystko wali w tym właśnie kierunku. To już jest prawo metafizyczne. Ale myśląc tak, okłamuję samą ideę tej rewolucji, bo nie wierzę w pozytywne wartości przyszłej, zmechanizowanej ludzkości, ja, arystokrata, mimo że z małej tatarskiej szlachty – o czemuż nie jestem chociaż hrabią jak ten przeklęty Jędrek – temu nawet w więzieniu jest dobrze, bo może sobie powiedzieć: a jednak jestem hrabia – a ja, mdły demokrata z wychowania i całej kultury (o ile ją mam w ogóle?), nie wierzę i nie uwierzę w nic nigdy. Ale czy właśnie zginąć dla tego, w co się nie wierzy, czy to nie byłoby właśnie moją najwyższą marką tej «grandeur privée», którą pocieszają się ludzie bez sławy, majątku i nazwiska, tych trzech najprzykrzejszych życiowych wartości. A jednak to, że udaję perskiego księcia przed jakimś portierem w hotelu, bawi mnie – inaczej teraz chodzę i mówię do służby – nawet Hela to zauważyła. O nędzo!".

Te dziwnie pospolite, czysto życiowe myśli, rysujące się na tle rozmyślań poprzednich, w środku Indii, w towarzystwie tej... („metafizycznej kurwy" – chciał „w granicy" pomyśleć, ale się wstrzymał) – („chyba ją jedną kocham – szepnął – o ile to słowo ma jakiś sens w ogóle"), zdawały się jakby spokojną plamą rozlanego, śmierdzącego duchowego tłuszczu wśród wirujących fal spotworniałej, męczącej dziwności.

Otworzyły się dalsze drzwi, potem te i do pokoju weszła Hela. Atanazy wstał i stanął jakby „na baczność" przed siłą wyższą. „A gdyby ona była ubogą Żydóweczką – czy kochałbym ją tak samo? – pomyślał. – Oczywiście pewne rzeczy wytworzyło w niej bogactwo, ale to wiem na pewno, że gdyby była taka sama, jak jest teraz, to byłaby tym samym dla mnie w dziurawych czerwonych pończochach w Kocmyrzowie czy w Koniotopie, czy innej jakiej dziurze". Ta pewność podniosła go we własnych oczach. To zdaje się naprawdę było prawdą.

– Helu – zaczął, jakby zdawał raport przed wyższym oficerem – mam wrażenie, że masz do mnie pretensję o tego słonia. Może myślisz, że się bałem... – W tej chwili przypomniał sobie wiadomość o śmierci jej ojca i zmięszał się. – Przepraszam cię, że ja w tej chwili, kiedy ty... ale ja mogę dla ciebie zabić się w każdej chwili, aby udowodnić ci, że to nie ze strachu... Ale ginąć w taki idiotyczny sposób...

– Głupi jesteś, ale mimo to kocham cię. – Tu pocałowała go w głowę, tak jak nigdy jeszcze.

Atanazy zamarł na chwilę w nieludzkim szczęściu. Na ćwierć sekundy świat stał się tak piękny jak pepity Łohoyskiego wtedy – „a więc można to mieć i bez kokainy w tym stopniu?...". Ale zaraz potem wszystko obrócone bezgłośnie na doskonale wyoliwionych łożyskach wróciło na dawne miejsce. Był znowu tu, w tych „zwykłych" Indiach i przed nim stało groźne wcielenie nieznanego i strasznego przeznaczenia w postaci tej „metafizycznej ka".

– Mów, chcę wiedzieć, co myślisz w tej chwili – rzekł Atanazy twardo, biorąc ją za rękę.

Milczała. Patrzyli sobie w oczy. I znowu od dotknięcia tej skóry, tyle razy dotykanej i całowanej, a wiecznie nowej, niepojętej, niezgłębionej, przeszedł go tajemny dreszcz. „Nigdy nie pokonam jej" – pomyślał z rozpaczą. A do tego ten błękit skośnych oczu. „Tak – w tym jest jej siła, że oddzielnie nie istnieją te rzeczy: to coś w jej skórze i piękne oczy, i głos, i zapach – to wszystko jest jednym, jak obrazy, dźwięki i znaczenia słów w dobrym wierszu są jednością, nową poetycką jakością – nowo złożona jakość zmysłowego uroku – nie do przezwyciężenia. Taka rzecz zdarza się chyba niezmiernie rzadko: najwyższe szczęście i najgorsza klęska. To jest prawdziwa miłość!". Poczuł, że wszystko, co od niej usłyszy, mimo prawdy (wierzył jej bezwzględnie) będzie tylko jakimś piekielnym podświadomym wymysłem jej ciała, w celu przygotowania nowej nieznanej rozkoszy i nowej męki. Hela różniła się od innych kobiet tym, że nie kłamała – była dość silną, aby nie kłamiąc, być tym demonem pierwszej klasy, za jakiego ją słusznie nawet w tej pierwotnej fazie rozwoju uważano. Ale to były przecież zaledwo początki! Nie raczyła nawet kłamać, a on – mężczyzna – co za niskość i podłość! Ale czyż kłamstwem był jego do niej stosunek? Nigdy się nie dowie – zagmatwało się wszystko na wieczność całą. Może to właśnie jest miłość? Hela miała jeszcze jedną właściwość: nie potrzebowała umiejętnie regulować swego oddania się – tak: regulować – wstrętne słowo, ale właśnie tak ma być – odmawiać i znowu pozwalać – ona była ponad tym. Raz tylko z początku poniżyła się do takich sztuczek, wtedy kiedy Tvardstrup... „Jak Kleopatra podobno" – pomyślał Atanazy... „Ten najgłodniejszy, co najwięcej pożył" – tak jest powiedziane u Szekspira. Nie było, nie mogło być człowieka, który by ją zgnębił – chyba impotent. Ta myśl była śmieszna. A jednak taki „pan" był nie do wyobrażenia. On sam kiedyś – ale wtedy nie przeżył z nią tego, co teraz było już poza nim. Był taki: Prepudrech! Ten nędzny, pogardzany pseudoartysta – może właśnie dlatego, że „pseudo" – to nie człowiek, to maszynka z talentem. Nikt prawdziwy tego nie potrafi. Tylko sfałszowany człowiek może mieć siłę wyższą, niż miałby ją w rzeczywistości jako prawdziwy. A zresztą nie wiadomo, co się z nim dzieje w tej chwili. Atanazy, wywyższając w ten sposób kochankę, starał się wywyższyć sam siebie. Niezupełnie rozwiązalnym problemem był tylko Azalin książę Belial-Prepudrech, obecnie „false" on sam.

– ... (nie słyszał pierwszych jej słów) ...czy myślisz, że ja dałam mu to, co tobie? Nie mogłam nawet – byłam w stanie pokuty, a zresztą jemu nie mogłabym nigdy. On mnie nie zna. Ja wiem: ta skóra – wiem, że ona ma magiczny wpływ. Moje oczy też, wiem, że umieją, i wszystko... ale to nie jest to. Tylko ty jeden wydobyłeś mnie samą na zewnątrz z moich własnych głębi, jak psychofizyczny Jack the Ripper. Jestem twoja – rozpruta – wszystkie wnętrzności mam wywalone na wierzch, a jednak wiem, że muszę być dla ciebie męczącą tajemnicą jak posąg Izydy. Ale sama dla siebie nie jestem już storturowanym, niezrozumiałym widmem – z tobą żyję naprawdę.

Było to okropnie niesmaczne, jak zresztą zawsze wszystko, co mówiła, ale miało tę piekielną właściwość, że z chwilą, kiedy to mówiła ona, trzeba było to przyjąć jako najwyższą artystyczną konieczność.

– Na to trzeba było cię kochać w zniszczeniu, bo ty tylko w zniszczeniu istniejesz naprawdę. Twoje istnienie nie jest dla mnie przypadkiem – musiałeś być i musiałeś być moim. I nic mnie nie obchodzi to, kim jesteś – jesteś moim kochankiem – to wystarcza, tym jedynym, wybranym z tysięcy, którego mogę kochać. Chciałabym, abyś ty czuł to samo. Ja ci się oddałam więcej niż ty mnie. Ty ze mną walczysz.

Atanazy nie słyszał ostatnich słów – myślał, czy naprawdę jest wystarczającym powodem dla jego istnienia to, że był przeznaczony na jej idealnego (w znaczeniu absolutnego ideału) kochanka.

– Niestety, nie jestem kobietą – rzekł ponuro biedny Tazio i myślał: „Czy to prawda, co ona mówi, czy właśnie teraz dobrałem się do jej pozy, do tego demonizmu trzeciej klasy. Ale skąd ona wie, co ja myślałem w tej chwili – to jednak dziwne". – Ale powiedz, skąd teraz... Przecież ja o tym myślałem tu, siedząc sam przed chwilą, przed twoim przyjściem. – Nie wiadomo, czemu skłamał, że nie myślał tego w tej chwili.

– Dawno chciałam ci to powiedzieć, bo czułam, że masz jakieś wątpliwości. Teraz mi wierzysz?

– Jak to – czy ci wierzę, że jesteś dla mnie czymś metafizycznie niezwyciężonym, wcieleniem dziwności bytu i największego cierpienia, połączonego z najwyższym szczęściem – przerwał; czuł, że zaczyna mówić banalne głupstwa. Wszystkie rozmyślania poprzednie rozwijały się w nicość: cień Zosi, matki, chęć czynu, wzniesienia się nad siebie – wszystko spalało się, spopielało, kurczyło, malało, znikało pod jednym tchnieniem tej miłości. Przygotowywała się jakaś straszna nieznana rozkosz – zatracenie ostateczne.

– I teraz, kiedy dowiedziałam się, że ojciec nie żyje (pierwszy raz powiedziała o nim „ojciec", nie „papa"), zrozumiałam, jak cię kocham. Ale cierpieć jeszcze będziemy oboje bardzo, bo we mnie jest coś poza mną: jakaś siła mną włada, nad którą nie panuję – widzę tylko jej tajemne drogi rozumem – i cierpiąc – i kiedy ty będziesz cierpiał, wtedy pojmiemy oboje, czym jesteśmy razem jako jedność poza życiem i śmiercią. Ja cię będę zdradzać przy tobie – nie będę nigdy kłamać i ty mnie, o ile potrafisz – przyjdą rzeczy pozornie okropne, małe, wstrętne, ohydne nawet – ja muszę upaść zupełnie i ty też, tylko inaczej i razem ze mną – nie myśl, że cię chcę opuścić: nie rozstaniemy się nigdy – w tym upadku właśnie będziemy iść coraz wyżej, aż tam gdzieś zespolimy się razem w jednego ducha, wszechwiedzącego w męce bez granic, i tam (Atanazemu przypomniała się ta chwila złączenia z duchem Jędrka Łohoyskiego i to, co było później; ale to działo się w „sztucznym raju" kokainy – tu odbywało się to na jawie, w pełni świadomości, choć w obietnicy jeszcze, ale obietnicy, która musiała, musiała się spełnić i która teraz stężyła w nim krew w czarną miazgę z nadludzkiej żądzy...), i tam, tam dopiero, jak w śmierci, będziemy ponad światem...

Oczy jej zawróciły się w dzikim zachwycie i piękna była jak złowrogi anioł zniszczenia, jak samo bóstwo nigdy nienasyconej, okrutnej miłości. Zdawało się, że ulatuje w inny wymiar, że już jej nie ma. „Taka piękność nie może być prawdą – jej nie ma, naprawdę nie ma i ja nigdy już...". Rozpacz i wściekłość, i ukochanie najwyższe, śmiertelne. Tak kochał jedynie ducha Zosi w zupełnej beznadziejności, z tym że nigdy jej nie zobaczy. A tu ona stała przed nim, rzeczywista, dotykalna, pachnąca – miała na sobie lekki czerwony szlafroczek i była spocona – widział kropelki potu na czole (było 45° Réaumura) – nie do uwierzenia. Stała jak zahipnotyzowana, stężała w oczekiwaniu gwałtu, daleka od ziemi, nieuchwytna – gołe nogi w czerwonych pantofelkach drżały jej lekko – była półprzytomna. A spod ciężkich opuszczonych powiek patrzyła na kochanka wywróconym, trupim spojrzeniem śmiertelnej, trującej, aż zaświatowej lubieżności. Głowa opadła jej w tył. Atanazy rzucił się na nią jak rozżarte zwierzę. I nastąpiła jedna z tych szalonych nocy, tylko jeszcze straszniejsza, bardziej niepojęta, poza czasem i przestrzenią, gdzieś już w otchłaniach Absolutnej Nicości. Na dworze (indyjskim „dworze") wiał obcy, upalny wicher „monsoon" i ćmy cudownej piękności paliły się dalej jedna za drugą w płomieniu świecy, i kąsały jak zwykle moskity, bo rzucając Helę na łóżko, zerwał moskitierę. Nie było kiedy jej poprawić... A dla Hindusów była to zwykła noc religijnych uroczystości, coś jak dla nas Wielkanoc na przykład. Ale Hela przerwała nagle ten szał, mimo że Atanazy, będący już prawie jakąś kupą pobitego mięsa – a nie człowiekiem – ale kupą, w której świecił zimny płomień niepoznawalnej Tajemnicy Istnienia (patrzył w ten płomień bez zmrużenia oczu z odwagą skazańca) – jeszcze nie był nasycony. Nie tylko samo to, co się działo, ale i to, co mówiła Hela podczas tego (a umiała mówić rzeczy zdolne przewrócić mózg do góry nogami, czyniąc z niego tylko jakiś nędzny nowotwór na organach płciowych) doprowadzało go do tego niepojętego szału. Wykąpali się oboje w zimnej wodzie w kamiennej wannie i wyszli z tej kąpieli odświeżeni – niewinni i wzniośli jak para aniołków. Nie istniało nic poza nimi. „Ale co mogło być jeszcze? – ze strachem pytał siebie Atanazy. – Czemu nie nastąpiła śmierć?". Po czym Hela kazała podać kolację: kura smażona z pieprzem, sałata z owoców mango i lagerbier z Bremy. Usługiwał im stary Hindus, poruszając, w wolnych od podawania chwilach, czerwoną „punkhę" nad stołem i łapiąc gołą ręką latające prusaki wielkości dwóch naszych karaluchów, zapędzające się aż na biały obrus. Do wszystkiego można się przyzwyczaić. Po kolacji poszli do świątyni. Była pierwsza w nocy.

Oboje potrzebowali nowego wymiaru. Katolicki Bóg nie istniał dla Heli zupełnie. Niezaspokojona religijna potrzeba (das metaphysische Bedürfnis) szukała nowego wcielenia. A nuż uda się przejść na buddyzm – o brahmanizmie z powodów technicznych nie było mowy – byłoby to dopełnieniem i tak już wielkiego szczęścia. „Ale czy to znowu nie będzie połączone z pokutą i wyrzeczeniem się erotycznych przyjemności" – myślał ze strachem Atanazy, idąc przez ulicę wioski, wzdłuż której drzewa rozszalałe: palmy i fikusy, kładły się od podmuchów potężniejącego, pełnego żaru, hurikanu. „Ciekawy jestem, co za nowe świństwa wymyśli ten potwór". Moralnie złamany był zupełnie i o ucieczce nawet myśleć nie mógł. I w tym poddaniu się niszczącej sile znajdował nową rozkosz i chwilowe zupełne usprawiedliwienie swego stanowiska we wszechświecie. A na myśl o obiecanych mękach i ohydzie doznawał aż drgawek od przewrotnej żądzy. Po prostu stawał się powoli jednym wielkim lyngamem z dodatkową, bardzo zresztą skomplikowaną psychologią jako epifenomenem, czymś w rodzaju duszy w koncepcji dawnych materialistów.

Na podwórzu jednej z chat stary czarownik zajmował się właśnie swoim magicznym procederem, usiłując zapalić jakieś suszone listki na małym trzcinowym stoliczku. Czynił to przy pomocy tlącej się hubki. Nad nim jego pomocnik trzymał budkowaty baldachim z suchych liści palmowych.

– Ach, tak wierzyć jak on – co bym dała za to w tej chwili – szepnęła Hela.

– Tak, po buddyzmie możesz jeszcze przejść na magię. W tym celu możemy pojechać na Nową Gwineę lub do Australii, tam najlepiej rozwinięty jest ten światopogląd – rzekł trochę ironicznie Atanazy.

– Nie żartuj. To jest naprawdę wzniosłe, co oni robią. Ci dwaj nie robili swoich sztuk na pokaz: nawet zdawali się nie spostrzegać dwojga białych w tropikalnych kostiumach, w chwiejnym świetle księżyca przez ruchomą gęstwę drzew. Atanazy spróbował pomóc czarownikowi, zapalając w przerwie od wichru zapałką jego mały stosik. Sam mistrz nie drgnął nawet, nie mogąc przerwać zaklęć, które bełkotał jakby do siebie, ale pomocnik, puszczając jedną ręką baldachim, odsunął Atanazego gniewnie, mówiąc coś niezrozumiałego. Poszli dalej. Coraz więcej było na drodze białych postaci. Szli grupami i pojedynczo: mężczyźni, kobiety i dzieci. Droga zaczęła piąć się pod górę. Mijali zrobione z białego kamienia „dagoby", podobne do hełmów tureckich ze szpicami, wyrastające wprost z ziemi wzdłuż kamienistej krętej drogi, idącej po zboczu porosłym gęstwą krzewów, wśród których wznosiły się ogromne, kilkometrowe ostromlecze. W boku olbrzymiej granitowej buły była głęboka jaskinia. Stamtąd dochodził rytmiczny, jęczący śpiew, któremu żałosnym rykiem odpowiadał zmieszany chór. Błyskały światła świeczek ustawionych przed kilkudziesięciu posągami Buddy – wszystkie przedstawiały go siedzącego pod dwiema wygiętymi kobrami. Atanazy zajrzał tam, zostawił Helę w tłumie, a sam wyszedł na taras nad przepaścią – potrzebował samotności w tej chwili, co mu się rzadko teraz zdarzało. Z drugiej strony doliny nad masą czarnej dżungli wznosił się spiczasty skalny szczyt, a dalej w głębi góra ścięta jak stół. Wszystko było obce i groźne. Żadnego „nastroju" (w naszym znaczeniu) nie miał ten cudownie piękny („na zimno") krajobraz. Na lewo widać było wioskę w dolinie, a dalej ogromne jezioro, odbijające księżyc w pełni drżącą smugą w swej sfalowanej powierzchni. Na skałach nad świątynią rósł mały, karłowaty, odzierany rokrocznie z gałęzi, dla rozpowszechnienia, święty banyan

– tam siedziała część pielgrzymów, świecąc swymi białymi strojami wśród ciemnych krzewów. Olbrzymie nietoperze całymi dziesiątkami łopotały w niespokojnym powietrzu. Atanazy siadł na murze. Nie wiadomo, jakim cudem duch Zosi dognał go aż tutaj i roztoczył się nad obcą ziemią. Atanazemu wnętrzności skręciły się z rozdzierającego żalu, że to nie z nią on podróżuje po tych zaklętych krajach i że ona nie widzi wszystkich tych piękności. Ale myślał tak tylko dlatego, że był chwilowo nasycony. Co by było, gdyby Hela nagle odmówiła mu przewrotnych rozkoszy, do których przywykł jak do zabójczego narkotyku? Siedział tak długo w kontemplacji wspaniałego widoku. Chciał to zamknąć w sobie, uczynić swoją własnością, utrwalić w sobie na zawsze – nie mógł. Piękno wymykało mu się, przesączało się przez jego zmysły, niknęło – był bezsilny. „W takich chwilach ludzie malują naturalistyczne pejzaże i fotografują – to daje im złudzenie, że złapali przemijającą chwilę zachwytu nad światem" – pomyślał, ale nie był z tej myśli bardzo zadowolony. Coś popsuło się w całej kompozycji tej nocy. „Brak fosforu w mózgu. Ta bestia pożera mnie jak ogień...".

Zasnął ukołysany monotonnym śpiewem dochodzącym z jaskini i obudził się dopiero przed świtem, gdy Hela wyszła ze świątyni i dotknęła ręką jego ramienia. Mało nie spadł w przepaść z przestrachu. Nie wiedział, gdzie jest, kto jest ona, nie wiedział nawet, kim jest sam. Miał chwilę metafizycznego strachu: tajemniczość ogólna bytu zrealizowała się częściowo w tajemniczości chwili, niezrozumiałości absolutnej tego, że coś w ogóle jest – jakby wszystkie związki przyzwyczajeń codziennych odpadły, rozłożyły się sztuczne życiowe połączenia i naga, samotna jaźń, jak punkt matematyczny bezprzestrzenna, trwała przez chwilę nad niewymierzalną potworną głębią zdysocjowanego istnienia.

Ocknął się. Księżyc zachodził za płaską w głębi doliny górę. Twarz Heli oświetlona ciepłym jego blaskiem miała wyraz nadziemskiego zachwytu.

– Czy już przeszłaś na buddyzm? – spytał Atanazy.

– Tak – odpowiedziała z rozbrajającą prostotą. – Miałam objawienie. Przeczucie sprawdziło się. Wiesz, że tam były psy w świątyni. To wzruszające – ta równość wszystkich stworzeń wobec Tajemnicy. Czułam się tam takim psem między nimi. Potem śpiewałam z nimi razem. Pozwalają na wszystko. To jest jedyna religia, w której bóstwa są tylko symbolem Tajemnicy, a nie nią samą. Jest to w zgodzie z tym, co wiem o filozofii – nawet z naszym systemem – to jest też pewien rodzaj panteizmu.

– Ale czy nie jest tak dlatego, że za mało wiesz jeszcze o tej religii? Może dlatego właśnie możesz ją pogodzić z danymi twego rozumu?

– Nie, dziecko, ja wiem wszystko, co trzeba. Wiem też wszystko, co jest negatywne, a pozytywnej filozofii dziś być nie może – tylko ograniczenie. Wyprztyk ma rację, ale teraz dopiero zrozumiałam jego „truc": Nie ma pojęciowego systemu, który by mógł zasłonić tajemnicę, ale właśnie ta religia, która jest ostatnią zasłoną, jest jedyną doskonałą – ta, w której są tylko żywe symbole martwych w filozofii pojęć. Doszłam do tego, rozważając problemat troistości: jedność jest od niej wyższa, bo istnienie jest jedno. Jedność nie jest wcale mniej tajemnicza od trójki. Miałam naprawdę objawienie. To nie jest niedoskonała metafizyka, tylko żywa. Ach, móc nareszcie przeżywać to, o czym się myślało w martwych kategoriach! A ja nie mam systemu jak ty: ty jesteś niedoskonałym metafizykiem dawnego typu – dodała z lekką ironią. – Chcę być dobra, chcę się poświęcić – cały świat chciałabym objąć i nasycić go moim przepełnionym sercem. („I to ona mówi, to wcielenie zła – Boże!

co za perwersja"). Chciałabym być kapłanką i oddawać się przechodniom jak dawne księżniczki hetyckie, nędznym żebrakom nawet... („A, tu ją ponosi").

– Może trędowatym? – spytał rozzuchwalony Tazio.

– Boję się, że z twoją dialektyką możesz się łatwo nawrócić na totemizm nawet, a poza totemizmem nie ma już nic – tylko tożsamość wszystkiego ze samym sobą w bezpośrednim przeżywaniu, czyli po prostu zwierzę. Koniec: głowa dotyka delikatnie muru, nie waląc weń nawet...

– Chodź już. Jeśli zostanę totemistką, ty będziesz zwierzem, którego będę czciła.

– I zjesz mnie uroczyście w rocznicę nawrócenia?

– Nie, będę cię zjadała codziennie, a ty będziesz się odradzał w płomieniach mojej żądzy...

– Nie mów już. Boję się ciebie.

– Ten strach twój to moja największa rozkosz.

Otoczyli ich brązowi ludzie w białych, powłóczystych szatach i słuchali ich dziwnej mowy. Nad jeziorem robił się gwałtowny świt.

– Boję się, że jestem już tylko zwierzęciem. Chwilami nie wiem, kim jestem.

– Nie wiedziałeś nigdy i nie dowiesz się. Żyjesz tylko we mnie. Jesteś moim snem o ziszczonym szczęściu.

– A ty kim jesteś?

Jam ciemny jest wśród wichrów płomień boży,
Lecący z jękiem w dal – jak głuchy dzwon północy.
Ja w mrokach gór zapalam czerwień zorzy
Iskrą mych bólów, gwiazdą mej bezmocy

– powiedziała nagle początek wiersza Micińskiego *Lucifer.*
Atanazemu zrobiło się jej żal, a jednocześnie wstyd za nią. I znowu poczuł, że ją kocha, że ona też jest istotą

ludzką, cierpiącą, okłamującą się, szarpiącą się w sprzeczności. Pierwszy raz odczuł ją taką, jaką jest sama dla siebie. „Kocico, wężu i biedna oszukana kozo!" – pomyślał Atanazy słowami, które Nikefor mówi do Bazylissy Teofanu w dramacie Micińskiego *W mrokach złotego pałacu*. A jednak na chwilę doznał wrażenia, że coś w niej jest naprawdę niesamowitego: jakieś kobiece wcielenie Lucifera – diabli wiedzą co. [Myśli swoich na temat Zosi i możliwości dokonania jakiegoś czynu tam, u niwelistów, nie zwierzył Atanazy Heli. Była to teraz jedyna jego rezerwa – nie chciał jej roztrwaniać. Bał się, że Hela może go przekonać o wszystkim, o czym zechce. Chociaż w rozmowach teoretycznych na społeczne tematy ona sama go nawracała powoli na niwelistyczną wiarę].

– Jeśli się boisz zbydlęcenia, to może chciałbyś, żebym wysublimowała nasz stosunek przez pokutę, może chcesz...

– Nie mów tak. – Wpił się w jej wargi pocałunkiem, przy wszystkich czarnych, którzy zaszemrali głucho między sobą.

– Nie – odsunęła go lekko – nie, musimy jeszcze przejść przez męczarnię zupełnego oczyszczenia. Nie rozstając się, nie wyrzekając się niczego, przezwyciężymy wszystko, co w nas jest jeszcze zwykłe i pospolite: tę małostkowość zazdrości i poczucie własności ciał. Roztopimy się w wielości, rozmnożymy naszą wspólną jaźń, rozpuściwszy ją we wszechświecie, którego symbolami będą nam inni ludzie, aby jeszcze więcej spoić ją w jedno niewyrażalne, pozażyciowe coś na granicy niebytu, czego dotąd nie było na ziemi od początku wieków.

„Wariatka. Zaczynam się domyślać. A, bestia. Już się nudzi jej ze mną samym. I to w tej chwili, kiedy zaczynam ją kochać. Właśnie dlatego. A, potwór: ona podświadomie wie o tym. Trzymajmy się za jaką bądź cenę. Nie wolno mi jej kochać. Ale to, co mówi, jest bzdura. Żal mi jej. Ale od żalu do miłości jest tylko jeden krok. Trzymajmy się. Ale wyrzec się jej jeszcze nie potrafię" – pomyślał błyskawicznie Atanazy.

– Tylko musisz mi się poddać – mówiła dalej, ale już w innym wymiarze, samotności absolutnej, słuchał jej Atanazy. – Zupełnie poddać. Jak mi się poddajesz, wtedy jesteś moim prawdziwym władcą...

„Poddam się wszystkiemu, bo muszę, muszę, i w tym jest rozkosz" – już pożądał jej do bezmiaru, mimo że pięć godzin temu... „Ale kochać cię nie będę. Na ten zbytek sobie nie pozwolę. Zosiu, ratuj mnie" – szepnął, ale była w tym jakaś nieszczerość wobec samego siebie. Wpatrzył się w jaśniejące gwałtownie niebo – zaróżowił się mały stratusik nad horyzontem – już był pomarańczowy, już złoty – wiatr ustał. Zza gór, daleko poza jeziorem, wytrysnęło żółtawe światło i w parę sekund potem wyleciała prostopadle zza widnokręgu oślepiająca kula słoneczna, zalewając żarem i blaskiem cały ten zaczarowany, tajemniczy świat, który zamiast na widno tracić swą obcość, potęgował się jeszcze w dziwnej grozie jasności. Tropikalny dzień bardziej był jeszcze nie z tego świata niż noc. Atanazy miał wizję innej planety albo zamierzchłych geologicznych epok. I w tej chwili stanął mu w myśli przykry problem: „Nie wiem, kim jestem? Otóż jestem po prostu zwykłym alfonsem – bo jeśli nie mogę jej kochać, jeśli nie mogę sobie na to pozwolić i jeśli zgadzam się zawczasu na obiecane potworności, to nie mogę nigdy zostać jej mężem, czyli jestem po prostu na utrzymaniu. A z drugiej strony dlaczego jakaś ceremonia ma uprawniać do czegoś, co bez tej ceremonii jest świństwem? Tradycja, konwencja społeczna – a więc w zasadzie nie ma w tym nic złego?". Nic nie pomogły rozumowania.

Świństwo nie dało się wyeliminować z tego równania przy pomocy odpowiednich podstawień, a parametry: bogata Hela i on, biedny alfonsik (może „metafizyczny"?), były nie do naruszenia. A rozstać się z nią teraz nie mógł, nie miał siły. „Trzeba brnąć – pomyślał ponuro. – Zobaczymy, co będzie. Jednak to jest ciekawe, co ona nowego wymyśli. Ach, gdyby tak na wszystko móc patrzeć z boku, jak dawniej". Ale rzeczywistość narzucała się zbyt silnie, aby można ją było w jakikolwiek sposób zmienić na zobiektywizowany artystyczny obrazek.

Schodzili w dół ku wiosce w cichym tłumie pielgrzymów. Hela z bydlęcym zachwytem wchłaniała w siebie piękność świata. Atanazy szedł zamyślony, bezwolny jak lunatyk. W duszy jego panował spokój zupełnej klęski. Świat dookoła pienił się przepychem, dławił się podziwem dla samego siebie. Atanazy też był piękny, ale coś było wstrętnego w tej piękności; to właśnie podobało się jej, to właśnie w nim wywoływała. Jakim będzie ten dzień? Co wykombinuje jeszcze ten potwór dla większego jeszcze udręczenia i rozkoszy?

Wieczorem byli już daleko od Apury, wśród suchej dżungli oddzielającej święte miejsce od najbliższej stacji na północy. Tam znaleźli już swoje bagaże i służbę. A w dwa dni pędzili już ekspresem do Hajdarabadu.

Informacja

Zaczęły się rzeczy naprawdę straszne: spełniła się obietnica męki bez granic. Właściwie o tych rzeczach, „naprawdę strasznych", wkraczających już w sferę kodeksu karnego, nie miał Atanazy pojęcia, będąc typem w miarę perwersyjnym i nie mając środków do urzeczywistnienia jakichś pomysłów na większą skalę, nawet gdyby mu takie do głowy przyszły. Hela nie chciała wcale podniecać Atanazego zazdrością. Ale po wyczerpaniu przerafinowanego na wylot dialektyką wyuzdania we dwoje, cóż pozostawało, jak nie świństwo zbiorowe, z wzrastającą ilością wplątywanych w nie osób trzecich – a tracić kochanka nie chciała Hela za nic w świecie: wszystko miało urok tylko z nim w atmosferze jego psychofizycznej męczarni. Och – te „osoby trzecie"! Cóż to były za gatunki! Atanazy pojęcia nie miał, że coś podobnego istnieć mogło. A wszystko pokrywał Commercial Bank of India, płacąc szalone czeki Heli z psią uległością – skarby zostawione przez starego Bertza w Banku Angielskim i z góry przepisane na córkę jeszcze za jego życia zdawały się być niewyczerpane. Atanazy szybko wyzbył się problemu alfonsostwa i używał wszystkiego jak prawowity mąż Heli – postanowił się z nią ożenić bez względu na stan uczuć i wypadki. Upadek jego stawał się coraz kompletniejszy, nieprzerywany prawie jaśniejszymi momentami chęci powrotu do dawnego życia. Pierwsze „trochę" bogate małżeństwo napoczęło jego słabą moralność, Hela zniszczyła ją do reszty. Ślub ich miał się odbyć zaraz po wyjaśnieniu sytuacji w kraju. Tak było to postanowione przy wyjeździe z Apury.

Śmierć ojca nie zrobiła na Heli żadnego wrażenia. Tylko spadł z niej jakiś tajemniczy ciężar, z którego istnienia przedtem – dopiero teraz zaczęła sobie zdawać sprawę. Może był to utajony „kompleks ojca"? Symetria w stosunku do Atanazego i jego matki zdawała się sprawiać jej specyficzną, artystyczną przyjemność. Możność pogodzenia religijnego światopoglądu z płciowym rozbestwieniem była najważniejszą stroną przejścia jej na nową wiarę. Zagłębiała się w staroindyjskie księgi w tłumaczeniach angielskich i zawzięcie studiowała sanskryt, robiąc zadziwiające postępy. Postanowiła zdać doktorat w hajdarabadzkim uniwersytecie. Ale w stosunku do przedmiotów tych Atanazy nie wykazywał głębszego zainteresowania. Ostatecznie przerzucił się do kwestii społecznych, próbując ująć w niezłomne „transcendentalne" (w znaczeniu Corneliusa) prawa kwestie rozwoju ludzkości i każdego w ogóle gatunku myślących Istnień Poszczególnych. Pisał, przekonanym będąc, że jest to bzdura zupełna, ale tym poniekąd usprawiedliwiał przynajmniej swoją codzienną egzystencję. Tymczasem życie, to właśnie codzienne, potworniało z dnia na dzień, przybierając formy coraz bardziej kryminalne. Ale niewyczerpana była cierpliwość i uległość całej rzeczywistości, począwszy od Indyjskiego Banku Handlowego, który zresztą nic do gadania nie miał, aż do władz policyjnych, które by coś do powiedzenia miały, gdyby nie kompletna tromboza organów mowy i odpowiednich ośrodków mózgowych wywołana szalonymi dawkami złota. Zaczęło się od hoteli, ale wkrótce okazały się one zbyt niepewną podstawą operacyjną dla spraw tak zawiłych i wykraczających poza ogólnie przyjęte normy życia stadowego. Wynajęto wobec tego w kuracyjnej miejscowości u stóp Himalajów, zwanej Anapa, pewną willę, pozostałość po jakimś młodym radży więzionym przez Anglików. Tam poznał Atanazy otchłanie upadku, których istnienia nawet nie przeczuwał. Zaczęło się od jakiegoś hinduskiego niby-mędrca, który miał wykładać Heli *Kamasutrę*, popierając teorię ćwiczeniami praktycznymi. „To już nie podobało się" Atanazemu. Ale Hela umiała transformować wszelkie ujemne elementy w sferze erotyzmu na spotęgowaną rozkosz, a nawet na zniekształconą co prawda, ale za to „wielką miłość". Obcym był jej demonizm wyrzeczenia się i odmowy, na równi z chęcią wzbudzania zazdrości jako takiej, jako środka, nie potrzebowała tak wulgarnych sposobów. Motywem wszystkiego, co czyniła, okazywała się tylko chęć sprawienia maksimum przyjemności sobie i kochankowi i wprowadzenia go w nieznane dlań światy perwersji, mającej tylko pogłębić ich duchowy stosunek. I kto wie – może tak było z początku, ale wszystko ma swoje granice i wytrzymałość Atanazego miała je także – ale o tym później. Po Hindusie, tłumaczu *Kamasutry*, z którym już nastąpiły pewne eksperymenty wspólne, przyszły nowe kombinacje – raczej ów Dambar-Ting stanowił stałe tło rozwijającego się szeregu zazębień i zaplątań. Jakiś olbrzym z plemienia Guru, zwany Bungo Dzengar, zaczął się plątać po willi od samego już rana. Nikt dobrze nie wiedział, co myślał ten drab, bo był dokładnie głuchoniemy. Za to posiadał inne zmysły wyostrzone w zabójczy sposób. Potem wprowadzono dziwne kobiety, a potem małe dziewczynki i chłopców, a potem...

Jęki, wzdychania i krzyki – nie wiadomo: męki czy rozkoszy, straszliwe podniecające zapachy, wschodnie narkotyki (raz tylko każdego próbowała Hela), dziwnie, w formy odpowiednie, wyposzkowane pokoje; wielorakość, zmienność, płynność, zacieranie granic osób i rzeczy, zmieszanie tortur z przyjemnością i nad wszystkim duszący czad obłędu i zbrodni utrzymywanej na samej ostatniej, śmiertelnej granicy – tuż przed śmiercią, którą stosowano tylko do niższych stworów, składało się na te dni i noce, niepodobne do żadnych najdzikszych fantazji europejskich literatników. Atanazy poddał się temu wirowi z całą świadomością. Też tylko raz jeden (według rozkazu Heli) spróbował miejscowych „drogów", ale nic nie mogło iść w porównanie z pierwszym wrażeniem od kokainy w czasie tamtej nocy. Z początku cierpiał rzeczywiście męki niesłychane, widząc to wszystko, co się działo. Ale ponieważ odbywało się to przy nim, a Hela z niczego nie robiła tajemnicy i umiała z każdej okropności stworzyć nową podnietę, wkrótce wpadł Atanazy w nałóg „potęgowania potworności" (jak to się nazywało) i brnął ze wstrętem połączonym z niezdrowym upodobaniem w coraz to inne orgiastyczne „nowalie". Mimo wszystko jeszcze nie wypełniły się czasy, chociaż chwilami zdawało się, że nic już więcej być nie może, a napięta do ostateczności sytuacja groziła jakimś szalonym pęknięciem.

Z kraju, poza oficjalnymi komunikatami, dochodziły ich dość skąpe wieści. Nie mieli tam prawie nikogo bliskiego. Jedynie stary „butler" Ćwirek uwiadamiał od czasu do czasu Helę o stanie rzeczy – lubił bowiem bardzo swoją księżnę, którą znał od dziecka. Dostał posadę leśnego w rządowych lasach i czuł się nieźle. A więc: Tempe, jak wiadomo, był u szczytu, pani Osłabędzka umarła na serce w nędzy, Purcel był komendantem całej kawalerii (nazywano go krajowym Budionnym), Baehrenklotz – komisarzem Sztuk Plastycznych. Łohoyski i Ziezio przebywali w szpitalach wariatów – pierwszy sporadycznie – drugi stale. Smorski kończył się w zupełnej ataraksji. Jędrek uwolniony z więzienia, gdzie dostał się po prostu jako hrabia, wpadł znów w swój zgubny nałóg i na dodatek w niwelistyczny mistycyzm, graniczący z zupełnym obłędem. Musiano go czasowo zamykać. W okresach wolnych od furii wypuszczany był na wolność w celach propagandowych. Umetafizyczniony nowy swój system społeczny roznosił po wsiach i po mniejszych miasteczkach (do stolic miał wstęp wzbroniony), przeważnie na Podhalu. Oto, co pisał o nim dosłownie Antoni Ćwirek:

„...Hrabia siedzi dalej stale w Zarytem, o ile go na czas pewien nie zamykają, ale zgłupiał bardzo i na pewno u czubków na zawsze kiedyś skończy. Teraz było u nas o kokainę łatwo i znowu zaczął tego świństwa używać. Potem wyszły nowe prawa. Ale z jakie dziesięć kilo ma u siebie. Mieszka dalej u Hlusiów, chodzi po chałupach i po dalszych wsiach i coraz dziwniejsze rzeczy mówi o jakimś królestwie Wielkiego Pępu, które nadchodzi. A po obu stronach ma duchy:

nazywają się: Migdaliel i Cybuliel, jak z żywymi z nimi gada. Boję się go, choć pokorny jest i żadnego hrabstwa po nim nie poznać".

Kuzyn Łohoyskiego, książę Miguel de Bragança, widywał się z nim czasem na granicy państwa, ale namowy jego w kierunku powrotu do dawnego życia – ofiarowywano Jędrkowi za żonę prześliczną księżniczkę krwi, Amelię – nie odnosiły żadnego skutku.

Z kijem w ręku wysokim jak pastorał, zakończonym czerwonym pióropuszem, w skórze z białej kozy, którą sam zarżnął, boso, zarosły w potworne blond kłaki, ganiał po drogach, miewając mowy do obałwanionej zupełnie wiejskiej biedoty i małomiasteczkowej nędzy, której praktycznie zupełnie nie było. Nie wierzył, że był kiedyś hrabią, ale ten fakt dodawał mu tylko uroku. Nauczona rosyjską rewolucją miejscowa partia niwelistów nie tylko w teorii, ale faktycznie nie tępiła inteligencji. Wciągano tylko w pracę co najtęższe łby, a jedynie najbardziej opornych wysyłano na kursa uzupełniające połączone z torturami, z których niektórzy wracali na wysokie stanowiska, a najbardziej zatwardziali ginęli powoli w mękach znoszonych nie wiadomo po co, bo przecież wszystko musiało być tak, jak było, czego zresztą czarno na białym dowodził Atanazy w swojej pracy filozoficzno-społecznej. Ale teoria jego, jako zbyt przesiąknięta dawnym zamaskowanym indywidualizmem, nie znalazła – jak to się później okazało – należytego uznania. I powoli, gdyby nie pewne, czasem zbyt brutalne „nastawienia" otrzymywane od sąsiadów (w Niemczech było to samo, tym razem na dobre), wszyscy przyszliby łatwo do przekonania, że tak być powinno – zmęczenie było straszliwe. Jak się okazało, stary Bertz doskonale mógłby ideowo przystosować się do nowego ustroju. Uparł się tylko jak mrówkojad, nie chcąc swych zagranicznych kapitałów ofiarować przychodzącemu do władzy rządowi, o co go prosił dowódca oddziału, który zdobył jego pałac. Za to zginął mężnie, syt zresztą życia i trochę już zmęczony. A uczynił tak przez miłość dla córki. Dowiedziawszy się o tym, Hela cały dzień spędziła w domowej kapliczce Sziwy, ale nazajutrz orgia rozpoczęła się na nowo z potrojoną gwałtownością.

O dziwo (tak: o dziwo) nawet Wyprztyk przystosował się do warunków, zostawszy głównym dyrektorem Instytutu Kultów, ale pod maską tą dbał tylko o to, aby jego religii, jedynej, w którą wierzył, nic złego się nie stało. Bo katolicyzm nie miał dobrej marki u niwelistów. Nauczyli się jednak nie niszczyć wszystkiego, tylko zużywać, co się dało, w miarę możności dla swoich celów. Była to idea Sajetana Tempe – tego przeklętego, co zawsze miał rację. Drugą jego ideą było przetworzenie systemu niwelistyczno-komunistyczno-państwowego w postępowy syndykalizm – ale to wymagało trochę więcej czasu. Nie miał zamiaru tego dożyć, tylko zbudować podstawy.

W tym czasie pisał do Heli Tempe, ale listu jego nie pokazała Hela Atanazemu, twierdząc, że jej gdzieś zaginął. Domyślał się Atanazy, że chodziło tu o jej pieniądze i zużycie osobistego jej uroku dla celów nowego porządku. Tak też było w istocie, przy czym dodane były lekkie oświadczyny: Tempe potrzebował widocznie jakiejś egerii, odpowiadającej jego stanowisku i sile, która wzrastała z dnia na dzień zamiast się zużywać. Była to jedna z tych tytanicznych natur, które rosną w proporcji do wielkości ciężarów i zadań. Ale na razie kombinacja zbiorowych wzruszeń erotycznych, miłości jedynego prawdziwego kochanka – spotworniałego do rozmiarów jakiejś metafizycznej bestii – i nowej religii nie była jeszcze wyczerpana i wystarczała zupełnie księżnej Prepudrech – Duchess of „Pripadrécz" – jak ją tu nazywano, a z nią razem i biednego tatarskiego szlachetkę.

Na uboczu, w cichym zakamarku ducha, rozrastała się w Atanazym spóźniona miłość do Zosi i zamiar złączenia się z jej widmem, w czystych sferach niebytu, po dokonaniu przedśmiertnego czynu. W miarę rozkładu zewnętrznej psychofizycznej skorupy rosła w nim tajemna siła, którą składał skrzętnie – „ziarko do ziarka" – aż będzie miarka. Miara i miarka przebrały się jednocześnie. Z tymi orgiami i perwersjami wszystko było jeszcze dobrze, póki w grę wchodzili ludzie kolorowi: Hindusi (bądź co bądź Ariowie), Malaje, Chińczycy, Burmani, mieszkańcy Syjamu, Anamici i inne Mongołoidy. Ale kiedy powoli w najbliższym otoczeniu Heli pojawiać się zaczęli „biali", a nade wszystko kiedy dopuszczeni zostali do tychże poufałości, co „coloured people", Atanazy stanął trochę dęba, tym bardziej że zmuszony bywał do takichże samych psychofizycznych kombinacji, co z tamtymi. Bądź co bądź z początku pomogła mu trochę dawna ideologia Jędrka – „użyć wszystkiego" – ale zdrowy instynkt przemógł, tym bardziej że siły najwścieklejszego byka muszą być, niestety, ograniczone – „eine Transcendentale Gesetzmässigkeit" – trudno. A do tego duch Zosi...

A więc przybył do towarzystwa pewien Grek: Lykon Multiflakopulo, wywodzący się od jednego z wodzów Aleksandra Wielkiego; jakiś rosyjski kniaź Grubenberg-Zamuchasranskij, wesoły amerykański milioner Robert Beedle i włoski markiz Luigi Trampolini-Pempi. Do tego kobiety białe tak okropne, że... Na tle znajomości rozmów w Apura można sobie wyobrazić, jakie rozmówki odbywały się teraz między kochankami. Hela była prawie na granicy ostrego obłędu. Mówiła rzeczy ścinające białko i rozkładające po prostu hemoglobinę, wytwarzające toksyny zdolne zabić megatherium Cuviera – kobry zazdrościłyby jadu jej słowom, gdyby mogły słyszeć ją, gdy przekonywała kochanka o duchowej wyżynie, która czekała ich potem – ale kiedy? – gdzie miały się skończyć wreszcie potworności, a zacząć cud. Granice uciekały w krwawą mgłę jej niesytej wyobraźni, w piekielny opar złośliwej, sprośnej wariacji. Zaczynał się znany z procesów kolonistów okrutny „bzik tropikalny"; upał, pieprz, alkohol, bezkarność i narkotyki – oto są przyczyny tej choroby.

Aż wreszcie Atanazy przestał się nawet męczyć tym wszystkim – zapadł w stan chronicznego „stuporu". Chodząc samotnie wolnym krokiem starca po okolicznych górach, myślał coraz częściej o ucieczce. Hela wypłacała mu stałą pensję na osobiste wydatki – na jego żądanie bardzo skromną. Tylko wspólne przeżycia opłacane były bez rachunku.

Od pewnego czasu robił Atanazy oszczędności i w ten sposób „uciułał" (cóż za ohydne rzeczy!) pewną „sumkę", za którą nawet pierwszą klasą mógł wrócić do Europy. Tropikalny klimat i nawet w tych warunkach pejzaż męczyły go jak okropny koszmar. Już nie mógł znieść ciągłego upału, chininy i moskitów, a do tego tamto... Praca o metafizyce społecznej leżała już od paru tygodni odłogiem. Boże! W jakże krótkim czasie to się stało. Miesiące te były jak lata, a ze wszystkiego wyzierała niczym niedająca się zapełnić pustka i nuda. Bestialstwo i ohyda przestały na niego działać zupełnie. Niewielki zapas uczuć, który miał na życie całe, spalił w ciągu tych kilku miesięcy – została kupa żużli i duch jego unosił się nad tą ruiną jak dymek nad paleniskiem w kilka dni po pożarze. A Hela, w stanie półmistycznego obłędu i ostrej nimfomanii, objedzona indyjską mitologią, którą na próżno starała się pogodzić z Russellem, Husserlem, Bergsonem, Corneliusem, Machem i Jamesem, zbitymi w jedną kupę w jej biednym mózgu (jedynym ukojeniem była teoria Wielości Rzeczywistości Chwistka), stawała się towarzystwem ciężkim nie do zniesienia. (A piękna była jak na złość ciągle). Intelekt jej, zmęczony ciągłą beznadziejną pracą w kierunku pogodzenia wszystkich sprzeczności i manią stworzenia systemu panreligii, zgodnej z ideami najbardziej wysuniętych placówek różnych rodzajów filozofii ścisłej, odmawiał już jej posłuszeństwa. Nie była umysłowo twórczą – w tym tkwiła jej tragedia – a wymagania od siebie miała wprost straszliwe.

Na ostateczną decyzję Atanazego wpłynął cały kompleks przyczyn. Indie też zaczynały się powoli burzyć od podstaw i życie w ten sposób, w jaki żyła Hela, nie mogło utrzymać się w tym stanie na dłuższy dystans. A ginąć tu, w jakiejś indyjskiej zawieruszce, podobnie przypadkowo jak od trąby rozjuszonego przez Helę słonia, Atanazy nie chciał.

Jak już ginąć, to świadomie. Czyn swój musiał spełnić tam, w swoim kraju, do którego tęsknił coraz bardziej, wśród niesamowitości otaczającej przyrody. Byli teraz na Cejlonie, gdzie Hela urządziła „camping" na wielką skalę. Trochę za ciasno było jej w ludniejszych okolicach. Obozowisko namiotów zajmowało 1/2 kwadratowego kilometra w północnej części wyspy, koło Ragnarok. Tylko polowania były wykluczone z liczby dozwolonych przyjemności, bo tak Hela, jak i jej kochanek nie znosili zabijania zwierząt inaczej, jak w czasie rytualnych orgii, według własnego ich, specjalnego obrządku – wtedy było to usprawiedliwione celem wyższym: poznania coraz głębszej tajemnicy własnej istoty, co było możliwe tylko w jakiejś czynności przeciwnej najistotniejszym instynktom. (Postępując ciągle w ten sposób, łatwo zmienić się w swoją własną odwrotność). Któregoś dnia doszło do tego, że któryś z pomniejszych gości skonał na serce. Jakąś panią załaskotano prawie na śmierć: żyła, ale został się jej lekki bziczek. Oczywiście wypadki te zamaskowano świadectwami lekarskimi bez zarzutu. Ale była to ostatnia kropla, która przeważyła postanowienie Atanazego. Nie miał ochoty zgnić w cejlońskim więzieniu, a we wszystko musiał być osobiście wmieszany. Poza tym coraz częstsze były szantaże kolorowych ludzi. Jednego czarnego ubito w dżungli niby przypadkiem. Życie naprawdę wkraczało w sferę prawdziwej, śmiertelnej zbrodni. Wstydził się trochę Atanazy, że te właśnie wypadki definitywnie skłoniły go do ucieczki, ale trudno. Było, jak było – uciekać musiał. Podziwiał tylko własne siły, że mógł wytrzymać to wszystko. Chwilami żal mu było Heli aż do łez włącznie, jej samej, nie tylko jako erotycznego obiektu – ale cóż miał robić z obłąkaną, która o niczym realnym wiedzieć już nie chciała: zdawało się jej, że jest jakąś nadkobietą, niemal bóstwem. A duch Zosi wołał go teraz coraz częściej.

Nierzadko, gdy błąkał się sam po dżungli, słyszał wyraźnie jej głos. Raz widział jej twarz w rogu namiotu, na tle tarczy z bawolej skóry, którą kupił jako talizman od jakiegoś Weda, jednego z półzwierzęcych osobników ze środka wyspy.

Zamówił woły w pobliskiej wiosce, zapakował co najpotrzebniejsze rzeczy i czekał nocy. Do stacji było z piętnaście kilometrów, ale w tej części wyspy wałęsały się jeszcze niewytępione całkowicie tygrysy – jechać samemu bez eskorty nie było bezpiecznie. Naznaczenie dnia tego, a nie innego, co było najtrudniejsze, spowodował incydent następujący: do towarzystwa przybył dnia poprzedniego straszny gość, pierwszy Anglik w tym gronie, chuderlawy pan z oczami, które mogły, zdawało się, przebijać stalowe płyty: sir Alfred Grovemore z N.S.W.P.P., którego Hela przez dziką perwersję przeznaczyła na najbliższego przyjaciela swego ukochanego Tazia. Ale sir Alfred traktował Atanazego – mimo uzurpowanego przez niego książęcego tytułu – z zupełną pogardą: co dla takiego Anglika przedstawiał jakiś Pers – w dodatku alfonsowaty – coś tam szeptano już w pewnych kółkach o nieprawdziwości całej tej maskarady – tak jakby w ogóle maskarada mogła być prawdziwa. O mało nie doszło do grubej awantury. Ostatecznie wymknął się Atanazy koło siódmej wieczór, przed samym obiadem. Często uwalniał się teraz od wspólnych jedzeń.

Parę kilometrów za obozem woźnica, Tamil, zapalił latarnię i tak jechali z męczącą powolnością po wyboistej drodze wśród ścian dziewiczej dżungli oświetlonych migającymi blaskami. Miriady ogromnych, zielonych świetlaków unosiły się w powietrzu jak meteory i błyszczały wśród czarnych gąszczy. Ostatni raz Atanazy nasycał się tropikami, które wskutek „ostatniości" chwili nabrały dla niego nowego uroku. Po raz pierwszy stosunek jego do tego dziwnego kraju, o którym wiedział, że ogląda go po raz ostatni, stał się

uczuciowy, prawie że sentymentalny, jak do pewnych zakąt-
ków rodzinnych stron. Sam nie wiedział, kiedy zżył się
z tą obcą naturą, mimo że chwilami prawie jej nienawidził.
Tak samo z żalem myślał o Heli: z mieszaniną przywiązania,
a nawet litości, z wściekłością za swój upadek, szczególnie
na tle przeżyć ostatnich. Ale gdzieś na dnie nie żałował,
że przeżył ten okres. Całe zło wypaliło się w nim doszczętnie. Teraz dobrze: był wyczerpany do samego szpiku – ale
czy wytrzyma bez niej fizycznie, czy nie dostanie obłędu,
gdy zabraknie mu tej ciągłej narkotycznej podniety zmysłów. Czuł jad we krwi, a z drugiej strony bał się wybuchu
działania nagromadzonych antyciał psychicznych – jednym
z głównych było widmo Zosi, które w zakamarkach duszy
hodował. Zaczął padać drobny deszcz. Monsun przestał wiać
już dawno i cisza była w lesie zupełna; przerywał ją tylko
skrzyp kół i uspokajające pomrukiwanie garbatych białych
wołów. Nagle woły się zatrzymały i w żaden sposób nie
chciały iść dalej. Na próżno woźnica walił je batem i zachę-
cał przeciągłym krzykiem: „Aaa, Aaa, Aaa!". Wtem posłyszeli obaj trzask gałęzi w suchej niskiej dżungli i straszliwy
ryk rozdarł tajemniczy spokój uśpionego lasu.

– Tiger, tiger! – krzyczał Tamil. – Shoot, Sahib! Shoot
anywhere!

Atanazy, nie myśląc nic, wypalił siedem razy z browninga (karabin zostawił w namiocie) i stężał w oczekiwaniu,
włożywszy zaraz nowy magazyn. Teraz na nowo pojął, jak
kochał życie (czy też jakim był tchórzem), mimo wszelkich
samobójczych myśli, w czasach gdy nie mógł już znieść
bestialstwa Heli, a nie miał siły oderwać się od tej ohydy.
(Wtedy po śmierci Zosi to było całkiem coś innego). Cisza.
Woły zaczęły miotać się i ryczeć. Latarnia, uczepiona
na froncie budy, rzucała niespokojne błyski. Woźnica zdzie-
lił swoje garbusy batem i pojechali dalej względnie szybko.

Atanazy wystrzelił jeszcze dwa razy. Gdzieś (a może mu się zdawało?) trzasły jeszcze gałęzie, a z dala rozległ się żałosny bek jakby naszego jelenia.

– Got him, got a deer. Good luck, Sahib. No fear – rzekł woźnica i zaśpiewał dziką pieśń, bez określonego tematu. Daleko słychać było bębny. Do końca drogi Atanazy był stężały i napięty. Zajechali wreszcie do dużej osady wśród plantacji gumy i herbaty, gdzie stawał Ragnarok-Ekspres łączący Indie (po mostach między wyspami), Anaradżapura, Kandy i Colombo. Znalazłszy się w restauracyjnym wagonie, odetchnął. Przygoda z tygrysem napełniła go nową siłą. Była to mała próbka, bardzo mała, ale wiedział już, że jądro najgłębsze jego istoty nie jest zniszczone. Sam wyjazd nie był tu jeszcze miarodajny – wypadek ten przekonał go ostatecznie do siebie. Miał się o co w sobie zaczepić, aby wyciągnąć się z bagna. Ale poza spełnieniem „czegoś rzeczywistego" i śmiercią życie nie przedstawiało dla niego żadnego już uroku. Miał wrażenie, że gdyby na świecie, a szczególniej w jego kraju, nie działo się nic nadzwyczajnego, zaraz by zrobił odpowiedni użytek z rurki z białym proszkiem.

W szary, mglisty poranek opuszczał Colombo wielkim parowcem Peninsular and Oriental Company, czyli tak zwanym P. and O. Płaski brzeg ze srebrzystą strzępiastą linią palm i wąskim paskiem żółtego piasku i jakieś komercjalne budy o czerwonych dachach, nad którymi unosiły się rude sępy i mewy, zasnuła mgła i tropikalny świat zniknął mu sprzed oczu jak dziwny sen, który trudno zrekonstruować po obudzeniu się. Na okręcie zrobiło się trochę gorzej. Musiał Atanazy uciec się do paliatywów. Uwiódł więc jakąś młodą wdowę po oficerze zabitym w Indiach, wracającą do Anglii. Zakochała się w nim bez pamięci – nie znała, biedaczka, podobnych rzeczy zupełnie – wyższa szkoła Heli dawała wyniki zdumiewające. Potem jakaś brazylijska kokota z Rio, potem żona ohydnego holenderskiego biznesmena, potem perwersyjny romansik z córką „pursera" – wkrótce miał cały harem, a każdy wie, jak trudno jest załatwiać podobne sprawy na okręcie. Wszystko to nie dawało mu najmniejszego zadowolenia, ale bądź co bądź pomagało w tym, że coraz częściej myślał o biednej Zosi i swojej misji społecznej. „Trzeba być konsekwentnym – mawiał do siebie ni w pięć, ni w dziesięć – jeśli się nie jest faszystą, trzeba być niwelistą". Skończył w tym czasie swoje „dziełko" i chwilami był prawie zadowolony z losu. Miał zamiar oddać Heli pieniądze uzyskane za wydawnictwo i w ogóle zwrócić cały dług. Nie wiedział, biedaczek, jak stały finansowe sprawy w kraju – nie miał pojęcia, jak żyje tak zwana inteligencja. A zresztą może się jeszcze z nią ożenić i odejść od niej (to już było kapitalne po tym, co było!), i tym pokryć wszystko. Czyż jej to było potrzebne? Zupełnie stracił głowę. Więc po cóż uciekał? Myśląc tak, nie zdawał sobie sprawy ze swego upadku. Nieznacznie, sam nie wiedząc kiedy, zmieniał się w zupełnie innego człowieka.

Już w Bombaju otrzymał depeszę Heli:

„Wracaj. Przebaczam. Wszystko zaczniemy na nowo. Ja mam już dosyć. Chcę tylko twojej miłości".

„Ależ prędko mnie złapała" – pomyślał Atanazy. I nagle przypomniało mu się wszystko. Jad wybuchnął mu we krwi i objął całe ciało pożarem. Poszedł do indyjskich tancerek na Malabar Road i tam spędził noc całą. Zdawało mu się, że po trzech dniach głodówki zjadł małą kanapkę. Ale wrócił na okręt spokojny. Reszty dokonały kobiety na statku, które prowadziły o niego bezlitosną walkę, na włosek jeden od publicznego skandalu. Postanowił wrócić tą samą drogą, którą jechał: przez Bałkany – tracił bilet od Port--Said do Neapolu, ale nie mógł się oprzeć pokusie widzenia tych samych miejsc w drodze powrotnej – chciał sprawdzić swoją siłę. W tajemnicy przed kochankami opuścił okręt i nazajutrz jechał już z Aleksandrii do Aten. Błądząc po smutnym, spalonym przez słońce Akropolu, przypomniał sobie ten dzień wiosenny, kiedy jechali z Helą, pełni jeszcze zdrowej względnie miłości. Mimo że wtedy rozpacz jego po stracie Zosi i wyrzuty sumienia były męką nie do zniesienia, pożałował tego dnia i niepowrotnej przeszłości. Wpatrzony w białe ruiny greckie, których tak nie lubił, płakał Atanazy po raz ostatni w życiu. Twarz miał spokojną ten „metafizyczny alfons", tylko łzy bólu lały mu się z bezdennie smutnych oczu. Wiedział, że koniec już bliski, i tu naprawdę pożegnał się z życiem. „A jednak ostatni okres ułożył się w pewną kompozycję" – pomyślał z pewnym zadowoleniem. Życie bez sensu, istnienie samo w sobie okrutne, ponure i tajemnicze, które staramy się pokryć ważnością codziennych, równie bezsensownych zajęć, jak wszystko, ukazało mu twarz swoją bez maski – spalił się w ogniu ostatniej (czyżby?) miłości. „Może są inni, którzy myślą inaczej – pokój z nimi – nawet im nie zazdroszczę. Jeszcze w XVIII wieku wszystko miało sens – dziś nie. Przechodzimy, nie wiedząc czasem nic o sobie, myśląc, że zbadaliśmy i wiemy wszystko, aż znienacka łapie nas śmierć; albo czasem, przez dziwny przypadek zgodności psychicznych danych i rzeczywistego układu, ukazuje się nam potworna przepaść niezgłębionej Tajemnicy ograniczonego, indywidualnego istnienia na tle Nieskończoności tego, na co nie ma definicji, co oznaczamy słowem Byt. Przemijamy – to tylko wiemy, a reszta jest fikcją okłamujących się bydląt. Jedyną rzeczywistością jest byt społeczny doskonale zmechanizowany, bo jest przynajmniej kłamstwem w najdoskonalszej formie. Dlatego muszę zostać niwelistą" – tak zakończył Atanazy ten szereg bezwyjściowych myśli.

Maniakalna konieczna koncepcja ta była jak rzeka, do której od pewnego czasu zbiegały się jak drobne strumyczki wszystkie inne jego myśli. Rzeka ta uchodziła w morze: w ideę bezindywidualnego społeczeństwa automatów. Jak najprędzej zautomatyzować się i przestać cierpieć. Co robiła w tej chwili Hela? Kto zajął przy niej jego miejsce? Czy ten okropny, pająkowaty sir Alfred, jego niedoszły przyjaciel? „Przyjaciel" – z jakąż goryczą wymówił to słowo. Był sam – nie miał komu nawet o sobie opowiedzieć. Kogóż to wszystko obchodzić mogło. Jeden może Łohoyski, i ten, psiakrew, oszalał. „Gina Beer! ona jedna jeszcze – ciekawy jestem, czy żyje". Ożywił się tym wspomnieniem, ale na krótko. Schodził z góry Akropolu jak do grobu. Może jeszcze bardziej obce były mu te ruiny wśród wyschłych żółtych traw, na tle popołudniowej orgii kłębiastych obłoków na wschodzie, niż cały tropik. Zamknęło się już wszystko – nawet czyn ostatni (jakże trudnym to będzie z czysto technicznego choćby punktu widzenia!) wydawał się czymś małym, nieistotnym. A dokonać go trzeba. „To jest moja misja na tej planecie i to, co napisałem. Może to bzdura, ale tak być musi. Jestem pyłkiem w tym wszystkim, ale pyłkiem koniecznym". Męcząca przypadkowość dawnych dni rozwiała się. Za to wdzięcznym był Heli.

Nie przeczuwał biedny Atanazy, że przyjdzie mu skończyć życie w zupełnie innym świecie idei niż ten, w którym żył teraz. Zemsta upośledzonych układów czaiła się w mroku jego istoty. Cóż kogo mogło obchodzić, czy idee te (te, które przyjść miały) były „urzeczywistnialne" czy nie – mądre czy głupie. Chodziło o wymiar psychiczny, w którym miał nastąpić koniec.

Tymczasem zdawało mu się, że poznał siebie przed śmiercią. I na myśl o tym, że mógłby dotąd być tam w kraju mężem Zosi i ojcem Melchiora i zarabiać w nędzy w jakimś biurze, a nie wracać jako ten żywy trup wiedzący wszystko, co wiedzieć mógł, zatrząsł się ze zgrozy i retrospektywnego strachu. A mimo to tylko Zosię teraz kochał i z jej duchem w zgodzie chciał to życie zakończyć. Taka przewrotna nieszczęśliwa bestia był ten Atanazy. A wieczorem mimo wszystko, gdy wypił greckiego wina i zjadł dobrą kolację w Pireus (na dwie godziny przed odejściem okrętu do Salonik), to nie wytrzymał i poszedł do jakiegoś bajzlu dla wyższych oficerów marynarki, i tam bawił się wcale dobrze z jakąś zwyczajną Żydóweczką aż z Kiszyniowa, i rozmawiał z nią „istotnie" o niwelizmie i problemie semickim w ogóle. Gdyby mogła go widzieć Hela.

ROZDZIAŁ VIII

TAJEMNICA WRZEŚNIOWEGO PORANKA

Już z Aten wysłał Atanazy długą depeszę do Tempego, błagając go, w imię dawnej przyjaźni, o pozwolenie powrotu i nowy paszport. (Czekać miał na odpowiedź w Pradze, gdyż komunikacja na Kralovan była przerwana). Wspomniał tam też o swojej ostatniej przemianie w formie szyfrowanej. Po paru dniach oczekiwania, podczas których napisał potwornie długi list do Heli usprawiedliwiający swoją ucieczkę, dostał żądane dokumenty – musiał jednak jechać przez Berlin. Już tam miał pewien przedsmak tego, co go czeka w kraju. Ale zdumiony był krystalicznym nieomal porządkiem zrewolucjonizowanych Niemiec. Praca, praca i praca, wściekła, zawzięta, niechybna jak ogień świetnie skorygowanej artyleryjskiej baterii. Błądząc po pustym muzeum, ze smutkiem patrzył Atanazy na dzieła dawnych mistrzów – był to grób, ten niegdyś pełen życia gmach, w tak niedawnych czasach, gdy było jeszcze żywe malarstwo. Dziś kontakt między tym, co było, a rzeczywistością był przerwany – obrazy więdły jak kwiaty, mimo że jako fizyczne przedmioty pozostały tymi samymi co przedtem – nie były już potrzebne nikomu. „Tak – dziś można jeszcze być malarzem «stosowanym» albo stylizować w pewien sposób – znany już ogólnie – naturę. Ale wielka kompozycja w malarstwie skończyła się. Jeszcze kubizm był może ostatnim «wyprztykiem» w tym kierunku. Można dziś być miernotą stylizującym według dawnych szablonów, od Egiptu do Picassa – ale szczyty są zamknięte. Tam jest tylko obłęd i chaos" – myślał ponuro, chociaż naprawdę nie obchodziło go to wcale.

Wjechał do kraju w pogodny dzień sierpniowy. Zaczynała się wczesna jesień: ścierniska, jesienna, o szmaragdowym odcieniu zieloność, żółkniejące gdzieniegdzie drzewa i dźwięk rodzinnej mowy dawały złudzenie, że wszystko jest jak dawniej. A tymczasem cały kraj stał na głowie, na szpicu, jak wywrócona piramida, kręcąc się zawrotnie i chwiejnie nad przepaścią niezbadanych przeznaczeń. Z ciekawością obserwował Atanazy spotykane twarze i przekonywał się, że jednak wszystko jest inne i nieznane. Jacyś nowi ludzie wypełźli z czeluści, w których się kryli. Ale twarze ich były raczej przerażone tym, co się działo, niż szczęśliwe. Nie było nic z tego nastroju niewstrzymanego niczym pędu, który czuć było tam, o parę kilometrów za graniczną stacją – tępota, stłumienie, niewiara i strach – oto była atmosfera ogólna, którą odczuwało się od razu. „Zobaczymy, co będzie dalej. Może to faza przejściowa". Dawni „władcy" smutni byli i przygnębieni. W wagonach nikt prawie nie rozmawiał. Przepełniony ciężkim zwątpieniem w to, czy będzie mógł być czymś w tym nowym życiu, wjechał Atanazy do stolicy – już trzecią klasą, nie pierwszą, jako towarzysz Bazakbal, a nie perski książę. (Swoją drogą bał się trochę tego Prepudrecha – nie tyle fizycznie, ile psychicznie). Kto by się to spodziewał! Tamten pogardzany dancingowy bubek był kimś, znanym muzykiem i komisarzem, a on, Atanazy, mający się kiedyś za jakiegoś Doriana Graya, na tle saloników małej burżuazji i demi-arystokracji – wjeżdżał tu jako kompletne zero (moralne też), aby szukać skromnej posadki – bo od czegóż mógł zacząć swój „wielki czyn społeczny"? W grubszych zarysach wszystko było już zrobione przez tamtego „przeklętego Tempe". Śmiechu warte były te głupie gadania i przemyślenia. Chyba „dziełko" – ale i to wydało mu się jakieś wyblakłe, bez krwi i soku. Płaciło się za wszystkie trzy klasy tak samo, ale prawo do wygód proporcjonalne było do jakości spełnianej funkcji. To była pierwsza nowość, którą zauważył Atanazy – tego nie było nawet w Niemczech. Na dworcu męczono go, mimo paszportów Tempego, niesłychanymi formalnościami (na granicy to było głupstwo w porównaniu z tym). W końcu, opatrzony potworną ilością papierów, wyszedł na ulicę i najął wózek na rzeczy – nie miał prawa do auta i dorożki – był niczym – druga nowość. Miasto zastał w stanie zupełnego zaniedbania. Postrzelane domy, ruiny, spaleniska, trawa na mniejszych ulicach, ruch prawie żaden, z wyjątkiem głównych arterii. Widocznym było, że pierwsza rewolucja to był żart niewinny wobec trzech następnych. „Co u diabła – myślał Atanazy, idąc do małego hoteliku niedaleko Palazzo Bertz, gdzie pozwolono mu zamieszkać – widocznie zajęci są wyższymi celami". Przechodząc, dojrzał na czerwonym pałacu emblemy Związku Sowieckich Republik – mieściła się tam ambasada. Cała przeszłość mignęła mu w pamięci w szalonym skrócie – ale na krótko zajrzał tam – za dużo było aktualnych nowości. „Transcendentalna konieczność mechanizacji", pomyślał z dziwnym uśmieszkiem.

Wizyta u Tempego była krótka. Sajetan był zupełnie innym człowiekiem. Cóż za piekielne zwały wybuchowych materii mieścić musiały się w tym dawnym, cynicznym trochę poecie i „morskim oficerku", żeby dokonać tej przemiany. Wyniesiony nagle na najwyższe stanowisko w niwelistycznej (co za sprzeczność!) hierarchii,

411

czuł się tam jak u siebie. Miał tę technikę wewnętrzną, która pozwalała mu spalać zawarty w nim dynamit powoli, wywołując stopniowe zwiększanie natężenia ciśnień i nie rozsadzając struktury ducha: transformować zabójczą energię na codzienny tytaniczny wysiłek. Życie miał usystematyzowane maszynowo. Nawet na miłość miał trochę czasu. Sekretarką jego była, jak się o tym później ze zdumieniem dowiedział Atanazy, pani Gina z Osłabędzkich Beer. Przedostatnia kochanka jego przed ożenieniem się i Tempe! Co za dziwny zbieg okoliczności! Jakże świetnie czasem komponuje się życie! Niekiedy ludzie raz związani kręcą się w zamkniętym kółku, mało dopuszczającym do swego izolowanego systemu nowych ważnych osobistości. Zmieniają się satelici, ale planety główne obracają się ciągle dookoła tajemniczego środka ciężkości całego układu. „Jednak to dowodzi, że nasz kraj jest prowincją – myślał Atanazy. – W wielkim świecie szybsza jest przemiana materii psychicznej: więcej wytwarza się związków nowych istotnych". Po tej uwadze, opartej na zbyt małej ilości faktów, Atanazy zasnął w oczekiwaniu, w ponurej poczekalni komisariatu. Weszła Gina, udając, że go nie zna, pokorna jak suka, ale zawsze piękna. Czuć było na niej cały ciężar władczego kochanka i nie można by zaobserwować w niej ani cienia erotycznego zadowolenia. Na porozumiewawcze spojrzenie Atanazego odpowiedziała szeptem:

– Nie teraz. Gdzie?

– Hotel pod Czerwoną Gwiazdą. Numer ósmy – odpowiedział równie szeptem Atanazy.

– Jutro o siódmej. Do siódmej trwa praca. – Z gabinetu dał się słyszeć dzwonek. – Numer z kontroli przyjezdnych i świadectwo kancelarii próśb – rzekła głośno.

– Oto jest. – Atanazy podał jej jakąś blaszkę, którą gdzieś tam mu wydali, i papier, na który czekał dzień cały, chodząc po mieście jak błędny, na próżno usiłując spotkać kogoś znajomego i dowiedzieć się o czyimś adresie. Od Baehrenklotza odesłano go też do jakiejś kontroli, ale zirytowany tym nie poszedł tam wcale. A do ci-devant księcia Prepudrech iść nie śmiał. Czort wie, co zrobić może taki nowo upieczony muzyk i komisarz – może wsadzić po prostu do lochu i koniec. Wolał się najpierw sam ulokować na jakimś stanowisku. Wszędzie kartki, podpisy, stemple, fotografie, oględziny, ględzenia i badania. Małostkowość tego wszystkiego przeraziła wprost Atanazego. Jadł też za jakąś kartką i musiał złożyć tak zwaną „deklarację pracy" – bez tego nic – zdechnąć z głodu. Ale przed podaniem się na posadę chciał się porozumieć z Tempem, aby być bliżej centrum działania. Bo to, co widział, było trochę nowe, ale tak beznadziejnie nudne, że chwilami chwytała go rozpacz i żałować poczynał, że nie zjadł go tygrys w cejlońskiej dżungli. „Czyn społeczny" przedstawiał się w coraz wątpliwszym świetle. Po chwili wyszła z gabinetu Gina i powiedziała: „Proszę". W tym jednym powiedzeniu widać było całą marmeladę, którą z tego „demona" zrobił tamten tytan. Onieśmielony Atanazy wszedł do czerwoną flanelą obitego pokoju. Za stołem, w szarym angielskim garniturze, z czerwoną gwiazdą na piersi po lewej stronie, siedział Tempe.

– Jak się masz, Sajciu – powiedział Atanazy ze sztuczną nonszalancją, zbliżając się na chwiejnych nogach do stołu. Zdawało się, że Tempe wytwarza jakiś nieprzenikniony fluid, odpychające pole magnetyczne o niezmierzonym potencjale. Siła wiała z niego jak struga elektronów z katody, przestrzeń wokół zdawała się wyginać. A cały demonizm tej sztuczki polegał na tym, że nie wiadomo było, na czym to wszystko się opiera – pozornie był to ten zwykły Tempe, który zawsze miał rację – nic więcej – a jednak... A może to stanowisko, władza – nie – to było w nim samym. Mógłby

413

siedzieć w więzieniu – wrażenie byłoby to samo – tego był pewnym Atanazy. – Dziękuję ci za papiery. – Podał mu rękę. Twarz Tempego nie drgnęła. Nie wstając, oddał mu uścisk dłoni. Mówił zimno:

– Czego sobie życzysz, mój drogi? Tylko prędko. Streszczaj się, jak możesz.

– Chciałbym z tobą porozmawiać obszerniej. Może wieczorem? – mówił Atanazy, zapominając już o Ginie.

– Nie teraz. Może za miesiąc będę miał dwa dni urlopu. Czego chcesz? – powtórzył groźniej. – Chcesz pracować z nami jako inteligent?

– Tak, właśnie...

– Dosyć. Trzy lata praktyki adwokackiej. Na maszynie pisać umiesz.

– Tak. Chciałem ci oddać mój memoriał o transcendentalnych podstawach społecznej mechanizacji. – Wyciągnął z kieszeni manuskrypt i podał go Tempemu, który rzucił go na półkę biurka.

– Nie teraz. – Zadzwonił i zaczął przeglądać coś między papierami na stole. Weszła Gina. – Towarzyszko: Towarzysz Bazakbal, trzecia kancelaria, ósmy stół. Państwo się znają – dodał ironicznie.

– Tak. Słucham – odpowiedziała Gina płaskim, poddańczym głosem, czerwieniąc się z lekka.

– A ty, Atanazy – mówił już trochę dobrotliwiej Tempe – nie przerażaj się widokiem miasta. Moja zasada: najpierw organizacja z góry, a potem detale. Żegnam was.

Wyszli oboje jak zmyci – gdyby mieli ogony, na pewno by je podkurczyli pod siebie. W poczekalni czekał nowy delikwent: starszy pan z sumiastymi wąsami, były wielki pan – jakiś austriacki hrabia (spotykał go Atanazy u Osłabędzkich), były minister finansów przy którymś tam rządzie z zamierzchłych epok. Atanazy ukłonił mu się. Nie poznał go wcale. Niegdyś groźny, teraz patrzył szklanymi, łzawymi oczami w Ginę jak w święty obrazek. Atanazy szedł ze schodów jak nieprzytomny. Dziś, to jest za godzinę, miał się stawić do pracy. (To mu powiedziała Gina na odchodnym). Dostał kartki na jedzenie, ubranie, buty i mieszkanie – przy jakiejś robotniczej rodzinie, w IV dystrykcie, przy ulicy Dajwór, o godzinę drogi od biura. Był oszołomiony. I te twarze, te twarze, które widział wszędzie. „Boże! Czyż tak będzie wyglądał mój czyn społeczny?" – myślał z rozpaczą. Ale postanowił wytrwać. „Zobaczymy, co będzie" – powtarzał sobie dla dodania ducha, ale jednak przejście od indyjskich rozkoszy do tego, co widział tutaj, mimo trzech tygodni podróży, było zbyt gwałtowne.

Ledwo zdążył zjeść obiad, tak zwany trzeciej klasy, w ogólnej stołowni urzędników Komisariatu Spraw Wewnętrznych i popędził do biura. Tam zasadzili go do maszyny (znowu te dziwne twarze) i pracował do ósmej. Kiedy wyszedł, był dosłownie nieprzytomny. Odwykł od zajęcia adwokackiego przez ten rok zupełnie, a te papiery, które przepisywał, były dlań czymś zupełnie niepojętym. „Gdzież tu jest transcendentalna konieczność? W co ja wpadłem? Ale zobaczymy, co będzie" – powtarzał w kółko.

Zasnął zaraz prawie na twardym łóżku w jakiejś klitce. Obok, za drewnianym przepierzeniem, chrapała w większym pokoju robotnicza rodzina złożona z sześciu osób. Śnił się Atanazemu wytworny salon nieznanej mu pięknej damy. Ona była „głównym czynnikiem rozkładu" – tak powiedział mu lokaj, którym był Józio Siemiatycz, zabity dawno w pojedynku. Skąd? Po co? Potem zaczęły się jakieś skoki przez kanapę, wykonywane przez gości we frakach, którzy nie wiadomo skąd się wzięli. Atanazy skakał też i był w tym jakiś sens głęboki i niepojęty: „Eine transcendentale Gesetzmässigkeit", jak powiedział ktoś z boku. Aż wreszcie weszła Hela jako indyjska bogini. Wszystko inne znikło. Atanazemu wyrosło po pięć rąk z każdej strony i objął Helę, która była z brązu, a jednak żywa. On sam też zmienił się w rzeźbioną figurę i rozpoczęła się między nimi „miłość" – ale metalowa – innego wyrazu na to nie było. „Nową rzecz wynalazłem, zupełnie nową – myślał z rozkoszą Atanazy. – Naprawdę jestem bogiem, indyjskim bogiem", i w szalonej furii zgwałcił metalową Helę w klasycznej formie indyjskich rzeźb, trzymając ją za głowę, szyję, łopatki, stan i pośladki dziesięcioma rękami. Obudził się i poczuł, że to stało się naprawdę. „Własną pierś rozdarłem i broczę krwią" – przypomniał mu się wiersz Micińskiego. Ale nie wiedział zupełnie, gdzie się znajduje. Za ścianą chrapała robotnicza rodzina i woda bulgotała w rynnach. Było ciemno jeszcze w pokoju. Zadźwięczał budzik. „Aha, czwarta" – mruknął z rozpaczą Atanazy, uświadamiając sobie wszystko, i zasnął natychmiast. Ale zaraz (jak mu się zdawało) obudzono go i za chwilę mył się już zimną wodą, stojąc w olbrzymiej blaszanej misie – wspólnej umywalni całej rodziny. (Zepsuł mu się po drodze „tub", a w stolicy nie mógł nic podobnego dostać). „Jeszcze parchów jakich dostanę na piętach" – myślał, wycierając się olbrzymią gąbką, jedynym bogactwem prawdziwym, które mu zostało. I to on, ten „perwersyjny" Tazio! Nie do uwierzenia. „Zobaczymy, co będzie" – powiedział, i odtąd mówił tak ciągle – objaw tak zwanego „zobaczymycobędzizmu".

Teraz dopiero przypomniał sobie, że miała go odwiedzić w hotelu Gina. A jego do siódmej i pół trzymali w biurze, a przez ten czas sami przewieźli mu rzeczy tu i omnibusem ogólnym, rozwożącym wszystkich po mieszkaniach, zawieźli go na miejsce po przymusowej kolacji. A on zapomniał o wszystkim! „Gdzież ja kolację jadłem? Aha – w tej samej stołowni – nie, to naprawdę nie do uwierzenia!

Czyż aż tak byłem zmęczony? To pomysł tego przeklętego Tempe. Pokazał mi pazurek. Ta mechanizacja to jednak silny narkotyk. I ja zapomniałem o Ginie". Za godzinę, odwieziony omnibusem, już siedział za swoim biurkiem, przepisując bezsensowne, jak mu się zdawało, „kawałki". Na metafizykę nie było czasu. Ale z Giną postanowił się zobaczyć za jaką bądź cenę. Jedyna kobieta, jaka mu została. A tu za lada głupstwo: śmierć przez rozstrzelanie, śmierć przez rozstrzelanie, śmierć... – o, to silny narkotyk. „Zobaczymy, co będzie" – mruknął po raz setny. Jeszcze wszystko było mimo wszystko ciekawe. Ale zobaczyć się z Giną było nie sposób: nie wydawano do kancelarii komisarza żadnych przepustek, a poza tym nie było na nic czasu: towarzysz Tempe uczył współrodaków pracować.

Całe szczęście, że nie robiono osobistej rewizji na mocy jakichś tam stempelków, i Atanazy ocalił rurkę z białym proszkiem. Schował ją starannie w walizce, zamykanej na klucz, a czasami wyjmował, obejmował czułym spojrzeniem i gładził jak wiernego pieska. Aż wreszcie po tygodniu takiego życia dostał kartkę: „Czekaj na mnie o trzeciej na cmentarzu jutro". Poniedziałek – miało być wolne popołudnie. „T. wyjeżdża na obchód do N.G.", stało dalej w karteczce.

Idąc przez zalane jesiennym słońcem ulice, Atanazy był jak we śnie. Przeszłość od teraźniejszości nie dawała się w żaden sposób oddzielić, jakby czas przestał istnieć. I to miasto, i te, te same ulice. Coś nieprawdopodobnego. I nagle uświadomił sobie, że ani razu prawie dłużej nie pomyślał o Zosi. Gdzież był ten duch jej, który miał go czekać na granicy kraju i z którym miał się połączyć dla dokonania czegoś nadzwyczajnego? Uczuł wstyd przed widmem – wstyd podwójny – za ten swój „czyn" – posadka niwelistyczna trzeciej klasy – i za to, że dopiero teraz, idąc na schadzkę z Giną, przypomniał sobie o nim – nie Zosię sobie przypomniał, tylko jej ducha – tamta niegdyś żywa zapadła gdzieś w mroki pokryte indyjską rozpustą. Już miał plan – tylko jak go wykonać? Dosyć miał tego wszystkiego. Duch Zosi, wspomnienia przeżyć z Helą, Cejlon, Indie, stolica, Gina, wszystko zmieszało się w jedną bezkształtną kupę, z której nie było wewnętrznego wyjścia. Musiał zachorować i być wysłanym w góry – to sobie postanowił. Na grobie Zosi musi zstąpić na niego objawienie – tak sobie ubzdrał czy uroił.

Za cmentarzem rozprzestrzeniały się pola. Dalekie lasy majaczyły na widnokręgu w jesiennej srężodze. Czy można było przypuścić, że tam żyją ludzie w ten sposób, tam w mieście, o godzinę drogi stąd? Z daleka już ujrzał wysmukłą postać dawnej kochanki. I znowu przypomniały mu się jej słowa: „O jakże dziwne formy może przybrać szaleństwo ludzi zdrowych". (Gina mówiła często nonsensy, nie mając nic istotnego do powiedzenia, ale czasem także, przypadkowo, wychodziła z tego myśl jakaś i wtedy bardzo była szczęśliwa. Miała nawet książeczkę, w której zapisywała te swoje biedne „złote myśli". „Kompromitacją nazywamy odstępstwo od sprawiedliwych pobudek, jeśli skompromitowany nie załatwił przedtem rachunków ze swoją nienaganną przeszłością", albo: „Nadmiar szlachetności mści się tylko dlatego, że nie umiemy go traktować jako łaski, którą obdarza nas własna niemoc w stosunku do zdradzonych ideałów", i tym podobne). Może naprawdę jest już wariatem? Ale teraz myśl ta nie przeraziła go wcale. Tym lepiej – może tylko w tym stanie można to wszystko wytrzymać, tak jak on to wytrzymywał.

– Mam wrażenie, że cię całe wieki nie widziałam, a jednak tylko półtora roku – były pierwsze jej słowa. – Ach, Taziu, Taziu, teraz dopiero widzę, jak mało ceniłam twoją miłość! Gdzie byłeś? Co się z tobą działo? Od śmierci Zosi nic o tobie nie wiem. Opowiadał mi tylko coś Prepudrech – tak się zmienił. Nie poznałbyś go: Mag Czystej Niwelistycznej Muzyki – towarzysz Belial. Naprawdę on zniwelował muzykę – zrobił z niej coś potwornego. I wiesz, co dziwne, że oni to właśnie lubią – te wyzwolone zwierzęta. – (Twarz Atanazego wyrażała niesmak). – O Boże! co ja mówię. Może ty...? Ale nie. My tu boimy się nieomal samych siebie. Tempe jest strasznie zazdrosny. Zginęłabym, gdyby się dowiedział – i ty też. Ale mów. Po co ja mówię?

Atanazy miał bezwzględne przeczucie, że to jest ostatnia kobieta, która stanęła na jego drodze. Tak – czas już. Przeszłość wypiętrzała się przed nim do gigantycznych rozmiarów – właśnie tamto dawne, spokojne życie, skromnie ułożone i skromnie wyreżyserowane, miało w tej chwili odcień jakiejś wielkości. Tego się doczekał. Musiał się przed kimś zwierzyć – zbyt ciężko odczuwał swoją samotność. Gina nie była nigdy „orlicą", ale coś się w niej tam kołatało jednakże – taki sobie łasicowaty demonik trzeciej klasy. Ale teraz miał dla niej jakieś dziwne uczucie – to nie była ona, tylko ta właśnie, jaką chciał, żeby była dawniej.

Przeszli dalej nad małą rzeczułkę zarosłą sitowiem. Słońce grzało jak w środku lata, a żółknięjące drzewa stały cicho w przezroczystym powietrzu. Już czuć było zgniławy zapaszek starych więdnących traw i liści. Na srebrzystych nitkach leciały beztroskie pajączki, a gdzieś zupełnie jak na wiosnę odzywały się ptaszki. Atanazy patrzył na samego siebie z niedościgłej wyżyny. Poczuł nieodwołalnie nadchodzącą śmierć, a miał dopiero rok dwudziesty dziewiąty. Nie myślał o samobójstwie, tylko o śmierci samej, która nie wiadomo skąd nadejść musiała. Widział samego siebie: maleńkiego, nic nierozumiejącego stwora, pełzającego gdzieś nie wiadomo po co i na co, wysilającego się ostatnim podrygiem, aby uchwycić coś, co uchwyconym nigdy być nie mogło, czego może nigdy nawet nie było. Nie byłby w stanie wypowiedzieć tego uczucia ani określić punktu widzenia, z którego tak właśnie na siebie patrzył.

Siedli nad brzegiem strumienia, w cieniu wielkiej osiki, która szeleściła metalicznie od leciutkiego powiewu swymi białawymi i żółtymi listkami. Daleki ryk krowy przypomniał mu góry i zobaczył wyraźnie taki dzień jak dziś w Dolinie Złomisk. Straszna tęsknota zatrzęsła nim, aż do podstaw jego istoty. Za Helą nawet i za duszą Zosi (ciało jej zdawało się nie istnieć nigdy) nie tęsknił z taką siłą. Objął Ginę, która złożyła mu głowę na piersi i płakała cicho, a łzy jej kapały mu na lewą rękę gorącymi kroplami. Potem opowiedział jej wszystko. Patrzyła na niego rozszerzonymi trochę, odśrodkowo zezowatymi, błękitnymi oczami, a usta miała rozchylone w łzawym półuśmiechu. Tak się zmienił, tak strasznie, tak bezdennie podobał się jej w tej chwili... Chciała mu wynagrodzić wszystkie drobne przykrostki, które mu uczyniła i które były powodem ich rozstania. Ale wtedy przyszedł zaraz nowy kochanek, potem drugi, trzeci i tak dalej, aż wreszcie męża jej Beera „szlag trafił" i Gina spadała coraz niżej. Z tej nędzy wywlókł ją Tempe. Ale była to miłość drapieżna, męcząca: „krótkie spięcie" – jak to nazywała: miłość tyrana, przepracowanego, prędkiego jak piorun, jadowitego i ponurego. (Tempe stracił kompletnie dawną wesołość). Straszne były jego pieszczoty i pozostawiały ją zimną – ją, tę dawną prawie nimfomankę. I teraz ten Tazio – tak niedawno jeszcze, a tak dawnym się to wszystko zdało... Oczywiście oddała mu się tam, w cieniu osiki, raz, drugi i trzeci. Szalona była to przyjemność...

Objęci wzajemnie wracali w kierunku miasta – do tego piekła bezprzytomnej pracy, do której nagiął ten potwór Tempe rozleniwioną, różnorodną masę, zbijając ją powoli w jednolitą, precyzyjną maszynę straszliwymi uderzeniami swojej niezłomnej woli. Ogromne liściaste drzewa cmentarne, płonące buro-karminowo i zielono-pomarańczowo w zachodzącym słońcu, szumiały groźnie, ostrzegawczo, od wieczornego powiewu, który szedł od łąk, przepojony jesiennym aromatem nagrzanej za dnia ziemi. Słońce zgasło za beznadziejnie płaską, znudzoną wszystkim ziemią. Gina mówiła:

— Chcesz jechać, a pomyśl, co będzie ze mną. Jesteś jedyną moją pociechą. Mam dopiero dwadzieścia sześć lat, a wydaje mi się, że jestem staruszką. Pomyśl, Taziu. Zobaczymy, co będzie. (Wszystko upraszczało się jakoś dziwnie, jak nigdy i nikt by przypuścić nie mógł, że wokoło działy się rzeczy brzemienne przyszłością na wieki całe).

— To sobie powtarzam ciągle, to moja dewiza. Ale muszę, dziecinko. (Skąd mu się wzięło to słowo, którym dotąd tylko Zosię nazywał?). — Tam zobaczę. Może wrócę jeszcze.

— Może! chcesz uciekać stąd czy umrzeć — powiedz.

— Nie wiem. Woła mnie tajemniczy głos. A potem może być już za późno. Muszę. Nie namawiaj mnie. Wiesz, jak nie lubię odmawiać.

Gina przytuliła się do niego całym ciałem, a potem z dreszczem oderwała się, otulając się w czarny, koronkowy, hiszpański szal. Całe świństwo zniknęło z duszy Atanazego. Był w tej chwili tak czysty i niewinny, jak w czternastym roku życia, gdy jeszcze (!) nie znał kobiet. Piętnaście lat — a tak wiele się stało. Czyn, który miał spełnić, okazał się czystą fikcją, to, co napisał, wydawało mu się (było na pewno, co tu gadać) zupełną bzdurą — zostawało „życie samo w sobie" — z nim trzeba zrobić rachunek. Duch Zosi stał mu się bliższym: przestał straszyć wyrzutem i męczyć bólem. Teraz mógł odejść spokojnie — nie widział przed sobą nic i nie bał się już śmierci, nawet bólu przestał się bać i mimo że rachunki z Helą nie zostały załatwione, nie czuł się już podłym. Sprawiała to bliskość śmierci, poza wszelkimi zresztą samobójczymi zamiarami – dziwny to był pogląd: tak jakby śmierć usprawiedliwiała wszystko i jakby na ten rachunek przed samym zabiciem się, na przykład, można było największe świństwo popełnić. Tak działa na pewne umysły brak wiary w życie przyszłe czy też brak istotnego uspołecznienia. Jest to pogląd na samego siebie, który by można nazwać pośmiertnym – bo zwykle zresztą tylko o umarłych mówi się co najmniej o 30% lepiej, co jest tak niesłusznym i niesprawiedliwym. To myślał nawet niejasno sam Atanazy, bo przecie zupełnym durniem nie był – a jednak stan bezpośredni trwał, urągając wszelkim myślom. Czyżby naprawdę wypaliło się w nim zło? Wszystko to były złudzenia ostatnie już, czyż to nieobojętne? Przechodzili przez tor kolejowy. W dali migały czerwone i zielone sygnały stacji i semafory wznosiły swe rozszczepione wierzchołki jak ręce wołające o pomstę do nieba. Z hukiem głuchym i nieregularnym stukotem kół na zwrotnicach przewalił się kurierski pociąg, pełen ludzi zbytecznych, nie wiadomo po co istniejących. Zapadł w szaro-fioletową dal, błyskając jednym czerwonym światłem na ostatnim wagonie. Przejazd tego pociągu zamknął myśli Atanazego. Teraz mógł wytrzymać miesiąc, dwa, ile chcą, mimo że nie miał nic do „zobaczenia, co będzie". Z Giną umówił się na dalsze spotkania w zależności od wyjazdów Tempego i pogody – o żadnym widzeniu się w mieszkaniu mowy być nie mogło.

Po dwóch tygodniach (dwa razy byli z Giną na spacerze, ale mieli wrażenie, że obserwuje ich ktoś podejrzany) Atanazy postanowił się jednak zaziębić. Biegał szybko wieczorem, pił zimne piwo, spocony wykąpał się w strumieniu i nareszcie dostał bronchitu. Trzy dni przeleżał w gorączce, po czym kaszlący strasznie udał się na komisję. Było ich trzy. W ostatniej znowu spotkał widmo przeszłości: doktora Chędziora, tego, który asystował przy pojedynku jego z księciem i leczył go po zranieniu. Dzielny lekkoatleta prowadził jakieś kursy sportowe dla przemęczonych mechanizacją pracowników Tempego. Jakże mu zazdrościł, że nie jest kimś podobnym choćby do niego. Cóż za cudowna rzecz mieć specjalność, życie odtąd dotąd, ani kroku na prawo czy na lewo. Ale trwało to krótko – było zresztą za późno. O studiowaniu nowych praw nie mogło być nawet mowy. Zbadany dokładnie – przydały mu się jakieś stare zrosty w szczytach – opatrzony kartkami, udał się do towarzysza Tempe, który przyjął go dość łaskawie. Gina zameldowała go „tyranowi" jak za pierwszym razem, ale nie zdołali zamienić ani słowa. Nie wiadomo czemu, dziś „tyran" nie imponował wcale Atanazemu – może tylko dlatego, że był w niezłym humorze (zaraz miał się petent dowiedzieć, dlaczego tak było). Widział w nim obecnie tylko narzędzie mas, straszliwe – to mu przyznawał – ale tylko narzędzie: Ramzes II splunąłby i nawet nie gadał z takim – więc on, konający odpadek, może choćby patrzeć na zimno na tego „władcę".

– Jak się masz, stary? Jesteś chory – mówił Tempe, rozpatrując kartki i słuchając szalonego kaszlu Atanazego. – Miałeś kiedyś początki gruźlicy. Hm, nie wiedziałem. (W swoim resorcie sam „władca" wydawał pozwolenia swoim urzędnikom). Jedź – podpisał jakiś papier i oddał go Atanazemu. „Ten ostatni" ośmielił się trochę.

– Wiesz, Sajciu, że ta praca, którą ci dałem... – zaczął.

– Czytałem. Bzdura. Za wiele jest w tym tego parszywego pseudoarystokratycznego światopoglądu, mimo że wnioski są słusznawe, nie słuszne. Jesteś w ogóle nieuk w tej sprawie – nie masz nic do gadania. My potrzebujemy ludzi zdecydowanych zupełnie na jedną stronę, a nie flejtuchów – w propagandzie, oczywiście. Do innych celów „wsiakuju swołocz" użyć można. Ja lubię nawet prawdziwą arystokrację – z tą cyniczną bandą można się dogadać. Ale cierpieć nie mogę puszących się półgłówkowatych snobów – coś takiego jest w tobie i w twoich poglądach.

– Mylisz się...

– Milczeć! Ja się nigdy nie mylę. Nie zapominaj się.

– A potem łagodniej: – Czy masz drugi egzemplarz?

– Nie.

– To dobrze: spaliłem to – rzekł Tempe obojętnie.

Atanazy drgnął, ale mimo nagłej rozpaczy pohamował się: poczuł się zupełnym śmieciem, ogarkiem, plwocinką na trotuarze. Cóż by zrobił w takiej chwili Ramzes II?

– Przyjechała aeroplanem z Colombo „bywszaja" księżna Priepudriech – mówił dalej Tempe, wymawiając nie wiadomo po co z rosyjska to nazwisko. – Może chcesz ją widzieć? – Puścił pytanie na próbę i nie czekając odpowiedzi, mówił dalej: – Azio nie. Przystępuje do nas, ale dla formy musiałem ją na razie aresztować, żeby czegoś niepotrzebnego nie gadali. (Sprawdziło się więc przeczucie Heli, że będą ją wlec jakieś draby z bagnetami – nie przewidziała tylko tego, że „dla formy" – życie robi niespodzianki nawet w obrębie słusznych jasnowidzeń). Wszystkie pieniądze Bertza przechodzą do skarbu państwa. Jak to się załatwi, wypuszczę. Jeszcze nie wyzbyliśmy się tego świństwa, ale się wyzbędziemy – mówię o pieniądzach. W ogóle państwo jako takie diabli wziąć muszą, inaczej z ludzkości nic. Dzicz – do lasu wrócić i koniec. Rozumiesz, zakuta półarystokratyczna głowo. A hrabią być chciałeś, tylko się nie dało. Ale za to byłeś księciem. Cha, cha, cha! Jędrek to prawdziwy hrabia – wiesz pewno?

Atanazy zaczerwienił się silnie, w pierwszej chwili nie tyle na wiadomość o przyjeździe Heli, ile z powodu wzmianki o pieniądzach – był więc teraz dłużnikiem niwelistycznego krajowego państwa. Troszeczkę później odjęło mu nogi na tę właśnie wiadomość – i od razu niezłomne postanowienie: nie zobaczyć jej.

– Tak, wiem. Zupełnie się z tobą zgadzam ideowo. Ale co do pani Prepudrech (nie śmiał przy Tempem powiedzieć „księżnej"), to nie mam zamiaru widzieć się z nią. Zbyt wiele wspomnień...

– No, no, tylko się nie zwierzaj, metafizyczny dżentelmenie. Tym lepiej, bo i ona też nie bardzo by sobie życzyła. (Mimo wszystko Atanazy odczuł tę wiadomość jako pchnięcie noża w wątrobę – ale było to pchnięcie powierzchowne). – A więc: bądź zdrów. – Wyciągnął czerwoną rękę.

Atanazy mimo wszystko postanowił zarezerwować się na wszelki wypadek co do przyszłości i spróbować dostać – w razie czego, w razie gdyby przypadkiem wrócił nastrój: „zobaczymy, co będzie" – jakieś inne miejsce. A może podświadomie wiadomość o przyjeździe Heli podziałała na niego w ten sposób?

– Posłuchaj mnie jeszcze, Sajciu! Ja bym z chęcią pracował z wami, ale muszę mieć inne zajęcie. To beznadziejne stukanie na maszynie i te warunki życia nie są dla mnie – mówił, widząc nieruchomą maskę Tempego. – Daj mi jakąś pracę bardziej twórczą, bliżej ideowego centrum, a może potrafię coś więcej z siebie wydusić niż tę bzdurę – może nawet lepiej, że to spaliłeś, jakkolwiek w pierwszej chwili... A przy tym wiesz: towarzystwo tam, w tym niższym biurze, te twarze, wiesz – ja nie mogę – no, nie mogę.

Tempe wstał i rzekł uroczyście, ale przez zaciśnięte zęby (właściwie „zemby" – przez „m"):

– My potrzebujemy ludzi nowych, którzy by sercem – rozumiesz: nie nędznym nihilistycznym intelektem, ale sercem wierzyli w przyszłą ludzkość. Ja jestem dyletant, ale uczę się, tworząc – tworząc, a nie gadając. Dla propagandy mam specjalistów. Takich panów jak ty zużywamy, jakkolwiek ze wstrętem, i dajemy im to, na co zasłużyli. A teraz: do widzenia! Jedź na urlop, popraw się, a potem do pracy, póki nie zdechniesz. Jesteś nawóz – rozumiesz? A jeśli raz jeszcze będziesz mi śmiał wspomnieć o jakichś twarzach, to wiesz, co cię czeka? Nie wiesz? To ci nie powiem. A to sobie zapamiętaj, że każdy z właścicieli tych „twarzy" mógłby używać twojej pięknej buzi dekadenta jako ścierki do butów, i to byłby zaszczyt dla ciebie. Ja tak, jak w tej parodii Mirbeau w *À la manière de*... – zużywam wszystko, nawet plwociny – rozumiesz? Ale jeśli mi się ktoś będzie śmiał nie poddać!!!... Proszę. – Wskazał mu ręką drzwi, nie podając mu już „takowej".

– Ależ, Sajciu...

– Milczeć i won stąd! – krzyknął Tempe i nie czekając, wstał (on siedział cały czas, nie prosząc Atanazego, żeby usiadł!), obrócił dawnego przyjaciela i wyrzucił go po prostu do poczekalni.

Przerażony Atanazy nie protestował. Przeleciał obok równie przerażonej Giny i wypadł na korytarz. „Zupełnie było jak z tym tygrysem w dżungli: mogę zginąć, ale nie tu, nie rozstrzelanym przez tego bałwana Tempe, nie wiadomo za co i po co". Kaszląc straszliwie, biegł prawie do biura urlopów – do pociągu zostawało tylko dwie godziny. Dziwnym było w tym wszystkim zupełne wymarcie metafizycznych uczuć – już widocznie ogarniała go atmosfera przyszłej ludzkości. Pojęcie honoru nie miało tu żadnego sensu w tej właśnie sytuacji: tak jakby chciał obrażać się na mającego go pożreć tygrysa i zamiast bronić się lub uciekać, wyzywać go na pojedynek przez świadków. „A jednak dał mi szkołę – myślał z podziwem. – Nie szkołę, a łupnia po prostu. To marka dopiero. Nie marka,

426

ale klasa. Ta szlachta duńska to jednak ma siłę". Zapomniał zupełnie o Ramzesie II.

W nocy już dojechał Atanazy do ostatniej stacji podgórskiej okolicy, dawnego Zarytego, nazwanego obecnie przez wystraszonych autochtonów Tempopolem. Cieszył się, że w stolicy nie widział się z nikim z dawnych znajomych prócz Giny i Tempego, a na myśl o zobaczeniu się z Helą doznawał dreszczów zgrozy. Nie, na Boga – dosyć miał ludzi i życia. Zajechał do sanatorium dla urzędników klasy trzeciej i na wpół zjedzony przez pluskwy zasnął snem bydlęcym dopiero nad ranem.

Śnił mu się dziwny ogród tortur psychicznych: jakieś karłowate drzewka na równinie za miastem. „Mistrzynią" była Hela, ubrana czerwono, jako mała dziewczynka. A tortury polegały na tym, aby przyznawać się przed nią do rzeczy najwstydliwszych. Atanazy miał faktycznie pewną rzecz na sumieniu, którą popełnił w piętnastym roku życia i o której nikomu by nigdy, a szczególnie Heli właśnie nie powiedział. Wiedział to tylko wspólnik jego w tej aferze, kolega Wałpor, związany najstraszliwszą przysięgą – ale Wałpor umarł zaraz po maturze, nie zdradziwszy nikomu sekretu. Teraz miał Atanazy powiedzieć to Heli, którą pożądał w śnie tym do szaleństwa. Wybawił go duch Zosi, wysoki na jakie pięć metrów. Hela, jakby wessana przez zbliżające się widmo, zniknęła, ale gdy Zosia podeszła bliżej, Atanazy ujrzał, że cała twarz jej jest bladożółta, zamazana i spłynięta – jakby była zrobiona z parafiny i trzymana przez pewien czas koło ognia – mimo to można było poznać, że to była ona. Wewnątrz niej, we wzdętym, przezroczystym jak pęcherz brzuchu, fikał nogami trupek czteromiesięcznego Melchiora, koloru świeżej wątroby czy kurzego pępka, taki sam, jak wtedy podczas sekcji, tylko żywy. Atanazy pomyślał: „Teraz przychodzi kara za grzechy". Z tyłu chwycił go ksiądz Wyprztyk (skąd wiedział o tym, że to on, nie widząc go – nie wiedział) i powoli zaczął przewracać go na wznak ku ziemi. Szeptał przy tym strasznym głosem: „A widzisz, że Bóg jest, a nie mówiłem – teraz za późno". Atanazy wiedział, że to było prawdą i konał wprost ze strachu i rozpaczy. Widmo zbliżało się i Atanazy, nie mogąc znieść nieludzkiego przerażenia, zamieniać się począł, zaczynając od nóg, w jakąś masę, podobną do marmelady. Z rykiem: „Marmelada! Mar-me-la-daaaa!!!" – obudził się i zerwał się z łóżka. (Był jasny, słoneczny dzień). I nie wiadomo czemu, rzucił się do walizy i sprawdził, czy ma szklaną rurkę Łohoyskiego. Wtedy dopiero ocknął się zupełnie i przypomniał sobie wszystko – więc jest naprawdę w Zarytem, jest urzędnikiem trzeciej klasy w niwelistycznym państwie... Koszmar przeszedł.

Kiedy wyszedł, by odbyć przepisowe cztery godziny werandowania, przekonał się dopiero, gdzie jest. Jadąc z dworca, spał prawie, zmęczony do ostatnich granic pracą, przeżyciami i jazdą w trzeciej klasie. Sanatorium stało na stoku lesistej góry, ograniczającej Zaryte od północy – Blachówka, czy coś podobnego – buda sklecona naprędce z desek. Miał do wyboru: albo wille Bertz i Hlusiów, albo cmentarz. Wybrał cmentarz i dziwnie spokojny, z rurką w kieszeni, poszedł lasami i wąwozami w kierunku widniejącej na przeciwległym brzegu rzeki grupy żółto-czerwonych drzew. Był cudny dzień jesienny, jeden z tych, jakie tylko w tych górach i na Litwie bywają. W ocienionym miejscu poza murem cmentarnym, na tak zwanej „samobójni" stał szary kamień z napisem: „Zofia z Osłabędzkich Bazakbalowa, zmarła tragiczną śmiercią w wieku lat dwudziestu trzech, tu spoczywa. Pomódlcie się, wierni, za jej duszę". Bez żadnego wrażenia patrzył Atanazy na to okropne miejsce. Spokój, graniczący z zupełną apatią, spłynął na jego umęczoną duszę. Zamiast oczekiwanego ducha Zosi spotkał tylko szary kamień, ale kamień ten powiedział mu to, czego może duch nie ośmieliłby się powiedzieć: pora już. Ale znowu nie tu: jak ze słoniem, tygrysem i Sajetanem Tempe. Tam w górach, w Dolinie Złomisk – nie w tym kraju, ale tam, tuż za luptowską granicą choćby, gdzie kiedyś we wczesnej młodości przeżył najszczytniejsze myśli związane z odrodzeniem narodu i tym podobnych rzeczy, te myśli i uczucia, które zabiła w nim wojna. Tylko jak się tam dostać? Miał na cmentarzu siedzieć kilka godzin co najmniej, tymczasem wstał zaraz i poszedł na zachód.

Minął willę Bertz, gdzie mieścił się teraz urząd leśny, i udał się prosto do Hlusiów. Okazało się, że stary Hluś już nie żył, a ułomny Jaś Baraniec, dawne medium Jędrka, ożenił się „dla gazdostwa" z „głupią" Jagniesią. Przywitał ich serdecznie, oni też jego. (Była godzina szósta i góry paliły się karminowym blaskiem czystego zachodu na krystalicznym, seledynowym niebie). Po pół godzinie nudnego jak flaki z olejem „uchwalowania", podczas którego Atanazy unikał tematów społecznych, poszli wszyscy troje do karczmy – swoboda była tu większa niż w stolicy – nie trzeba było kartek na alkohol. Z żalem dowiedział się Atanazy, że Łohoyskiego, w ataku periodycznej furii, wywieziono z Zarytego do zakładu. O kokainie nie było mowy – mimo obłędu Jędrek starannie ukrywał teraz swój nałóg.

Atanazy miał pensję wypłaconą za miesiąc z góry. Wymodlił to u urzędnika, dawnego znajomego z czasów adwokatury – to wystarczy. Upili się porządnie, po czym (kiedy wyszli na naturalną potrzebę) Atanazy dał Jaśkowi trochę kokainy, sam nie zażywając nic. Było to świństwo, ale trudno. Baraniec, kłusownik i w ogóle drań pierwszej klasy, zgodził się przeprowadzić Atanazego przez gęste placówki pogranicznej straży, która miała rozkaz rozstrzeliwania bez sądu każdego, kto by ośmielił się przekroczyć granicę z tej lub z tamtej strony. Umówili się na jutro na dziesiątą w nocy.

Zupełnie pijany Atanazy (nie pił już z miesiąc nic) wracał w czystą noc gwiaździstą do sanatorium. Znane od dzieciństwa jesienne gwiazdozbiory wczesnego wieczoru witały go jak dalekie widma przeszłości: Wega, tak bliska mu od najdawniejszych czasów, i Altair z dwoma gwiazdkami po bokach, i Wielki Wóz z Alkorem i Mizarem pędzący w lewo gdzieś nad północnym horyzontem. Na prawo od niego wschodził czerwony Aldebaran w otoczeniu wiernych Hyad, a za linią zębatych, mrocznych szczytów zapadał przeklęty Fomalhaut – jego zła gwiazda (nie pamiętał, kiedy wyrobił się w nim ten przesąd, ale zawsze nazywał ją „tajemnym ogniskiem jesiennych przerażeń"). I nagle zatęsknił strasznie za „tamtym" południowym niebem. Ujrzał w wyobraźni wielkiego prawie jak Syriusz Canopusa i osławiony „Southern Cross", i najbliższą nam Alfę Centaura, a nade wszystko też z dzieciństwa znane i „pożądane" Chmurki Magellana i Worki Węgla – puste miejsca wśród Mlecznej Drogi – specjały tamtych stron. Czy to nie był sen tylko, że widział kiedyś te wspaniałości. Dziękował w duszy komuś (może Bogu?), a przede wszystkim Heli, że poznał to wszystko przed śmiercią. Ale Indii bez niej nie mógł sobie wyobrazić – była to urojona kraina, która znikła wraz z ich stamtąd wyjazdem. To, że ona, ta sataniczna, żydowsko-indyjska „bogini miłości" była tam, o pareset zaledwie kilometrów od niego w „zniwelowanej" przez Tempego stolicy (i to w więzieniu) było faktem nie do pojęcia. Jakże zmieniła mu się w myślach od czasu pierwszych flirtów w Pałacu Bertz. A Tempe? A on sam? Czyż wszyscy byli ci sami? Zaczynał wątpić w identyczność jaźni, idąc tak pijanym pod wyiskrzonym niebem północy. „Lepiej dla mnie, że nie wierzę, że ona tam jest" – szepnął do siebie. Wszystkie drogi zostały przecięte – została tylko śmierć.

Znowu wrócił myślami do Indii: marzenie dzieciństwa spełniło się – poznał je. Ale w jakim straszliwym stanie ducha, w jakiej potwornej deformacji! Żaden cień myśli o powrocie do Heli nie musnął nawet jego świadomości. Zasnął snem lekkim bez snów, marząc przed samym zaśnięciem o jutrze – pod wpływem wódki nie czuł nawet gryzących go pluskiew. Nawet niebo północne straciło dla niego cały urok. „Tam" było „jego" niebo, to wyśnione na jawie, którego nigdy, już nigdy nie zobaczy. Słowo nigdy z dźwiękiem ponurym i rozkosznym zarazem spadło jakby na dno jego duszy. Przyjął je w siebie z takim zrozumieniem, jak nigdy dotąd. Był zadowolony, że śmierci patrzył w oczy bez zmrużenia. Ale gdzie podział się duch Zosi. „Czyż nie będę z nią nawet przed śmiercią?" – pomyślał ostatnim odruchem świadomości.

Nazajutrz zbudził się lekki i wesoły – uśmiechała mu się śmierć w kokainowym zachwycie nad światem. I znowu po odbyciu obowiązkowych godzin werandy udał się do Hlusiów. Jaś czekał na niego, pijany już od rana, i zaraz wyciągnął rękę po zabójczy proszek. O dziesiątej wybrali się przez Bystry Przechód na luptowską stronę, jak dawniej.

Informacja

Atanazy kupił tylko dwie litrowe flaszki wódki, trochę konserw i małą buteleczkę „maggi". Prócz tego miał kociołek na herbatę, samą herbatę i cukier.

Kiedy pełzając prawie na brzuchach przedzierali się przez las u stóp przełęczy, gdzieś koło drugiej po północy rozpoczęła się strzelanina na całej linii. Jedna z kul bzyknęła tuż nad głową Atanazego i ze stukiem (jakby olbrzymi dzięcioł puknął w drzewo) utkwiła w pniu tuż obok. Strzelali na ślepo. I tu miał szczęście Tazio, jak ze słoniem, tygrysem i Sajetanem Tempe. Za godzinę byli już pod przełęczą. Tu Jaś rozwinął kokainową elokwencję i ledwo lazł, zmęczony szalonym biciem serca. Zdębieliby najstarsi „opowiadace", żeby słyszeli, co wyplatał ten zdegenerowany ich potomek...

– Ino, wicie, coby was hań ci nie chycili – mówił z powagą znawcy, kiedy wyszli na przełęcz i spojrzeli w uśpione w synym mroku luptowskie doliny.

Zaczynał się już świt. Przed Jasiem było jeszcze ze dwanaście godzin czekania, bo za dnia nie śmiałby się przeprawiać przez kordon w lesie. Pożegnali się po południowej stronie grani. Jaś nie pytał o nic – był to w swoim rodzaju dżentelmen.

– No, do widzenia do soboty. A wracajcie zdrowo, to mi dacie jesce tego narkutyku. Straśnie fajna rzec. E, dajcie i teraz na drogę – rzekł żałośnie.

Atanazy dał mu ze dwa gramy. „Czterdzieści powinno wystarczyć" – uśmiechnął się lubieżnie. Począł ostrożnie, bez hałasu schodzić po trawach ku dziewiczym lasem porosłej Dolinie Cichej.

Jaś został pod skałą i patrzył. Dziwne rzeczy działy się z nim pod wpływem białego proszku. Jagna, Łohoyski, rewolucja, powstanie chochołowskie, przetrącona padającym drzewem noga i całe w ogóle życie skiełbasiło mu się w głowie w dziwaczny chaos. I był w tym żal okrutny za czymś, czego nigdy nie będzie, czymś absolutnie niedościgłym, a co jednak, nie wiadomo jak, stawało się, teraz oto tu, na Bystrym Przechodzie, w jego głowie i „we świecie całym". Teraz zdawało mu się, zrozumiał swoją „głupią"

Jagnę i wszystko. Teraz będzie z nią mógł mówić. Przypomniała mu się ich pierwsza miłość na Iwaniackiej Hali, przed którą piętrzył się dziwaczny Jamburowy Bobrowiec – nikt nie wiedział, co to był „jambur". Ale teraz słowo to stało się Jasiowi symbolem całej dziwności tego, co przeżywał – zrozumiał nieistniejące znaczenie tego „pojęcia", które go od dzieciństwa fascynowało. I nagle zaśpiewał dziko, improwizując nowe słowa do znanej melodii góralskiej, na której temat wariacje Prepudrecha grano parę dni temu w stolicy na wieczorku ku czci niwelistycznych deputatów z Podhala:

> Jamburowy statek, jamburowe syćko,
> Ino nie z jamburu mojej Jagny cycko!
> Jamburowe dziwki, kiebyście wy były,
> Tobyście z jamburu chuicki lubiły!... Eoop!!

Czuł się pierwszy raz czymś wyższym od swojej „głupiej" Jagny, która mu imponowała dziwnym obłędem, mimo że się do tego przed sobą nie przyznawał.

Atanazy obejrzał się. Na tle różowiejącego nieba widział jeszcze sylwetę Jasia, wyrzucającego ręce w dzikim podnieceniu. „Jeszcze mi tu luptowskie straże na kark sprowadzi" – pomyślał. Kiwnął ręką na Jasia, który wyrzucił kapelusz do góry. Ta pieśń to były ostatnie dźwięki, które go doszły z tamtej strony – słów już nie dosłyszał. Odetchnął, kiedy dosięgnął lasu w Wierchcichej. Teraz mógł się już nie obawiać niczego, bo straże o tej porze i tak rzadko zaglądały w głąb gór. Wschodzące słońce zalewało łagodnym, pomarańczowym światłem przeciwległe trawiaste szczyty: nikły szum wysuszonych upałem potoków dochodził jakby z innego świata. Szedł prawie bezmyślnie wesoły i na południe był już w dolnej części Doliny Złomisk. Kaszel przeszedł mu całkiem i czuł się świetnie. Ale tylko bliskość śmierci dawała mu tę siłę. Na myśl o powrocie do życia tam, w dolinach, chwytała go zgroza i nuda bez granic. Widział Helę, nienasyconą sadystkę, torturującą w jakiejś krajowej „czerezwyczajce" (w kokainowym podnieceniu może?) nie dość pracowitych i uległych przedstawicieli dawnego porządku. Widział ją jako kochankę Tempego albo jakiegoś straszliwego, niewyobrażalnego Żyda, przed którym z góry uczuwał lęk zabobonny. Mało się mylił w swoich przypuszczeniach, bo już za miesiąc coś podobnego zaczęło się odbywać i potęgowało się stale. Ale co to Atanazego obchodzić mogło – szedł ku ostatecznemu wyzwoleniu – jeśli się żyć pięknie nie może, należy przynajmniej pięknie skończyć (kto to powiedział?), szedł na śmierć wesoły, jak na redutę. Nareszcie nie czuł żadnej dysproporcji między tym, którym być miał – pogodnym, jasnym, bez rozpaczy, bez żalu, bez wyrzutów – a sobą, bo nikogo za sobą nie zostawiał. Może biedna Gina popłacze trochę, może Hela pożałuje na chwilę indyjskich przeżyć, między jedną torturą a drugą – w ostatnim swoim kulcie jedynego realnego bożyszcza – społeczeństwa – cierpieć naprawdę nie będzie nikt. Łohoyski – ten może (Atanazy pomyślał o nim z wdzięcznością), ale na szczęście dla niego nie był on już sobą, żył w urojonym świecie – włóczęga mistyczny à la manière russe – może teraz odezwała się w nim naprawdę krew matki, księżniczki Ugmałow-Czemeryńskiej z domu. Ciekawy był tylko Atanazy, co dalej pocznie Prepudrech (pod wpływem rozważania jego powodzenia Azio stał się dla niego jakimś tajemniczym mitem), i to najważniejsze: czy się pogodzą z Helą czy nie? Ale o tym, jak i o wielu innych rzeczach, nie miał się Atanazy dowiedzieć nigdy. Żałował czasem spalonego przez Tempego „dziełka", ale nie bardzo.

Postanowił użyć ostatniej chwili życia normalnie i śmierć odłożył do jutra. Poszedł najpierw w górę doliny do stawów. Tam wpatrzony w granatową, a szmaragdową przy brzegach głąb wód, na których powierzchni powiew wiatru rysował matowe, szaro-błękitno-fioletowe i złociste smugi, przeleżał kilka godzin. Cisza była zupełna. Nawet bełkot siklawy tuż za progiem skalnym zdawał się tylko zwiększać tę ciszę, a nie przerywać. Kiedy wiśniowo-fioletowy cień krzesanic Jaworowego Szczytu przesunął się z zielonych wód stawu na brzeg, rozwianym konturem pełznąc między pożółkłe trawy i porosłe cytrynowo-żółtym porostem wanty, Atanazy zabrał się znów w dolinę. Odwieczny las olbrzymich świerków szumiał cicho, a z ciemnozielonych gałęzi zwisały długie brody mchów – gdzieniegdzie czerwieniała jarzębina. W górze ceglasto-krwawym blaskiem paliły się ściany szczytów od zachodzącego gdzieś w dolinach słońca. W górach zawsze miał Atanazy wrażenie, że słońce nie zachodzi tu, tylko gdzieś nieskończenie dalej – tak samo wschodzi gdzieś, a potem od razu rzuca się z nieba w doliny – prosta i nader banalna koncepcja. Z żalem patrzył na szczyty, po których chodził we wczesnej młodości. „Teraz bym tam nie wylazł, jestem zupełny flak" – pomyślał z pewną litością nad samym sobą.

Ale nagle dziwna pustka ogarnęła Atanazego: w tej chwili nie chciał ani życia, ani śmierci – chciał po prostu trwać – jedynie trwać, a nie żyć. Gdyby tak można, patrząc na ten świat, rozwiać się w nicość, nie wiedząc o tym wcale, nie czując samego procesu rozwiewania się! Ależ tak – jutro prawie tak będzie na pewno – szkoda tylko, że „prawie"! Na pewno. Wszystko było niepewne, tylko to jedno było nienaruszalne. Chyba że go wezmą luptowscy strażnicy albo zje niedźwiedź. „Byłem niczym – przechodzącym cieniem i nie żałuję niczego. Widziałem świat i dosyć.

Nie mogę się okłamywać, że to wszystko jest takie ważne. Odejść w porę, nawet będąc niczym, wielką jest sztuką, jeśli się nie ma manii samobójczej lub raka w wątrobie, albo jeśli się nie cierpi duchowo aż do niemożności wytrzymania, jak wtedy po śmierci Zosi. Ciekawy jestem, czy w innych warunkach mogłoby «wyjść ze mnie» co innego? Ale tego nie dowiem się – psiakrew!". Tymi myślami pocieszył się znacznie.

Wśród wykrotów i głazów rozpalił niewielką „watrę" i przesiedział przy niej do rana, drzemiąc czasem i myśląc niewyrażalnie. Potok bulgotał w wyżłobionych cysternach – można było w hałasie tym dosłuchać się wszystkiego: klątw, wołań o pomoc, jęków, wymyślań i miłosnych szeptów. Coś chodziło po lesie, trzeszcząc grubymi kłodami, ale przy ogniu nie bał się Atanazy nieoczekiwanego rozwiązania swego równania. O świcie szedł już w stronę bocznej doliny, Siarkańskiej. Tam pamiętał jedno miejsce, gdzie kończył się las, zalegający dno Doliny Złomisk, i roztaczał się przepyszny widok na amfiteatr szczytów – Szatan, Baszta, Hruby, a z drugiej strony ponure ściany Jaworowego strzegły ciszy tej doliny, w której panował niesamowity nastrój, gdzie coś zdawało się wołać, ostrzegać i błagać żałośnie, cicho, gdzie nawet w dzień oblatywał człowieka jakiś blady straszek przed niewiadomym z innego wymiaru. Miała tu leżeć nie-słychana ilość pomordowanych górali i Luptaków walczą-cych od wieków o panowanie nad tą częścią gór.

Dzień udał się Atanazemu przepiękny. Rosa pokrywała trawy i czerwone kępy borówek, mokre listki, żółte roki-ty i purpurowe jarzębiny świeciły pod słońce jak blaszki z polerowanego metalu. Cisza była nieprzebrana, nie mącił jej nawet szum wód, skrytych za grzędą, co lśniąc od pożół-kłych traw, spadała od Jaworowego w dolinę. Czasem tylko bulknął, niewidzialny między okrągłymi bułami omszałego granitu, drobny strumyczek. Tam, na skraju gąszczu krzewów i kosodrzewiu, mając za sobą ścianę dziewiczego lasu, wśród want, zwalonych gdzieś w prawiekach z krzesanic Jaworowego, ułożył się Atanazy na wieczny odpoczynek. Był sam – duch Zosi odszedł od niego – może już na zawsze. A więc najprzód wypił kolosalną ilość czystej wódy, popijając czystym „maggim" na zakąskę. Potem zjadł sardynek i pasztetu – wszystko z tym głębokim przeświadczeniem, że czyni to ostatni raz w życiu. Następnie, czując się już zupełnie pijanym, pociągnął sporą dawkę kokainy – tak z pięć decygramów. „Oczywiście strzał w skroń byłby efektowniejszy, ale nie mam się przed kim popisywać, a przez to odmówiłbym sobie tej wizji rzeczywistości na końcu".

Świat zakręcił się cicho na jakichś olbrzymich dźwigniach i uleciał lekko w tamten wymiar: zmieniał się szybko w „tamtą", niewyrażalną, ucieleśnioną samą czystą piękność. „Tak, to można użyć raz na próbę, a potem na końcu. Cóż za potworne świństwo byłoby babrać się w tym co dzień tak jak Jędrek...". I teraz w tej samej proporcji co wtedy, kiedy to portki pepita Łohoyskiego były naprawdę jedną z najpiękniejszych rzeczy na świecie, ten już prawie i tak nie do zniesienia piękny świat stał się jeszcze cudowniejszy, inny, jedyny... Nie było pięknawej powłoki pokrywającej konieczny, codzienny dzień: rzeczywistość stała się bezwstydnie naga, oddawała się z zapamiętaniem jak oszalała od żądzy ...Kto? Hela. Nigdy tak niewiarygodnie piękna nie była, jak w tej chwili w jego myślach: widział jej umęczoną metafizycznym nienasyceniem duszę razem z jej ciałem jako zupełną, doskonałą jedność – ach, gdyby tak mogło być za życia! Może właśnie morduje kogoś (zapomniał, że siedzi w więzieniu) albo śpi na słynnym żelaznym łóżku Tempego (o którym opowiadała mu Gina) – Sajetana l'incorruptible, jak sam Robespierre – w jego władczych niecierpliwych objęciach. Ach, biedna Gina – śliczne biedactwo, takie dobre... Aż wreszcie przypłynął z otchłani niebytu duch Zosi i złączył się w jedno z pięknością gór – był w nich, nie przerywając metafizycznej samotności, w którą pogrążał się Atanazy. Pożegnał już ludzi – przesunęli mu się w myślach prawie wszyscy znajomi jako doskonałe idee, trwające gdzieś w odmiennym i niezmiennym bycie. Ale byli daleko, nie plątali się jak w życiu w wirze marnych, codziennych spraw. Chwila nieziemskiego zachwytu, rozsadzającego piersi nieobjętą wielkością, zdawała się trwać wieczność. „Nareszcie nie trwam w trwaniu" – rzekł głośno Atanazy nie swoim głosem, jakby nie on, i zdanie to, jak nonsens senny, zdawało się mieć jakiś sens niezmiernie głęboki – i łupnął znowu dużą dawkę koko. Jakże wyrazić to, co widział, kiedy już w stanie zwykłym piękność świata jest czasem bólem nieznośnym – ten ból, spotęgowany w nieskończoność i nagle zmieniony w rozkosz tę drugą już, o tym samym co ten ból napięciu, zimną, czystą, przejrzystą... A do tego to poczucie, że to ostatni raz, że już nigdy... Piętrzyły się przed nim znane, kochane szczyty w glorii nieziemskiej, wyniesione już nad tę dolinę, ale w inny wymiar, w idealny byt, graniczący w swej doskonałości z niebytem – bo cóż doskonalszego jest od Nicości?

I kiedy „trwał tak bez trwania", doszedł go nagle jakiś trzask i szum: ze splątanych skoruszyn i rokit wysunęła się ciemnobrązowa włochata masa i szła przez mały trawniczek między głazami, z którego sterczały zeschłe baldaszki i więdnące jesienne gencjany – wprost ku niemu. Za nią dwa mniejsze takie same stwory: niedźwiedzica z małymi, czyli pewna śmierć – atakuje zawsze pierwsza. Ale Atanazy stracił już pod wpływem koko świadomość niebezpieczeństwa. Szła z wiatrem (lekki chłodny powiew wiał od cieniów w dolinie ku słonecznym krzesanicom Jaworowego) – nie czuła nic – nie widziała zza kamieni. Nagle wysunęła się i ujrzała go. Stanęła. Widział oczy jej pełne strachu i zdziwienia. Małe stanęły też – mrucząc. „Masz babo placek – rzekł Atanazy bez cienia strachu. – Popsuje mi ostatnią chwilę". Ale i nowy widok ten, i to powiedzenie włączone było w tamtą chwilę: nie rozrywały jej ram tamtego wymiaru, nie naruszały jej uroku. Krótki ryk i niedźwiedzica, stając na tylne łapy, porwała przednimi duży jak dwie głowy kamień i puściła go w Atanazego, a potem zaczęła iść na dwóch łapach ku niemu. Kamień przeleciał mu koło głowy i roztrzaskał się o głaz, o który się opierał. Niedoszły samobójca zerwał się i rozejrzał się dokoła. Instynkt samoobrony działał mechanicznie jak instynkt rozrodczy u sphexa nakłuwającego liszkę. „Oto Bergson – czyż można to właśnie «zamienić na poznanie» – blaga" – pomyślał równie automatycznie w jakimś ułamku sekundy. Broni nie miał. Chwycił całą garść białego proszku, którego kupkę miał na papierze obok siebie i cisnął w pysk niedźwiedzicy rozwierający się tuż nad nim i odskoczył w tył na głaz. Przypomniał mu się Łohoyski, który kokainował swego kota, i roześmiał się nagle szeroko – to była wyższa marka.

Niedźwiedzica zasypana proszkiem o nieznanym jej, wstrętnym zapachu, z ubielonym czarnym pyskiem, opadła na przednie łapy i zaczęła prychać i furczeć, wycierając nos to jedną łapą, to drugą i wciągając przy tym szalone jak na nią dawki zabójczego jadu. Widocznie działanie było piorunujące, bo wpadła wprost w szał, zapominając o Atanazym. Tarzała się z rykiem, z początku z odcieniem wstrętu – potem ryk zamienił się w charczenie rozkoszy. Małe patrzyły ze zdziwieniem na dzikie zachowanie się matki. Leżała przez chwilę bez ruchu, patrząc z zachwytem w niebo, po czym rzuciła się na swe dzieci i zaczęła je pieścić, i bawić się z nimi w szalony, niezwykły widać sposób.

439

Atanazy, zamiast uciekać, zgarnął tylko swoje rzeczy (resztę proszku, jakie dziesięć gramów, zawinął starannie w papierek) i patrzył na to z początku ubawiony. „Zakokainować niedźwiedzicę to jest bezwzględnie najwyższa marka. Oto ten mój czyn przedśmiertny. Jeszcze jedna próba przed śmiercią". Spojrzał w górę. (Tam, wśród traw, następował względny spokój – niedźwiedzica lizała i pieściła swoje dzieci, charcząc z niepojętych, spotęgowanych uczuć). Wszystko było piękne jak pierwej, ale inaczej...

Nagle jakaś straszna błyskawica świadomości rozdarła mózg Atanazego: był to grom szaleństwa, ale w tym stanie wydało mu się to objawieniem: „Jak to? Ja miałbym tak samo, jak to nieszczęsne bydlę? Więc mój cały zachwyt i to, co myślę, jest tylko takim marnym świństwem? A skąd wiem, że te myśli moje są coś warte, kiedy nie mogę tego objąć?". Nie uświadomił sobie tego, że i to, co myślał w tej chwili, było objęte tą samą zasadą – narkotycznym stanem – kółko bez wyjścia – dusił się z oburzenia i wstydu. Zapakował szybko rzeczy i popędził w dół ku dnu Doliny Złomisk z powrotem. Nie myślał już o niedźwiedzicy. Wszystko skakało mu przed oczami. Zataczał się wśród wykrotów i głazów, pijany, zanarkotyzowany do ostatnich granic. Serce jeszcze wytrzymywało, ale lada chwila mogło stanąć. Nie myślał o śmierci – chciał żyć, ale nie wiedział jak. Sięgnął znowu do papierka. Szał jego wzmógł się. Nie zdawał sobie sprawy, że za chwilę może paść otruty, a o samobójstwie mowy nawet być nie mogło – rozsadzały go jakieś szalone, niewyrażalne myśli – Hela, Zosia (przecież żyje na pewno), Tempe, społeczeństwo, naród, niweliści i mistyczny Łohoyski, góry, słońce, barwy – wszystko stanowiło jakąś kaszę, miazgę miotających się obrazów bez żadnego już sensu, ale była w tym piekielna siła i żądza życia i trwania wieczność całą. Nad tym chaosem zaczęła górować powoli jedna myśl stała: nowe transcendentalne prawo rozwoju zbiorowisk myślących istot – ale jakie? – jeszcze nie wiedział.

Chwilami stawał i patrzył to na ziemię, to na las, cichy i spokojny, zdumiony jakby trochę tą chaotyczną furią biednego człowieczka. I w chwilach tych nagle chaos czerwonych borówek, gencjan i zeschłych traw przyjmował formy zupełnie dokładnego geometrycznego deseniu, jakiejś piekielnej łamigłówki. Aż wreszcie wyszedł z lasu na drugi stok Doliny Złomisk, ten, którym wczoraj schodził na dół. Serce waliło mu jak młot parowy, szybkie, niespokojne do obłędu... Ale w myślach nastąpił pewien porządek. Na zimno uświadomił sobie bez strachu niebezpieczeństwo śmierci. Policzył uderzenia – było 186. Siadł, aby odpocząć, i wypił kubek wódy, nie zakąsując niczym. Wariacka idea stawała się coraz jaśniejsza, tym niemniej była wariacka: „Odwrócić mechanizację ludzkości w ten sposób, aby zużywając już zdobytą organizację, właśnie zorganizować zbiorową świadomość przeciwko temu pozornie nieubłaganemu procesowi. Oczywiście jasne jest jak to słońce tu przede mną, że jeśli zamiast propagować materializm socjalistyczny, każdego, ale to absolutnie każdego, począwszy od kretyna, aż do geniusza, uświadomi się, że ten system pojęć i społecznego działania, którymi operujemy teraz, musi doprowadzić do zupełnego zbaranienia i automatyzmu, do bydlęcego szczęścia tylko i do utraty wszelkiej twórczości, religii, sztuki i filozofii (ta trójca była nie do przezwyciężenia), jeśli to dla każdego stanie się jasne, to przeciwdziałając temu zbiorową świadomością i czynem, będziemy mogli proces ten odwrócić. Inaczej na nas za lat pięćset będą patrzeć przyszli ludzie jak na wariatów, tak jak my trochę z pogardą patrzymy na wspaniałe zamierzchłe kultury, bo wydają nam się one naiwne w swoich poglądach. Zamiast ukrywać przed sobą, że wszystko będzie dobrze, i cieszyć się, że religijność niby się odradza, bo powstają jakieś mistyczne bzdury trzeciej klasy, które są tylko cofnięciem się z zajmowanego poziomu intelektu, zużyć ten intelekt na uświadomienie sobie potworności przyszłego zbydlęcenia. Zamiast tonąć w płytkim optymizmie tchórzów, spojrzeć straszliwej prawdzie w oczy, odważnie, nie chowając głów pod skrzydła omamień, dla przeżycia tych ostatnich nędznych dni. Odwagi i okrucieństwa wobec samych siebie trzeba, a nie narkotyków. Bo czymże różni się to całe gadanie tchórzów, chcących stworzyć kompromis między współczesnym myślątkiem, tajemnicą Bytu i pełnym brzuchem mas – czym różni się od kokainy? Bzdura – albo jedno, albo drugie. To ci właśnie, mali optymiści, są najgorsi – to oni zawalają tę jedyną drogę swymi przystosowaniami do miażdżącej ich machiny. Wytruć to sobacze plemię półreligijnych wygodnisiów duchowych. Właśnie na odwrót – o Boże! Jak przekonać wszystkich, że ja mam rację? Jak walczyć z tą marną płaską wiarą w odrodzenie. Tylko za cenę chwilowej – no, na dwieście lat, powiedzmy – rozpaczy i rozpaczliwej walki można zdobyć prawdziwy optymizm, nie narkotyczny, tylko tworzący nową nieznaną rzeczywistość, o jakiej nawet Chwistkowi się nie śniło...".

Atanazy myślał w kółko – miało to taki sam sens, jak „trwanie bez trwania", była w tym jakaś sprzeczność i niejasność, ale też coś zrozumiałego narzucało mu się z bezwzględną koniecznością. Dalej: „Jeśli się w ten sposób przekręci ideologię każdego, ale to absolutnie każdego człowieka, że przestanie wierzyć, że tą drogą osiągnie szczyt szczęścia, wytworzy to zupełnie nową zbiorową atmosferę. Tamto będzie to szczyt materialny za cenę automatyzmu – oni tego już wiedzieć nie będą, i będą faktycznie szczęśliwi – ale my, których głowy sterczą jeszcze ponad ten poziom, musimy wiedzieć za nich – w tym może być nasza wielkość! Trzeba udowodnić, że tą drogą osiągnie się tylko zamiast wymarzonej ludzkości bezmyślny mechanizm, że nie warto żyć, lepiej wcale niż tak – ha – czy to możliwe – cała historia jest za tym – ale trzeba by odmaterializować socjalizm – zadanie piekielnie trudne. Ale wtedy, w tak uświadomionej zbiorowości, może powstać atmosfera społeczna zupełnie nieznana, bo takiej kombinacji dotąd nie było: a więc kombinacja maksymalnej, nieprzekraczającej pewnych granic organizacji społecznej z ogólnym zindywidualizowaniem wszystkich. Czy to nie wymaga cofnięcia kultury – może początkowo, ale dalej możliwości są nieobliczalne – w każdym razie zamiast nudy pewności automatyzmu – coś nieznanego. Tylko przez intelekt możemy tego dokonać, a nie przez świadome cofanie się w bzdurę, zdegenerowaną, dawniej wielką, religię twórczą. Wtedy, tylko wtedy mogą buchnąć nowe źródła, a nie teraz, w tym stanie półmistycznego tchórzostwa. Może wtenczas powstaną nowe religie, o jakich teraz pojęcia mieć nie możemy. Coś niewyobrażalnego kryje się poza tym, możliwości nieogarnione – ale trzeba odwagi, odwagi! Odrodzenia fizyczne przeciwdziałają degeneracji tylko paliatywami – to musi ulec przeważającej sile degenerującej, choćby niezajmowanie się sportem było nawet karane śmiercią. Przyczepność społeczna, stwarzając degenerujące warunki, jest nieskończona – siła indywiduum jest ograniczona. Na cóż mamy ten intelekt, będący teraz tylko symptomem upadku? Czy na to tylko, aby programowo zgłupieć w pragmatyzmie, bergsonizmie, pluralizmie i programowo zbydlęcieć w idealnie urządzonym pod względem technicznym – społeczeństwie? Nie – zużyć go jako antydot na mechanizację. Zmienić kierunek kultury, nie zmieniając jej pędu. Zresztą teraz nikt tego nie zatrzyma w inny sposób – będzie rosnąć ten potwór, aż się sam pożre i wtedy

będzie szczęśliwy. A potem sam siebie strawi i potem...
I co zostanie? Jakaś kupka... Cóż, że automatyczni ludzie
przyszłości będą szczęśliwi i nie będą wiedzieć o swoim
upadku. My wiemy teraz za nich i powinniśmy ich od tego
uchronić. W takiej atmosferze ogólnej mogą powstać nowe
typy ludzi, problemów, twórczości, o których my teraz pojęcia nie mamy i mieć nie możemy".

„Dziełko" o konieczności metafizycznej, transcendentalnej w znaczeniu Corneliusa (sam sobie to głośno powtórzył i otaczającym go zdumionym świerkom) mechanizacji wydało mu się teraz mądrym, ale w jednym kierunku,
nie kompletnym. „Tamto było ujęciem faktów znanych
i koniecznych przy dawnych założeniach, tu była idea
zupełnie nowa i także miała element transcendentalności:
możliwość absolutnej konieczności – czy absolutnej? Nie,
chyba nie – bo moja idea jest piekielnym przypadkiem, nie
wynika w sposób konieczny ze stanu społecznego – jakkolwiek powinna by powstać zawsze w czasach dekadencji, ale
mniejsza o to – jest, w tym jest cała rzecz".

Wypił znowu wódki i znowu zażył szczyptę kokainy
i teraz dopiero uświadomił sobie, że musi wrócić z tą swoją
ideą w doliny, uświadomić Tempego i zużyć go dla stworzenia takiej organizacji uświadomienia, zużywając przy
tym już istniejącą organizację jego państwa. Śmierć wydała
mu się w tej chwili głupstwem. Problemy Heli, Zosi i całej tej
niskiej marmelady przeżyć zmalały, spopieliły się w sztucznym ogniu jego obłędu. A zawdzięczał to wszystko niedźwiedzicy – no i kochanemu, nienawistnemu koko. „Cha, cha
– jakie to zabawne" – śmiał się szaleńczym śmiechem, idąc
wolno słonecznym stokiem ku przełęczy Bydlisko – tędy
było bliżej przecie niż przez Bystry Przechód. Zdawało
mu się, że to nie wczoraj był tam, ale kilka lat temu – tyle
przeżył od rozstania się z Jasiem. Jakże wspaniała jednak

była kompozycja tych ostatnich dni! Odezwał się w nim znowu dawny „twórca życia" ze stołecznych saloników trzeciej klasy. Szedł wolno, bo musiał przecie oszczędzać swoje, potrzebne całej ludzkości, serce – gdyby teraz pękło, nikt nie poznałby jego idei, a nie wiadomo, czy w innym umyśle ona w ogóle powstanie. Teraz nie obawiał się ani luptowskich, ani krajowych straży – podobnie jak wtedy w pojedynku pod osłoną miłości do Zosi. Szedł sam do nich wszystkich z „wielką" ideą, którą nareszcie usprawiedliwił swoje nędzne życie. Gdy wylazł na pierwszą przełęcz, roztoczył się przed nim widok wspaniały. Atanazy utonął w bezbrzeżnym zachwycie. Roztopione w popołudniowym oparze góry, upojone własną pięknością, zdawały się być snem o sobie samych. A jednocześnie obiektywna jakby piękność ich niezależna była od tego, że on właśnie na nie patrzył. Były same sobą w sobie. W ich piękności połączył się teraz naprawdę z duchem Zosi, a nawet – o nędzo urojeń! – poczuł nad nim pewną przewagę. Duch nie gnębił go – przeciwnie, on mówił z nim (trochę z łaski) jak równy z równym. Odnalazł miejsce, gdzie Hela zimy ubiegłej skręciła sobie nogę. Stał tam przez chwilę, patrząc na te same kamienie. Tak – one były te same, wiecznie młode, ale on był już zupełnie kimś innym. Zdawało mu się, że całe te przeszłe Indie są wielkim balonem, uwiązanym tu, do tej nogi, której wcale nie było.

Słońce zachodziło, gdy Atanazy, nie spotkawszy nikogo, spuszczał się w dolinę. Po drodze zażył jeszcze porządne daweczki koko – dla podtrzymania systemu nerwowego – jak to sobie mówił – idąc na dół, mógł sobie na to pozwolić. Jego końskie serce, które tylko kula chyba zniszczyć mogła, wytrzymało i to jeszcze. Czuł się w zgodzie z całym światem i nadziemska rozkosz rozpierała całe jego jestestwo. Był przytomny dla siebie tą charakterystyczną przytomnością silnego zatrucia piekielnym jadem; dla drugich – gdyby byli i mogli widzieć jego myśli – byłby skończonym wariatem. Bezmiar świata wchłaniał go, purpurowe blaski na skałach zdawały się emanować z jego własnych wnętrzności – czuł je w sobie, był wszystkim, roztapiał się aktualnie w aktualnej nieskończoności z taką swobodą, jak to Georg Cantor czynił był na papierze przy pomocy skromnych, niewinnych znaczków. Niebo zdawało się być jakimś Sardanapalowym baldachimem (z jakiegoś obrazu) jego chwały – potwornym metafizycznym luksusem, tylko dla niego stworzonym – przez kogo? Idea osobowego Boga zamajaczyła jak wtedy w nieskończonej, a bezprzestrzennej otchłani (kiedy to było, o Boże!). „Jeśli jesteś i widzisz mnie, przebacz. Już nigdy, nigdy, nigdy" – szeptał w najwyższej ekstazie, w euforii graniczącej z niebytem, raczej z bytem wywróconym dnem do góry – to było niebo – niebo było tym naprawdę.

Uśmiechał się do świata, jak małe dziecko do cudownych, nie do uwierzenia ślicznych zabawek – był w niebie w tej chwili – ze wszystkim łączyła mu się wizja wspaniałej, niewyobrażalnej ludzkości stworzonej z jego idei. Był dumny, ale szlachetną dumą mędrca i korzył się jednocześnie przed wielką bezimienną siłą, która go tak obdarowała – może to był właśnie Bóg. Jakim będzie jego życie, nie wiedział i nie chciał wiedzieć. (Jedna była dziwna rzecz: przez te dwa dni ani razu nie pomyślał o zmarłej matce – tak jakby jej nigdy na świecie nie było). Wszystko samo się ułoży według wcielenia tej idei, którą tylko co odkrył. Technicznym urzeczywistnieniem i głębszym, niedyletanckim opracowaniem zajmą się inni. To go nie obchodziło. Tylko puścić całą maszynę w ruch – to było najważniejsze.

Było już ciemnawo, kiedy dochodził do tej małej górskiej restauracyjki, która stanowiła tej zimy punkt wyjścia wszystkich wycieczek – tam Helę znieśli z tą niby wywichniętą nogą. Gwiazdy płonęły tajemniczo – iskrzyły się jak widome symbole wiecznej tajemnicy na tle czarnej nicości nieba. Nie czuł dziś Atanazy żadnego rozdźwięku między niebem Północy i Południa – cały wszechświat należał do niego, oddawał mu się, przenikał go, stapiał się z nim w Absolutną Jedność. Błysnęły światła w dole. Nagle uświadomił sobie Atanazy, że musi przejść przez linię pogranicznej straży i trochę oprzytomniał – jak mu się zdawało – naprawdę był zakokainowany ze szczętem. Dokument miał (legitymacja urzędnika trzeciej klasy), był przyjacielem wszechwładnego Tempe – ale czy był? – uwiódł mu przecież Ginę – no jakoś się to załatwi. Idąc, popatrzył jeszcze na gwiazdy, chcąc wrócić do poprzednich myśli. „Kochana Wega – pędzi ku nam 75 kilometrów na sekundę, może kiedyś wleci w nasz system i zacznie z naszym słońcem krążyć koło wspólnego środka ciężkości. Cóż to za cudowna rzecz będzie widzieć dwa słońca...". Jakaś ciemna postać wyrosła przed nim w mroku, jakby wylazła spod ziemi.

– Stój! Kto idzie?! Hasło! – rzekł zachrypły głos i Atanazy miał dokładną wizję twarzy, z której ust głos ten wychodził.

W ogóle cała sytuacja przedstawiła się z piekielną, nadnaturalną jasnością. Nie bał się niczego; miał względnie czyste sumienie i papier.

– Hasła nie znam. Swój. Zbłąkany w górach. Swój, swój – powtórzył jeszcze, słysząc znany mu z wojny chrzęst.

– A jakeś tam wlazł? – rzekła znowu postać i Atanazy usłyszał repetowany karabin. „Nie był w pogotowiu, jucha, mogłem jeszcze przeskoczyć" – pomyślał.

– Proszę mnie zaprowadzić do komendanta – rzekł twardo.

– Co ty mi tu rozkazywać będziesz, kulę ci w brzuch wpakuję i tyle. Rozkaz jest strzelać w każdego – rzekła już trochę mniej pewnie ciemna masa.

– Prowadź, towarzyszu; nie wiesz, z kim mówisz: jestem przyjacielem towarzysza-komisarza Tempe.

– Pewnie, że nie wiem. Przechodź.

Atanazy przeszedł pod lufą, a tamten, z karabinem w pogotowiu, szedł za nim, dotykając mu prawie bagnetem zdrętwiałych trochę łopatek. Z daleka szumiały wody potoków i chłodny powiew szedł od gór. „Jak dawniej" – pomyślał Atanazy. W słowie tym było tyle niewyrażalnego uroku, że nic absolutnie wyrazić tego nie byłoby w stanie.

– Towarzyszu naczelniku! Jeniec! – krzyknął strażnik przed drzwiami domku, w którym płonęło światło.

Wylazł ktoś, a za nim jeszcze trzech drabów z bagnetami na lufach karabinów.

– Co tam? – spytał trochę z rosyjska ów „ktoś". – Jak ty śmieł z miesta zejść, ty gawnó sabáczeje? Ty znasz, co za to? A? Czemu nie strzelał zrazu?

„Skąd ten krajoworosyjski język tutaj?" – pomyślał Atanazy i w tej chwili przypomniał sobie, że mnóstwo zrusyfikowanych autochtonów, a nawet rdzennych Rosjan przyszło do jego kraju pomagać tutejszej rewolucji.

– On od luptowskiej strony. Mówi, że jest przyjacielem towarzysza-komisarza Tempe. Zabłąkał się – mówił z wyraźnym strachem strażnik.

Atanazy odczuł nieprzyjemne napięcie przestrzeni dookoła.

– Mało kto i co może mówić. Ja mam rozkaz. Obu rozstrzelać natychmiast – rzekł z akcentem na ostatnią sylabę ostatniego słowa, zwracając się do tamtych.

Z budki wyszło jeszcze kilku.

– Ja... – zaczął strażnik.

– Małczat'! Albo ja ciebie, albo oni mnie i tak wyżej – przerwał mu naczelnik.

Atanazy milczał dotąd, będąc przekonanym, że rzecz się wyjaśni. Pewnym był życia ze swoją ideą w głowie, kokainą we krwi i dokumentem w kieszeni. Teraz miał poczucie tego, jak demoniczna siła Sajetana Tempe rozprzestrzenia swoje pole magnetyczne aż do najdalszych granic jego państwa, organizując odległe punkty w nowe ogniska potencjałów. Tamci się nie ruszali.

– Ja, naprawdę, towarzyszu... – zaczął znowu strażnik głosem przepojonym bezbrzeżną obawą, prawie pewnością śmierci.

– Jestem urzędnikiem trzeciej klasy – przerwał mu Atanazy. Tu podał papiery osobnikowi mówiącemu z rosyjska.

Tamci rozbroili tymczasem strażnika, który jęczał cicho. Na jego miejsce poszedł ktoś inny. Ten, ten bez karabina, przeczytał (świecono elektryczną latarką) – raczej przejrzał papier.

– A ty na luptowsku stronu zaczem chodził? I jak tam przeszedł? A?

– Zabłąkałem się – rzekł trochę drżącym głosem Atanazy.

Nie bał się nic, ale przykro mu było, że go złapano na czymś nielegalnym i że musiał kłamać. Dlaczego musiał? To go właśnie zgubiło – a może właśnie uratowało – kto wie cokolwiek do ostatniej sekundy. Może lepiej byłoby, gdyby powiedział, że szedł właśnie prosto tu – a może gorzej. Chociaż teraz widać było jasno, że terror był tu wprost wściekły.

– Szpionić chodzisz od kontrrewolucjonnych Luptaków? Co? Szpiegowat'? – (Akcent na ostatniej zgłosce). Stawić jego pod stjankę razem z Maciejem! Zrozumieli? Moja w tym głowa i wasza.

Widoczne było, że był to pierwszy tego rodzaju wypadek na tej placówce.

– Towarzyszu, ja mam pewne ważne wiadomości dla komisarza spraw wewnętrznych. Jestem jego przyjacielem od dzieciństwa.

Teraz, słuchając swego własnego głosu, poczuł Atanazy, że jest źle, że wszystkie jego atuty są wygrane. Ale się nie bał – był poza tymi kategoriami – gdzie – sam nie wiedział. Patrzył na to z boku jakby nie on, ale ktoś obcy i obojętny i w tej obojętności straszny. Czuł swą własną skrępowaną siłę, jak wulkan, który nie może wybuchnąć. Dusił się, ale powiedział sobie, że to były jego ostatnie słowa do istot żyjących – dalej będzie tylko milczeć – nie drgnie nawet, choćby nie wiem co. Był już w innym świecie, tym, o którym marzył od dzieciństwa, tym poza życiem i teraz nawet poza kokainą. Ale zdawał sobie sprawę, że tylko przy pomocy tego przeklętego proszku zdołał się tam wywindować. „Tylko koniec życia może być pięknym za tę cenę" – pomyślał. I już z tamtego świata tu na ziemi posłyszał głos, będący już nie głosem zrusyfikowanego, niwelistycznego osobnika, tylko głosem samego przeznaczenia, który co innego znaczył, niż mówił.

– Małczat'! Pod stjankę! – mówił ten głos zza świata, ale na odwrót. – Pluton, formuj się!

Zachrzęściały materialne części poszczególnych bytów. Atanazy sięgnął po ostatnią dawkę. Miał całą pozostałość tego świństwa w kieszeni od kamizelki. Myślał, że gdyby tego nawet nie miał (tej ostatniej dawki), byłby taki sam. „Tak – to jest piękne – piękniejsze od tego widoku na amfiteatr szczytów w Dolinie Złomisk. Na pewno byłbym i tak ponad tym". Sam nie bardzo dobrze wiedział, o czym właściwie myślał. Prawda ostatniej chwili – któż ją oceni i zważy? Narkotyki czy nie narkotyki – to są rzeczy

ostateczne, niesprawdzalne. Absolut w pigułce – tak – ale
któż to zrozumie? Kto? Człowiek, przyparty do „metafizycznego muru", może najbardziej właśnie wtedy kłamie?
Niestety Atanazy nie miał przed kim udawać. Ginęli inni
inaczej, ale naprawdę nikt żyjący nie wie jak. Ja – to „ja",
a nie inne, tożsame ze sobą raz na całą wieczność, może
zginąć tylko tak, a nie inaczej. Duch Zosi objął Atanazego
gorącym ziemskim uściskiem. Nareszcie! Jeszcze chwila,
a mógłby się spóźnić. Nikogo nie było wokół niego prócz
niej. Postawili. Wyraźnie widział przed sobą tylko kłują-
cy oczy blask elektrycznej latarki i kupę ciemną drabów
z wymierzonymi karabiny (nie karabinami). Ponad nimi
majaczyła czarna masa gór, we wnętrzu której potok bełkotał coś niezrozumiałego – powiew zimny przyniósł ten głos.
Gwiazdy płonęły prawie spokojnie na czystym niebie. Było
to obojętne, jakby zakrzepłe. Na próżno usiłował Atanazy
wejść w porozumienie z gwiazdami. Nie dało się. Trzask
karabinów. „No – teraz. Jestem gotów". Obok stał tamten
obcy, przez którego ginął Atanazy. Czuć było, że drży.
– Cel! Pal!!! (Oby tylko nie tam, gdzie już Prepudrech...).
Grzmot i ból straszliwy w żołądku, ból, na który psychicznie
był znieczulony od dawna (od paru minut), pierwszy wielki
ból fizyczny w życiu – pierwszy i ostatni. „Na pewno wątro-
ba". A jednocześnie to poczucie rozkoszne, że serca nie
ma i nigdy już nie zabije – nigdy. Jedna z kul, najmędrsza,
trafiła prosto w serce. Z uczuciem nieziemskiej rozkoszy,
tonąc w czarnym niebycie, przepojonym esencją życia, tym
czymś, co nie jest tylko złudzeniem niedających się pogodzić sprzeczności, tylko tym samym właśnie, jedynym,
a jednak nigdy niziszczalnym, nawet w samą chwilę śmierci, tylko w nieskończonostkę czasu po niej... Co to znaczy?
Przecież już nie on (ale tym razem to naprawdę bez blagi)
posłyszał repetowanie, komendę i krzyk tamtego – Maciej

krzyczał, również widać boleśnie trafiony, wył coraz słabiej. Nie wiedział już Atanazy, że to było ostatnie jego wrażenie. Skonał w wyciu tamtego – słabło ono tylko w jego uszach... Maciej wył coraz gorzej – musieli łupnąć do niego jeszcze raz. Wracając do poprzedniego: Czyż wymoczek w szklance wody nie czuje tego samego? Czuje, tylko nie umie wyrazić. A my czy umiemy? Także nie. Atanazy żyć przestał nareszcie.

Informacja

Czasem pomyślała o nim Hela (Ginie zmarło się niedługo po tym), czasem Prepudrech, ale inaczej, o inaczej – w dźwiękach bezsensownych raczej niż w słowach. Był teraz w przyjaźni z Helą (która była kochanką Tempego i pracowała w komisji śledczej dla spraw szczególnej wagi), o rozwodzie nie było mowy. „Ten mnie dziwnie jakoś pokonał" – myślała czasem o księciu z podziwem. Po roku znudziła Hela Tempego swoim okrucieństwem i nimfomanią – Tempe był człowiekiem czystej idei i czystym człowiekiem. W tym czasie wysłano Prepudrecha jako ambasadora P.P.S.N. do rodzinnej Persji. Przed samym wyjazdem pogodzili się państwo Belial definitywnie i wyjechali razem. Podobno w Heli kochał się szach perski i była gwiazdą teherańskich balów. Potem zrobiła rewolucję pałacową i osadziła na tronie swego Azia. Ale rządziła właściwie ona sama, wszechwładnie i niepodzielnie. I krew Bertzów i Szopenfelderów (a nawet Rotszyldów) grała w niej już do końca życia. Metafizycznym transformacjom nie było końca. (Oczywiście dla Atanazego lepiej było, że go zabili tego wieczoru. Można sobie wyobrazić, jaki „katzenjammer" miałby nazajutrz, kiedy by się przekonał na trzeźwo, że jego idea jest zupełną bzdurą, a do tego okropne skutki nadużycia koko, „białej wróżki". Brrr!).

– No, i o jednego zbytecznego człowieka mniej na świecie, a nawet dwu... chociaż... – powiedział któryś (prawdopodobnie najinteligentniejszy) z grupy rozstrzeliwującej, wchodząc do budki.

Wkrótce chrapali wszyscy z wyjątkiem nowego dyżurnego, który na pewno gorliwiej pilnował państwa Tempego niż jego poprzednik – przykład to dobra rzecz od czasu do czasu. A w głębi mroczniały góry i ledwo mrugały spokojne gwiazdy; w ciszy słychać było czasem bełkot potoku, przynoszony przez chłodny powiew. Ale kto widział to i słyszał? Nikt nie mógł powiedzieć z żalem: „jak dawniej".

Informacja

Spełniło się też drugie proroctwo Heli Belial. Były antyniwelistyczne rozruchy w Górach Świętokrzyskich. Wypuszczono wariatów ze szpitala. Rozbiegli się na wsze strony, każdy według swego upodobania. Ziezio Smorski zaczął wymyślać jakiemuś patrolowi. Rozpruli mu brzuch po uprzednim przywiązaniu do kłody drzewa. Przynieśli nafty z pobliskiego sklepiku, naleli i zapalili. Tak – lepiej, że niektórzy zginęli, a szczególniej Atanazy. Żyć, będąc niezdolnym ani do życia, ani do śmierci; z świadomością małości i nędzy swoich idei; nie kochając nikogo i przez nikogo kochanym nie będąc; być samotnym zupełnie w nieskończonym, bezsensownym (sens jest tu rzeczą subiektywną) wszechświecie – jest rzeczą wprost okropną.

Wszyscy wiedzą, jakie były dalsze koleje kraju pod rządami Sajetana Tempe, który zawsze miał rację, więc o tym mówić nie potrzeba.

„Weźcie się do jakiejś pożytecznej pracy" – jak mówiła stara ciotka Atanazego (dosyć już tego imienia). Jako też wzięli się z dawnych odpadków ci, którzy przetrzymali wszystko – ale było ich stosunkowo niewielu. Powstawali nowi, inni ludzie... Ale j a c y, tego nikt sobie nawet w przybliżeniu wyobrazić nie mógł.

A jednak dobrze jest, wszystko jest dobrze. Co? – może nie? Dobrze jest, psiakrew, a kto powie, że nie, to go w mordę!

24 VIII 1926

NOTA WYDAWNICZA

Stanisław Ignacy Witkiewicz ukończył pisanie *Pożegnania jesieni* pod koniec sierpnia 1926 roku. W liście do Kazimiery Żuławskiej pisał: „Powieść moja jest okropna. Jeden wielki Seitenblick [spojrzenie z ukosa] na ludzkość całą, za plecyma Boga". W styczniu 1927 roku autor oddał do druku książkę, która ukazała się już pod koniec kwietnia nakładem Księgarni Polskiej „F. Hoesick" – był to jego faktyczny debiut powieściowy, ponieważ pierwsza powieść – *622 upadki Bunga, czyli Demoniczna kobieta* – napisana w latach 1910–1911 ukazała się dopiero w 1972 roku (jak pisał sam autor „z powodów niezależnych ode mnie nie może być wydana"). Kolejne krajowe wydanie *Pożegnania jesieni* ukazało się dopiero w 1981 roku nakładem Niezależnej Oficyny Wydawniczej (w tzw. drugim obiegu). Następne wydania ukazywały się w latach 1983, 1985, 1990, 1992 (Państwowy Instytut Wydawniczy), 1996 (Wydawnictwo Dolnośląskie), 1997 (Wydawnictwo Literackie), 1998 (Państwowy Instytut Wydawniczy), 2000 (Wydawnictwo Dolnośląskie), 2001 (Państwowy Instytut Wydawniczy), 2004 (Zielona Sowa), 2005 (Wydawnictwo Dolnośląskie). Niniejszą edycję oparto na wydaniu z roku 1998.

SPIS TREŚCI